KB039266

올쏘
고등 한국사
내신강자

올쏘 내신강자의 효과적인 학습법

1단계 핵심 개념 정리

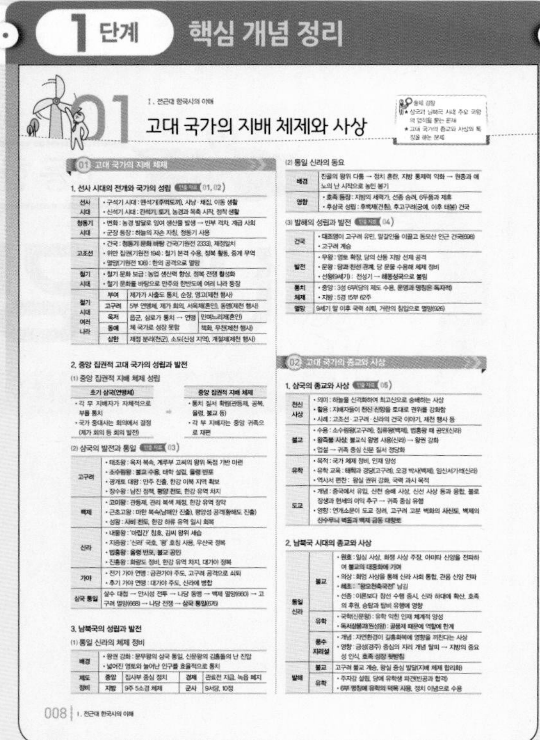

▲ 학교 시험에 자주 나오는 핵심 개념을 강별로 일목요연하게 정리하였습니다. 출제 빈도가 가장 높은 **빈출 자료**와 연계된 중요한 핵심 개념은 유심히 학습하되, 빈출 특강의 자료와 함께 보는 것을 잊지 마세요!

2단계 빈출 특강

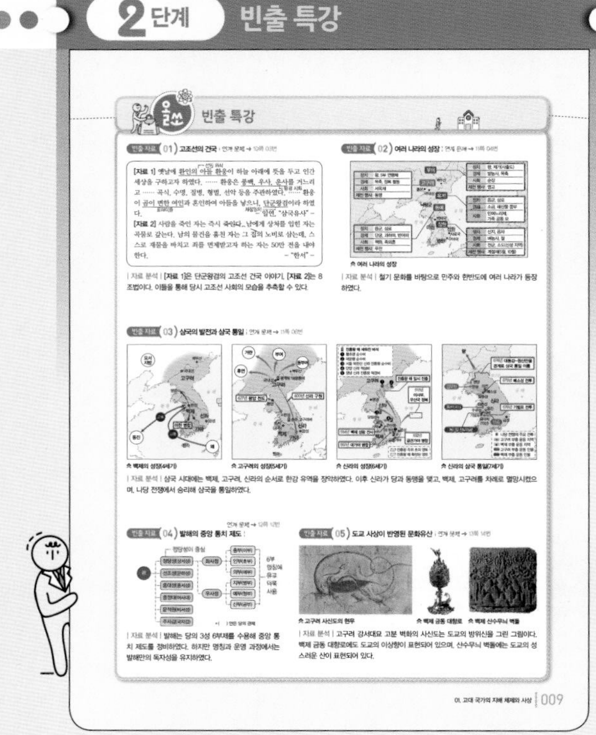

▲ 시험에 자주 출제되는 지도, 도표, 제시문 등의 **빈출 자료**를 꼼꼼하게 분석하여 정리하였습니다.

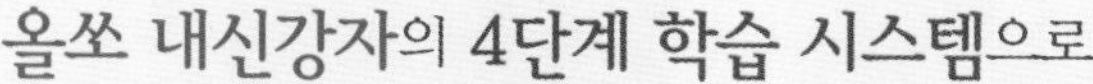

시험을 대비하면 내신 1등급을 달성할 수 있습니다!

3단계 시험에 꼭 나오는 문제

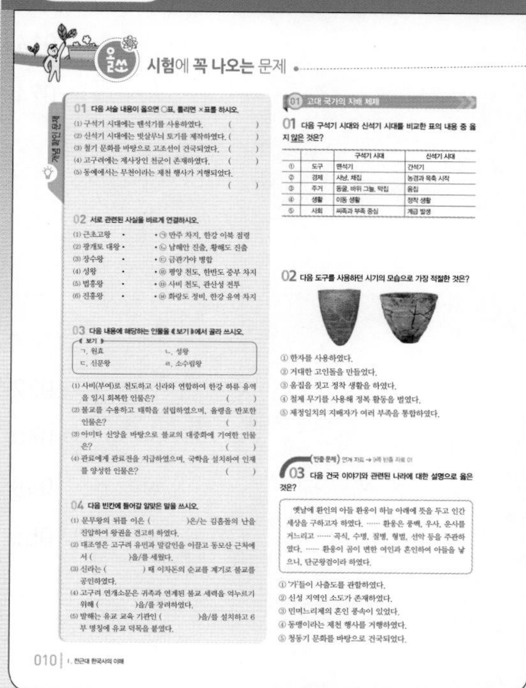

▲ 학교 시험의 출제 유형을 분석하여 시험에 꼭 나오는 빈출 문제로만 구성하였습니다. 빈출 자료를 활용한 **빈출 문제**는 꼭 풀어보고 실전 감각을 키우도록 하세요!

4단계 상위 4% 문제

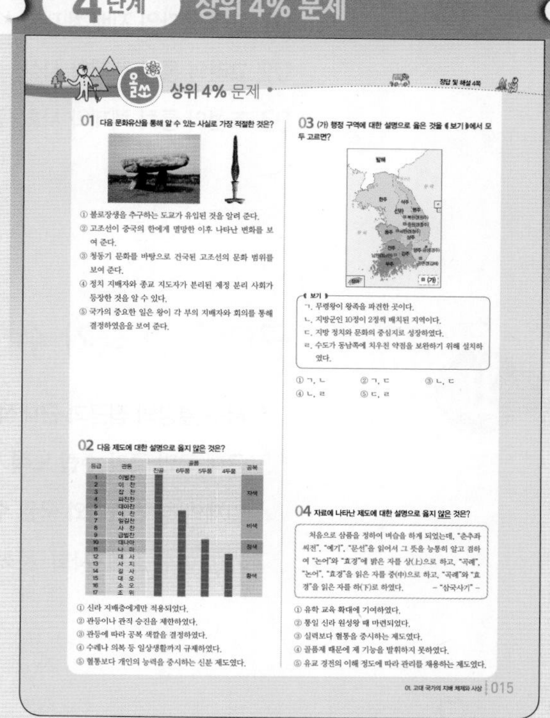

▲ 학교 시험에서 한두 문항씩 꼭 출제되는 고난도 문제를 풀지 못하면 내신 1등급을 받을 수 없습니다. 변별력 높은 **상위 4% 문제**를 통해 내신 1등급을 꼭 달성하세요!

단원 마무리 문제

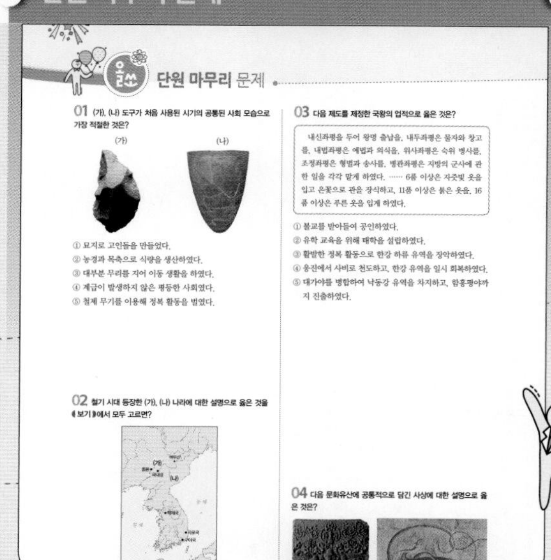

◀ 대단원별로 중간고사와 기말고사를 대비할 수 있는 실전 문제를 구성하였습니다. 시험 직전에 마지막으로 자신의 실력을 테스트해 보도록 하세요!

Contents | 차례

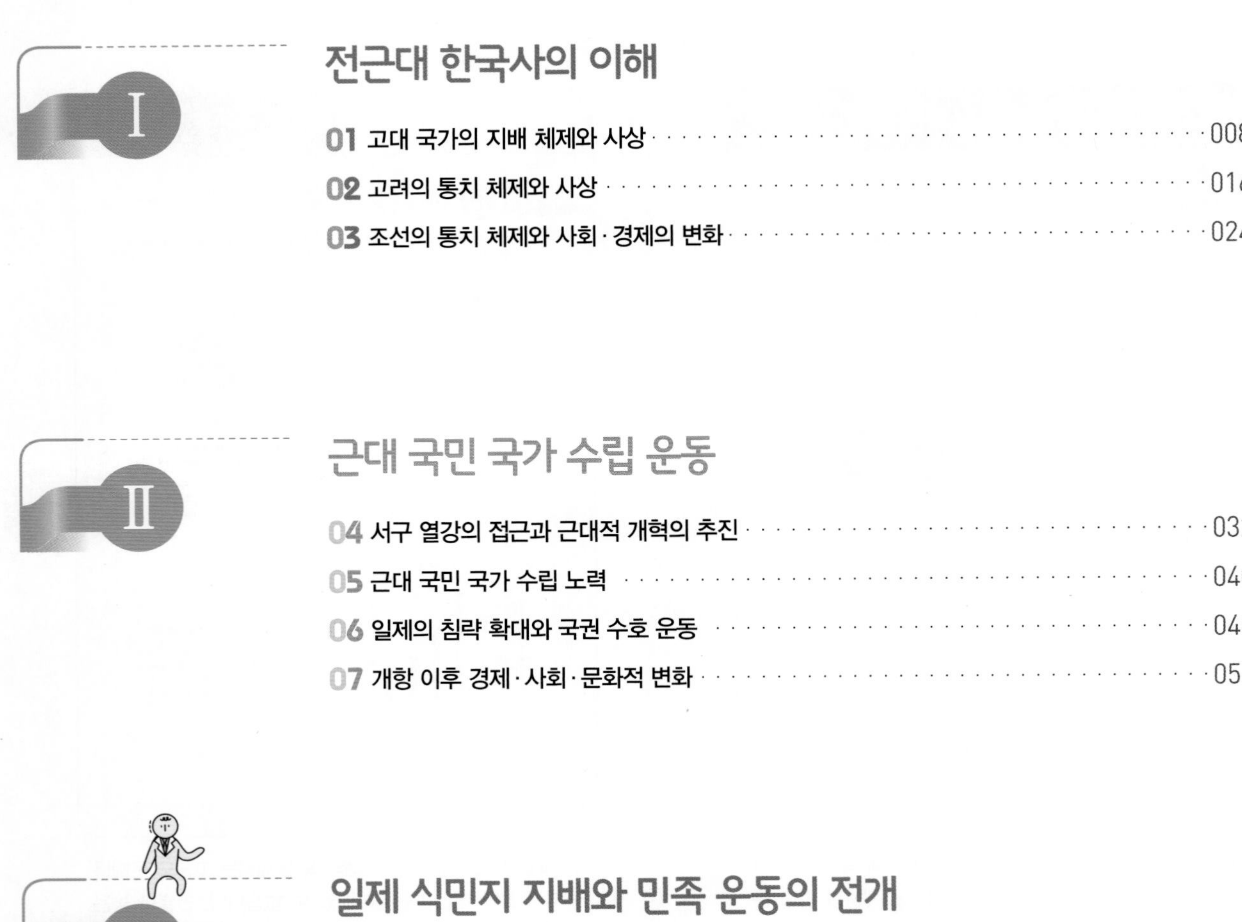

I 전근대 한국사의 이해

II 근대 국민 국가 수립 운동

III 일제 식민지 지배와 민족 운동의 전개

대한민국의 발전

올쏘 내신강자와 내 교과서 단원 찾기

강 명	올쏘 내신강자	동아출판	미래엔	비상교육	천재교육	지학사	금성출판사	씨마스	해냄에듀
I. 전근대 한국사의 이해									
01 고대 국가의 지배 체제와 사상	**008~015**	010~029	011~034	010~033	010~037	012~037	010~035	013~037	014~035
02 고려의 통치 체제와 사상	**016~023**	030~049	035~054	034~055	038~061	038~061	036~059	038~061	036~057
03 조선의 통치 체제와 사회·경제의 변화	**024~031**	050~073	055~079	056~083	062~087	062~087	060~085	062~087	058~081
II. 근대 국민 국가 수립 운동									
04 서구 열강의 접근과 근대적 개혁의 추진	**032~039**	078~097	085~106	088~107	094~115	092~113	090~111	094~115	088~111
05 근대 국민 국가 수립 노력	**040~047**	098~109	107~122	108~121	116~129	114~125	112~127	116~131	112~125
06 일제의 침략 확대와 국권 수호 운동	**048~055**	110~123	123~136	122~135	130~143	126~137	128~143	132~143	126~143
07 개항 이후 경제·사회·문화적 변화	**056~063**	124~139	137~149	136~155	144~161	138~155	144~161	144~159	144~151

강 명	올쏘 내신강자	동아출판	미래엔	비상교육	천재교육	지학사	금성 출판사	씨마스	해냄에듀
Ⅲ. 일제 식민지 지배와 민족 운동의 전개									
08 일제의 식민지 지배 정책과 전시 동원 체제	**064~071**	144~153, 188~199	155~164, 207~216	160~169, 208~215	168~177, 214~223	160~169, 202~213	166~173, 216~227	164~169, 184~187, 210~221	158~161, 182~185, 206~213
09 3·1 운동과 다양한 민족 운동	**072~079**	154~175	165~180, 182~186, 190~194, 218	170~191, 219	178~201	170~191	174~199	170~183, 188~199	162~181, 186~191, 198~201
10 사회·문화의 변화와 광복을 위한 노력	**080~087**	176~187, 200~209	195~206, 217~225, 181, 187~189	192~207, 216~227	202~213, 224~231	192~201, 214~225	186, 200~215, 228~235	200~209, 222~233	192~197, 202~205, 214~225
Ⅳ. 대한민국의 발전									
11 8·15 광복과 6·25 전쟁	**088~095**	214~242	231~253	232~253	238~255	230~249	240~261	238~262	232~257
12 4·19 혁명과 민주주의의 발전	**096~103**	246~269	255~268, 277~288	256~267, 280~287	258~269, 280~293	252~263, 274~283	262~275, 284~293	263~281, 294~311	258~303
13 경제 성장과 사회·경제적 변화	**104~111**	270~285	269~276, 289~296	268~279, 288~297	270~279, 294~301	264~273, 284~293	276~283, 294~301	282~293, 306~317	
14 남북 화해와 동아시아의 평화 노력	**112~119**	243, 286~303	254, 297~307	254, 298~309	256, 302~313	250, 294~305	260, 302~311	266~267, 316~323	260, 275, 304~313

01 고대 국가의 지배 체제와 사상

출제 경향
★ 삼국과 남북국 시대 주요 국왕의 업적을 묻는 문제
★ 고대 국가의 종교와 사상의 특징을 묻는 문제

01 고대 국가의 지배 체제

1. 선사 시대의 전개와 국가의 성립 빈출 자료 (01, 02)

구분		내용	
선사 시대		• 구석기 시대 : 뗀석기(주먹도끼), 사냥·채집, 이동 생활 • 신석기 시대 : 간석기, 토기, 농경과 목축 시작, 정착 생활	
청동기 시대		• 변화 : 농경 발달로 잉여 생산물 발생 → 빈부 격차, 계급 사회 • 군장 등장 : 하늘의 자손 자칭, 청동기 사용	
고조선		• 건국 : 청동기 문화 바탕 건국(기원전 2333), 제정일치 • 위만 집권(기원전 194) : 철기 본격 수용, 정복 활동, 중계 무역 • 멸망(기원전 108) : 한의 공격으로 멸망	
철기 시대		• 철기 문화 보급 : 농업 생산력 향상, 정복 전쟁 활성화 • 철기 문화를 바탕으로 만주와 한반도에 여러 나라 등장	
철기 시대 여러 나라	부여	제가가 사출도 통치, 순장, 영고(제천 행사)	
	고구려	5부 연맹체, 제가 회의, 서옥제(혼인), 동맹(제천 행사)	
	옥저	읍군, 삼로가 통치 → 연맹체 국가로 성장 못함	민며느리제(혼인)
	동예		책화, 무천(제천 행사)
	삼한	제정 분리(천군), 소도(신성 지역), 계절제(제천 행사)	

2. 중앙 집권적 고대 국가의 성립과 발전

(1) 중앙 집권적 지배 체제 성립

초기 삼국(연맹체)		중앙 집권적 지배 체제
• 각 부 지배자가 자체적으로 부를 통치 • 국가 중대사는 회의에서 결정(제가 회의 등 회의 발전)	➡	• 통치 질서 확립(관등제, 공복, 율령, 불교 등) • 각 부 지배자는 중앙 귀족으로 재편

(2) 삼국의 발전과 통일 빈출 자료 (03)

구분	내용
고구려	• 태조왕 : 옥저 복속, 계루부 고씨의 왕위 독점 기반 마련 • 소수림왕 : 불교 수용, 태학 설립, 율령 반포 • 광개토 대왕 : 만주 진출, 한강 이북 지역 확보 • 장수왕 : 남진 정책, 평양 천도, 한강 유역 차지
백제	• 고이왕 : 관등제, 관리 복색 제정, 한강 유역 장악 • 근초고왕 : 마한 복속(남해안 진출), 평양성 공격(황해도 진출) • 성왕 : 사비 천도, 한강 하류 유역 일시 회복
신라	• 내물왕 : '마립간' 칭호, 김씨 왕위 세습 • 지증왕 : '신라' 국호, '왕' 호칭 사용, 우산국 정복 • 법흥왕 : 율령 반포, 불교 공인 • 진흥왕 : 화랑도 정비, 한강 유역 차지, 대가야 정복
가야	• 전기 가야 연맹 : 금관가야 주도, 고구려 공격으로 쇠퇴 • 후기 가야 연맹 : 대가야 주도, 신라에 병합
삼국 통일	살수 대첩 → 안시성 전투 → 나당 동맹 → 백제 멸망(660) → 고구려 멸망(668) → 나당 전쟁 → 삼국 통일(676)

3. 남북국의 성립과 발전

(1) 통일 신라의 체제 정비

배경	• 왕권 강화 : 문무왕의 삼국 통일, 신문왕의 김흠돌의 난 진압 • 넓어진 영토와 늘어난 인구를 효율적으로 통치			
제도 정비	중앙	집사부 중심 정치	경제	관료전 지급, 녹읍 폐지
	지방	9주 5소경 체제	군사	9서당, 10정

(2) 통일 신라의 동요

구분	내용
배경	진골의 왕위 다툼 → 정치 혼란, 지방 통제력 약화 → 원종과 애노의 난 시작으로 농민 봉기
영향	• 호족 등장 : 지방의 세력가, 선종 승려, 6두품과 제휴 • 후삼국 성립 : 후백제(견훤), 후고구려(궁예, 이후 태봉) 건국

(3) 발해의 성립과 발전 빈출 자료 (04)

구분	내용
건국	• 대조영이 고구려 유민, 말갈인을 이끌고 동모산 인근 건국(698) • 고구려 계승
발전	• 무왕 : 영토 확장, 당의 산둥 지방 선제 공격 • 문왕 : 당과 친선 관계, 당 문물 수용해 체제 정비 • 선왕(9세기) : 전성기 → 해동성국으로 불림
통치 체제	• 중앙 : 3성 6부(당의 제도 수용, 운영과 명칭은 독자적) • 지방 : 5경 15부 62주
멸망	9세기 말 이후 국력 쇠퇴, 거란의 침입으로 멸망(926)

02 고대 국가의 종교와 사상

1. 삼국의 종교와 사상 빈출 자료 (05)

구분	내용
천신 사상	• 의미 : 하늘을 신격화하여 최고신으로 숭배하는 사상 • 활용 : 지배자들이 천신 신앙을 토대로 권위를 강화함 • 사례 : 고조선·고구려·신라의 건국 이야기, 제천 행사 등
불교	• 수용 : 소수림왕(고구려), 침류왕(백제), 법흥왕 때 공인(신라) • 왕즉불 사상, 불교식 왕명 사용(신라) → 왕권 강화 • 업설 → 귀족 중심 신분 질서 정당화
유학	• 목적 : 국가 체제 정비, 인재 양성 • 유학 교육 : 태학과 경당(고구려), 오경박사(백제), 임신서기석(신라) • 역사서 편찬 : 왕실 권위 강화, 국력 과시 목적
도교	• 개념 : 중국에서 유입, 산천 숭배 사상, 신선 사상 등과 융합, 불로장생과 현세의 이익 추구 → 귀족 중심 유행 • 영향 : 연개소문이 도교 장려, 고구려 고분 벽화의 사신도, 백제의 산수무늬 벽돌과 백제 금동 대향로

2. 남북국 시대의 종교와 사상

구분		내용
통일 신라	불교	• 원효 : 일심 사상, 화쟁 사상 주장, 아미타 신앙을 전파하여 불교의 대중화에 기여 • 의상 : 화엄 사상을 통해 신라 사회 통합, 관음 신앙 전파 • 혜초 : "왕오천축국전" 남김 • 선종 : 이론보다 참선 수행 중시, 신라 하대에 확산, 호족의 후원, 승탑과 탑비 유행에 영향
	유학	• 국학(신문왕) : 유학 익힌 인재 체계적 양성 • 독서삼품과(원성왕) : 골품제 때문에 역할에 한계
	풍수 지리설	• 개념 : 자연환경이 길흉화복에 영향을 끼친다는 사상 • 영향 : 금성(경주) 중심의 지리 개념 탈피 → 지방의 중요성 인식, 호족 성장 뒷받침
발해	불교	고구려 불교 계승, 왕실 중심 발달(지배 체제 합리화)
	유학	• 주자감 설립, 당에 유학생 파견(빈공과 합격) • 6부 명칭에 유학의 덕목 사용, 정치 이념으로 수용

빈출 특강

빈출 자료 01) 고조선의 건국 | 연계 문제 → 10쪽 03번

[자료 1] 옛날에 환인의 아들 환웅(선민 의식)이 하늘 아래에 뜻을 두고 인간 세상을 구하고자 하였다. …… 환웅은 풍백, 우사, 운사를 거느리고 …… 곡식, 수명, 질병, 형벌, 선악 등을 주관하였다(농경 사회). …… 환웅이 곰이 변한 여인(토테미즘)과 혼인하여 아들을 낳으니, 단군왕검(제정일치)이라 하였다. – 일연, "삼국유사" –

[자료 2] 사람을 죽인 자는 즉시 죽인다. 남에게 상처를 입힌 자는 곡물로 갚는다. 남의 물건을 훔친 자는 그 집의 노비로 삼는데, 스스로 재물을 바치고 죄를 면제받고자 하는 자는 50만 전을 내야 한다. – "한서" –

| 자료 분석 | [자료 1]은 단군왕검의 고조선 건국 이야기, [자료 2]는 8조법이다. 이들을 통해 당시 고조선 사회의 모습을 추측할 수 있다.

빈출 자료 02) 여러 나라의 성장 | 연계 문제 → 11쪽 04번

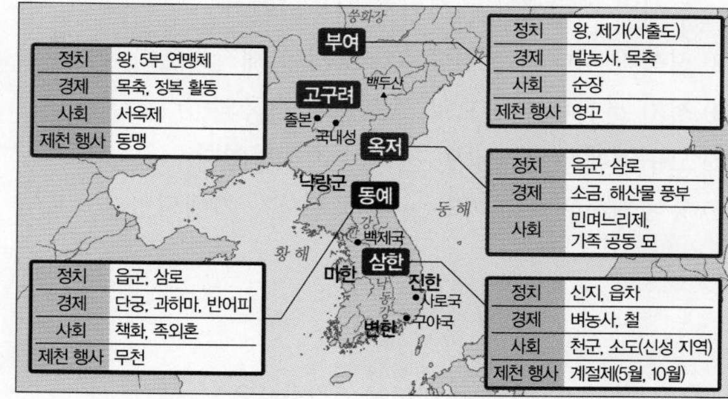

여러 나라의 성장

| 자료 분석 | 철기 문화를 바탕으로 만주와 한반도에 여러 나라가 등장하였다.

빈출 자료 03) 삼국의 발전과 삼국 통일 | 연계 문제 → 11쪽 06번

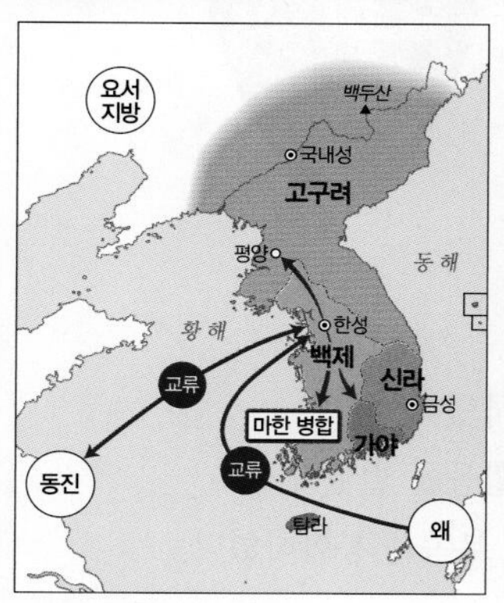

백제의 성장(4세기)

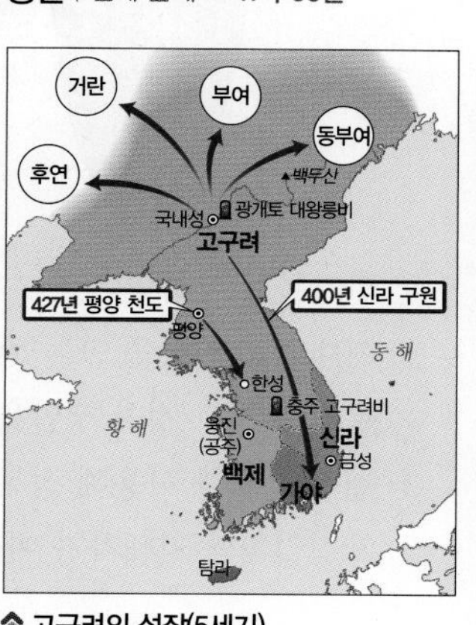

고구려의 성장(5세기)

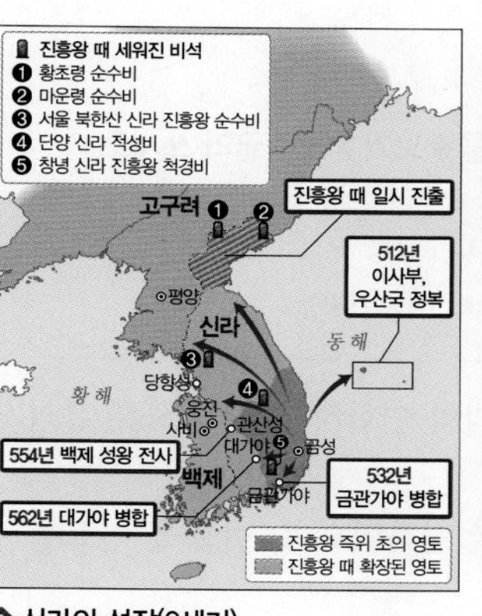

신라의 성장(6세기)

신라의 삼국 통일(7세기)

| 자료 분석 | 삼국 시대에는 백제, 고구려, 신라의 순서로 한강 유역을 장악하였다. 이후 신라가 당과 동맹을 맺고, 백제, 고구려를 차례로 멸망시켰으며, 나당 전쟁에서 승리해 삼국을 통일하였다.

빈출 자료 04) 발해의 중앙 통치 제도 | 연계 문제 → 12쪽 12번

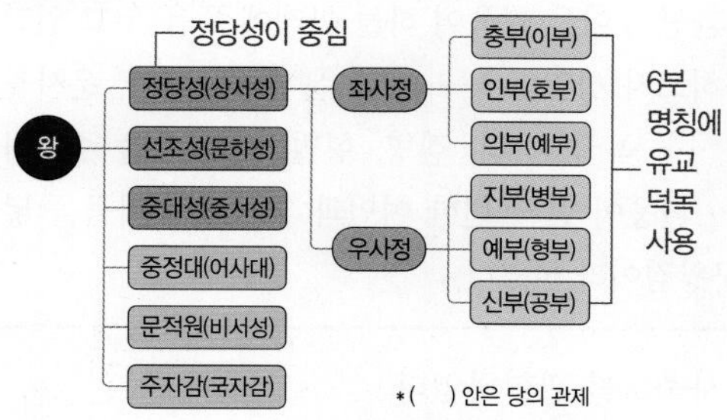

| 자료 분석 | 발해는 당의 3성 6부제를 수용해 중앙 통치 제도를 정비하였다. 하지만 명칭과 운영 과정에서는 발해만의 독자성을 유지하였다.

빈출 자료 05) 도교 사상이 반영된 문화유산 | 연계 문제 → 13쪽 14번

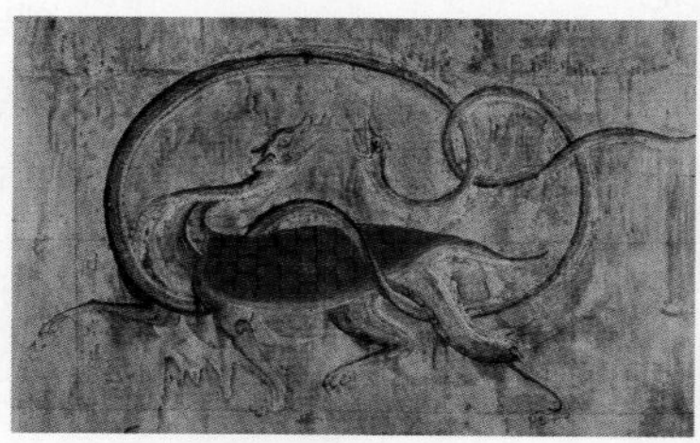
고구려 사신도의 현무

백제 금동 대향로

백제 산수무늬 벽돌

| 자료 분석 | 고구려 강서대묘 고분 벽화의 사신도는 도교의 방위신을 그린 그림이다. 백제 금동 대향로에도 도교의 이상향이 표현되어 있으며, 산수무늬 벽돌에는 도교의 성스러운 산이 표현되어 있다.

올쏘 시험에 꼭 나오는 문제

개념 확인 문제

01 다음 서술 내용이 옳으면 ○표, 틀리면 ×표를 하시오.

(1) 구석기 시대에는 뗀석기를 사용하였다. ( )
(2) 신석기 시대에는 빗살무늬 토기를 제작하였다. ( )
(3) 철기 문화를 바탕으로 고조선이 건국되었다. ( )
(4) 고구려에는 제사장인 천군이 존재하였다. ( )
(5) 동예에서는 무천이라는 제천 행사가 거행되었다. ( )

02 서로 관련된 사실을 바르게 연결하시오.

(1) 근초고왕 • • ㉠ 만주 차지, 한강 이북 점령
(2) 광개토 대왕 • • ㉡ 남해안 진출, 황해도 진출
(3) 장수왕 • • ㉢ 금관가야 병합
(4) 성왕 • • ㉣ 평양 천도, 한반도 중부 차지
(5) 법흥왕 • • ㉤ 사비 천도, 관산성 전투
(6) 진흥왕 • • ㉥ 화랑도 정비, 한강 유역 차지

03 다음 내용에 해당하는 인물을 《보기》에서 골라 쓰시오.

《보기》
ㄱ. 원효 ㄴ. 성왕
ㄷ. 신문왕 ㄹ. 소수림왕

(1) 사비(부여)로 천도하고 신라와 연합하여 한강 하류 유역을 일시 회복한 인물은? ( )
(2) 불교를 수용하고 태학을 설립하였으며, 율령을 반포한 인물은? ( )
(3) 아미타 신앙을 바탕으로 불교의 대중화에 기여한 인물은? ( )
(4) 관료에게 관료전을 지급하였으며, 국학을 설치하여 인재를 양성한 인물은? ( )

04 다음 빈칸에 들어갈 알맞은 말을 쓰시오.

(1) 문무왕의 뒤를 이은 ( )은/는 김흠돌의 난을 진압하여 왕권을 견고히 하였다.
(2) 대조영은 고구려 유민과 말갈인을 이끌고 동모산 근처에서 ( )을/를 세웠다.
(3) 신라는 ( ) 때 이차돈의 순교를 계기로 불교를 공인하였다.
(4) 고구려 연개소문은 귀족과 연계된 불교 세력을 억누르기 위해 ( )을/를 장려하였다.
(5) 발해는 유교 교육 기관인 ( )을/를 설치하고 6부 명칭에 유교 덕목을 붙였다.

01 고대 국가의 지배 체제

01 다음 구석기 시대와 신석기 시대를 비교한 표의 내용 중 옳지 않은 것은?

		구석기 시대	신석기 시대
①	도구	뗀석기	간석기
②	경제	사냥, 채집	농경과 목축 시작
③	주거	동굴, 바위 그늘, 막집	움집
④	생활	이동 생활	정착 생활
⑤	사회	씨족과 부족 중심	계급 발생

02 다음 도구를 사용하던 시기의 모습으로 가장 적절한 것은?

① 한자를 사용하였다.
② 거대한 고인돌을 만들었다.
③ 움집을 짓고 정착 생활을 하였다.
④ 철제 무기를 사용해 정복 활동을 벌였다.
⑤ 제정일치의 지배자가 여러 부족을 통합하였다.

(빈출 문제) 연계 자료 ➜ 9쪽 빈출 자료 01

03 다음 건국 이야기와 관련된 나라에 대한 설명으로 옳은 것은?

> 옛날에 환인의 아들 환웅이 하늘 아래에 뜻을 두고 인간 세상을 구하고자 하였다. …… 환웅은 풍백, 우사, 운사를 거느리고 …… 곡식, 수명, 질병, 형벌, 선악 등을 주관하였다. …… 환웅이 곰이 변한 여인과 혼인하여 아들을 낳으니, 단군왕검이라 하였다.

① '가'들이 사출도를 관할하였다.
② 신성 지역인 소도가 존재하였다.
③ 민며느리제의 혼인 풍속이 있었다.
④ 동맹이라는 제천 행사를 거행하였다.
⑤ 청동기 문화를 바탕으로 건국되었다.

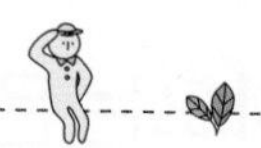

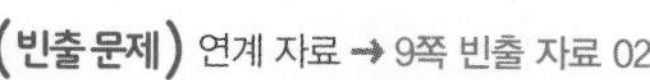

(빈출 문제) 연계 자료 → 9쪽 빈출 자료 02

04 지도의 (가)에 대한 설명으로 옳은 것은?

① 천군이 제사를 주관하였다.
② 서옥제라는 혼인 풍속이 있었다.
③ 읍군과 삼로가 읍락을 다스렸다.
④ 8조법을 제정해 사회 질서를 유지하였다.
⑤ 제가 회의에서 나라의 중요한 일을 결정하였다.

유사 선택지 문제

04_ ❶ 신성 지역인 (   )이/가 존재하였다.
04_ ❷ 제천 행사로 (계절제 / 동맹 / 무천)을/를 거행하였다.
04_ ❸ 정치적 지배자로는 신지, 읍차 등이 있었다.   (○ / ×)

05 다음 관등제를 운영했던 국가에 대한 설명으로 옳은 것은?

> 내신좌평을 두어 왕명 출납을, 내두좌평은 물자와 창고를, 내법좌평은 예법과 의식을, 위사좌평은 숙위 병사를, 조정좌평은 형벌과 송사를, 병관좌평은 지방의 군사에 관한 일을 각각 맡게 하였다. …… 6품 이상은 자줏빛 옷을 입고 은꽃으로 관을 장식하고, 11품 이상은 붉은 옷을, 16품 이상은 푸른 옷을 입게 하였다. – "삼국사기" –

① 대가야를 정복하였다.
② 전성기에는 '해동성국'이라 불렸다.
③ 한강 유역을 발판으로 성장하였다.
④ 내물왕 때 김씨의 왕위 세습권이 확립되었다.
⑤ 신라를 도와 왜와 가야 연합군을 격퇴하였다.

(빈출 문제) 연계 자료 → 9쪽 빈출 자료 03

06 지도에 나타난 시기 삼국의 정세로 옳은 것은?

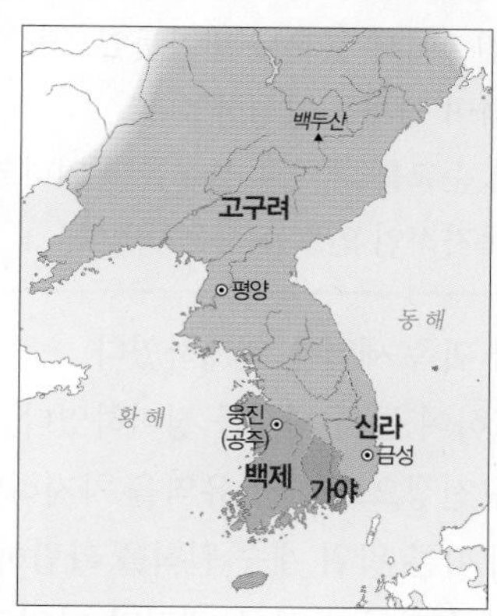

① 신라가 대가야를 정복하였다.
② 고구려가 율령을 반포하였다.
③ 백제가 신라와의 동맹을 강화하였다.
④ 발해가 3성 6부의 중앙 관제를 정비하였다.
⑤ 신라가 국학을 설립하여 유교 교육을 강화하였다.

07 (가)에 들어갈 설명으로 옳은 것은?

① 금관가야를 정복하였다.
② 만주 지역의 대부분을 차지하였다.
③ 화랑도를 국가적 조직으로 정비하였다.
④ 마립간 대신에 왕이란 칭호를 사용하였다.
⑤ 신라와 연합해 한강 하류 유역을 일시적으로 되찾았다.

08 다음 (가), (나) 왕의 공통점으로 옳은 것은?

> (가) 중국의 전진에서 불교를 받아들였으며, 수도에 태학을 설립하여 인재를 양성하였다.
> (나) 이차돈의 순교를 계기로 불교를 공인하였으며, '건원'이라는 독자적인 연호를 사용하였다.

① 수도를 옮겨 귀족 세력을 견제하였다.
② 율령을 반포하여 통치 체제를 정비하였다.
③ 활발한 정복 전쟁으로 한강 유역을 차지하였다.
④ 부자 상속에 따른 왕위 계승 원칙을 확립하였다.
⑤ 자치적 성격이 강하던 부를 행정적 단위로 재편하기 시작하였다.

09 (가), (나) 사이에 있었던 사실로 옳지 않은 것은?

> (가) 고구려는 수가 대규모 군대를 동원해 침입해 오자, 이를 살수에서 격퇴하였다.
> (나) 고구려는 오랜 전쟁으로 국력을 많이 소모하였고, 연개소문의 사망 후 지배층이 분열하면서 멸망하였다.

① 당이 옛 백제 땅에 웅진도독부를 설치하였다.
② 고구려가 당의 침입을 안시성에서 격퇴하였다.
③ 신라가 매소성과 기벌포에서 당군을 격퇴하였다.
④ 고구려가 당의 침입에 대비해 천리장성을 쌓았다.
⑤ 신라와 당이 동맹을 맺어 나당 연합군을 결성하였다.

10 다음 정책을 실시한 국왕에 대한 설명으로 옳은 것은?

> • 김흠돌의 난을 진압하여 왕권을 견고히 하였다.
> • 지방은 9주 5소경 체제로, 군사 조직은 9서당 10정 체제로 정비하였다.
> • 유교 교육 기관으로 중앙에 국학을 설치하였다.

① 백성에게 정전을 지급하였다.
② 나라 이름을 신라로 확정하였다.
③ 영토를 확장하고 순수비를 세웠다.
④ 평양을 공격하여 황해도 일대까지 진출하였다.
⑤ 녹읍을 폐지하여 귀족의 경제 기반을 약화시켰다.

11 밑줄 친 '여왕'과 관련된 시기에 있었던 사실로 옳은 것은?

> 여왕 3년에 나라 안의 여러 주·군에서 공물과 세금을 바치지 않으니 창고가 비어 버리고 나라의 쓰임이 궁핍해졌다. 왕이 사신을 보내어 독촉하자, 곳곳에서 도적이 벌떼처럼 일어났다. – "삼국사기" –

① 백제가 웅진으로 수도를 옮겼다.
② 유교 교육을 위한 국학이 설립되었다.
③ 신라가 고구려 군대와 함께 가야를 공격하였다.
④ 지방에서 성주, 장군이라고 칭하는 호족이 성장하였다.
⑤ 고구려가 한성을 함락하고 한반도 중부 지역까지 영토를 넓혔다.

(빈출 문제) 연계 자료 → 9쪽 빈출 자료 04

12 다음과 같은 중앙 정치 조직을 운영한 국가에 대한 설명으로 옳은 것은?

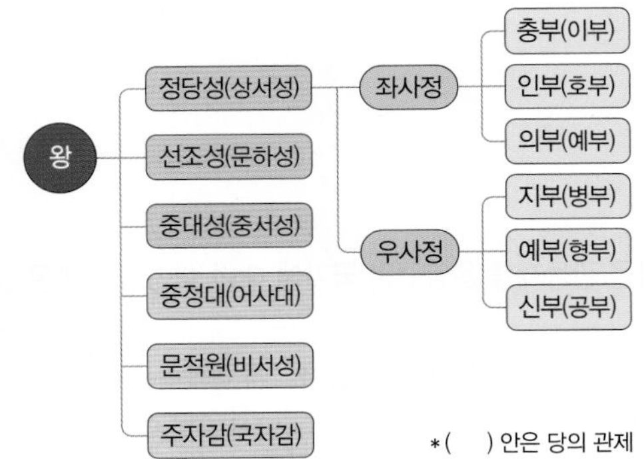

① 견훤에 의해 건국되었다.
② 고구려 계승을 표방하였다.
③ 지방은 9주로 나누어 다스렸다.
④ 나당 연합군에 의해 멸망하였다.
⑤ 당의 침략에 대비해 천리장성을 쌓았다.

유사 선택지 문제

12_ ❶ 발해는 (   )의 중앙 통치 제도를 마련하였다.
12_ ❷ 발해 6부의 명칭은 (유교 / 불교 / 도교) 덕목에서 따왔다.
12_ ❸ 전성기를 맞은 발해는 '해동성국'으로 불렸다. (○ / ×)

02 고대 국가의 종교와 사상

13 다음 자료를 활용한 탐구 활동으로 가장 적절한 것은?

> 임신년 6월 16일에 두 사람이 함께 맹세하고 기록한다. 지금부터 3년 이후 충도(忠道)를 지키고 과실이 없기를 하늘 앞에 맹세한다. …… 만약 나라가 불안하고 세상이 크게 어지러워지면 맹세한 대로 행할 것이다. 또한 이미 신미년 7월 22일에 "시경", "상서", "예기", "춘추전" 등을 차례로 3년 안에 습득할 것을 맹세하였다.

① 고구려 태학의 교육 과정을 살펴본다.
② 백제가 오경박사를 설치한 목적을 파악한다.
③ 통일 신라가 유학 교육을 위해 설치한 기관을 조사한다.
④ 발해에서 유학이 정치 기구에 어떤 영향을 주었는지 알아본다.
⑤ 신라가 유학을 수용했음을 입증할 수 있는 자료들을 분석한다.

(빈출 문제) 연계 자료 → 9쪽 빈출 자료 05

14 (가) 사상이 반영된 문화유산으로 가장 적절한 것은?

> 연개소문이 왕에게 아뢰었다. "중국에는 3교가 나란히 있다고 들었습니다. 하지만 우리나라에는 ((가))이/가 아직까지 없습니다. ……" 왕이 표를 보내 청하니 …… 당에서는 도사 숙달 등 8명과 "도덕경"을 보내 주었다. 이에 불교 사찰을 그들의 숙소로 삼았다. - "삼국사기" -

① 

② 

③ 

④ 

⑤ 

15 다음 문화유산의 건립에 영향을 준 사상에 대한 학생들의 발표 내용으로 가장 적절한 것은?

① 독서삼품과 시행에 영향을 주었어요.
② 국가 차원의 제천 행사를 거행하였어요.
③ 참선 수행을 통해 깨달음을 얻으려 했어요.
④ 불로장생하는 신선이 되기를 추구하였어요.
⑤ 자연환경이 국가의 운명에 영향을 준다고 믿었어요.

16 밑줄 친 '그'에 대한 설명으로 옳은 것은?

> 그는 우연히 광대들이 쓰는 큰 박을 얻었는데 그 모양이 괴이하였다. …… 일찍이 이것을 가지고 여러 지역에서 노래하고 춤추며 교화하고 노래를 읊으며 돌아오니 뽕나무 농사짓는 노인이나 옹기장이, 무지몽매한 무리까지도 모두 부처의 이름을 알게 되었고, 나무아미타불을 부르게 되었으니 그의 교화가 컸다. - "삼국유사" -

① 이두를 정리하였다.
② 불교 대중화에 기여하였다.
③ 해동 화엄종을 개창하였다.
④ "왕오천축국전"을 저술하였다.
⑤ 불교 사원을 도교 사원으로 만들었다.

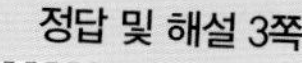

올쏘 서술형 문제

01 다음 자료를 보고 물음에 답하시오.

(가)

(나)
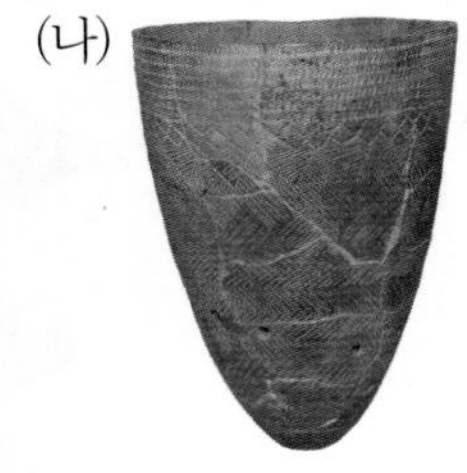

⑴ (가), (나) 도구의 이름을 쓰시오.

⑵ (가), (나) 도구를 사용하던 시기 생활 모습의 차이점을 두 가지만 서술하시오.

02 다음 자료를 읽고 물음에 답하시오.

> 옛날에 환인의 아들 환웅이 하늘 아래에 뜻을 두고 인간 세상을 구하고자 하였다. …… 환웅은 풍백, 우사, 운사를 거느리고 …… 곡식, 수명, 질병, 형벌, 선악 등을 주관하였다. …… 환웅이 곰이 변한 여인과 혼인하여 아들을 낳으니, 단군왕검이라 하였다.

⑴ 위 건국 이야기로 세워진 나라를 쓰시오.

⑵ 위 건국 이야기를 통해 알 수 있는 당시 사회의 특징을 세 가지 이상 서술하시오.

03 다음 자료를 읽고 물음에 답하시오.

> (사해점촌은) 둘레가 5,725보이다. 호수는 모두 11호이다. …… 이 중 3년 전부터 살아온 사람과 지난 3년 사이에 태어난 사람을 합하면 145명이다. …… 말은 모두 25마리인데 이전부터 있었던 것이 22마리이고 지난 3년 사이에 늘어난 말이 3마리다. 소는 모두 22마리인데, 예부터 있었던 것은 17마리이고, …… 논은 모두 102결이다. …… 밭은 모두 62결이다. …… 뽕나무는 모두 1,004그루인데 지난 3년 사이에 더 심은 것이 90그루이고, 이전부터 있던 것이 914그루이다. 잣나무는 모두 120그루이다.

⑴ 위 문서의 명칭을 쓰시오.

⑵ 위 문서를 작성한 목적을 두 가지만 서술하시오.

04 다음 자료를 읽고 물음에 답하시오.

> (㈎)의 전래와 발전
>
> • 삼국 시대
> – 중국과 교류하는 과정에서 들어와 삼국에 전래되었다.
> – 국가 체제를 정비하고, 국가에 충성하는 인재를 키우려 하였다.
>
> • 통일 신라
> – 왕권 강화와 체제 안정을 위해 장려하였다.
> – 신문왕이 국학을 설치하는 데 영향을 주었다.
>
> • 발해
> – ______㈏______

⑴ (가)에 해당하는 사상을 쓰시오.

⑵ (나)에 들어갈 내용을 세 가지만 서술하시오.

상위 4% 문제

01 다음 문화유산을 통해 알 수 있는 사실로 가장 적절한 것은?

① 불로장생을 추구하는 도교가 유입된 것을 알려 준다.
② 고조선이 중국의 한에게 멸망한 이후 나타난 변화를 보여 준다.
③ 청동기 문화를 바탕으로 건국된 고조선의 문화 범위를 보여 준다.
④ 정치 지배자와 종교 지도자가 분리된 제정 분리 사회가 등장한 것을 알 수 있다.
⑤ 국가의 중요한 일은 왕이 각 부의 지배자와 회의를 통해 결정하였음을 보여 준다.

02 다음 제도에 대한 설명으로 옳지 않은 것은?

등급	관등	골품				공복
		진골	6두품	5두품	4두품	
1	이벌찬	■				자색
2	이 찬	■				자색
3	잡 찬	■				자색
4	파진찬	■				자색
5	대아찬	■				자색
6	아 찬	■	■			비색
7	일길찬	■	■			비색
8	사 찬	■	■			비색
9	급벌찬	■	■			비색
10	대나마	■	■	■		청색
11	나 마	■	■	■		청색
12	대 사	■	■	■	■	황색
13	사 지	■	■	■	■	황색
14	길 사	■	■	■	■	황색
15	대 오	■	■	■	■	황색
16	소 오	■	■	■	■	황색
17	조 위	■	■	■	■	황색

① 신라 지배층에게만 적용되었다.
② 관등이나 관직 승진을 제한하였다.
③ 관등에 따라 공복 색깔을 결정하였다.
④ 수레나 의복 등 일상생활까지 규제하였다.
⑤ 혈통보다 개인의 능력을 중시하는 신분 제도였다.

03 (가) 행정 구역에 대한 설명으로 옳은 것을 〈보기〉에서 모두 고르면?

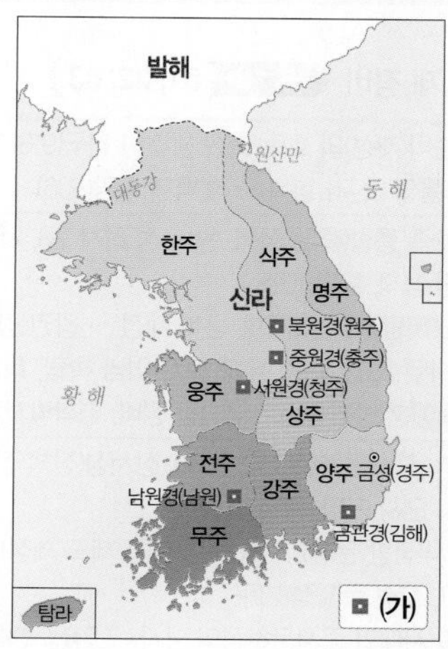

〈보기〉
ㄱ. 무령왕이 왕족을 파견한 곳이다.
ㄴ. 지방군인 10정이 2정씩 배치된 지역이다.
ㄷ. 지방 정치와 문화의 중심지로 성장하였다.
ㄹ. 수도가 동남쪽에 치우친 약점을 보완하기 위해 설치하였다.

① ㄱ, ㄴ　② ㄱ, ㄷ　③ ㄴ, ㄷ
④ ㄴ, ㄹ　⑤ ㄷ, ㄹ

04 자료에 나타난 제도에 대한 설명으로 옳지 않은 것은?

> 처음으로 삼품을 정하여 벼슬을 하게 되었는데, "춘추좌씨전", "예기", "문선"을 읽어서 그 뜻을 능통히 알고 겸하여 "논어"와 "효경"에 밝은 자를 상(上)으로 하고, "곡례", "논어", "효경"을 읽은 자를 중(中)으로 하고, "곡례"와 "효경"을 읽은 자를 하(下)로 하였다. – "삼국사기" –

① 유학 교육 확대에 기여하였다.
② 통일 신라 원성왕 때 마련되었다.
③ 실력보다 혈통을 중시하는 제도였다.
④ 골품제 때문에 제 기능을 발휘하지 못하였다.
⑤ 유교 경전의 이해 정도에 따라 관리를 채용하는 제도였다.

Ⅰ. 전근대 한국사의 이해

02 고려의 통치 체제와 사상

출제 경향
★ 중앙과 지방 통치 제도의 특징을 묻는 문제
★ 의천과 지눌의 차이점을 구분하는 문제

01 고려의 통치 체제와 국제 질서의 변동

1. 고려의 통치 체제 정비 빈출 자료 01, 02, 03

구분	내용
건국	• 건국 : 송악(개성)의 호족 출신 왕건이 건국(918) • 후삼국 통일 : 신라 항복 → 후백제 멸망(936)
국가 기틀 마련	• 태조 : 호족 통합(혼인 정책, 왕씨 성 하사 등), 사심관 제도, 기인 제도, 북진 정책, 훈요 10조 • 광종 : 노비안검법, 과거제, 공복 제정 → 왕권 강화 • 성종 : 시무 28조 수용, 유교 정치 이념 확립, 통치 체제 정비(2성 6부, 12목에 지방관 파견), 국자감 정비, 경학박사 파견
중앙 정치	• 2성 6부 : 중서문하성(최고 관서), 상서성(정책 집행 총괄) • 중추원 : 군사 기밀, 왕명 출납 • 도병마사(국방 문제), 식목도감(법률, 제도 제정) : 재신과 추밀의 합의 기구, 고려 독자적 기구 • 대간 : 어사대와 중서문하성의 낭사 → 간쟁·봉박·서경권
지방 행정	• 5도(일반 행정 구역), 양계(군사 행정 구역) • 특징 : 특수 행정 구역(향·부곡·소) 존재, 주현보다 속현 다수
관리 등용	• 과거 : 문과 중심 시행, 승과, 잡과 • 음서 : 공신, 고위 관리 자손을 무시험으로 등용
대외 관계	• 해동 천하 : 고려의 독자적 천하관 • 거란의 침략 : 1차 침입(서희의 외교 담판 → 강동 6주 확보), 3차 침입(강감찬의 귀주 대첩) • 여진과의 관계 : 동북 9성 개척(윤관, 별무반) → 동북 9성 반환 → 여진이 금을 세우고 고려에 군신 관계 요구 → 이자겸이 수용

2. 문벌 사회의 동요와 무신 정권

(1) 문벌 사회의 동요 빈출 자료 04

구분	내용
이자겸의 난	외척인 이자겸이 권력 독점 → 이자겸의 반란 → 실패
묘청의 서경 천도 운동	묘청 등이 풍수지리설을 내세워 서경 천도 주장(칭제 건원, 금국 정벌 주장) → 개경 세력의 반대 → 묘청의 반란 → 김부식이 이끄는 관군에 진압

(2) 무신 정변과 무신 정권의 변천 빈출 자료 05

구분	내용
무신 정변	• 배경 : 무신 차별, 하급 군인의 불만 고조 • 정중부 등이 정변으로 권력 장악, 중방 통해 권력 행사
최씨 무신 정권	• 최충헌 : 교정도감 설치, 도방 확대 • 최우 : 정방 설치(인사권 장악), 삼별초 조직
농민과 하층민의 봉기	• 무신 정권의 과도한 수탈, 신분제의 동요 • 망이·망소이의 봉기(공주 명학소), 김사미·효심의 봉기, 만적의 봉기(천민 신분 해방 운동)

3. 몽골(원)의 간섭과 정치 변화

(1) 몽골의 침입과 대몽 항쟁

구분	내용
침입	• 몽골 사신 피살 등을 구실로 침략 → 강화 체결 → 재침입 • 대응 : 최우는 강화도로 천도하여 장기전 대비, 처인성 전투(김윤후 활약), 충주성 전투, 팔만대장경 조판
영향	초조대장경·황룡사 9층 목탑 소실, 국토 황폐화
삼별초의 항쟁	삼별초가 몽골과의 강화에 반발해 봉기 → 진도, 제주도로 이동하며 항쟁 → 고려·몽골 연합군에 진압

(2) 몽골(원) 간섭기

구분	내용
관제 격하	부마국 지위에 맞춰 관제, 왕실 호칭 격하
영토 상실	쌍성총관부, 동녕부, 탐라총관부 설치
내정 간섭	정동행성을 통한 내정 간섭, 일본 원정에 동원, 인적·물적 수탈
영향	권문세족 성장 : 친원적, 도평의사사 장악, 농장·노비 소유 확대

(3) 공민왕의 개혁 정치

구분	내용
반원 정책	친원 세력(기철) 숙청, 쌍성총관부 공격, 관제 복구, 정동행성 이문소 폐지
개혁 정책	정방 폐지, 전민변정도감 설치(신돈 등용)

(4) 신진 사대부와 신흥 무인 세력의 성장

구분	내용
신진 사대부	• 성리학 바탕, 공민왕의 개혁 정치 배경 성장 • 개혁 방식을 두고 급진파와 온건파로 분화
신흥 무인 세력	홍건적과 왜구의 침입 격퇴 과정에서 이성계 등 성장
고려 멸망	위화도 회군 → 과전법 시행 → 고려 멸망, 조선 건국

02 고려의 사회와 사상

1. 고려의 사회

구분		내용
양천제	양인	• 자유민, 정호와 백정 등으로 구분, 과거 응시 가능 • 정호 : 관직 등 국가의 직역을 맡음 • 백정 : 직역이 없는 농민 • 특수 행정 구역민 : 교육·과거 응시 차별, 거주·이전 제한
	천인	비자유민, 대부분 노비(일천즉천 원칙 적용)
여성의 지위		사회 활동에 제한, 가족 내에서는 남성과 거의 대등(태어난 순서로 호적 기재, 여성 재가 가능, 자녀 균분 상속 등)

2. 고려의 종교와 사상

(1) 유교와 역사서 편찬

구분		내용
유교	초기	유교 정치 이념 확립, 자주적·주체적
	중기	최충의 9재 학당 등 사학 12도 발달
	후기	성리학 수용 → 신진 사대부의 개혁 뒷받침
역사서 편찬		• "삼국사기"(김부식) : 기전체, 유교적 합리주의 사관 • "동명왕편"(이규보) : 고구려 계승 의식 • "삼국유사"(일연)·"제왕운기"(이승휴) : 단군을 민족 시조로 제시

(2) 불교 빈출 자료 06

구분	내용
숭불 정책	팔관회, 연등회, 국사·왕사 제도, 승과 실시
의천	천태종 창시, 교관겸수, 교종 중심 선종 통합
지눌	무신 정권 시기, 수선사 결사, 돈오점수·정혜쌍수 주장, 선교 일치 사상
혜심	유불 일치설 주장 → 성리학 도입의 사상적 토대
요세	백련사 결사, 참회 실천

(3) 풍수지리설과 도교

① 도교 : 왕실과 국가의 안녕 기원, 불로장생, 현세 구복 → 민간 신앙 형태로 유지(독자적 교리 체계·교단 미비)

② 풍수지리설 : 3경 설치, 서경 천도 운동에 영향

빈출 특강

빈출 자료 01) 훈요 10조 | 연계 문제 → 18쪽 01번

> 제1조 우리 국가의 대업은 불교가 보호하고 지켜 주는 힘에 의지하고 있다. (불교 중시)
>
> 제4조 우리는 옛날부터 중국의 문물과 예악 제도를 따랐으나 지역과 인성이 각기 다르므로 꼭 같게 할 필요는 없다. 거란은 짐승 같은 나라로 풍속과 말이 다르니 의관 제도를 본받지 말라.
>
> 제5조 서경은 수덕(水德)(풍수지리설)이 순조로워 우리나라 지맥의 근본이 되니 만대 왕업의 땅이다. 1년에 100일 이상 머물러 왕실의 안녕을 이루어야 할 것이다. - "고려사" -

| 자료 분석 | 훈요 10조는 태조가 후대 왕에게 남긴 가르침으로, 고려의 정책 방향을 제시하고 있다.

빈출 자료 02) 최승로의 시무 28조 | 연계 문제 → 18쪽 02번

> 7. …… (지방관 파견) 청컨대 지방관을 두소서. 비록 한 번에 모두 다 보낼 수 없더라도 우선 10여 개 주현에 합하여 1명의 관리를 두고, 그 아래 각기 2, 3명의 관원을 두어 백성을 돌보게 하소서.
>
> 20. 불교를 믿는 것은 수신의 근본이고, 유교를 행하는 것은 나라를 다스리는 근원입니다. 수신은 내세를 위한 바탕이며, 나라를 다스리는 것은 오늘의 급한 일입니다. 오늘은 지극히 가깝고, 내세는 먼데, 가까운 것을 버리고 먼 것을 구하는 일은 잘못이 아니겠습니까? (유교 바탕 통치) - "고려사절요" -

| 자료 분석 | 최승로의 시무 28조는 대부분 수용되어 성종은 지방의 주요 지역에 12목을 설치하고 지방관을 파견하였으며, 유교 정치 이념을 확립하였다.

빈출 자료 03) 고려의 중앙 정치 조직 | 연계 문제 → 18쪽 03번

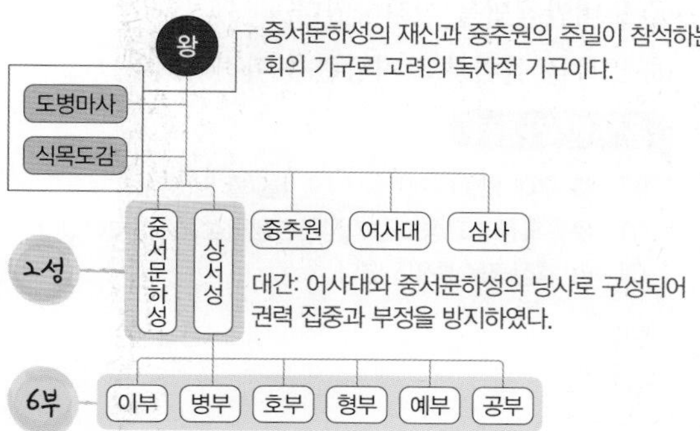

| 자료 분석 | 고려는 당·송의 제도를 수용하고 고려의 실정을 반영해 중앙 정치 제도를 정비하였다. 또한 고려의 독자적인 회의 기구인 도병마사와 식목도감을 두었다.

빈출 자료 04) 묘청의 서경 천도 운동 | 연계 문제 → 19쪽 06번

> **[자료 1]** 서경 임원역의 땅은 음양가들이 말하는 대화세(명당)입니다. 이곳에 궁궐을 짓고 옮기면 천하를 다스릴 수 있습니다. 또한 금이 예물을 가져와서 스스로 항복할 것이요, 주변의 서른여섯 나라가 모두 머리를 조아릴 것입니다. - "고려사" -
>
> **[자료 2]** 금년 여름 서경 대화궁에 30여 군데나 벼락이 떨어졌습니다. 서경이 만약 좋은 땅이라면 하늘이 이렇게 하였을 리 없습니다. …… 또 서경은 아직 추수가 끝나지 않았습니다. 지금 행차하시면 농작물을 짓밟을 것입니다. 이는 백성을 사랑하고 물건을 아끼는 뜻과 어긋납니다. -"고려사"-

| 자료 분석 | • [자료 1] 묘청 등 서경 세력이 풍수지리설을 내세워 서경 천도를 주장하는 내용이다
• [자료 2] 김부식을 비롯한 개경 세력이 서경 천도에 반대하는 주장이다.

빈출 자료 05) 하층민의 봉기 | 연계 문제 → 20쪽 07번

> **[자료 1]** 이미 우리 고향을 현으로 승격하고 수령을 두어 위무하더니, 다시 군대를 보내 우리 어머니와 아내를 옥에 가두다니, 그 뜻은 무엇인가? 차라리 칼날 아래에 죽더라도 항복하여 포로가 되지는 않을 것이다. 반드시 개경까지 갈 것이다. - "고려사" -
>
> **[자료 2]** 사노비 만적 등이 나무하러 갔다가 노비들에게 말하였다. "장수와 재상이 될 사람이 따로 있지 않다. 때가 오면 할 수 있는 것이니 어찌 우리만 채찍 아래에서 고생하겠는가?" - "고려사절요" -

| 자료 분석 | 무신 정권 시기에는 농민과 하층민이 여러 곳에서 봉기를 일으켰다.
• [자료 1] 특수 행정 구역인 명학소에서 망이·망소이가 봉기를 일으켰다.
• [자료 2] 노비인 만적이 봉기를 계획하는 과정이다.

빈출 자료 06) 의천과 지눌의 사상 | 연계 문제 → 21쪽 12번

> **[자료 1] 의천의 불교 통합 운동**
> 교리를 배우는 이는 마음을 버리고 외적인 것을 구하는 일이 많고, 참선하는 사람은 밖의 인연을 잊고 내적으로 밝히기를 좋아한다. 이는 다 편벽된 집착이고 양극단에 치우친 것이다. - "대각국사 문집" -
>
> **[자료 2] 지눌의 정혜결사문**
> 마땅히 명예와 이익을 버리고 산림에 은둔하여 같은 모임을 맺자. 항상 선을 익히고 지혜를 고르는 데 힘쓰고, 예불하고 경전을 읽으며 힘들여 일하는 것에 이르기까지 각자 맡은 바 임무에 따라 경영한다. - "권수정혜결사문" -

| 자료 분석 | • [자료 1] 의천은 수행 방법으로 이론적인 교리 체계인 '교'와 실천적 수행 방법인 '관'을 함께 수행해야 한다는 교관겸수를 내세웠다.
• [자료 2] 지눌은 마음을 한곳에 집중하는 '선정'과 사물을 있는 그대로 보고 판단하여 일체의 분별을 없애는 '지혜'를 함께 닦아야 한다는 정혜쌍수를 주장하였다.

시험에 꼭 나오는 문제

개념 확인 문제

01 다음 서술 내용이 옳으면 ○표, 틀리면 ×표를 하시오.

(1) 태조는 고구려 계승 의식을 바탕으로 북진 정책을 추진하였다. ( )
(2) 재신과 추밀로 구성된 대간은 권력의 집중과 부정을 방지하였다. ( )
(3) 고려는 전국을 5도 양계로 나누었다. ( )
(4) 서희는 별무반을 편성하여 강동 6주를 개척하였다. ( )
(5) 개경 환도를 반대한 삼별초는 진도, 제주도로 근거지를 옮기며 몽골에 항전하였다. ( )

02 서로 관련된 사실을 바르게 연결하시오.

(1) 태조 • • ㉠ 과거제 도입, 노비안검법
(2) 광종 • • ㉡ 12목 설치, 시무 28조
(3) 성종 • • ㉢ 후삼국 통일, 훈요 10조
(4) 공민왕 • • ㉣ 정방 폐지, 전민변정도감
(5) 최충헌 • • ㉤ 교정도감 설치, 도방 확대

03 다음 내용에 해당하는 것을 ◀보기▶에서 골라 쓰시오.

◀ 보기 ▶
ㄱ. 대간 ㄴ. 중추원
ㄷ. 도병마사 ㄹ. 중서문하성

(1) 고려 2성 6부 체제의 최고 관서는? ( )
(2) 군사 기밀과 왕명의 출납을 맡은 기구는? ( )
(3) 고려의 독자적인 정치 기구로 국방 문제 등을 논의한 회의 기구는? ( )
(4) 어사대와 중서문하성의 낭사로 구성되어 권력 집중과 부정을 방지하는 역할을 한 것은? ( )

04 다음 빈칸에 들어갈 알맞은 말을 쓰시오.

(1) 고려 시대의 양인은 직역을 맡은 ( )와/과 직역이 없는 백정 등으로 구분되었다.
(2) 고려 시대 노비 자녀의 신분은 부모 중 한 명이 노비이면 자녀도 노비가 되는 ( )의 원칙이 적용되었다.
(3) ( )은/는 해동 천태종을 개창하고, 교관겸수를 내세워 교종을 중심으로 선종을 통합하려 하였다.
(4) 혜심은 ( )을/를 내세워 성리학을 받아들일 수 있는 사상적 토대를 마련하였다.
(5) 김부식은 왕명에 따라 기전체로 저술된 ( )을/를 편찬하였다.

01 고려의 통치 체제와 국제 질서의 변동

(빈출 문제) 연계 자료 → 17쪽 빈출 자료 01

01 다음 가르침을 남긴 국왕의 정책으로 옳은 것은?

> 제1조 우리 국가의 대업은 불교가 보호하고 지켜 주는 힘에 의지하고 있다.
> 제5조 서경은 수덕(水德)이 순조로워 우리나라 지맥의 근본이 되니 만대 왕업의 땅이다. 1년에 100일 이상 머물러 왕실의 안녕을 이루어야 할 것이다.
> –"고려사"–

① 과거제를 도입하였다.
② 국자감을 정비하였다.
③ 북진 정책을 추진하였다.
④ 노비안검법을 실시하였다.
⑤ 12목을 설치하고 지방관을 파견하였다.

유사 선택지 문제

01_ ❶ 후대 왕들에게 ( )을/를 남겼다.
01_ ❷ (흑창 / 교정도감 / 전민변정도감)을 설치하였다.
01_ ❸ 후삼국을 통일하였다. (○ / ×)

(빈출 문제) 연계 자료 → 17쪽 빈출 자료 02

02 다음 건의를 받아들여 시행한 정책으로 옳은 것은?

> 청컨대 지방관을 두소서. 비록 한 번에 모두 다 보낼 수 없더라도 우선 10여 개 주현에 합하여 1명의 관리를 두고, 그 아래 각기 2, 3명의 관원을 두어 백성을 돌보게 하소서.

① 전국에 12목을 설치하고 지방관을 파견하였다.
② 과거제를 도입하여 유학에 밝은 인재를 등용하였다.
③ 노비안검법을 실시하여 공신과 호족 세력을 약화하였다.
④ 사심관 제도를 도입하여 지방에 대한 통치를 강화하였다.
⑤ 전민변정도감을 설치하여 억울하게 노비가 된 사람을 양인으로 돌려주었다.

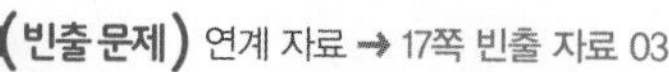

03 (가) 기구에 대한 설명으로 옳은 것은?

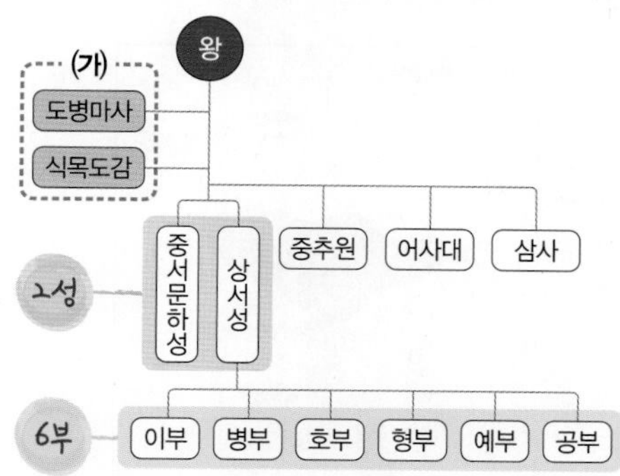

① 재정과 회계를 담당하였다.
② 당·송의 영향을 받아 설치되었다.
③ 재신과 추밀의 합의제로 운영되었다.
④ 대간이라 불리며 언론 활동을 담당하였다.
⑤ 무신 정권 당시 실질적 최고 권력 기구로 발전하였다.

유사 선택지 문제

03_ ❶ (재추 / 대간 / 호족)이/가 국가 중대사를 의논하였다.
03_ ❷ 중서문하성의 (   )과/와 중추원의 (   )(으)로 구성되었다.
03_ ❸ 당의 3성 6부를 본따 설치되었다. (○ / ×)

04 (가) 인물에 대한 설명으로 옳은 것은?

① 묘청의 난을 진압하였다.
② 무신 정변을 일으켜 정권을 장악하였다.
③ 기병이 보강된 별무반 편성을 건의하였다.
④ 외교 담판을 벌여 강동 6주를 확보하였다.
⑤ 장기 항전을 위해 강화도로의 천도를 주장하였다.

05 (가), (나) 사이의 사실로 옳은 것은?

> (가) 천리장성 북쪽에 거주하던 여진이 부족을 통합하면서 고려와 자주 충돌을 빚었다. 이에 고려는 윤관의 건의로 별무반이라는 특수 부대를 편성하였다.
> (나) 거란을 멸망시킨 금이 고려에 군신 관계를 요구하자, 고려에서는 이를 두고 논쟁이 일어났다. 하지만 이자겸 등이 정권 유지를 위해 이를 수용하였다.

① 무신 정변이 일어났다.
② 동북 9성을 개척하였다.
③ 강화도로 천도를 결정하였다.
④ 이자겸이 난을 일으켜 왕위에 오르려 하였다.
⑤ 묘청을 중심으로 서경 천도 운동이 일어났다.

빈출 문제 연계 자료 → 17쪽 빈출 자료 04

06 다음 주장을 제기한 정치 세력에 대한 설명으로 옳은 것은?

> 저희들이 보건대 서경 임원역의 땅은 음양가들이 말하는 대화세(명당)입니다. 이곳에 궁궐을 짓고 옮기면 천하를 다스릴 수 있습니다. 또한 금이 예물을 가져와서 스스로 항복할 것이요, 주변의 서른여섯 나라가 모두 머리를 조아릴 것입니다. – "고려사" –

① 성리학을 수용하였다.
② 서경 세력과 대립하였다.
③ 묘청의 난을 진압하였다.
④ 금과의 화친을 주장하였다.
⑤ 황제를 칭할 것을 주장하였다.

시험에 꼭 나오는 문제

(빈출 문제) 연계 자료 → 17쪽 빈출 자료 05

07 다음 사건이 일어났을 당시 볼 수 있던 모습으로 가장 적절한 것은?

> 이미 우리 고향을 현으로 승격시키고 또 수령을 두어 어루만지고 위로하더니, 돌이켜 다시 군대를 일으켜 토벌하러 와서 우리 어머니와 아내를 옥에 가두었으니 그 뜻은 어디에 있는가? 차라리 칼날 아래에서 죽을지언정 끝내 항복하여 포로가 되지 않을 것이다. 반드시 개경까지 가고야 말겠다.
> – "고려사" –

① 홍건적에 맞서 싸우는 군사
② 중방에서 국정을 논의하는 무신
③ 귀주에서 거란군을 물리치는 군사
④ 전민변정도감 설치를 발표하는 관리
⑤ 별무반을 이끌고 여진 정벌에 나선 장수

08 밑줄 친 '이 시기'의 상황으로 옳지 않은 것은?

① 금과 군신 관계를 맺었다.
② 정동행성이 내정을 간섭하였다.
③ 고려에서 몽골 풍속이 유행하였다.
④ 권문세족이 농장과 노비 소유를 확대하였다.
⑤ 원이 고려에 특산물과 공녀 등을 수시로 요구하였다.

09 다음 지도에 나타난 시기의 상황으로 옳은 것을 《보기》에서 모두 고르면?

《 보기 》
ㄱ. 노비안검법을 실시하였다.
ㄴ. 전민변정도감을 설치하였다.
ㄷ. 기철 등 친원 세력을 제거하였다.
ㄹ. 삼별초를 군사적 기반으로 삼았다.

① ㄱ, ㄴ ② ㄱ, ㄷ ③ ㄴ, ㄷ
④ ㄴ, ㄹ ⑤ ㄷ, ㄹ

02 고려의 사회와 사상

10 (가)에 대한 학생들의 발표 내용으로 가장 적절하지 않은 것은?

> 고려의 신분 제도는 법제적으로 양인과 천인으로 구분된 양천제였다. 양인은 자유민으로 납세와 군역의 의무를 졌으며, 관직에 진출할 수 있었다. 양인은 직역의 유무에 따라 ((가))와/과 백정 등으로 구분되었다. 천인은 비자유민으로 대부분이 노비였다.

① 국가의 여러 직역을 맡은 계층이었어요.
② 백정이 공을 세워 (가)가 되기도 하였어요.
③ 고려 신분 제도에서 최하층을 이루었어요.
④ 향리, 직업 군인, 서리 등을 포함하고 있어요.
⑤ 직역의 대가로 국가에서 토지를 지급받았어요.

11 (가)에 들어갈 내용으로 가장 적절한 것은?

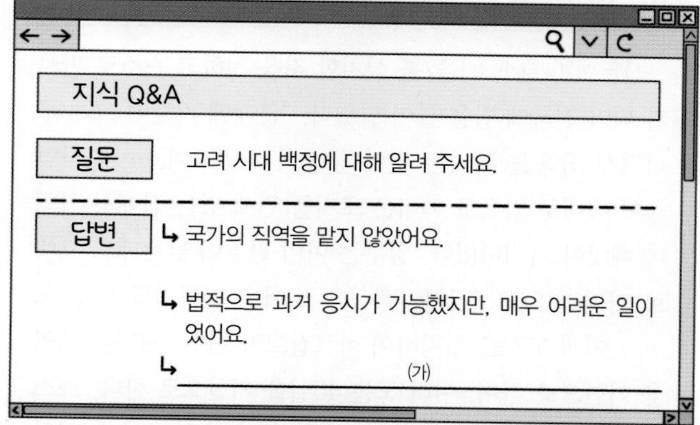

① 군공을 세워 신분 상승을 하기도 했어요.
② 원칙적으로 거주지 이전이 금지되었어요.
③ 호장, 부호장 등 여러 단계로 구분되었어요.
④ 주로 도살업에 종사해 천민으로 간주되었어요.
⑤ 특별 행정 구역인 향·부곡·소에 거주하였어요.

(빈출 문제) 연계 자료 → 17쪽 빈출 자료 06

12 다음 인물에 대한 설명으로 옳은 것은?

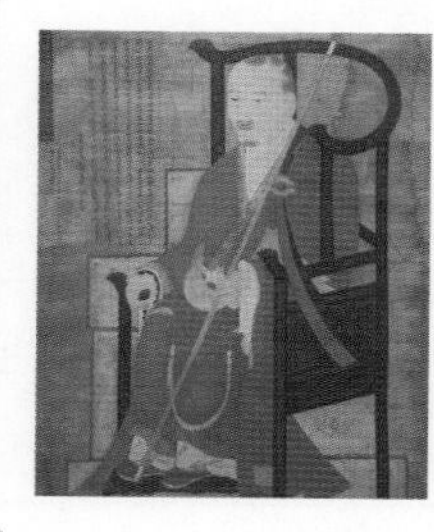

교리를 배우는 이는 마음을 버리고 외적인 것을 구하는 일이 많고, 참선하는 사람은 밖의 인연을 잊고 내적으로 밝히기를 좋아한다. 이는 다 편벽된 집착이고 양극단에 치우친 것이다.

① 일심 사상을 내세웠다.
② "삼국사기"를 저술하였다.
③ 해동 천태종을 개창하였다.
④ 유불 일치설을 주장하였다.
⑤ 수선사를 중심으로 결사 운동을 펼쳤다.

유사 선택지 문제

12_ ❶ (   )을/를 중심으로 선종을 통합하려 하였다.
12_ ❷ (교관겸수 / 정혜쌍수 / 돈오점수)라는 수행 방법을 제시하였다.
12_ ❸ 무신 정권 시기에 활동하였다. (○ / ×)

13 밑줄 친 '역사책'에 대한 설명으로 옳은 것은?

① 김부식이 편찬을 주도하였다.
② 거란의 침략으로 불타 없어졌다.
③ 대의명분과 정통 의식을 강조하였다.
④ 단군을 우리 민족의 시조로 내세웠다.
⑤ 동명왕을 칭송해 고구려 계승 의식을 강조하였다.

14 다음이 제작된 왕조에 대한 설명으로 옳지 <u>않은</u> 것은?

① 신분은 법적으로 양천제로 구분하였다.
② 유교를 국가 정치 이념으로 확립하였다.
③ 아들이 없을 경우 외손자가 대를 잇기도 하였다.
④ 국가 체제를 정비하는 과정에서 불교를 수용하였다.
⑤ 가문의 근거지인 본관을 중시하는 본관제를 시행하였다.

서술형 문제

정답 및 해설 6쪽

01 다음 자료를 읽고 물음에 답하시오.

> 태조 18년(935)에 신라의 왕 김부가 항복해 오자 신라국을 없애서 경주로 삼고, 김부를 경주의 (㈎)(으)로 임명하여 부호장 이하의 관직 등에 관한 일을 맡게 하였다. 이에 여러 공신들 역시 이를 본받아 각각 자기 주의 (㈎)이/가 되게 하였다. – "고려사" –

(1) 자료에서 설명하는 제도를 쓰시오.

(2) (가) 제도의 개념과 실시한 목적을 서술하시오.

02 다음 자료를 읽고 물음에 답하시오.

> 국왕이 이 제도를 시행해 노비를 조사해서 옳고 그름을 분명히 밝히도록 명하였다. 이 제도로 주인을 배반하는 노비들을 도저히 억누를 수 없었으므로, 주인을 업신여기는 풍속이 크게 퍼졌다. 사람들이 다 수치스럽게 여기고 원망하였으며, 왕비도 간절히 말렸지만 받아들여지지 않았다.

(1) 밑줄 친 '이 제도'를 쓰시오.

(2) (1) 제도를 실시한 목적을 두 가지 서술하시오.

03 다음 자료를 읽고 물음에 답하시오.

> 신돈이 (㈎)을/를 설치할 것을 청하고 스스로 판사가 되어 전국에 방을 붙여 알렸다. "근래에 기강이 크게 무너져서 탐욕을 부리는 것이 풍습이 되었으며, …… 사람들이 대대로 업으로 이어온 토지를 권세 있는 집에서 거의 다 빼앗아 차지하였다. 일부는 이미 판결이 났는데도 그대로 가지고 있고 일부는 백성을 노예로 만들기도 하였다. …… 이제 도감을 설치하여 바로잡고자 한다. 개경은 15일을 기한으로 하며, 여러 도는 40일을 기한으로 한다. 스스로 잘못을 알고 고치는 자는 (죄를) 묻지 않을 것이나, 기한을 넘겨 일이 발각되는 자는 죄를 조사하여 다스릴 것이며 망령되게 소송하는 자는 처벌하겠다." 명령이 나가자 권세가 중에 토지와 백성을 빼앗은 자들이 그 주인에게 많이 돌려주었으며, 전국에서 기뻐하였다. – "고려사" –

(1) (가)에 해당하는 기구를 쓰시오.

(2) (가) 기구를 설치한 목적을 세 가지만 서술하시오.

04 다음 자료를 읽고 물음에 답하시오.

> (㈎)을/를 믿는 것은 수신의 근본이고, (㈏)을/를 행하는 것은 나라를 다스리는 근원입니다. 수신은 내세를 위한 바탕이며, 나라를 다스리는 것은 오늘의 급한 일입니다. 오늘은 지극히 가깝고, 내세는 먼데, 가까운 것을 버리고 먼 것을 구하는 일은 잘못이 아니겠습니까? – "고려사절요" –

(1) (가), (나)에 해당하는 사상을 쓰시오.

(2) 고려가 (가), (나) 사상을 발전시키기 위해 실시한 정책을 각각 두 가지만 서술하시오.

상위 4% 문제

01 다음과 관련된 탐구 활동으로 가장 적절한 것은?

① 원 간섭기 왕실 호칭의 변화를 분석한다.
② 고려의 독자적인 천하관의 모습을 조사한다.
③ 대표적 문벌인 이자겸의 대외 인식을 살펴본다.
④ 묘청이 주도한 서경 천도 운동의 결과를 알아본다.
⑤ 단군을 민족 시조로 보는 역사 인식이 등장한 배경을 파악한다.

02 다음 사건이 일어난 배경으로 적절한 것을 《보기》에서 모두 고르면?

> 사람들을 시켜 길에서, '문관의 관을 쓴 사람은 비록 서리라도 모조리 죽이고 씨도 남기지 말라.'라고 외치게 하였다. 사졸들이 봉기하여 …… 50여 명을 찾아내어 죽였다.
> – "고려사" –

《 보기 》
ㄱ. 의종이 측근 세력과 향락에 빠져 있었다.
ㄴ. 무신이 문신에 비해 낮은 대우를 받았다.
ㄷ. 몽골의 침략에 맞서 강화도로 천도하였다.
ㄹ. 만적의 난 등 신분 차별에 저항한 봉기가 일어났다.

① ㄱ, ㄴ ② ㄱ, ㄷ ③ ㄴ, ㄷ
④ ㄴ, ㄹ ⑤ ㄷ, ㄹ

03 밑줄 친 '왕'이 재위하던 시기에 있었던 사실로 옳은 것은?

> 왕 16년에 성균관을 다시 정비하고 이색을 판개성부사 겸 성균대사성으로 삼았다. …… 이에 학자들이 모여들기 시작하였고 서로 함께 눈으로 보고 느끼니, 정주 성리학이 드디어 크게 일어나게 되었다.
> – "고려사" –

① 쌍성총관부를 공격해 철령 이북 지역을 되찾았다.
② 최승로의 건의를 받아들여 유교 정치 이념을 확립하였다.
③ 과거제를 도입해 유교적 학식을 갖춘 인재를 등용하였다.
④ 평양을 서경으로 승격시켜 북진 정책의 전진 기지로 삼았다.
⑤ 노비안검법을 실시해 불법으로 노비가 된 양인을 원래 신분으로 되돌렸다.

04 (가), (나)를 주장한 인물에 대한 설명으로 옳은 것은?

> (가) 교리를 배우는 이는 마음을 버리고 외적인 것을 구하는 일이 많고, 참선하는 사람은 밖의 인연을 잊고 내적으로 밝히기를 좋아한다. 이는 다 편벽된 집착이고 양극단에 치우친 것이다.
> (나) 마땅히 명예와 이익을 버리고 산림에 은둔하여 같은 모임을 맺자. 항상 선을 익히고 지혜를 고르는 데 힘쓰고, 예불하고 경전을 읽으며 힘들여 일하는 것에 이르기까지 각자 맡은 바 임무에 따라 경영한다.

① (가) – "삼국유사"를 저술하였다.
② (가) – 유불 일치설을 주장하였다.
③ (나) – 교관겸수의 수행 방법을 제시하였다.
④ (나) – 수선사를 중심으로 결사 운동을 벌였다.
⑤ (가), (나) – 교종을 중심으로 선종을 통합하고자 하였다.

03 조선의 통치 체제와 사회·경제의 변화

출제 경향
★ 정치 운영의 변화 과정을 묻는 문제
★ 조선 후기 상품 화폐 경제의 발달 내용을 묻는 문제

01 조선의 정치 운영과 세계관의 변화

1. 조선의 통치 체제 정비 빈출 자료 (01, 02)

건국	위화도 회군(이성계와 신진 사대부가 실권 장악) → 과전법 실시 → 조선 건국(1392), 한양 천도(1394)
국가 기틀 마련	• 태종 : 6조 직계제, 양전 사업, 호패법 실시 • 세종 : 의정부 서사제, 집현전 설치, 경연 활성화 • 세조 : 6조 직계제, 집현전·경연 폐지, 직전법 실시 • 성종 : 홍문관 설치, "경국대전" 완성
중앙 정치	• 의정부(국정 총괄)와 6조(정책 집행) → 왜란 이후 비변사가 국정 총괄, 이에 따라 의정부와 6조는 유명무실화 • 3사 : 사헌부·사간원·홍문관 → 언론 기능, 권력 독점 방지 • 승정원(비서 기구), 의금부(국왕 직속 사법 기구)
지방 행정	• 모든 군현에 수령 파견 → 향리 지위 하락 • 유향소 : 지방 사족의 자치 기구, 수령 보좌, 향리 감시
관리 등용	• 과거 : 문과, 무과, 잡과 실시 • 음서 : 대상 축소, 고위 관직 진출 어려움

2. 공론에 바탕을 둔 정치 운영과 변화 빈출 자료 (03, 06)

사림 성장	• 성종 때 중앙 정치 진출, 훈구 견제 목적 등용 • 연산군과 훈구의 사림 공격 → 사화 발생 • 조광조의 개혁 : 현량과 실시, 위훈 삭제 → 기묘사화 • 사림 집권 : 서원과 향약 기반 성장 → 선조 때 정국 주도
붕당 정치	• 붕당 출현 : 척신 정치 청산·이조 전랑 문제 → 동인과 서인 분화 • 붕당 정치 : 지방 사족의 의견까지 수렴, 공론을 앞세워 경쟁 → 상호 견제와 비판 • 붕당 정치 변질 : 예송으로 대립 심화 → 숙종 때 잦은 환국으로 일당전제화 추세
탕평 정치	• 영조 : 탕평파 육성, 서원 정리, 이조 전랑의 권한 축소 • 정조 : 노론·소론·남인 고루 등용, 규장각·장용영 설치, 초계 문신제 실시, 수원 화성 건립
세도 정치	• 순조~철종(3대 60여 년간), 일부 외척이 권력 독점 • 매관매직, 과거 부정, 삼정의 문란 • 홍경래의 난, 임술 농민 봉기 발발

3. 조선의 대외 관계 변화 빈출 자료 (04)

전기	• 명 : 사대 외교, 조공·책봉 관계 • 여진 : 교린 정책, 무역소 설치, 4군 6진 개척 • 일본 : 교린 정책, 삼포 개방, 쓰시마섬 토벌
왜란	• 전개 : 일본의 침략(1592) → 수군과 의병 활약, 명의 참전 → 휴전 협상 → 정유재란 → 도요토미 히데요시 사망 후 일본군 철수 • 영향 : 조선 황폐화, 명의 쇠퇴, 후금 성장, 에도 막부 수립(일본 문화 발전)
호란	• 광해군의 중립 외교 → 인조반정으로 중단 • 정묘호란 : 서인의 친명 배금 정책 → 후금 침략 → 형제 관계 • 병자호란 : 청이 군신 관계 요구 → 조선 거부 → 청의 침략 → 조선 항복(청과 군신 관계 체결)
후기	• 청과의 관계 : 표면적 사대 관계(연행사 파견), 내면적 북벌 운동 추진 → 18세기 일부 학자들이 북학론 제기 • 일본과의 관계 : 에도 막부의 요청으로 국교 재개 → 통신사 파견(외교·문화 사절)

02 양반 신분제 사회와 상품 화폐 경제

1. 신분 질서와 향촌 사회의 변화

(1) 조선의 신분 제도

① 양천제 : 법제적, 양인(자유민)과 천인(비자유민)으로 구분

② 4신분제

양반	주요 관직 차지 → 최고 지배층
중인	• 기술관·서리·향리 등, 직역 세습 → 하급 지배층 • 서얼 : 양반 첩의 자손 → 중인으로 취급받음
상민	• 농민·수공업자·상인 등, 조세·공납·역 부담, 과거 응시 가능 • 신량역천 : 양인이지만 천역 담당
천민	대부분 노비, 재산으로 간주

(2) 신분제의 동요

양반층의 분화	• 배경 : 붕당 정치 변질 • 다수 양반 몰락 → 향반이나 잔반이 됨
신분 상승 노력	• 배경 : 모내기법 확대, 상품 화폐 경제 발달 • 공명첩 구입, 납속, 족보의 위조·매입 등으로 신분 상승 • 서얼 : 관직 진출 제한 폐지 상소 운동 → 차별 완화 • 노비 : 전공이나 납속, 도망, 노비종모법 시행

(3) 향촌 지배 질서의 변화

전기	지방 사족이 유향소, 서원, 향약을 통해 향촌 지배 강화
후기	기존의 사족인 구향과 새롭게 성장한 신향의 향촌 지배권 다툼(향전) 발생

2. 상품 화폐 경제의 발달 빈출 자료 (05)

(1) 수취 체제 개편

전세	영정법 시행해 풍흉에 상관없이 1결당 쌀 4~6두 징수
공납	대동법 시행해 토지 면적에 따라 쌀·옷감·동전 등 징수 → 공인 등장
군역	균역법 시행해 군포를 1필로 줄임

(2) 산업의 변화

① 농업 : 모내기법 확대(벼·보리의 이모작, 광작), 상품 작물 재배 확대

② 수공업 : 민영 수공업 발달, 선대제 수공업

③ 광업 : 민영 광산 발달, 덕대(전문 경영인) 등장

(3) 상품 화폐 경제의 발달

사상의 성장	• 통공 정책 : 정조가 육의전을 제외한 시전의 금난전권 폐지 → 사상의 자유로운 상업 활동 확대 • 일부 사상이 도고로 성장
장시	• 18세기 말 전국적 유통망 형성(보부상의 활약) • 일부 장시는 상설 시장으로 발전
포구	새로운 상업 중심지로 성장, 선상·객주·여각 등 활동
화폐 유통	• 상평통보가 전국적으로 유통 • 전황 : 화폐 유통량 부족으로 발생
대외 무역	• 국경 지역에서 개시 무역(공무역)과 후시 무역(사무역) • 만상(청과 무역), 내상(일본과 무역), 송상 등 성장

빈출 특강

빈출 자료 01) 조선의 중앙 통치 제도 | 연계 문제 → 26쪽 01번

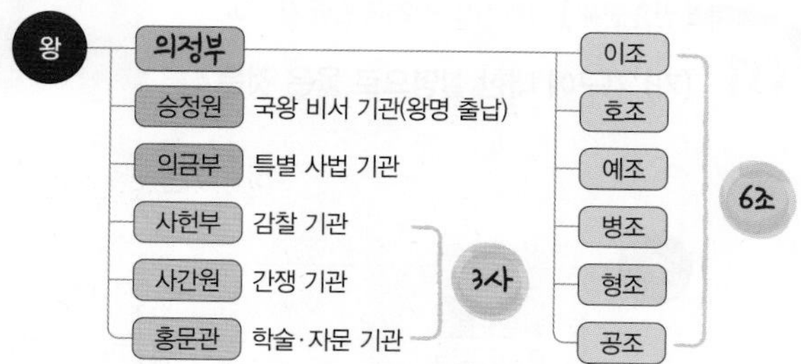

| 자료 분석 | 조선의 중앙 정치는 의정부와 6조를 중심으로 구성되었다. 그리고 사헌부, 사간원, 홍문관의 3사를 두어 권력의 독점을 견제하도록 하였다.

빈출 자료 02) 6조 직계제와 의정부 서사제 | 연계 문제 → 26쪽 02번

┌6조 직계제는 국왕의 국정 주도권을 강화해 주었다.
[자료 1] 의정부의 서사를 나누어 6조에 귀속시켰다. …… 의정부가 관장한 것은 사대문서와 중죄수의 심의뿐이었다. – "태종실록" –

┌의정부 서사제는 재상의 국정 주도권을 강화해 주었다.
[자료 2] 6조는 각기 모든 직무를 먼저 의정부에 보고하고, 의정부는 가부를 헤아린 뒤에 국왕에게 아뢰어 재가를 받아 6조에 내려 보내어 시행한다. 다만, 이조·병조의 관리 임명, 병조의 군사 업무, 형조의 사형수를 제외한 판결 등은 종래와 같이 각 조에서 직접 아뢰어 시행하고 곧바로 의정부에 보고한다. – "세종실록" –

| 자료 분석 | 6조 직계제는 태종이 처음으로 실시하였다. 뒤를 이은 세종은 의정부 서사제로 국정 운영 방식을 바꾸었으나, 세조가 다시 6조 직계제를 실시하였다. 이후 6조 직계제는 의정부 서사제가 다시 시행되는 중종 때까지 이어졌다.

빈출 자료 03) 탕평 정치 | 연계 문제 → 27쪽 05번

┌영조의 탕평책
[자료 1] 신의가 있고 아첨하지 않는 것은 군자의 마음이요, 아첨하고 신의가 없는 것은 소인의 사사로운 마음이다. – '탕평비' –

[자료 2] 붕당의 이름이 생긴 이래로 삼상(三相)이 오늘과 같은 적은 아마도 처음 있는 일일 듯하다. 그러므로 이번 일로 나는 자부하는 마음이 든다. 경들 세 사람은 모름지기 각자 마음을 다해 나로 하여금 좋은 결과를 볼 수 있게 하라. 오늘의 급한 일은 조정에서 의심하여 멀리하는 것을 없애는 데 있을 뿐이다. – "정조실록" –

└정조의 탕평책
└정조는 탕평 정치를 위해 노론, 소론, 남인을 고르게 재상에 임명하였다.

| 자료 분석 | 붕당 정치의 변질로 왕권이 위협받자 탕평책이 제기되었다. 탕평 정치는 영조와 정조 때에 본격적으로 시행되었다.

빈출 자료 04) 북벌론과 북학론 | 연계 문제 → 28쪽 08번

[자료 1] 우리나라의 풀 한 포기와 나무 한 그루, 백성들의 머리카락 하나하나에도 황제의 은혜가 미치는 바 아님이 없습니다. 그런즉 오늘날에 있어 원통, 통분하는 자 천하를 들어도 누가 우리만 하겠습니까? – "송자대전" –

[자료 2] 청이 천하를 차지한 지 1백 년이 지났다. 여기에 사는 사람들을 모조리 오랑캐라 하고 중국의 법마저 폐기해 버린다면 크게 옳지 않다. 진실로 백성에게 이롭다면, 그 법이 비록 오랑캐에게서 나왔다 하더라도 성인은 취할 것이다. – "북학의" –

| 자료 분석 | 병자호란 이후 조선에서는 청에 당한 치욕을 씻고 명과의 의리를 지키자는 북벌론이 일어났다. 하지만 청의 국력이 강성해지자, 18세기 일부 실학자는 청의 문물을 받아들여 조선을 발전시키자는 북학론을 제기하였다.

빈출 자료 05) 상품 화폐 경제의 발달 | 연계 문제 → 29쪽 13번

[자료 1] 김매기의 수고를 줄이는 것이 첫째이다. 두 땅의 힘으로 하나의 모를 서로 기르는 것이 둘째이다. 옛 흙을 떠나 새 흙으로 가서 고갱이를 씻어 내어 더러운 것을 제거하는 것이 셋째이다. – "임원경제지" –

[자료 2] 형조와 한성부에 분부하여 육의전 이외에 (다른 이에게) 난전이라 하여 잡혀 오는 사람들에게는 벌을 주지 마시옵소서. …… 장사하는 사람들은 서로 매매하는 이익이 있을 것이고 백성도 곤궁한 걱정이 없을 것입니다. – "정조실록" –

| 자료 분석 | • [자료 1] 모내기법으로 일손을 덜고 수확량은 늘였으며, 벼와 보리의 이모작도 가능해져 농업 생산량이 크게 늘어났다.
• [자료 2] 정조 때 통공 정책을 시행하여 사상의 자유로운 상업 활동이 확대되었다.

빈출 자료 06) 임술 농민 봉기 | 연계 문제 → 29쪽 14번

임술년 2월 19일 진주민 수만 명이 머리에 흰 수건을 두르고 손에 몽둥이를 들고 무리를 지어, 진주 읍내에 모여 이서(吏胥)와 하급 관리들의 집 수십 호를 태우니, 행동거지가 가볍지 않았다. 병마절도사가 해산시키고자 시장에 가니, 흰 수건을 두른 백성들이 길 위에 빙 둘러 백성들의 재산을 함부로 거둔 명목과 아전이 억지로 세금을 포탈하고 강제로 징수한 일들을 면전에서 여러 번 질책하는데 능멸함과 위협함이 조금도 거리낌이 없었다.

| 자료 분석 | 세도 정치 시기 중앙 정치가 어지러워지면서 정치 기강이 무너졌다. 이를 틈타 지방 수령과 아전이 백성을 수탈하면서 삼정이 극도로 문란해졌다. 이에 함경도에 대한 차별과 세도 정치의 수탈에 저항한 홍경래의 난, 삼정의 문란을 시정할 것을 요구한 임술 농민 봉기 등이 일어났다.

시험에 꼭 나오는 문제

개념 확인 문제

01 다음 서술 내용이 옳으면 ○표, 틀리면 ×표를 하시오.

(1) 조선의 중앙 정치는 의정부와 6조를 중심으로 운영되었다. ( )

(2) 사림 세력이 훈구 세력의 탄압을 받은 사건을 환국이라고 한다. ( )

(3) 조선은 명과 교린 관계를 맺고 회유책과 강경책을 함께 펼쳤다. ( )

(4) 서인이 친명 배금 정책을 펴자 후금이 조선을 침략해 병자호란이 발발하였다. ( )

(5) 왜란 이후 조선 정부는 일본에 연행사를 파견해 평화를 유지하였다. ( )

02 서로 관련된 사실을 바르게 연결하시오.

(1) 태종 •　　• ㉠ 쓰시마섬 토벌, 훈민정음

(2) 세종 •　　• ㉡ 6조 직계제 채택, 호패법

(3) 성종 •　　• ㉢ "경국대전" 반포

(4) 광해군 •　　• ㉣ 탕평파 중심의 정국 운영

(5) 영조 •　　• ㉤ 통공 정책 실시

(6) 정조 •　　• ㉥ 중립 외교

03 다음 내용에 해당하는 기구를 《보기》에서 골라 쓰시오.

《보기》
ㄱ. 3사　　ㄴ. 6조　　ㄷ. 비변사　　ㄹ. 의정부

(1) 조선의 국정을 총괄한 재상의 합의 기구는? ( )

(2) 사헌부, 사간원, 홍문관을 함께 이르는 말로 언론을 담당한 기구는? ( )

(3) 국가의 행정 업무를 분야별로 맡아 담당한 기구는? ( )

(4) 외적의 침입에 대비하는 임시 기구로 만들어진 이후 조선의 국정을 총괄한 기구는? ( )

04 다음 빈칸에 들어갈 알맞은 말을 쓰시오.

(1) 조선의 신분 제도는 법제상으로 양인과 천인으로 구분하는 (　　　)였다.

(2) 조선 후기에는 기존 양반인 구향과 새롭게 성장한 신향 사이에 향촌 주도권을 둘러싸고 (　　　)이/가 발생하였다.

(3) 방납에 따른 농민 부담을 줄이기 위해 공물을 토지 면적에 따라 쌀, 옷감, 동전 등으로 징수하는 (　　　)이/가 실시되었다.

(4) 조선 후기에는 상공업의 발달을 배경으로 (　　　)이/가 주조되어 널리 유통되었다.

(5) 1811년에는 평안도 지역 차별과 지배층의 수탈에 항거한 (　　　)이/가 일어났다.

01 조선의 정치 운영과 세계관의 변화

(빈출 문제) 연계 자료 → 25쪽 빈출 자료 01

01 (가) 기구에 대한 설명으로 옳은 것은?

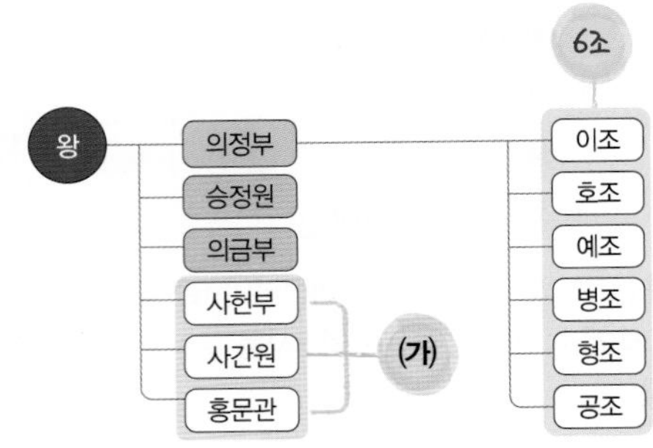

① 최고 정무 기구였다.
② 왕명 출납을 담당하였다.
③ 재상들의 합의로 운영되었다.
④ 국왕 직속의 특별 사법 기관이었다.
⑤ 권력의 독점과 부정을 방지하는 역할을 하였다.

(빈출 문제) 연계 자료 → 25쪽 빈출 자료 02

02 다음 국정 운영 방식에 대한 설명으로 옳은 것을 《보기》에서 모두 고르면?

> 의정부의 서사를 나누어 6조에 귀속시켰다. …… 의정부가 관장한 것은 사대 문서와 중죄수의 심의뿐이었다.

《보기》
ㄱ. 태종 때 처음 실시되었다.
ㄴ. 비변사의 기능 강화를 가져왔다.
ㄷ. 국왕의 국정 주도권을 강화시켜 주었다.
ㄹ. 재상들이 국정을 조정하는 역할을 하였다.

① ㄱ, ㄴ　② ㄱ, ㄷ　③ ㄴ, ㄷ
④ ㄴ, ㄹ　⑤ ㄷ, ㄹ

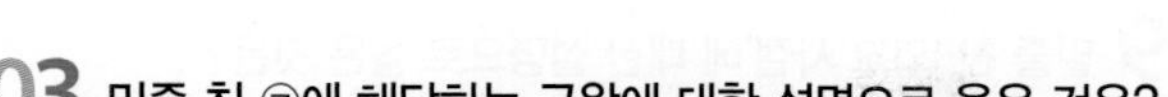

03 밑줄 친 ㉠에 해당하는 국왕에 대한 설명으로 옳은 것은?

> 책이 완성되어 여섯 권으로 만들어 바치니, "경국대전"이라는 이름을 내리셨다. '형전'과 '호전'은 이미 반포되어 시행하고 있으나 나머지 네 법전은 미처 교정을 마치지 못했는데, 세조께서 갑자기 승하하시니 ㉠지금 임금께서 선대 왕의 뜻을 받들어 마침내 하던 일을 끝마치고 나라 안에 반포하셨다.

① 정변을 일으켜 왕위에 올랐다.
② 탕평파를 중심으로 정국을 운영하였다.
③ 훈구 세력을 견제하기 위해 사림을 등용하였다.
④ 초계 문신제를 시행하여 왕권을 뒷받침하게 하였다.
⑤ 여진과 일본의 침입에 대비하여 비변사를 설치하였다.

04 밑줄 친 '그'에 대한 설명으로 옳은 것은?

> 연산군이 쫓겨나고 중종이 즉위하자, 이 과정에서 공을 세운 훈구 세력이 권력을 장악하였다. 이에 중종은 사림 세력을 등용하여 훈구 세력을 견제하고자 하였다. 그는 유교적 도덕 정치의 시행을 주장하며 급진적인 개혁을 추진하였다. 특히 중종반정의 공신을 조사하여 자격이 없는 사람의 공훈을 삭제하였다. 이에 공신들이 반발하면서 다시 사화가 일어났다.

① 현량과를 실시해 인재를 등용할 것을 주장하였다.
② 대동법 시행을 주도하여 백성의 부담을 줄여주었다.
③ 시전 상인의 금난전권을 폐지하여 상업을 발전시켰다.
④ 노비종모법을 시행하여 국가 재정 부족을 해결하려 하였다.
⑤ 명에 대한 의리를 지킬 것을 주장하면서 북벌 운동을 주도하였다.

(빈출 문제) 연계 자료 → 25쪽 빈출 자료 03

05 (가) 국왕에 대한 설명으로 옳은 것은?

((가))이/가 성균관 앞에 세운 이 비에는 '신의가 있고 아첨하지 않는 것은 군자의 마음이요, 아첨하고 신의가 없는 것은 소인의 사사로운 마음이다.'라는 글이 새겨져 있습니다.

① 4군 6진을 개척하였다.
② "경국대전"을 완성하였다.
③ 이완을 등용해 북벌을 준비하였다.
④ 붕당의 근원인 서원을 대폭 정리하였다.
⑤ 정치적 이상을 담아 수원 화성을 세웠다.

유사 선택지 문제

05_ ❶ (   )을/를 중심으로 정국을 운영하였다.
05_ ❷ (대동법 / 영정법 / 균역법)을 실시해 농민의 군포 부담을 줄여주었다.
05_ ❸ 규장각을 설치해 왕권을 뒷받침하게 하였다. (○ / ×)

06 (가), (나) 붕당에 대한 설명으로 옳은 것은?

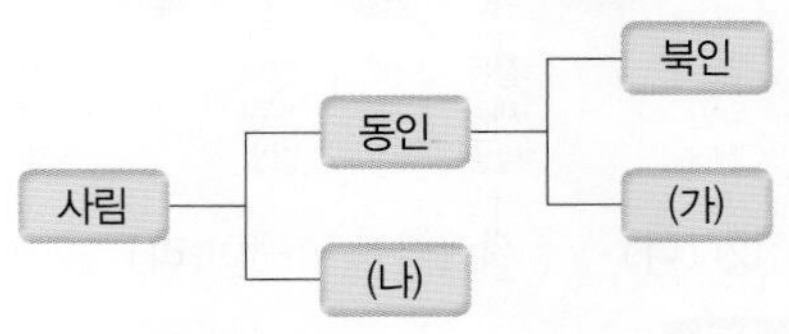

① (가)–인조반정을 주도하였다.
② (가)–광해군 때 권력을 독점하였다.
③ (나)–세조의 즉위 과정에서 공을 세웠다.
④ (나)–척신 배제에 강경한 태도를 보인 신진 사림이다.
⑤ (가), (나)–현종 때 자의 대비의 상복 문제로 대립하였다.

시험에 꼭 나오는 문제

07 (가), (나) 지역을 개척한 국왕의 재위 시기에 볼 수 있던 모습으로 가장 적절한 것은?

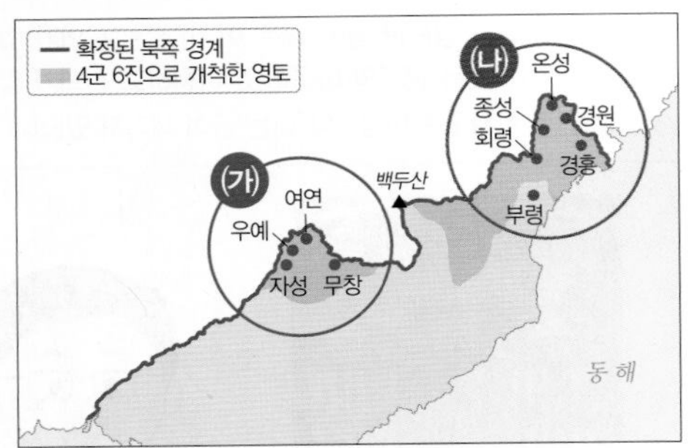

① 북벌 운동을 주도하는 서인
② 명군과 함께 평양성을 공격하는 군인
③ 남한산성에서 적과 맞서 싸우는 국왕
④ 비변사에서 여진 문제를 논의하는 관리
⑤ 삼포의 왜관에서 물건을 거래하는 일본 상인

(빈출 문제) 연계 자료 ➜ 25쪽 빈출 자료 04

08 다음 주장이 제기된 시기를 연표에서 옳게 고른 것은?

> 우리나라의 풀 한 포기와 나무 한 그루, 백성들의 머리카락 하나하나에도 황제의 은혜가 미치는 바 아님이 없습니다. 그런즉 오늘날에 있어 원통, 통분하는 자 천하를 들어도 누가 우리만 하겠습니까? – "송자대전" –

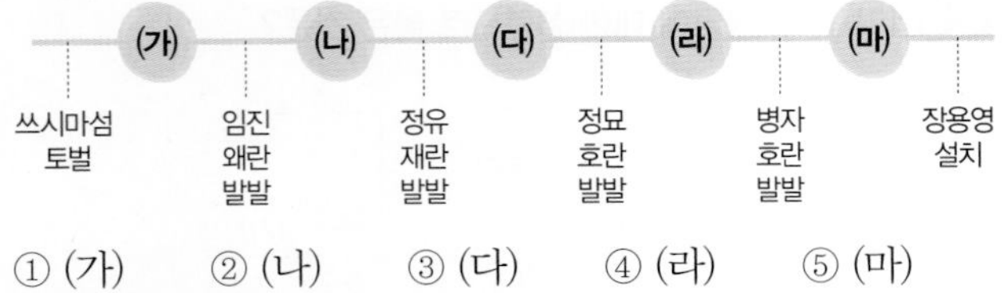

① (가) ② (나) ③ (다) ④ (라) ⑤ (마)

유사 선택지 문제

08_ ❶ (　　　)은/는 송시열, 이완 등을 등용해 북벌을 준비하였다.
08_ ❷ (임진왜란 / 병자호란) 이후 청에 당한 치욕을 씻고 명에 의리를 지키자는 북벌론이 일어났다.
08_ ❸ 18세기 이후 일부 실학자는 청의 문물을 받아들여 조선을 발전시키자는 북벌론을 제기하였다. (○ / ×)

09 밑줄 친 '외교 사절'에 대한 설명으로 옳은 것은?

① '연행사'란 이름으로 불렸다.
② 에도 막부의 요청으로 파견되었다.
③ '곤여만국전도'를 가지고 귀국하였다.
④ 사대 관계의 예에 따라 정기적으로 파견되었다.
⑤ 에도 막부에게 독도가 조선 영토임을 확인받고 돌아왔다.

02 양반 신분제 사회와 상품 화폐 경제

10 밑줄 친 '양인'에 대한 학생들의 발표 내용으로 옳지 않은 것은?

① 피지배층이지만 상민도 양인에 해당합니다.
② 양인은 지배층과 피지배층으로 분화되었습니다.
③ 과거를 통해 고위 관직을 독점하던 양반이 포함됩니다.
④ 수군, 조례 등 신량역천층은 양인에서 제외되었습니다.
⑤ 서리, 향리는 하급 지배층으로 양인의 범주에 속합니다.

11 (가)에 들어갈 내용으로 적절하지 않은 것은?

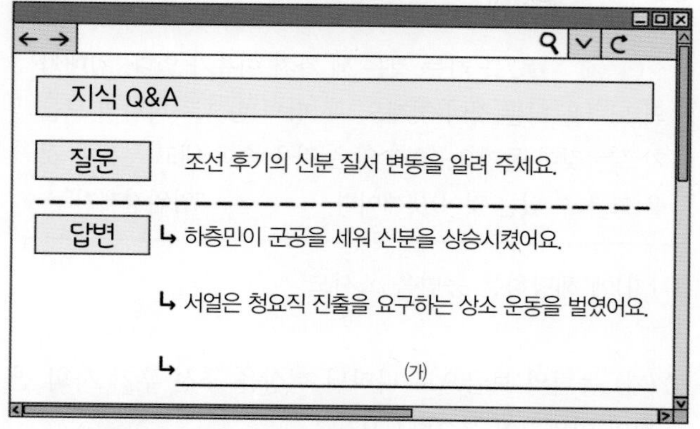

① 정쟁으로 몰락하는 양반이 늘어났어요.
② 순조 때에 중앙 관서의 공노비가 해방되었어요.
③ 16세 이상 모든 남자에게 호패를 발급하였어요.
④ 정부가 양인을 늘리기 위해 노비종모법을 시행하였어요.
⑤ 부를 축적한 사람이 공명첩을 사들여 신분을 상승시키기도 하였어요.

12 (가)에 대한 설명으로 가장 적절한 것은?

((가))의 시행

……

- 영향
  - 방납의 폐단 시정
  - 공인의 등장 → 상품 화폐 경제 발달에 기여

① 영조 때 처음 실시되었다.
② 결작을 징수하는 계기가 되었다.
③ 일부 상류층에게 선무군관포를 징수하였다.
④ 풍흉에 관계없이 1결당 쌀 4~6두를 징수하였다.
⑤ 공물을 토지 면적에 따라 쌀, 옷감, 동전 등으로 납부하였다.

(빈출 문제) 연계 자료 → 25쪽 빈출 자료 05

13 그림의 농법에 대한 학생들의 발표 내용으로 옳지 않은 것은?

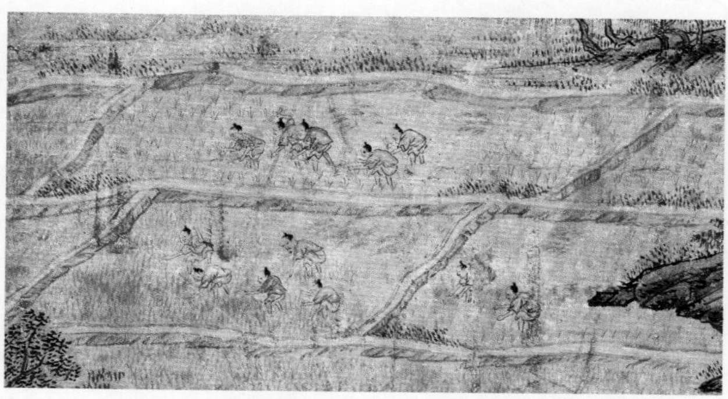

① 벼와 보리의 이모작을 가능하게 하였어요.
② 수확량은 늘어났지만 노동력은 절감되었어요.
③ 자기 땅을 갖는 농민의 비율이 크게 증가하였어요.
④ 1인당 경작지의 규모가 확대되는 결과를 가져왔어요.
⑤ 농민이 부농과 임노동자 등으로 분화되는 현상을 초래하였어요.

(빈출 문제) 연계 자료 → 25쪽 빈출 자료 06

14 다음을 계기로 일어난 농민 봉기에 대한 설명으로 가장 적절한 것은?

임술년 2월 19일 진주민 수만 명이 머리에 흰 수건을 두르고 손에 몽둥이를 들고 무리를 지어, 진주 읍내에 모여 이서(吏胥)와 하급 관리들의 집 수십 호를 태우니, 행동거지가 가볍지 않았다. 병마절도사가 해산시키고자 시장에 가니, 흰 수건을 두른 백성들이 길 위에 빙 둘러 백성들의 재산을 함부로 거둔 명목과 아전이 억지로 세금을 포탈하고 강제로 징수한 일들을 면전에서 여러 번 질책하는데 능멸함과 위협함이 조금도 거리낌이 없었다.

① 삼정의 문란이 봉기의 원인이었다.
② 평안도 지역 차별에 저항해 일어났다.
③ 이 시기에는 무신들이 정권을 장악하였다.
④ 만적 등 노비가 주도한 신분 해방 운동이었다.
⑤ 풍수지리설을 이용해 평양 천도를 주장하였다.

서술형 문제

정답 및 해설 9쪽

01 다음 자료를 읽고 물음에 답하시오.

> 연산군이 즉위하면서 ㉠훈구 세력은 ㉡사림 세력을 공격하기 시작하였다. 자신의 잘못된 정치를 비판하는 사림 세력을 못마땅하게 여긴 연산군도 이에 동조하였다. 결국 두 차례에 걸친 (㈎)이/가 일어나 사림 세력은 큰 피해를 입었다.

(1) (가)에 들어갈 용어를 쓰시오.

(2) 밑줄 친 ㉠, ㉡ 세력의 특징을 제시하고, ㉡ 세력이 중앙 정치에 등장하게 된 과정을 서술하시오.

02 다음 자료를 읽고 물음에 답하시오.

> (가) 정묘년의 맹약을 아직 지켜서 몇 년이라도 화를 늦추고, …… 성을 쌓으며, 군량을 저축하여 변방의 방어를 더욱 튼튼하게 하되 군사를 집합시켜 움직이지 않으며 적의 허점을 노리는 것이 우리로서는 최상의 계책일 것입니다. – 최명길, "지천집" –
>
> (나) 화의가 나라를 망친 것은 어제오늘의 일이 아니고 옛날부터 그러하였으나 오늘날처럼 심한 적은 없었습니다. 명은 우리나라에는 부모의 나라이고 ㉠노적은 우리나라에는 부모의 원수입니다. …… 어찌 차마 이런 시기에 다시 화의를 제창할 수 있겠습니까?
>
> – "인조실록" –

(1) 밑줄 친 ㉠에 해당하는 국가를 쓰시오.

(2) (가), (나)의 주장이 제기된 배경과 결과를 당시 대외 정세와 연관지어 서술하시오.

03 다음 자료를 읽고 물음에 답하시오.

> (㈎)을/를 하는 것은 세 가지 이유가 있다. 김매기의 노력을 더는 것이 첫째요, 두 땅의 힘으로 하나의 모를 기르는 것이 둘째요, 좋지 않은 것을 솎아 내고 튼튼한 것을 고를 수 있는 것이 셋째이다. – "임원경제지" –

(1) (가)에 해당하는 농법을 쓰시오.

(2) (가) 농법의 보급으로 나타난 현상을 조선 후기 사회 변화와 연관지어 서술하시오.

04 다음 자료를 읽고 물음에 답하시오.

> (가) 시아버지 죽어 이미 상복 입었고,
> 갓난아이는 배냇물도 아직 안 말랐는데
> 삼대가 모두 군적에 실렸으니
> 가서 억울함을 호소해도
> 문지기는 호랑이 같네.
>
> (나) 봄철에 좀먹은 것 한 말 받고
> 가을에 좋은 쌀 두 말을 갚는데
> 더구나 좀먹은 쌀값 돈으로 내라하니
> 좋은 쌀 팔아 돈으로 낼 수밖에.

(1) (가), (나)는 삼정 중 어느 것의 문란을 나타낸 것인지 쓰시오.

(2) 위와 같은 상황이 나타나게 된 이유를 당시 중앙 정치 상황과 연결하여 서술하시오.

올쏘 상위 4% 문제

01 (가)에 들어갈 내용으로 가장 적절한 것은?

① 5소경을 설치해 수도의 위치를 보완하였습니다.
② 특수 행정 구역인 향·부곡·소를 확대하였습니다.
③ 유향소를 운영해 지방 행정을 보완하게 했습니다.
④ 지방관이 파견되지 않은 속현이 다수를 차지했습니다.
⑤ 22담로에는 왕족을 파견해 지방 통제를 강화하였습니다.

02 다음 시기에 실시된 정책으로 옳은 것은?

> 붕당의 이름이 생긴 이래로 삼상이 오늘과 같은 적은 아마 처음 있는 일일 것이다. 이번 일에 나는 자부심이 든다. 경들 셋은 모름지기 각자 마음을 다해 내가 좋은 결과를 볼 수 있도록 하라. 지금의 급한 일은 조정에서 의심하여 멀리하는 것을 없애는 데 있을 뿐이다.

① 탕평론에 동의하는 탕평파를 중심으로 정치를 운영하였다.
② 서인과 남인이 번갈아 권력을 장악하도록 하여 왕권을 강화하였다.
③ 효종의 새어머니가 상복을 입는 기간을 두고 서인과 남인의 대립이 심화되었다.
④ 젊고 재능 있는 인재를 왕실 도서관에 발탁하여 개혁 정치를 뒷받침하도록 하였다.
⑤ 특정 가문이 비변사를 비롯한 주요 관직을 독점하여 붕당간의 세력 균형이 무너졌다.

03 다음 정책이 실시된 결과로 가장 적절한 것은?

> 평시서로 하여금 30년 이내에 새로 설립된 시전을 모두 없애도록 하라. 그리고 형조와 한성부는 육의전 이외에는 난전을 금할 수 없게 하도록 하라. 그리고 이를 어기는 자는 벌주도록 해야 한다. – "비변사등록" –

① 공인이 등장하는 계기가 되었다.
② 시전 상인의 권한이 강화되었다.
③ 관영 수공업의 발달을 가져왔다.
④ 민간인의 광산 개발이 금지되었다.
⑤ 사상의 상업 활동이 더욱 촉진되었다.

04 (가)에서 일어난 봉기에 대한 설명으로 옳은 것을 《보기》에서 모두 고르면?

보기

ㄱ. 신흥 상공업 세력이 참여하였다.
ㄴ. 삼정이정청이 설치되는 계기가 되었다.
ㄷ. 평안도 지역 차별이 봉기의 한 원인이었다.
ㄹ. 노비들의 주도로 신분 해방을 주장하였다.

① ㄱ, ㄴ　② ㄱ, ㄷ　③ ㄴ, ㄷ
④ ㄴ, ㄹ　⑤ ㄷ, ㄹ

04 서구 열강의 접근과 근대적 개혁의 추진

출제 경향
★ 흥선 대원군의 개혁 정책을 묻는 문제
★ 갑신정변의 원인과 결과를 묻는 문제

01 서구 열강의 접근과 조선의 대응

1. 열강의 동아시아 침략

구분	내용
중국	• 제1차 아편 전쟁 패배로 난징 조약 체결, 개항 • 제2차 아편 전쟁으로 톈진 조약, 베이징 조약 체결
일본	미국 페리의 압박 → 미·일 화친 조약, 미·일 수호 통상 조약 체결
조선	이양선 출몰, 서구 열강과 일본의 개항 시도

2. 흥선 대원군의 집권과 내정 개혁 빈출 자료 01

구분	내용
통치 체제 정비	• 종친 우대(종친부 강화), 남인과 북인 등용 • 비변사 사실상 폐지 → 의정부와 삼군부의 기능 부활 • "대전회통" 등 법전 편찬 → 통치 질서 재정비
왕실 권위 강화	경복궁 중건 : 원납전 강제 징수, 당백전 발행, 양반 묘지림 벌목 → 양반과 농민의 불만 심화
서원 정리	47개의 사액 서원만 남기고 철폐해 재정 확충, 백성 수탈 방지 → 유생의 반발
삼정 개혁	• 전정 : 양전 사업으로 토지 대장에서 누락된 토지를 찾아 조세 부과 • 군정 : 호포제 실시(양반 호에 군포 부과) → 양반의 반발 초래 • 환곡(환정) : 사창제 실시(향촌 자치적 운영)

3. 서구 열강의 침략과 대응 빈출 자료 02

구분	내용
병인양요 (1866)	• 원인 : 병인박해로 프랑스 선교사 처형 • 전개 : 프랑스 함대가 강화도 침략 → 한성근(문수산성), 양헌수(정족산성)의 활약 → 프랑스군 철수 • 결과 : 프랑스가 외규장각 도서 약탈
오페르트 사건 (1868)	• 배경 : 독일 상인 오페르트의 통상 요구 → 조선 정부의 거절 • 전개 : 오페르트가 남연군 무덤 도굴 시도 → 실패 • 결과 : 서양인에 대한 거부감 확산
신미양요 (1871)	• 원인 : 제너럴 셔먼호 사건(1866)을 구실로 미국이 배상금 지불과 통상 요구 → 조선 정부의 거부 • 전개 : 미국 함대의 강화도 침략 → 미군이 초지진 점령, 광성보 공격 → 어재연의 활약 → 미군 철수 • 결과 : 흥선 대원군이 전국에 척화비 건립

02 문호 개방과 근대적 개혁의 추진

1. 개항과 불평등 조약 체제의 성립

(1) 강화도 조약 체결 빈출 자료 03

구분	내용
배경	고종의 친정, 통상 개화론 대두, 일본에서 정한론 대두
계기	운요호 사건 도발(1875) → 강화도 조약 체결(1876)
조약 내용	• 최초의 근대적 조약 • 부산 외 2개 항구 개항(원산, 인천), 해안 측량권·영사 재판권 허용 → 불평등 조약 • 이후 조·일 수호 조규 부록, 조·일 무역 규칙 체결

(2) 서양 열강과의 조약 체결

구분	내용
조·미 수호 통상 조약 (1882)	• 배경 : "조선책략" 유포, 청의 알선 • 내용 : 서양 국가와 맺은 최초의 수호 통상 조약, 불평등 조약(영사 재판권, 최혜국 대우), 거중 조정, 관세 부과 규정
기타	영국, 독일 등 주요 열강과 수교(불평등 조약)

2. 개화파의 형성과 개화 정책의 추진

(1) 청과 일본의 근대화 운동

구분	내용
청	양무운동(중체서용) → 변법자강 운동(정치 제도까지 개혁)
일본	메이지 유신으로 일왕 중심 신정부 수립, 서양 기술·제도 수용

(2) 개화파의 형성과 개화 정책

구분	내용
개화파 형성	박규수 등 통상 개화론자의 영향 → 김옥균, 박영효, 김홍집 등 개화파 형성
개화 정책 추진	• 통리기무아문 설치(1880) : 개화 정책 총괄 • 별기군 창설 → 구식 군대는 2영(무위영과 장어영)으로 개편
외교 사절 파견	• 수신사 : 강화도 조약 체결 이후 일본에 파견한 외교 사절 • 조사 시찰단(1881) : 일본 근대 문물 시찰, 개화 정책 정보 수집 • 영선사(1881) : 청의 근대식 무기 제조법과 군사 훈련법 습득 • 보빙사(1883) : 미국과 수교 후 공사 파견에 대한 답례

3. 개화 정책에 대한 반발과 갑신정변

(1) 개화 정책에 대한 반발 빈출 자료 04

구분	내용
위정척사 운동	• 1860년대 : 통상 반대 운동, 척화주전론, 이항로 등 • 1870년대 : 일본의 개항 요구 → 왜양일체론, 최익현 등 • 1880년대 : "조선책략" 유포 계기 → 이만손 등 영남 만인소 • 1890년대 : 항일 의병 운동으로 계승
임오군란 (1882)	• 원인 : 구식 군인 차별, 일본의 경제 침탈에 민중 불만 고조 • 전개 : 구식 군인 봉기, 도시 하층민의 합세 → 흥선 대원군 재집권 → 청군 개입해 난 진압 → 민씨 세력 재집권 • 결과 : 청군의 조선 주둔과 내정 간섭(조·청 상민 수륙 무역 장정 체결), 일본 공사관 경비병 주둔 허용(제물포 조약)

(2) 개화파의 분화와 갑신정변 빈출 자료 05

① 개화파의 분화

구분	내용
온건 개화파	양무운동 모델, 동도서기에 따른 점진적 개혁
급진 개화파	메이지 유신 모델, 문명 개화론에 따른 급진적 개혁

② 갑신정변(1884)

구분	내용
배경	청의 내정 간섭, 김옥균의 차관 도입 실패로 급진 개화파 입지 약화
전개	• 청과 프랑스 갈등 → 조선 주둔 청군 일부 철수 • 우정총국 개국 축하연 계기로 급진 개화파 권력 장악 • 개화당 정부 수립, 14개조 개혁 정강 발표
결과	청군 개입으로 실패, 주도자들 일본 망명
영향	• 청의 내정 간섭 심화 • 한성 조약 : 조선과 일본, 일본 공사관 신축 비용 부담 • 톈진 조약 : 청과 일본, 조선 파병 시 상호 통보

③ 중립화론

구분	내용
배경	조선을 둘러싼 열강의 대립 심화(거문도 사건 등)
주장	부들러(독일), 유길준 등이 조선 중립화 제시

빈출 특강

빈출 자료 01 호포제 실시 | 연계 문제 → 34쪽 02번

[자료 1] 호포제 찬성

왕이 하교하였다. "근래 군정의 폐단이 매우 심하다고 한다. 작년부터 대원군의 분부로 양반 호는 노비의 이름으로 군포를 내고, …… 지금은 이미 죽은 사람이나 어린아이에게 군포를 물리는 잘못된 일이 없으니, 이것은 상서롭고 화기로운 기운을 가져오는 일이다. 앞으로 오래도록 시행할 법으로 삼는 것이 좋겠다."

– "고종실록" –

(군포를 개인이 아닌 호를 기준으로 내게 하면서 양반 호도 군포를 부담하게 되었다.)

[자료 2] 호포제 반대

홍시형이 상소하였다. "근래 호포법이 나오면서 등급이 문란해져 벼슬아치나 선비, 하인들이 똑같이 취급되고 상하의 구별이 없어졌으니 한탄스럽습니다. 이는 죽은 사람이나 어린아이에게 군포를 물리는 것만 불쌍히 여겨, 귀천에 관계없이 똑같이 군포를 부과하겠다는 것입니다. 명분이 없어지면 나라를 어떻게 다스리겠습니까?"

– "고종실록" –

| 자료 분석 | • [자료 1]은 군정의 문란을 바로잡기 위해 호포제 실시를 지지하는 주장이다.
• [자료 2]는 호포제 시행으로 양반도 군포를 부담하게 되면서 아랫사람과 구분이 없어지게 되었다며 반대하는 주장이다.

빈출 자료 02 척화비 | 연계 문제 → 35쪽 07번

≪ 척화비

서양 오랑캐가 침범하는데 싸우지 않는 것은 화친하는 것이요, 화친을 주장하는 것은 나라를 파는 일이다. 이를 자손만대에 경계하노라. 병인년에 짓고 신미년에 세운다.

| 자료 분석 | 흥선 대원군은 병인양요와 신미양요에서 프랑스와 미국의 침략을 격퇴한 후 서양의 통상 수교 요구에 대한 거부 의지를 널리 알리기 위해 전국에 척화비를 세웠다.

빈출 자료 04 위정척사 운동 | 연계 문제 → 36쪽 11번

[자료 1] 이항로의 척화주전론

오늘날 서양 오랑캐의 화가 홍수나 맹수의 해로움보다도 더 심합니다. 전하께서는 …… 안으로 관리들로 하여금 사학(邪學)의 무리를 잡아 베게 하시고, 밖으로 장병들로 하여금 바다를 건너오는 적을 정벌하게 하소서.

– "화서집" –

[자료 2] 최익현의 왜양일체론

저들이 비록 왜인이라고 하나 실은 양적입니다. 강화가 한번 이루어지면 사학(邪學) 서적과 천주의 초상화가 교역하는 가운데 들어올 것입니다. 그렇게 되면 얼마 안 가서 사학이 온 나라 안에 퍼지게 될 것입니다.

– "면암집" –

[자료 3] 영남 만인소

수신사 김홍집이 가져와 유포한 황준헌의 사사로운 책자를 보노라면, …… 러시아는 본래 우리와 혐의가 없는 나라입니다. …… 러시아·미국·일본은 같은 오랑캐입니다. 그들 사이에 누구는 후하게 대하고 누구는 박하게 대하기는 어려운 일입니다.

(황준헌의 사사로운 책자 – 조선책략)

– "고종실록" –

| 자료 분석 | 양반 유생들은 19세기 후반에 개항과 개화에 반대하는 위정척사 운동을 전개하였다.

빈출 자료 03 강화도 조약 | 연계 문제 → 36쪽 08번

4. 조선 정부는 (부산 외) 두 곳의 항구를 개방하고 일본국 인민이 오가며 자유로이 통상하도록 허가한다. (추가로 인천, 원산 개방)
7. ㉠ 조선국 연해를 일본국 항해자가 자유롭게 측량하고 지도를 제작할 수 있도록 허가한다.
9. 양국의 인민들은 각자 임의로 무역하며 양국 관리들은 조금도 간섭할 수 없고 또 제한하거나 금지할 수도 없다.
10. ㉡ 일본국 인민이 조선국이 지정한 각 항구에서 조선국 인민과 관계된 죄를 범한 경우 일본국 관원이 심판한다.

– "고종실록" –

| 자료 분석 | • 강화도 조약은 조선이 맺은 최초의 근대적 조약이자 불평등 조약이었다.
• ㉠: 일본에게 조선의 해안 측량권을 허용한 것으로 주권 침해 조항이다.
• ㉡: 일본인에 대한 영사 재판권을 허용한 것으로 주권 침해 조항이다.

빈출 자료 05 갑신정변 당시 개혁 정강 | 연계 문제 → 37쪽 15번

1. 흥선 대원군을 가까운 시일 안에 돌아오게 하고 청에 대한 조공의 허례를 폐지할 것 (임오군란 때 청에 끌려감)
2. 문벌을 폐지하여 인민 평등의 권리를 제정하고 능력에 따라 관리를 등용할 것
8. 급히 순사(巡査)를 두어 도둑을 막을 것
12. 재정은 모두 호조에서 관할하게 하고 그 밖의 재무 관청은 폐지할 것
13. 대신과 참찬은 합문 안의 의정소에서 회의 결정하고 정령을 공포해서 시행할 것
14. 의정부와 6조 외에 무릇 불필요한 관청은 모두 혁파하고, 대신과 참찬으로 하여금 참작 협의하여 아뢰도록 할 것

– "갑신일록" –

| 자료 분석 | 갑신정변은 청과 종속 관계를 청산하여 자주독립을 확고히 하고자 하였으며, 내각 제도를 실시하여 국왕의 전제권을 제한하고, 인민 평등권을 확립하는 등 근대적 정치·사회 체제를 구축하려 한 우리나라 최초의 근대적 정치 개혁 운동이었다. 하지만 일본에 의지하였으며, 민중의 지지를 받지 못한 위로부터의 개혁이었다.

시험에 꼭 나오는 문제

개념 확인 문제

01 다음 서술 내용이 옳으면 ○표, 틀리면 ×표를 하시오.

(1) 흥선 대원군은 종실을 관장하던 종친부를 권력 기구로 만들고 종친을 우대하였다. ( )

(2) 농민과 유생들은 흥선 대원군의 서원 철폐 정책을 적극 지지하였다. ( )

(3) 흥선 대원군은 군정의 문란을 시정하기 위해 사창제를 도입하였다. ( )

(4) 흥선 대원군은 척화비를 세워 통상 수교 거부 의지를 널리 알렸다. ( )

(5) 강화도 조약은 영사 재판권과 최혜국 대우가 규정된 불평등 조약이다. ( )

02 서로 관련된 사실을 바르게 연결하시오.

(1) 병인양요 • • ㉠ 제너럴 셔먼호 사건

(2) 신미양요 • • ㉡ 천주교 박해

(3) 강화도 조약 • • ㉢ 갑신정변

(4) 톈진 조약 • • ㉣ 운요호 사건

(5) 조·청 상민 수륙 무역 장정 • • ㉤ 임오군란

03 다음 내용에 해당하는 인물을 《보기》에서 골라 쓰시오.

《보기》
ㄱ. 유길준 ㄴ. 김옥균
ㄷ. 최익현 ㄹ. 흥선 대원군

(1) 조선을 두고 열강의 대립이 심해지자, 조선을 중립국으로 만들 것을 구상한 인물은? ( )

(2) 급진 개화파의 일원으로 갑신정변을 주도한 인물은? ( )

(3) 일본과 서양은 다르지 않다는 왜양일체론을 주장한 인물은? ( )

(4) 경복궁을 중건하기 위해 원납전을 강제로 징수하고, 당백전을 발행해 백성의 불만을 높인 인물은? ( )

04 다음 빈칸에 들어갈 알맞은 말을 쓰시오.

(1) 조선은 황준헌의 ( ) 유포와 청의 알선을 배경으로 조·미 수호 통상 조약을 체결하였다.

(2) 개항 직후 조선 정부는 ( )을/를 설치하여 개화 정책을 총괄하게 하였다.

(3) 보수적 유생들은 성리학적 전통 질서를 지키고 성리학 이외의 종교와 사상을 배척하는 ( ) 운동을 전개하였다.

(4) ( )은/는 청의 양무운동을 모델로 동도서기론에 따른 점진적 개혁을 주장하였다.

(5) ( )은/는 급진 개화파가 우정총국 개국 축하연을 계기로 정변을 일으켜 권력을 장악한 것이다.

01 서구 열강의 접근과 조선의 대응

01 (가) 인물이 추진한 정책으로 옳은 것은?

① 삼정이정청을 설치하였다.
② 비변사를 사실상 폐지하였다.
③ 장용영을 설치해 군사적 기반을 강화하였다.
④ "경국대전"을 반포하여 통치 체제를 정비하였다.
⑤ 균역법을 실시해 농민의 군포 부담을 줄여 주었다.

(빈출 문제) 연계 자료 → 33쪽 빈출 자료 01

02 다음 정책에 대한 설명으로 옳은 것은?

> 근래 군정의 폐단이 매우 심하다고 한다. 작년부터 대원군의 분부로 양반 호는 노비의 이름으로 군포를 내고, …… 지금은 이미 죽은 사람이나 어린아이에게 군포를 물리는 잘못된 일이 없으니, 이것은 상서롭고 화기로운 기운을 가져오는 일이다. 앞으로 오래도록 시행할 법으로 삼는 것이 좋겠다.
> – "고종실록" –

① 영조 때 처음 시행되었다.
② 왕실의 권위를 높이기 위해 실시되었다.
③ 경복궁 중건 비용 마련을 위해 추진되었다.
④ 환곡의 문란을 시정하려는 목적에서 도입되었다.
⑤ 군포 부담층을 확대해 농민의 부담을 줄여 주었다.

유사 선택지 문제

02_ ❶ 군정의 문란은 ( ) 징수 과정에 나타난 폐단을 말한다.

02_ ❷ 흥선 대원군은 (호포제 / 사창제)를 시행해 군정의 문란을 시정하였다.

02_ ❸ 호포제 실시에 대해 양반들의 반발이 극심하였다. (○ / ×)

03 밑줄 친 '이 명령'에 해당하는 것으로 옳은 것은?

조정에서는 어떤 변이라도 있을까 하여 대원군에게 간언하기를, "선현의 제사를 받드는 것은 선비의 기풍을 기르는 것이므로 이 명령만은 거두기를 청합니다."라고 하였다. 대원군이 크게 노하여 말하기를 "진실로 백성에게 해되는 것이 있으면 비록 공자가 다시 살아난다 하더라도 나는 용서치 않겠다. ……"라고 하였다.

① 서원 철폐 ② 당백전 발행 ③ 경복궁 중건
④ 별기군 설치 ⑤ 척화비 건립

04 자료에 나타난 전투가 있었던 전쟁에 대한 학생들의 발표 내용으로 옳은 것은?

양헌수라는 사람이 순무중군으로 있었다. …… 광성보에서 몰래 전등사로 가서 주둔하였다. …… 전등사는 높은 산 위라 매복하고 있다가 한꺼번에 북과 나발을 불며 좌우에서 총을 쏘았다. 장수가 총에 맞아 말에서 떨어지고 양인 십여 명이 죽었다. 혼쭐이 난 양인들을 쫓아가니 제 동무 시체를 옆에 끼고 급히 본진으로 도망갔다.

① 청군이 조선에 주둔하는 계기가 되었어요.
② 프랑스군이 외규장각 도서를 약탈하였어요.
③ 제너럴 셔먼호 사건이 전쟁의 원인이었어요.
④ 강화도 조약이 체결되는 결과를 가져왔어요.
⑤ 오페르트가 남연군의 묘를 도굴하려 하였어요.

05 다음 사건을 일어난 순서대로 바르게 나열한 것은?

(가) 제너럴 셔먼호가 대동강을 거슬러 올라와 난동을 부렸다.
(나) 어재연이 이끄는 부대가 광성보에서 미군에 결사 항전하였다.
(다) 프랑스군이 강화도에 침입하여 외규장각 도서 등을 약탈하였다.
(라) 흥선 대원군이 천주교를 탄압하여 천주교 신자들과 프랑스 선교사를 처형하였다.

① (가)-(나)-(다)-(라) ② (가)-(다)-(라)-(나)
③ (다)-(라)-(가)-(나) ④ (라)-(가)-(다)-(나)
⑤ (라)-(다)-(가)-(나)

06 밑줄 친 ㉠ 사건이 일어난 시기를 연표에서 옳게 고른 것은?

너희 나라와 우리나라의 사이에는 애당초 소통이 없었고, 또 서로 은혜를 입거나 원수진 일도 없었다. 그런데 ㉠이번 덕산 묘소에서 저지른 사건이야말로 어찌 인간의 도리상 차마 할 수 있는 일이겠는가? 또 방비가 없는 것을 엿보고서 몰래 침입하여, 소동을 일으키고 무기를 약탈하며 백성들의 재물을 강탈한 것도 어찌 사리상 할 수 있는 일이겠는가? 이런 지경에 이르렀기 때문에 우리나라 신하와 백성들은 단지 힘을 다하여 한마음으로 너희 나라와는 한 하늘을 이고 살 수 없다는 것을 다짐할 따름이다.

– "고종실록" –

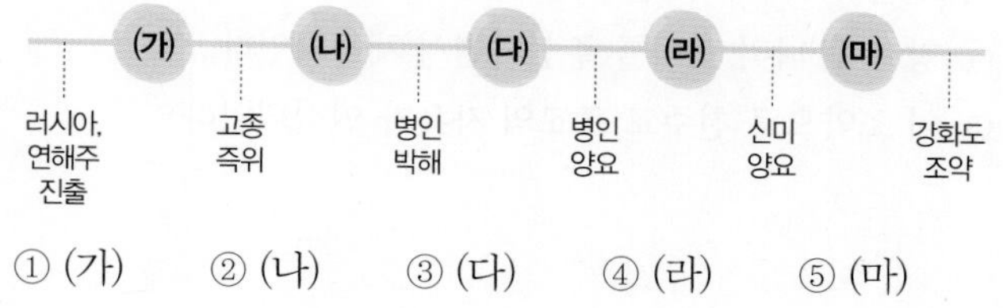

① (가) ② (나) ③ (다) ④ (라) ⑤ (마)

(빈출 문제) 연계 자료 → 33쪽 빈출 자료 02

07 다음 비석을 활용한 탐구 활동으로 가장 적절한 것은?

서양 오랑캐가 침범하는데 싸우지 않는 것은 화친하는 것이요, 화친을 주장하는 것은 나라를 파는 일이다. 이를 자손만대에 경계하노라.

① 서원 철폐에 대한 유생들의 반응을 알아본다.
② 흥선 대원군의 통상 수교 거부 정책을 조사한다.
③ 유생들이 영남 만인소를 올리게 된 계기를 조사한다.
④ 흥선 대원군이 비변사를 사실상 폐지한 과정을 살펴본다.
⑤ "조선책략"의 유포와 조·미 수호 통상 조약의 체결 과정을 살펴본다.

유사 선택지 문제

07_ ❶ 척화비는 (   ) 직후 세워졌다.
07_ ❷ 흥선 대원군은 통상 수교 거부 의지를 널리 알리기 위해 (탕평비 / 정계비 / 척화비)를 세웠다.
07_ ❸ 보수적 유생들은 흥선 대원군의 통상 수교 거부 정책을 지지하였다. (○ / ×)

시험에 꼭 나오는 문제

(빈출 문제) 연계 자료 → 33쪽 빈출 자료 03

08 다음 조약에 대한 설명으로 옳은 것은?

〈조약의 체결과 내용〉
• 배경 : 운요호 사건
……
• 주요 내용
– 영사 재판권 허용
– 해안 측량권 허용
– 부산 외 두 곳의 항구 개항

① 조선이 맺은 최초의 근대적 조약이다.
② 최혜국 대우를 허용하는 내용이 포함되었다.
③ 조선의 요구로 거중 조정 조항이 포함되었다.
④ 청이 두 나라 사이를 주선하면서 체결되었다.
⑤ 이 조약으로 천주교 포교의 자유가 인정되었다.

09 (가)에 들어갈 내용으로 가장 적절한 것은?

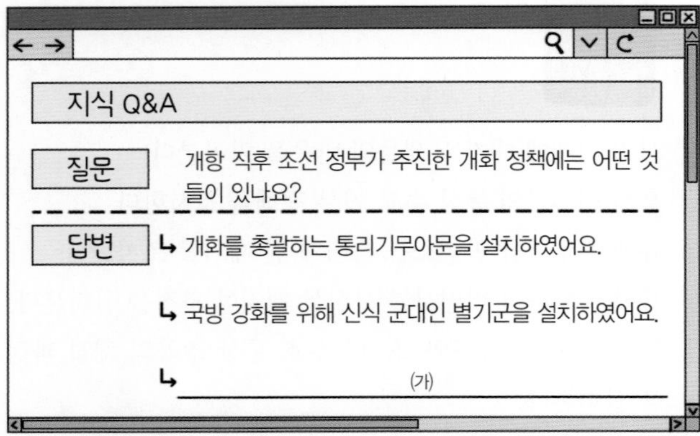

① 서원을 철폐하였어요.
② 호포제를 시행하였어요.
③ 비변사를 사실상 폐지하였어요.
④ 일본에 조사 시찰단을 파견하였어요.
⑤ 모든 재정은 호조에서 관할하게 하였어요.

10 (가), (나) 세력에 대한 설명으로 옳은 것을 《보기》에서 모두 고르면?

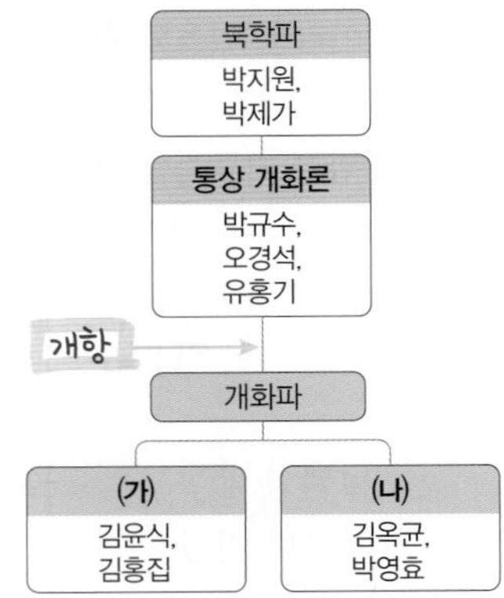

《보기》
ㄱ. (가)는 동도서기를 개혁의 원칙으로 삼았다.
ㄴ. (가)는 문명 개화론에 따른 개혁을 주장하였다.
ㄷ. (나)는 갑신정변을 일으켜 정권을 잡았다.
ㄹ. (나)는 청과의 전통적 관계를 강화하려고 하였다.

① ㄱ, ㄴ ② ㄱ, ㄷ ③ ㄴ, ㄷ
④ ㄴ, ㄹ ⑤ ㄷ, ㄹ

(빈출 문제) 연계 자료 → 33쪽 빈출 자료 04

11 다음 주장을 내세운 인물에 대한 설명으로 옳은 것은?

저들이 비록 왜인이라고 하나 실은 양적입니다. 강화가 한번 이루어지면 사학(邪學) 서적과 천주의 초상화가 교역하는 가운데 들어올 것입니다. 그렇게 되면 얼마 안 가서 사학이 온 나라 안에 퍼지게 될 것입니다. –"면암집"–

① 북학론을 제기하였다.
② 통상 개화를 주장하였다.
③ 강화도 조약 체결에 반대하였다.
④ 청에 대한 사대 관계 폐지를 주장하였다.
⑤ 흥선 대원군의 서원 철폐 정책을 지지하였다.

유사 선택지 문제

11_ ❶ 위정척사파는 일본이 개항을 요구하자 (   )을/를 내세우며 개항 반대 운동을 전개하였다.
11_ ❷ 위정척사파는 흥선 대원군의 (호포제 실시, 서원 철폐 정책, 통상 수교 거부 정책)을/를 지지하였다.
11_ ❸ 위정척사 운동은 1890년대 항일 의병 운동으로 계승되었다. (○ / ×)

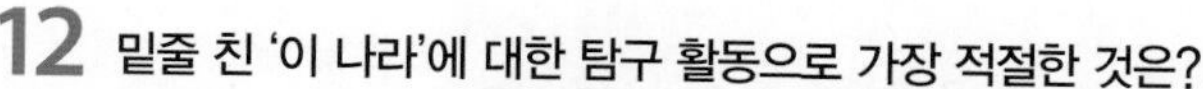

12 밑줄 친 '이 나라'에 대한 탐구 활동으로 가장 적절한 것은?

> 수신사 김홍집이 가지고 와서 유포한 황준헌의 사사로운 책자를 보노라면 어느새 털끝이 일어서고 쓸개가 떨리며 울음이 북받치고 눈물이 흐릅니다. …… 이 나라는 본래 우리와 혐의가 없는 나라입니다. 공연히 남의 말만 듣고 틈이 생기게 된다면 우리의 위신이 손상될 뿐만 아니라 만약 이를 구실로 침략해 온다면 어떻게 막을 것입니까?
>
> -"일성록"-

① 운요호 사건의 영향을 분석한다.
② 만주와 연해주의 세력 변화를 살핀다.
③ 임오군란이 진압되는 과정을 알아본다.
④ 외규장각 도서가 약탈된 과정을 조사한다.
⑤ 병인박해 당시 처형된 선교사의 국적을 살펴본다.

13 밑줄 친 '이 조약'으로 가장 적절한 것은?

① 한성 조약
② 톈진 조약
③ 제물포 조약
④ 조·일 통상 장정
⑤ 조·청 상민 수륙 무역 장정

14 다음 조약이 체결된 시기를 연표에서 옳게 고른 것은?

> 1. 청과 일본은 조선에 주둔한 병력을 철수한다.
> 3. 만약 조선에 변란이나 중대 사건이 일어나 청·일 양국 또는 한 나라가 파병하고자 할 때는 파병에 앞서 문서로 알린다.

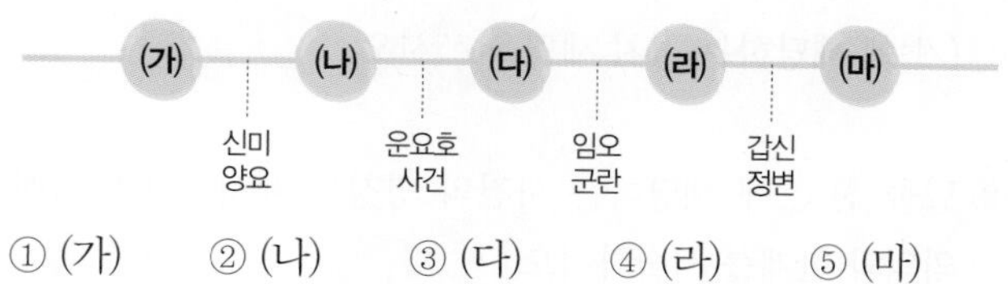

① (가) ② (나) ③ (다) ④ (라) ⑤ (마)

빈출 문제 연계 자료 → 33쪽 빈출 자료 05

15 다음 개혁 정강을 발표한 사건에 대한 설명으로 옳지 않은 것은?

> 1. 흥선 대원군을 가까운 시일 안에 돌아오게 하고 청에 대한 조공의 허례를 폐지할 것
> 2. 문벌을 폐지하여 인민 평등의 권리를 제정하고 능력에 따라 관리를 등용할 것
> 12. 재정은 모두 호조에서 관할하게 하고 그 밖의 재무 관청은 폐지할 것
> 13. 대신과 참찬은 합문 안의 의정소에서 회의 결정하고 정령을 공포해서 시행할 것

① 통리기무아문을 설치하였다.
② 민중의 지지를 얻지 못하였다.
③ 급진 개화파의 주도로 일어났다.
④ 우리나라 최초의 근대적 정치 개혁 운동이었다.
⑤ 프랑스와 청의 갈등으로 청군 일부가 조선에서 철수한 틈을 타 일어났다.

16 밑줄 친 ㉠을 알아보기 위한 탐구 활동으로 가장 적절한 것은?

① 톈진 조약의 내용을 분석한다.
② 온건 개화파의 개혁 목표를 살펴본다.
③ 청·프 전쟁이 일어난 원인을 파악한다.
④ 위정척사 운동의 전개 과정을 알아본다.
⑤ 미국에서 돌아온 유길준의 활동을 조사한다.

올쏘 서술형 문제

01 다음 자료를 읽고 물음에 답하시오.

> 조선 국왕이 프랑스 신부를 살해하는 날은 곧 조선이 최후 멸망하는 날이 될 것이다. 수일 내로 조선 정복을 위해 출정할 것이다. 조선을 정복해서 국왕을 세우는 문제는 프랑스 황제의 명령에 따라 시행할 것이다. …… 이에 본관은 중국이 조선 문제에 간섭하지 않을 것을 믿으며, 이후부터 본국과 조선 간에 전쟁이 있더라도 간섭하지 않기를 바란다.

(1) 밑줄 친 '전쟁'의 명칭을 쓰시오.

(2) 밑줄 친 '전쟁'의 원인과 조선의 항전 내용, 결과를 서술하시오.

02 다음 자료를 읽고 물음에 답하시오.

> 1. 조선은 자주국이며 일본국과 평등한 권리를 가진다.
> 7. 조선국 연해를 일본국 항해자가 자유롭게 측량하고 지도를 제작할 수 있도록 허가한다.
> 14. 일본국 인민이 조선국이 지정한 각 항구에서 조선국 인민과 관계된 죄를 범한 경우 일본국 관원이 심판한다.
>
> – "고종실록" –

(1) 위 조약의 명칭을 쓰시오.

(2) 위 조약이 조선의 주권을 침해하는 조약이라고 하는 이유를 위에 제시된 조항을 근거로 서술하시오.

03 다음 자료를 읽고 물음에 답하시오.

> 1. 타국의 어떠한 불공평이나 경멸하는 일이 있을 때에 …… 중간에서 잘 조처하여 두터운 우의를 보여 준다.
> 5. ((가)) 상인과 상선이 조선에 와서 무역할 때 입출항하는 화물은 모두 세금을 바쳐야 한다.
> 14. 조선이 어떤 특혜 및 이익을 다른 나라 혹은 그 나라 상인에게 베풀 때에 …… ((가))의 관민도 혜택을 균등하게 받는다.
>
> – "고종실록" –

(1) (가)에 해당하는 국가를 쓰시오.

(2) 위 조약과 강화도 조약의 공통점과 차이점을 구체적 내용을 제시하여 서술하시오.

04 다음 자료를 읽고 물음에 답하시오.

> ((가))은/는 ㉠우정총국 개국 축하연에서 반대파 인사들을 제거하고, 개화당 정부를 수립하였다. 그리고 개혁 정강을 발표하여 청과의 사대 관계를 청산하고 내각 제도를 확립하며, 인민 평등권을 마련하여 능력에 따라 인재를 등용하겠다고 하였다. 또한 조세 제도 개혁, 재정의 일원화 등으로 재정을 확충하고, 혜상공국을 없애 자유로운 상업 활동을 도모하였다.

(1) (가)에 해당하는 정치 세력을 쓰시오.

(2) 밑줄 친 ㉠에 해당하는 사건의 명칭을 제시하고 역사적 의의와 한계를 서술하시오.

상위 4% 문제

정답 및 해설 13쪽

01 밑줄 친 '그'에 대한 설명으로 옳은 것은?

> 조정에서는 어떤 변이라도 있을까 하여 그에게 간언하기를, "선현의 제사를 받드는 것은 선비의 기풍을 기르는 것이므로 이 명령만은 거두기를 청합니다."라고 하였다. 그가 크게 노하여 말하기를 "진실로 백성에게 해되는 것이 있으면 비록 공자가 다시 살아난다 하더라도 나는 용서치 않겠다. ……"라고 하였다.

① 왜양일체론을 주장하였다.
② 조선 중립화론을 구상하였다.
③ 임오군란을 계기로 재집권하였다.
④ "속대전"을 편찬해 통치 질서를 바로잡았다.
⑤ 동도서기론을 바탕으로 개화 정책을 추진하였다.

02 (가) 국가에 대한 학생들의 발표 내용으로 옳지 않은 것은?

> 1866년 7월 무장한 ((가))의 상선 제너럴 셔먼호가 대동강 변까지 진출하여 교역을 요구하며 난동을 부렸다. 이에 분개한 평양 주민은 관군과 함께 배를 불살랐다.

① 조선이 보빙사를 파견하였어요.
② 강화도를 침략해 신미양요를 일으켰어요.
③ 조선이 처음으로 최혜국 대우를 인정해 준 국가에요.
④ 군대를 보내 구식 군인들이 일으킨 봉기를 진압하였어요.
⑤ 황준헌은 러시아 견제를 위해 조선이 연합해야 할 대상이라고 주장하였어요.

03 다음 조약에 대한 설명으로 옳은 것을 《보기》에서 모두 고르면?

> 1. 조선은 자주국이며 일본과 평등한 권리를 가진다.
> 4. 조선 정부는 (부산 외) 두 곳의 항구를 개방하고 일본국 인민이 오가며 자유로이 통상하도록 허가한다.
> 7. 조선국 연해를 일본국 항해자가 자유롭게 측량하고 지도를 제작할 수 있도록 허가한다.
> 9. 양국의 인민들은 각자 임의로 무역하며 양국 관리들은 조금도 간섭할 수 없고 또 제한하거나 금지할 수도 없다.
> 10. 일본국 인민이 조선국이 지정한 각 항구에서 조선국 인민과 관계된 죄를 범한 경우 일본국 관원이 심판한다.
>
> – "고종실록" –

《보기》
ㄱ. 청의 알선으로 체결되었다.
ㄴ. 운요호 사건을 계기로 체결되었다.
ㄷ. 수신사가 파견되는 계기가 되었다.
ㄹ. 일본에 대한 최혜국 대우를 규정하였다.

① ㄱ, ㄴ　② ㄱ, ㄷ　③ ㄴ, ㄷ
④ ㄴ, ㄹ　⑤ ㄷ, ㄹ

04 (가) 사건으로 체결된 조약으로 옳은 것을 《보기》에서 모두 고르면?

> 나는 임오군란 때 청병을 따라 귀국하였다. 이때부터 청은 우리나라에 자주 내정 간섭을 하였다. 나는 청나라 당으로 지목되었고, 청국이 우리의 자주권을 침해하는 데 분노해 ((가))을/를 일으켰던 김옥균은 일본 당으로 지목되었다. 그 후 일이 허사로 돌아가자 세상은 그를 역적이라 하였는데, 나는 정부에 몸을 담고 있어 그를 공격할 수밖에 없었다.
>
> – "속음청사" –

《보기》
ㄱ. 한성 조약　ㄴ. 톈진 조약
ㄷ. 제물포 조약　ㄹ. 조·청 상민 수륙 무역 장정

① ㄱ, ㄴ　② ㄱ, ㄷ　③ ㄴ, ㄷ
④ ㄴ, ㄹ　⑤ ㄷ, ㄹ

05 근대 국민 국가 수립 노력

출제 경향
★ 동학 농민 운동의 전개 과정을 묻는 문제
★ 동학 농민 운동, 갑오개혁, 광무개혁의 개혁안을 구분하는 문제

01 동학 농민 운동과 갑오개혁

1. 동학 농민 운동

(1) 농촌 사회의 동요와 교조 신원 운동

① 농촌 사회 동요 : 외세의 경제 침탈, 정부의 무능과 수탈

② 교조 신원 운동

배경	동학의 교세 확장(최시형의 교리 정리, 교단 정비 등)
목적	• 교조인 최제우의 억울함을 풀어 달라고 요구하는 운동 • 정부의 동학 인정 및 포교 자유 획득
전개	공주·삼례 집회 → 서울 복합 상소 → 보은·금구 집회(종교 운동에서 정치·사회 운동으로 발전하는 모습)

(2) 동학 농민 운동(1894) 빈출 자료 01

고부 농민 봉기	• 원인 : 고부 군수 조병갑의 횡포 • 전개 : 전봉준 중심 농민 봉기 → 고부 관아 점령, 만석보 파괴 → 자진 해산
1차 봉기	• 원인 : 안핵사 이용태가 농민을 동학교도로 몰아 탄압 • 전개 : 무장에서 봉기 → 백산에서 4대 강령·격문 발표 → 황토현·황룡촌 전투 승리 → 전주성 점령 → 청과 일본 군대 파병 → 전주 화약 체결
개혁	• 정부 : 교정청 설치 • 농민군 : 전라도 각지에 집강소 설치, 폐정 개혁안 실천
2차 봉기	• 원인 : 일본군이 조선 정부의 철수 요구 거부 → 경복궁 점령 • 전개 : 반침략을 내세우며 동학 농민군 재봉기 → 남북접이 논산 집결 → 우금치 전투 패배 → 전봉준 등 지도자 체포
의의	• 반봉건적 성격 → 갑오개혁에 반영 • 반침략적 성격 → 잔여 세력이 항일 의병 운동에 가담

2. 갑오개혁 빈출 자료 02, 03

(1) 제1·2차 갑오개혁

배경	일본군의 경복궁 점령 → 김홍집 내각 구성
제1차 갑오개혁	• 청·일 전쟁으로 일본 개입 어려운 틈을 타 개혁 추진 • 군국기무처가 주도, 교정청 폐지 • 정치 : 개국 기년 사용, 6조를 8아문으로 개편, 과거제 폐지 • 경제 : 탁지아문으로 재정 일원화 • 사회 : 노비제 폐지, 조혼 금지, 과부의 재가 허용
제2차 갑오개혁	• 청·일 전쟁에서 승기 잡은 일본이 조선 내정 개입 → 군국기무처 폐지, 박영효·김홍집 내각, 홍범 14조 반포 • 정치 : 지방관 권한 축소(사법권 폐지), 의정부를 내각으로 개편, 8아문을 7부로 개편, 재판소 설치 • 사회 : 교육 입국 조서 반포

(2) 제3차 갑오개혁(을미개혁)

배경	삼국 간섭 이후 고종이 친러 정책 추진 → 일본이 명성 황후 시해(을미사변) → 친일 내각 구성
내용	태양력 사용, '건양' 연호 사용, 단발령 시행 등 → 을미사변과 단발령에 대한 반발 → 을미의병 → 아관 파천으로 중단

(3) 의의와 한계

의의	갑신정변과 동학 농민 운동의 개혁 의지 일부 반영
한계	일본의 강요에 의한 개혁

02 독립 협회 활동과 광무개혁

1. 독립 협회 빈출 자료 04

(1) 독립 협회의 창립

① 배경 : 아관 파천 이후 열강의 이권 침탈 심화

② 독립신문 창간(1896) : 서재필이 정부의 지원을 받아 창간

③ 독립 협회 창립 : 관료, 지식인, 상인 등 다양한 계층 참여

(2) 독립 협회의 활동

민중 계몽 활동	독립문 건립해 독립 의지 고취, 강연회와 토론회 개최
자주 국권 운동	만민 공동회를 개최해 러시아의 내정 간섭과 이권 침탈 비판
자유 민권 운동	신체의 자유, 재산권 보호, 언론·출판·집회·결사의 자유 보장 요구
의회 설립 운동	관민 공동회 개최 → 헌의 6조 결의 → 의회식 중추원 관제 반포

(3) 독립 협회의 해산

원인	보수 세력이 독립 협회가 공화정 추진한다고 모함 → 고종이 독립 협회 해산 명령
전개	독립 협회가 만민 공동회를 열어 저항 → 황국 협회가 만민 공동회 습격, 정부의 강제 해산

(4) 의의와 한계

의의	민중 계몽을 통한 근대화 추진, 국권 수호와 민권 신장에 기여
한계	열강의 침략 의도를 제대로 간파하지 못함

2. 대한 제국 수립과 광무개혁 빈출 자료 05

(1) 대한 제국 수립

① 배경 : 고종이 경운궁으로 환궁 → 전·현직 관리의 칭제 건원 건의, 러시아와 일본의 세력 균형

② 수립(1897) : 환구단에서 황제 즉위식 거행, '광무' 연호 제정, '대한 제국' 국호 선포

(2) 광무개혁

원칙	'구본신참'에 따른 점진적 개혁
정치	• 대한국 국제 공포(1899) • 황제권 강화 : 원수부 설치, 친위대 증강, 시위대와 진위대 확대 • 대한국·대청국 통상 조약 : 청과 대등한 입장의 통상 조약
경제	• 지계 발급 : 양전 사업 실시 → 일부 지역에 지계 발급(근대적 토지 소유권 보장) • 식산흥업 정책 : 상공업 진흥
사회	각종 실업 학교 설립, 유학생 파견, 근대 시설 확충
의의와 한계	• 의의 : 자주독립과 근대화 지향, 외세의 간섭 배제 노력 • 한계 : 집권층의 보수적 성향과 외세 간섭으로 성과 미흡

올쏘 빈출 특강

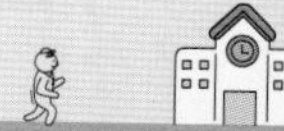

빈출 자료 01 동학 농민군의 봉기 이유 | 연계 문제 → 43쪽 03번

심문자 : 작년(1894) 3월 고부에서 무슨 사연으로 민중을 크게 모았는가?
전봉준 : 그때 ㉠고부 군수(조병갑)의 수탈이 심하여 의거하였다.
심문자 : 흩어져 돌아간 후에는 무슨 일로 군대를 봉기하였는가?
전봉준 : ㉡조사 책임자 이용태가 내려와 의거 참가자 대다수를 동학교도로 몰아 살육하였기 때문에 다시 일어났다.
심문자 : 전주 화약 이후 다시 군대를 일으킨 이유는 무엇인가?
전봉준 : ㉢일본이 개화를 구실로 군대를 동원하여 왕궁을 공격하니, 충군애국의 마음으로 의병을 일으켜 일본과 싸워 그 책임을 묻고자 함이다.

| 자료 분석 | 자료는 체포된 전봉준에 대한 심문 기록으로, 농민군이 봉기를 일으킨 이유가 제시되어 있다.

- ㉠: 고부 농민 봉기가 일어난 이유가 고부 군수의 수탈 때문임을 밝히고 있다.
- ㉡: 동학 농민군의 제1차 봉기가 안핵사 이용태의 탄압 때문이라고 말하고 있다.
- ㉢: 동학 농민군의 제2차 봉기가 일본군의 경복궁 점령 때문임을 알 수 있다.

빈출 자료 02 동학 농민군의 개혁안 | 연계 문제 → 43쪽 04번

[자료 1] 1. 사람을 죽이지 않고 물건을 파괴하지 않는다.
2. 충효를 모두 온전히 해 세상을 구하고, 백성을 편안히 한다.
3. 일본을 몰아내 없애고 정치를 깨끗이 한다.
4. 군대를 몰고 서울로 들어가 권세가와 귀족을 모두 없앤다.

[자료 2] 2. 탐관오리는 그 죄를 조사해 엄히 징벌한다.
5. 노비 문서를 불태워 버린다.
6. 젊어 과부가 된 자의 개가를 허용한다.
10. 왜와 통하는 자는 엄히 징벌한다.
12. 토지는 균등히 나누어 경작한다.

| 자료 분석 | • [자료 1] 동학 농민군이 봉기하는 과정에서 발표한 4대 강령이다.
• [자료 2] 동학 농민군의 개혁 방침을 담은 폐정 개혁안이다.

빈출 자료 03 홍범 14조 | 연계 문제 → 44쪽 07번

1. 청국에 의탁하는 생각을 끊어버리고 확실히 자주독립하는 기초를 확고히 세울 것
4. 왕실 사무와 국정 사무를 모름지기 나누어 서로 혼합하지 아니할 것
6. 인민이 부세를 내는 것은 모두 법령으로 정하고 망령되게 명목을 더해 함부로 거두지 아니할 것
7. 조세를 거두는 것과 경비의 지출은 모두 탁지아문이 관할할 것 (재정 일원화)
10. 지방 관제를 속히 개정하여 지방 관리의 직권을 제한할 것
14. 사람을 쓰는 데 문벌에 구애받지 아니하고 선비를 구함에 두루 조야에 미쳐 인재의 등용을 넓힐 것 – "고종실록" –

| 자료 분석 | 박영효가 중심이 되어 추진된 제2차 갑오개혁 때에는 국정 개혁의 기본 강령으로 홍범 14조를 발표하였다.

빈출 자료 04 헌의 6조 | 연계 문제 → 45쪽 12번

1. 외국인에게 의지하지 말고 전제 황권을 공고히 할 것
2. 모든 정부와 외국과의 조약에 관한 일은 각 부 대신과 중추원 의장이 합동으로 서명·날인하여 시행할 것
3. 전국 재정은 탁지부가 관장케 하되 예산과 결산을 인민에게 공포할 것
4. 중대 범죄는 공개 재판을 시행하되, 피고가 죄를 자백한 후에 시행할 것
5. 칙임관은 대황제 폐하께서 정부에 물어 다수 의견에 따라 임명할 것
6. 장정을 실천할 것 – "독립신문" –

| 자료 분석 | 독립 협회는 국가의 독립과 개혁을 위해 1898년에 만민 공동회를 개최하였다. 또한 정부 관리도 함께 참여한 관민 공동회를 열고, 고종에게 건의할 헌의 6조를 결의하였다.

빈출 자료 05 대한국 국제 | 연계 문제 → 45쪽 14번

1. 대한국은 세계 만국에 공인된 자주독립한 제국이다.
2. 대한 제국의 정치는 과거 500년간 전래되었고, 앞으로 만세토록 불변할 전제 정치이다.
3. 대한국 대황제는 무한한 군권(君權)을 누린다.
5. 대한국 대황제는 국내의 육해군을 통솔하고 편제를 정하며 계엄과 계엄 해제를 명한다.
9. 대한국 대황제는 각 조약국에 사신을 파견·주재하게 하고 선전 포고, 강화 및 제반 약조를 체결한다. – "고종실록" –

| 자료 분석 | 고종이 독립 협회를 해산한 후 1899년에 반포한 대한국 국제의 일부이다. 대한국 국제에서는 대한 제국이 황제가 절대 권한을 갖고 있는 전제 군주제 국가임을 표방하였다.

시험에 꼭 나오는 문제

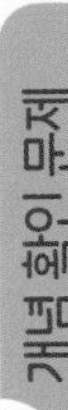

개념 확인 문제

01 다음 서술 내용이 옳으면 ○표, 틀리면 ×표를 하시오.

(1) 교조 신원 운동은 동학을 창시한 최제우의 억울한 죄목을 벗기고, 포교의 자유를 얻기 위한 운동이었다. ( )
(2) 동학 농민군은 민씨 정권의 요청으로 출병한 청군에 의해 진압되었다. ( )
(3) 제1차 갑오개혁은 군국기무처가 주도하여 개혁을 추진하였다. ( )
(4) 독립 협회는 정부 관료와 민중이 함께 참여하는 관민 공동회에서 헌의 6조를 결의하였다. ( )
(5) 대한 제국은 갑오개혁의 방침에 따른 급진적 개혁인 광무개혁을 실시하였다. ( )

02 서로 관련된 사실을 바르게 연결하시오.

(1) 동학 농민 운동 • • ㉠ 태양력 실시, 단발령
(2) 제1차 갑오개혁 • • ㉡ 반외세·반봉건
(3) 제2차 갑오개혁 • • ㉢ 신분제 폐지, 재정 일원화
(4) 을미개혁 • • ㉣ 재판소 설치, 홍범 14조
(5) 광무개혁 • • ㉤ 지계 발급, 원수부 설치

03 다음 내용에 해당하는 인물을 《보기》에서 골라 쓰시오.

《보기》
ㄱ. 고종 ㄴ. 전봉준
ㄷ. 서재필 ㄹ. 박영효

(1) 미국에서 돌아와 독립신문을 창간하였으며, 독립 협회 창설에 참여한 인물은? ( )
(2) 대한 제국의 수립을 선포하고 대한국 국제를 공포하여 황제권을 강화한 인물은? ( )
(3) 고부 군수 조병갑의 횡포에 반발하여 봉기를 일으키고, 동학 농민 운동을 주도한 인물은? ( )
(4) 일본에서 귀국한 뒤 김홍집과 연립 내각을 수립하여 제2차 갑오개혁을 이끈 인물은? ( )

04 다음 빈칸에 들어갈 알맞은 말을 쓰시오.

(1) 고부 군수 조병갑의 횡포에 분노한 농민은 ( ) 의 주도로 봉기하여 고부 관아를 점령하였다.
(2) 삼국 간섭 이후 고종과 명성 황후가 친러 정책을 펴자 일본은 명성 황후를 시해하는 ( )을/를 일으켰다.
(3) 을미개혁은 고종이 ( ) 공사관으로 거처를 옮기는 아관 파천을 단행하면서 중단되었다.
(4) 서재필은 정부의 지원을 받아 ( )을/를 창간하고 관료, 지식인들과 독립 협회를 창립하였다.
(5) 광무개혁은 옛것을 기본으로 하고 새것을 참고한다는 ( )을/를 개혁의 기본 방향으로 정하였다.

01 동학 농민 운동과 갑오개혁

01 (가)에 들어갈 내용으로 가장 적절한 것은?

> 동학의 교조 신원 운동
> • 의미
> – 교조 최제우의 억울함을 풀어줄 것을 주장한 운동
> – 포교의 자유와 동학교도에 대한 탄압 중지 요구
> • 특징 : (가)

① 황토현 전투에서 정부군을 격파하였다.
② 진주 농민 봉기를 계기로 전국으로 확산되었다.
③ 정부가 삼정이정청을 설치하는 계기를 마련하였다.
④ 홍경래의 주도로 신흥 상공업자, 빈농 등이 참여하였다.
⑤ 보은 집회를 계기로 농민을 대변하는 정치 운동으로 발전하는 모습을 보였다.

02 다음 자료를 활용한 탐구 활동으로 가장 적절한 것은?

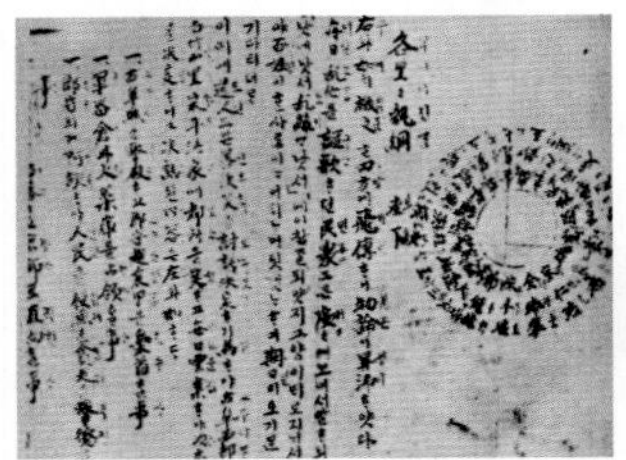

사발통문

만석보 터

① 우금치 전투의 결과를 조사한다.
② 교조 신원 운동의 전개 과정을 파악한다.
③ 정부가 교정청을 설치한 목적을 살펴본다.
④ 고부 농민 봉기가 일어난 원인을 분석한다.
⑤ 집강소에서 이루어진 개혁 내용을 알아본다.

(빈출 문제) 연계 자료 → 41쪽 빈출 자료 01

03 (가)에 들어갈 내용으로 가장 적절한 것은?

심문자 : 흩어져 돌아간 후에는 무슨 일로 군대를 봉기하였는가?
전봉준 : 조사 책임자 이용태가 내려와 의거 참가자 대다수를 동학교도로 몰아 살육하였기 때문에 다시 일어났다.
심문자 : 전주 화약 이후 다시 군대를 일으킨 이유는 무엇인가?
전봉준 : ____(가)____

① 단발령이 실시되었기 때문이다.
② 정부가 최제우를 처형했기 때문이다.
③ 급진 개화파가 정변을 일으켰기 때문이다.
④ 고부 군수 조병갑이 농민을 수탈했기 때문이다.
⑤ 일본이 개화를 구실로 경복궁을 공격했기 때문이다.

유사 선택지 문제

03_ ❶ 고부 농민 봉기는 고부 군수 ( )의 수탈에 항거한 것이다.
03_ ❷ 동학 농민군은 (무장 / 백산 / 황토현)에서 봉기의 취지를 알리는 격문과 농민군 4대 강령을 발표하였다.
03_ ❸ 동학 농민군은 우금치에서 정부군을 격파하고 승리를 거두었다. (○ / ×)

(빈출 문제) 연계 자료 → 41쪽 빈출 자료 02

04 다음 개혁안을 활용한 탐구 주제로 가장 적절한 것은?

2. 탐관오리는 그 죄상을 조사하여 엄중히 징벌한다.
5. 노비 문서를 소각한다.
7. 젊어서 과부가 된 여성의 개가를 허용한다.
10. 왜와 통하는 자는 엄중히 징벌한다.
12. 토지는 균등히 나누어 경작하게 한다.

① 갑신정변과 개혁 정강
② 갑오개혁과 홍범 14조
③ 광무개혁과 대한국 국제
④ 독립 협회 활동과 헌의 6조
⑤ 동학 농민 운동과 폐정 개혁안

05 (가), (나) 시기 사이에 있었던 사실로 옳은 것은?

(가) 전봉준은 동학의 접주인 손화중, 김개남 등과 전라도 일대에서 군사를 모아, '제폭구민', '보국안민'을 내세우며 봉기하여 고부를 다시 점령하였다.
(나) 동학 농민군은 청·일의 개입으로 나타날 혼란을 막기 위해 적극적으로 정부와 교섭에 나서 폐정 개혁과 농민군 해산에 합의하였다.

① 정부가 교정청을 설치해 개혁을 추진하였다.
② 일본이 군대를 동원해 경복궁을 점령하였다.
③ 남접과 북접의 주력 부대가 논산에 집결하였다.
④ 동학 농민군이 황토현에서 정부군을 격파하였다.
⑤ 동학 농민군이 우금치에서 일본군과 맞서 싸웠다.

06 밑줄 친 '기구'에 대한 설명으로 옳은 것은?

① 제1차 갑오개혁을 주도하였다.
② 조사 시찰단 파견을 결정하였다.
③ 전주 화약 체결을 계기로 설치되었다.
④ 홍범 14조를 개혁의 기본 강령으로 하였다.
⑤ 독립 협회의 건의에 따라 관제가 반포되었다.

시험에 꼭 나오는 문제

(빈출 문제) 연계 자료 → 41쪽 빈출 자료 03

07 자료의 개혁 방안이 제시되었던 시기의 국내외 정세에 대한 설명으로 가장 적절한 것은?

> 1. 청국에 의탁하는 생각을 끊어버리고 확실히 자주독립하는 기초를 확고히 세울 것
> 4. 왕실 사무와 국정 사무를 모름지기 나누어 서로 혼합하지 아니할 것
> 6. 인민이 부세를 내는 것은 모두 법령으로 정하고 망령되게 명목을 더해 함부로 거두지 아니할 것
> 7. 조세를 거두는 것과 경비의 지출은 모두 탁지아문이 관할할 것
> – "고종실록" –

① 정부가 친러 정책을 추진하였다.
② 독립 협회가 고종의 환궁을 촉구하였다.
③ 단발령에 반발해 각지에서 의병이 일어났다.
④ 전봉준의 주도로 고부 농민 봉기가 일어났다.
⑤ 일본에서 귀국한 박영효가 개혁을 주도하였다.

유사 선택지 문제

07_ ❶ 제2차 갑오개혁 당시 개혁의 기본 강령이라 할 수 있는 (　　　　　　)이/가 발표되었다.
07_ ❷ (제1차 갑오개혁 , 제2차 갑오개혁 , 을미개혁)은 박영효의 주도로 추진되었다.
07_ ❸ 제2차 갑오개혁 당시 단발령이 시행되었다. (○ / ×)

08 밑줄 친 ㉠의 명령이 내려진 이후의 모습으로 가장 적절한 것은?

> ㉠단발령을 내리자 곡소리가 하늘을 울렸고, 사람들이 분하고 노하여 숨이 끊어질 듯 했다. 형세가 격변하자 왜적들이 군대를 동원하여 대기시켰고, 경무사 허진이 순검들을 이끌고 칼을 가지고 길을 막으며 만나는 사람마다 머리를 깎았다. – 황현, " 매천야록" –

① 경복궁을 점령하는 일본군
② 아관 파천을 단행하는 국왕
③ 조선에 파견된 독일인 외교 고문
④ 군국기무처에서 개혁안을 논의하는 관리
⑤ 황토현에서 정부군과 싸우는 동학 농민군

09 (가), (나) 개혁 시기 사이에 있었던 사실로 옳은 것은?

(가)	(나)
• 내각제 시행 • 지방관 권한 축소 • 재판소 설치 • 교육 입국 조서 반포	• '건양' 연호 사용 • 태양력 실시 • 소학교 설치 • 우편 사무 재개

① 을미사변　② 임오군란
③ 아관 파천　④ 청·일 전쟁 발발
⑤ 동학 농민군의 1차 봉기

10 다음 사건을 일어난 순서대로 바르게 나열한 것은?

> (가) 일본이 청·일 전쟁을 일으켰다.
> (나) 군국기무처가 폐지되고 홍범 14조가 발표되었다.
> (다) 삼국 간섭으로 일본이 랴오둥반도를 청에 반환하였다.
> (라) 고종이 일본의 위협을 피해 러시아 공사관으로 피신하였다.

① (가)–(나)–(다)–(라)　② (가)–(나)–(라)–(다)
③ (가)–(다)–(라)–(나)　④ (나)–(다)–(가)–(라)
⑤ (나)–(다)–(라)–(가)

02 독립 협회 활동과 광무개혁

11 다음과 같은 활동을 한 단체에 대한 설명으로 옳은 것은?

청의 사신을 맞이하던 영은문을 헐고 그 위치에 독립문을 세웠습니다.

① 개혁을 위한 방침으로 홍범 14조를 발표하였다.
② 백성의 뜻을 반영하기 위해 의회 설립 운동을 벌였다.
③ 교육 입국 조서를 반포하여 교육의 기틀을 마련하였다.
④ 교조 신원 운동을 전개하여 서울과 보은 등에서 집회를 열었다.
⑤ 대한국 국제를 제정하여 대한 제국이 전제 군주 국가임을 분명히 하였다.

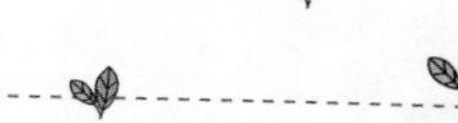

(빈출 문제) 연계 자료 → 41쪽 빈출 자료 04

12 다음 결의를 주도한 단체에 대한 탐구 활동으로 옳지 않은 것은?

1. 외국인에게 의지하지 말고 전제 황권을 공고히 할 것
2. 모든 정부와 외국과의 조약에 관한 일은 각 부 대신과 중추원 의장이 합동으로 서명·날인하여 시행할 것
3. 전국 재정은 탁지부가 관장케 하되 예산과 결산을 인민에게 공포할 것

① 만민 공동회에서 결의된 안건을 분석한다.
② 중추원 관제가 반포되는 과정을 살펴본다.
③ 독립관에서 개최된 토론회 주제를 알아본다.
④ 집강소에서 이루어진 개혁 내용을 조사한다.
⑤ 러시아의 절영도 조차 요구 철회 배경을 파악한다.

유사 선택지 문제

12_ ❶ 독립 협회는 근대적 민중 집회인 (　　　　　　)을/를 개최하였다.
12_ ❷ 독립 협회가 주도한 관민 공동회에서 (헌의 6조 , 홍범 14조 , 폐정 개혁안)을/를 결의하였다.
12_ ❸ 보수 세력의 모함으로 고종은 독립 협회를 해산시켰다. (○ / ×)

13 밑줄 친 '이 사람'에 대한 설명으로 옳은 것은?

이 사람은 갑신정변의 주역 중 하나로, 갑신정변이 실패하자 일본으로 망명하였다가 미국으로 갔다. 이후 미국에서 귀국한 이 사람은 민중을 계몽하려고 한 정부의 지원을 받아 독립신문을 창간하였다.

① 개화 관료, 지식인들과 함께 독립 협회를 창립하였다.
② "조선책략"이 유포되자 영남 만인소 작성을 주도하였다.
③ 왜양일체론을 주장하는 등 위정척사 운동을 주도하였다.
④ 제2차 갑오개혁 당시 연립 내각을 수립하여 개혁을 추진하였다.
⑤ 청·일 전쟁 당시 군국기무처 총재로 활동하면서 자주적 개혁을 실시하였다.

(빈출 문제) 연계 자료 → 41쪽 빈출 자료 05

14 다음 법령을 제정한 정부가 추진한 개혁으로 옳은 것은?

1. 대한국은 세계 만국에 공인된 자주독립한 제국이다.
2. 대한 제국의 정치는 과거 500년간 전래되었고, 앞으로 만세토록 불변할 전제 정치이다.
3. 대한국 대황제는 무한한 군권(君權)을 누린다.
5. 대한국 대황제는 국내의 육해군을 통솔하고 편제를 정하며 계엄과 계엄 해제를 명한다.
9. 대한국 대황제는 각 조약국에 사신을 파견·주재하게 하고 선전 포고, 강화 및 제반 약조를 체결한다.

– "고종실록" –

① 공·사 노비법을 폐지하였다.
② '건양'이란 연호를 채택하였다.
③ 재판소를 설치해 사법권을 독립시켰다.
④ 과거제를 폐지해 인재 등용의 폭을 넓혔다.
⑤ 근대적 토지 소유 증명서인 지계를 발급하였다.

15 밑줄 친 '이 개혁'에 대한 설명으로 옳은 것은?

이 개혁은 경제·문화적으로 이전과는 확실히 다른 발전된 모습을 보여 주었어.

하지만 황제권 강화를 내세우며 의회 설립 운동을 탄압하는 등 역사의 흐름에 반대되는 모습을 보였어.

① 일본의 강요로 시작되었다.
② 급진 개화파의 주도로 추진되었다.
③ 통리기무아문이 개혁을 총괄하였다.
④ 구본신참을 개혁의 원칙으로 삼았다.
⑤ 왕실 권위 강화를 위해 경복궁 중건을 추진하였다.

서술형 문제

정답 및 해설 15쪽

01 다음 자료를 읽고 물음에 답하시오.

(가)	(나)
• 불량한 유림과 양반의 무리를 징벌한다. • 노비 문서를 소각한다. • 젊어서 과부가 된 여성의 개가를 허용한다. • 왜와 통하는 자는 엄중히 징벌한다. • 토지는 균등히 나누어 경작하게 한다.	• 국내외 문서에 개국 기년을 사용한다. • 남자 20세, 여자 16세 이하의 조혼을 금지한다. • 과부의 재혼은 귀천을 막론하고 자유에 맡긴다. • 공·사 노비법을 혁파하고 인신매매를 금지한다.

(1) (가), (나) 개혁안을 제시한 역사적 사건을 쓰시오.

(2) (가) 개혁안이 (나) 개혁안에 끼친 영향에 대해 서술하시오.

02 다음 자료를 읽고 물음에 답하시오.

청·일 전쟁에서 승리한 일본은 청에게 막대한 배상금과 함께 타이완과 랴오둥반도를 할양받았다. 하지만 만주에서 세력을 키우려던 러시아가 ((가))(으)로 일본을 압박하여 랴오둥반도를 청에 반환하게 하였다.

(1) (가)에 해당하는 사건을 쓰시오.

(2) (가) 사건 이후 조선 정세의 움직임을 제시하고, 이에 대한 일본의 대응을 서술하시오.

03 다음 자료를 읽고 물음에 답하시오.

1. 외국인에게 의지하지 말고 전제 황권을 공고히 할 것
2. 모든 정부와 외국과의 조약에 관한 일은 각 부 대신과 중추원 의장이 합동으로 서명·날인하여 시행할 것
3. 전국 재정은 탁지부가 관장케 하되 예산과 결산을 인민에게 공포할 것
4. 중대 범죄는 공개 재판을 시행하되, 피고가 죄를 자백한 후에 시행할 것
5. 칙임관은 대황제 폐하께서 정부에 물어 다수 의견에 따라 임명할 것
6. 장정을 실천할 것

– "독립신문" –

(1) 위 결의를 이끌어 내는 데 주도적인 역할을 한 단체를 쓰시오.

(2) 위 결의에서 (1)의 단체가 지향했던 정치 형태를 알 수 있는 조항을 제시하고 지향하는 바를 서술하시오.

04 다음 자료를 읽고 물음에 답하시오.

1. 대한국은 세계 만국에 공인된 자주독립한 제국이다.
2. 대한 제국의 정치는 과거 500년간 전래되었고, 앞으로 만세토록 불변할 전제 정치이다.
3. 대한국 대황제는 무한한 군권(君權)을 누린다.
5. 대한국 대황제는 국내의 육해군을 통솔하고 편제를 정하며 계엄과 계엄 해제를 명한다.
9. 대한국 대황제는 각 조약국에 사신을 파견·주재하게 하고 선전 포고, 강화 및 제반 약조를 체결한다.

– "고종실록" –

(1) 위 자료와 관련된 개혁을 쓰시오.

(2) 위 자료에서 지향한 정치 체제는 무엇인지 서술하시오.

상위 4% 문제

01 다음 격문이 발표된 이후의 상황으로 가장 적절한 것은?

> 일본이 구실을 만들어 군대를 동원하여 우리 임금님을 핍박하고 우리 국민을 어지럽게 함을 어찌 그대로 참을 수가 있단 말이오. …… 지금 조정의 대신은 망령되고 구차하게 생명을 유지하며, 위로는 군부를 위협하고 아래로는 국민을 속여 왜이(倭夷)와 연결하여 삼남의 국민에게 원한을 사며 망령되게 친병(親兵)을 움직여 선왕의 적자(赤子)를 해하려 하니 참으로 그 무슨 뜻이오.

① 안핵사 이용태가 농민들을 탄압하였다.
② 백산에서 농민군 4대 강령이 발표되었다.
③ 동학 농민군과 정부가 전주 화약을 체결하였다.
④ 전봉준 등의 주도로 농민들이 고부 관아를 점령하였다.
⑤ 동학 농민군이 우금치 전투에서 일본군과 격전을 벌였다.

02 다음 글이 작성된 시기의 상황으로 가장 적절한 것은?

> 러시아 황제 폐하의 정부는 일본국이 청국에 대하여 요구한 강화 조건을 살펴보았습니다. 랴오둥반도를 일본이 영유하는 것은 청국의 수도 베이징을 위협할 염려가 있을 뿐 아니라 조선의 독립을 유명무실하게 하여 장래 극동의 영구적 평화에 장애가 되는 것으로 사료됩니다. 따라서 우리 정부는 성실한 우의를 다지기 위하여 일본 정부가 랴오둥반도의 영유를 확실히 포기할 것을 권고하는 바입니다.

① 청·일 전쟁이 전개되고 있었다.
② 대한 제국이 광무개혁을 추진하였다.
③ 일본에 의해 명성 황후가 시해되었다.
④ 고종이 러시아 공사관에 머무르고 있었다.
⑤ 박영효를 중심으로 제2차 갑오개혁이 추진되었다.

03 다음 토론회를 주최한 단체에 대한 설명으로 옳은 것은?

> 〈토론회 주제〉
> 제3회 나라를 부강하게 하는 데는 상업이 제일임
> 제22회 대한국 토지는 조금이라도 다른 나라 사람에게 빌려주면 안 되는 일임
> 제25회 의회를 설립하는 것이 정치상 제일 중요함
> 제28회 백성의 권리가 튼튼할수록 임금의 지위가 더 높아지고 나라의 형세가 더욱 크게 떨침

① 항일 의병 운동을 지원하였다.
② 개혁 정강 14개조를 발표하였다.
③ 정부의 교정청 설치를 이끌어 냈다.
④ 조선 독립의 상징으로 독립문을 건립하였다.
⑤ 개혁의 기본 강령인 홍범 14조를 반포하였다.

04 다음 자료에 대한 설명으로 옳은 것은?

> 1. 대한국은 세계 만국에 공인된 자주독립한 제국이다.
> 2. 대한 제국의 정치는 과거 500년간 전래되었고, 앞으로 만세토록 불변할 전제 정치이다.
> 3. 대한국 대황제는 무한한 군권(君權)을 누린다.
> 5. 대한국 대황제는 국내의 육해군을 통솔하고 편제를 정하며 계엄과 계엄 해제를 명한다.
> 9. 대한국 대황제는 각 조약국에 사신을 파견·주재하게 하고 선전 포고, 강화 및 제반 약조를 체결한다.

① 관민 공동회에서 결의되었다.
② 제2차 갑오개혁 당시에 반포되었다.
③ 군국기무처의 의결을 거쳐 발표되었다.
④ 토지의 평균 분작에 대한 내용을 담고 있다.
⑤ 정치 형태를 만세불변의 전제 정치로 규정하였다.

일제의 침략 확대와 국권 수호 운동

출제 경향
★ 일제 침략 과정 중 체결된 조약 내용을 묻는 문제
★ 항일 의병 운동의 시기별 특징을 파악하는 문제

01 일제의 국권 침탈

1. 러·일 전쟁

(1) 배경 : 만주와 한반도를 둘러싼 러시아와 일본의 대립 격화

(2) 전개 : 대한 제국의 국외 중립 선언 → 일본의 기습 공격으로 전쟁 발발 → 일본이 러시아 발트 함대 격파 → 미국의 중재로 전쟁 종결

2. 일제의 국권 침탈 빈출 자료 01

한·일 의정서 (1904. 2.)	• 러·일 전쟁 발발 직후 체결 • 일본군의 군용지 임의 사용 허용
제1차 한·일 협약 (1904. 8.)	• 일본의 대한 제국에 대한 내정 간섭 본격화 • 재정 고문으로 메가타, 외교 고문으로 스티븐스 파견
을사늑약 (1905. 11.)	• 배경 : 일본이 열강으로부터 한국 지배를 승인받음(가쓰라-태프트 밀약, 제2차 영·일 동맹, 포츠머스 조약) • 내용 : 일본이 대한 제국의 외교권 박탈, 통감부 설치(이토 히로부미가 초대 통감) • 불법성 : 황제의 서명·날인이 없고 비준도 거치지 않아 무효임, 조약의 명칭도 없음, 강압에 의해 체결
한·일 신협약 (1907. 7.)	• 배경 : 헤이그 특사 사건으로 고종 강제 퇴위 • 내용 : 통감의 인사권 강화 → 각 부처에 일본인 차관 임명 • 부수 각서를 통해 대한 제국 군대 해산
'한·일 병합 조약' (1910. 8.)	일본이 대한 제국의 국권 강탈 → 조선 총독부 설치

02 국권 수호 운동

1. 항일 의병 운동 빈출 자료 02

을미의병	• 배경 : 명성 황후 시해(을미사변), 단발령 • 전개 : 위정척사 사상을 가진 유생 주도, 농민과 동학 농민군의 잔여 세력 가담 • 주요 의병장 : 유인석, 이소응 등 • 결과 : 아관 파천 이후 단발령 철회, 고종의 해산 권고 조칙에 따라 대부분 자진 해산
을사의병	• 배경 : 을사늑약 체결 • 전개 : 유생 의병장과 평민 의병장의 활약 • 주요 의병장 : 최익현, 민종식, 신돌석(평민 의병장) 등
정미의병	• 배경 : 고종의 강제 퇴위, 대한 제국 군대 해산 • 특징 : 해산 군인 합류 → 의병의 조직력과 전투력 향상, 의병 전쟁으로 발전 • 13도 창의군 결성(이인영 중심) : 국제법상 교전 단체로 인정해 줄 것 요청, 서울 진공 작전 전개(허위가 이끈 선발대가 서울 근교까지 진격 → 일본군의 반격으로 실패) • 호남 의병 : 서울 진공 작전 실패 후에도 활발히 저항 활동 전개 → 일제의 이른바 '남한 대토벌' 작전으로 위축
의의와 한계	• 의의 : 국외로 이동 → 독립 전쟁으로 이어짐 • 한계 : 화력 열세, 일부 양반 출신 의병장의 봉건적 태도

2. 의열 투쟁

(1) 을사늑약에 대한 저항 : 을사늑약 반대 상소, 민영환·조병세 등의 자결, 을사늑약의 부당성을 규탄하는 언론 활동 등

(2) 국권 침탈 인물에 대한 응징

자신회	나철·오기호 주도, 을사 5적 처단 활동
장인환·전명운	일제 지배 찬양한 스티븐스 사살(1908)
안중근	이토 히로부미 처단(1909)
이재명	이완용 저격(1909)

3. 애국 계몽 운동

(1) 특징

① 을사늑약 전후 개화 지식인들이 주도

② 사회 진화론을 바탕으로 교육과 산업 진흥을 통한 실력 양성 운동 전개 → 국권 회복 추구

(2) 주요 단체의 활동 빈출 자료 03

보안회 (1904)	• 일제의 황무지 개간권 요구 반대 운동 전개 • 일제가 요구 철회
헌정 연구회 (1905)	• 독립 협회 계승 • 의회 설립, 입헌 정치 체제 수립 시도
대한 자강회 (1906)	• 헌정 연구회 계승, 전국에 지회 설치, 월보 간행 등 • 고종 강제 퇴위 반대 운동 전개 → 일제의 탄압으로 강제 해산
대한 협회 (1907)	• 대한 자강회 계승, 민권 운동 • 이후 일진회와 연합을 계획하는 등 변질
신민회 (1907)	• 결성 : 안창호, 양기탁 등이 비밀 결사로 조직 • 목표 : 국권 회복과 공화 정체의 근대 국가 수립 • 활동 : 교육 활동(대성 학교, 오산 학교 설립), 산업 육성(태극 서관, 자기 회사 운영), 국외 독립운동 기지 건설(남만주 삼원보에 한인촌 건설, 신흥 강습소 설립) • 해산 : 일제가 날조한 105인 사건으로 국내 조직 와해(1911)

(3) 교육과 언론 활동

교육	학회 설립, 사립 학교 설립 → 민족 교육 실시
언론 활동	황성신문의 '시일야방성대곡' 게재, 대한매일신보의 의병 활동에 대한 호의적 기사 게재 등

4. 간도와 독도 빈출 자료 04

간도	• 간도 귀속 분쟁 발생 : 19세기 후반 백두산정계비문의 토문강 해석을 둘러싸고 조선과 청 사이에 분쟁 발생 • 대한 제국의 정책 : 이범윤을 간도 관리사에 임명 • 간도 협약(1909) : 을사늑약으로 외교권을 강탈한 일제가 청과 체결 → 간도를 청의 영토로 인정(대가로 남만주 철도 부설권을 획득)
독도	• 삼국 시대 이래 우리의 고유 영토 : 조선 후기에 안용복의 활동으로 에도 막부가 조선 영토임을 인정 • 대한 제국 칙령 제41호 : 대한 제국이 울릉도와 함께 독도가 우리 영토임을 분명히 밝힘 • 일제의 독도 강탈 : 러·일 전쟁 중 시마네현 고시로 불법 강탈

빈출 특강

빈출 자료 01 일제의 국권 침탈 | 연계 문제 → 51쪽 03번, 05번

[자료 1] 제1차 한·일 협약

1. 한국 정부는 일본 정부가 추천한 일본인 1명을 재정 고문으로 삼아 …… 재무에 관한 사항은 일체 그의 의견을 물어 시행한다.
2. 한국 정부는 일본 정부가 추천한 외국인 1명을 외교 고문으로 삼는다. …… 외교에 관한 중요한 사항은 일체 그의 의견을 물어서 시행한다.

[자료 2] 을사늑약

2. 일본국 정부는 한국과 타국 간에 현존하는 조약의 실행을 완수하는 임무를 담당하고 한국 정부는 금후 일본국 정부의 중개를 거치지 않고서는 국제적 성질을 가진 어떤 조약이나 약속을 맺지 않을 것을 서로 약속한다.
3. 일본국 정부는 그 대표자로 한국 황제 폐하의 궐하에 1명의 통감을 두되 오로지 외교에 관한 사항을 관리하기 위하여 경성에 주재하고 친히 한국 황제 폐하를 알현할 권리를 가진다.

[자료 3] 한·일 신협약

1. 한국 정부는 시정 개선에 관하여 통감의 지도를 받는다.
2. 한국 정부의 법령 제정 및 중요한 행정상의 처분은 미리 통감의 승인을 거친다.
4. 한국 고등 관리의 임면은 통감의 동의를 얻어 행한다.
5. 한국 정부는 통감이 추천한 일본인을 한국 관리로 임명한다.

| 자료 분석 | 일제는 러·일 전쟁의 전세가 일본에 유리하게 전개되자, 대한 제국의 국권 침탈을 본격화하였다. **[자료 1]**의 제1차 한·일 협약을 체결해 재정과 외교 고문을 파견하여 내정을 간섭하였고, 러·일 전쟁이 사실상 일본의 승리로 끝난 직후에는 **[자료 2]**의 을사늑약을 맺어 대한 제국의 외교권을 강탈하였다. 이후 고종을 강제 퇴위시킨 후 **[자료 3]**의 한·일 신협약을 맺어 대한 제국 행정 각 부처의 차관으로 일본인을 임명하였다.

빈출 자료 02 항일 의병 운동 | 연계 문제 → 52쪽 07번, 08번

[자료 1] 유인석의 '격고팔도열읍'

아, 우리 8도의 동포들은 차마 망해 가는 나라를 내버려 두려 하는가. …… 국모의 원수를 생각하며 이미 이를 갈았는데, 참혹함이 더욱 심해져 임금께서 머리를 깎이시고 의관을 찢기는 지경에 이른 데다가 …… 우리 부모로부터 받은 몸을 금수로 만드니 이 무슨 일인가. 우리 부모로부터 받은 머리카락을 깎았으니 이 무슨 변괴인가.

(국모의 원수 – 을미사변 / 임금께서 머리를 깎이시고 – 단발령)

[자료 2] 최익현의 '창의격문'

아, 지난 10월의 소행은 실로 만고에 없었던 일이다. 하룻밤 사이에 종잇조각에 강제로 도장을 찍게 하여, 오백 년 종사가 마침내 망하고 말았으니, …… 우리나라를 통째로 원수에게 준 역적 이지용은 실로 우리나라 만대의 원수요, 제 임금을 죽이고 남의 임금을 범한 이토 히로부미는 마땅히 천하의 여러 나라가 함께 토벌해야 할 것이다.

(지난 10월의 소행 – 을사늑약)

[자료 3] 노희태의 '격고문'

7월 이후로 황제의 자리까지 빼앗아 이를 선위라 거짓으로 말하고 안으로 10부의 대신과 밖으로 팔도 수령을 일진회로 메워 임용하고 …… 미관말직까지도 일본인이 차지하여 아무도 손대지 못하게 하여, 백성이 발 디딜 곳이 없어졌으므로 팔도의 의사가 아무 모의함도 없이 뜻을 같이하니 민심이 곧 하늘의 뜻인 것이다.

(황제의 자리까지 빼앗아 – 고종 강제 퇴위)

| 자료 분석 | 일제의 침략이 본격화되자, 그에 저항해 항일 의병 운동이 일어났다. **[자료 1]**은 을미의병, **[자료 2]**는 을사의병, **[자료 3]**은 정미의병 당시 의병을 모으기 위해 의병장이 발표한 격문이다.

빈출 자료 03 애국 계몽 운동 | 연계 문제 → 53쪽 11번, 13번

[자료 1] 대한 자강회 취지문

무릇 나라의 독립은 오직 자강(自強) 여하에 있을 따름이다. …… 교육이 일어나지 못하면 국민의 지식이 열리지 않고 산업이 일어나지 않으면 나라의 부가 늘어나지 못하는 것이다. …… 교육과 산업의 발달이 곧 하나뿐인 자강의 방도임을 알 수 있을 것이다.

– "대한 자강회 월보" –

[자료 2] 신민회의 활동

(신민회는) 서간도에 단체 이주를 기도하여 조선 본토로부터 상당한 재력이 있는 다수 인민을 이주시켜 토지를 매입하고 촌락을 세워 새로운 영토로 삼고, 다수의 교육받은 청년을 모집하여 그곳에 보내어 민단을 조직하고 학교 및 교회를 세우고, 더 나아가 무관 학교를 설립하고 문무 겸비 교육을 실시하여 기회를 타서 독립 전쟁을 일으키고자 하였다.

– '양기탁 판결문' (1911) –

| 자료 분석 | • **[자료 1]** 대한 자강회는 교육과 산업을 통한 실력 양성으로 자강을 이루어 국권을 회복하는 것을 목표로 삼았다.
• **[자료 2]** 105인 사건의 판결문 중 일부이다. 여기에서는 신민회가 서간도에 독립운동 기지를 건설하고 독립 전쟁을 준비하였음이 나타나 있다.

빈출 자료 04 독도 | 연계 문제 → 53쪽 14번

제1조 울릉도를 울도로 개칭하여 강원도에 부속하고 도감을 군수로 개정하여 관제 중에 편입하고 군등(郡等)은 5등으로 할 것

제2조 군청 위치는 태하동으로 정하고 구역은 울릉 전도(全島)와 죽도(竹島), 석도(石島, 독도)를 관할할 것

– '대한 제국 칙령 제41호'(1900) –

| 자료 분석 | 자료는 대한 제국이 1900년 10월에 독도가 울릉도와 함께 우리 고유 영토임을 밝힌 대한 제국 칙령 제41호이다. 이는 일본이 러·일 전쟁 중 독도를 자국 영토로 불법 편입한 시마네현 고시보다 앞선 것이다.

시험에 꼭 나오는 문제

개념 확인 문제

01 **다음 서술 내용이 옳으면 ○표, 틀리면 ×표를 하시오.**

(1) 일본은 을사늑약 체결을 계기로 대한 제국에 통감부를 설치하였다. (　　)

(2) 을미사변과 단발령에 반발해 위정척사 사상을 갖고 있던 유생들을 중심으로 을미의병을 일으켰다. (　　)

(3) 을사늑약이 체결되자 13도 창의군이 서울 진공 작전을 전개하였다. (　　)

(4) 일제가 황무지 개간권을 요구하자 보안회가 반대 운동을 전개하였다. (　　)

(5) 1907년에 조직된 신민회는 고종 강제 퇴위 반대 운동을 전개하였다. (　　)

02 **서로 관련된 사실을 바르게 연결하시오.**

(1) 한·일 의정서 • 　　• ㉠ 재정과 외교 고문 파견

(2) 제1차 한·일 협약 • 　　• ㉡ 외교권 박탈

(3) 을사늑약 • 　　• ㉢ 군용지 임의 사용

(4) 한·일 신협약 • 　　• ㉣ 청과 일본이 체결

(5) 간도 협약 • 　　• ㉤ 일본인 차관 임명

03 **다음 내용에 해당하는 단체를 《보기》에서 골라 쓰시오.**

《보기》
ㄱ. 보안회　　ㄴ. 신민회
ㄷ. 대한 자강회　　ㄹ. 헌정 연구회

(1) 일제가 대한 제국에 황무지 개간권을 요구하자 이를 좌절시킨 단체는? (　　)

(2) 독립 협회를 계승한 단체로 의회 설립과 헌법 제정을 통한 입헌 체제 수립을 목표로 한 단체는? (　　)

(3) 월보를 발행하고 연설회를 여는 등 계몽 활동을 펼쳤으며, 고종 강제 퇴위 반대 운동을 벌인 단체는? (　　)

(4) 안창호, 양기탁 등이 주도해 조직한 단체로 국권 회복과 공화정 수립을 목표로 한 단체는? (　　)

04 **다음 빈칸에 들어갈 알맞은 말을 쓰시오.**

(1) 고종은 (　　　)의 불법성을 알리려 헤이그 만국 평화 회의에 특사를 파견하였다.

(2) 을사의병이 일어났을 때에는 평민 의병장 (　　　)이/가 평해와 영해를 중심으로 활동하였다.

(3) (　　　)은/는 만주 하얼빈에서 이토 히로부미를 처단하는 의거를 일으켰다.

(4) 비밀 결사로 조직된 (　　　)의 국내 조직은 105인 사건으로 와해되었다.

(5) 대한 제국은 1900년에 대한 제국 칙령 제41호를 발표하여 (　　　)이/가 우리 영토임을 분명히 밝혔다.

01 일제의 국권 침탈

01 **다음 조약이 체결된 배경을 알아보기 위한 탐구 활동으로 가장 적절한 것은?**

> • 제3국의 침해나 내란으로 인하여 대한 제국 황실의 안녕과 영토의 보전에 위험이 있을 경우에는 일본 제국 정부는 속히 정황에 따라 필요한 조치를 취할 수 있다. 대한 제국 정부는 위 일본 제국의 행동을 용이하게 하기 위하여 충분한 편의를 제공한다.
> • 일본 제국 정부는 군사 전략상 필요한 지점을 정황에 따라 차지하여 이용할 수 있다.

① 운요호 사건의 결과를 살펴본다.
② 동학 농민 운동의 영향을 파악한다.
③ 러·일 전쟁의 전개 과정을 알아본다.
④ 가쓰라·태프트 밀약의 내용을 분석한다.
⑤ 시모노세키 조약에 담긴 내용을 이해한다.

02 **다음 조약이 체결된 시기를 연표에서 옳게 고른 것은?**

> 1. 한국 정부는 일본 정부가 추천한 일본인 1명을 재정 고문으로 삼는다. …… 재무에 관한 사항은 일체 그의 의견을 물어 시행한다.
> 2. 한국 정부는 일본 정부가 추천한 외국인 1명을 외교 고문으로 삼는다. …… 외교에 관한 중요한 사항은 일체 그의 의견을 물어 시행한다.

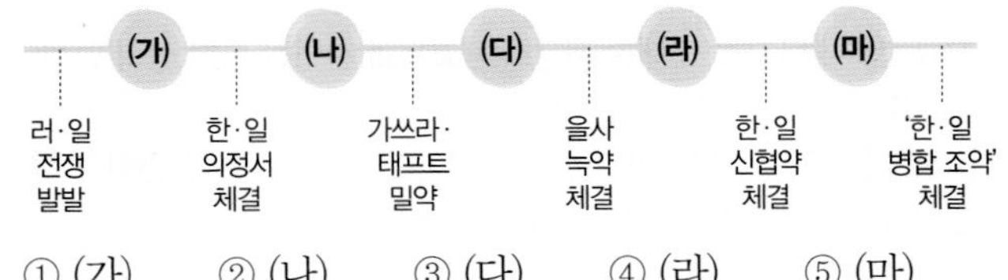

① (가)　② (나)　③ (다)　④ (라)　⑤ (마)

(빈출 문제) 연계 자료 → 49쪽 빈출 자료 01

03 다음 자료에 대한 설명으로 옳은 것은?

> 2. 일본국 정부는 한국과 타국 간에 현존하는 조약의 실행을 완수하는 임무를 담당하고 한국 정부는 금후 일본국 정부의 중개를 거치지 않고서는 국제적 성질을 가진 어떤 조약이나 약속을 맺지 않을 것을 서로 약속한다.
> 3. 일본국 정부는 그 대표자로 한국 황제 폐하의 궐하에 1명의 통감을 두되 오로지 외교에 관한 사항을 관리하기 위하여 경성에 주재하고 친히 한국 황제 폐하를 알현할 권리를 가진다.

① 러·일 전쟁 중에 체결되었다.
② 고종의 비준을 받지 못하였다.
③ 을미의병이 일어나는 계기가 되었다.
④ 일본인 재정 고문 파견의 근거가 되었다.
⑤ 해산 군인들이 의병에 참여하는 계기가 되었다.

유사 선택지 문제

03_ ❶ 을사늑약을 계기로 한성에 (　　　　)이/가 설치되었다.
03_ ❷ 일제는 (한·일 의정서 / 을사늑약 / 한·일 신협약)을/를 체결해 대한 제국의 외교권을 빼앗았다.
03_ ❸ 고종은 헤이그에 특사를 파견해 을사늑약의 불법성을 국제 사회에 호소하였다. (○ / ×)

04 (가), (나) 시기 사이에 있었던 사실로 옳은 것은?

> (가) 일본은 대한 제국을 압박하여 제1차 한·일 협약을 맺었다.
> (나) 일본은 이토 히로부미를 특사로 파견하여 을사늑약 체결을 강요하였다.

① 대한 제국 군대가 해산되었다.
② 일본이 러·일 전쟁을 도발하였다.
③ 가쓰라·태프트 밀약이 체결되었다.
④ 한성에 있던 각국 공사관이 폐쇄되었다.
⑤ 고종이 헤이그 만국 평화 회의에 특사를 파견하였다.

(빈출 문제) 연계 자료 → 49쪽 빈출 자료 01

05 다음 조약 체결의 결과로 옳은 것은?

> 1. 한국 정부는 시정 개선에 관하여 통감의 지도를 받는다.
> 2. 한국 정부의 법령 제정 및 중요한 행정상의 처분은 미리 통감의 승인을 거친다.
> 4. 한국 고등 관리의 임면은 통감의 동의를 얻어 행한다.
> 5. 한국 정부는 통감이 추천한 일본인을 한국 관리로 임명한다.

① 통감부가 설치되었다.
② 외국 주재 한국 공사가 소환되었다.
③ 일본군이 군용지를 임의로 이용하였다.
④ 외교 고문으로 스티븐스가 임명되었다.
⑤ 각 부처에 일본인 차관이 임명되어 실권을 장악하였다.

06 다음 법령이 시행되던 시기에 볼 수 있던 모습으로 가장 적절한 것은?

• 내부대신은 신문지가 안녕, 질서를 방해하거나 풍속을 괴란케 한다고 인정될 때는 …… 발행을 정지 혹은 금지할 수 있다. • 본 법의 규정은 정기 발행의 잡지류에도 준용한다.	• 문서·도서를 출판하고자 할 때에는 …… 내부대신에게 허가를 신청해야 한다. • 내부대신은 본 법을 위반하고 출판한 문서나 도서의 발매 또는 배포를 금하고, 해당 각판 인쇄본을 압수할 수 있다.

① 독립문 건립을 추진하는 독립 협회 회원
② 개혁 정강을 발표하는 개화당 정부 관리
③ 우금치에서 일본군과 싸우는 동학 농민군
④ 제물포에서 러시아 군함을 공격하는 일본군
⑤ 대한 제국 행정부의 차관으로 임명된 일본인

시험에 꼭 나오는 문제

02 국권 수호 운동

(빈출 문제) 연계 자료 ➜ 49쪽 빈출 자료 02

07 **자료와 관련된 의병 활동에 대한 설명으로 옳은 것을 〈보기〉에서 모두 고르면?**

> 국모의 원수를 생각하며 이미 이를 갈았는데, 참혹함이 더욱 심해져 임금께서 머리를 깎이시고 의관을 찢기는 지경에 이른 데다가 …… 우리 부모로부터 받은 몸을 금수로 만드니 이 무슨 일인가. 우리 부모로부터 받은 머리카락을 깎았으니 이 무슨 변괴인가.

〈보기〉
ㄱ. 해산 군인이 합류하였다.
ㄴ. 위정척사 사상을 가진 유생들이 주도하였다.
ㄷ. 의병 연합 부대인 13도 창의군을 조직하였다.
ㄹ. 고종의 해산 권고 조칙에 따라 대부분 해산하였다.

① ㄱ, ㄴ　② ㄱ, ㄷ　③ ㄴ, ㄷ
④ ㄴ, ㄹ　⑤ ㄷ, ㄹ

유사 선택지 문제

07_ ❶ 을미사변과 (　　　　)을/를 계기로 유생들이 주도하는 을미의병이 일어났다.

07_ ❷ (을미의병 / 을사의병 / 정미의병)은 고종의 해산 권고 조칙에 따라 대부분 해산하였다.

07_ ❸ 을미의병에는 동학 농민군의 잔여 세력이 참여하였다. (○ / ×)

(빈출 문제) 연계 자료 ➜ 49쪽 빈출 자료 02

08 **다음 격문이 발표된 시기의 모습으로 가장 적절한 것은?**

> 아, 지난 10월의 소행은 실로 만고에 없었던 일이다. 하룻밤 사이에 종잇조각에 강제로 도장을 찍게 하여, 오백 년 종사가 마침내 망하고 말았으니, …… 우리나라를 통째로 원수에게 준 역적 이지용은 실로 우리나라 만대의 원수요, 제 임금을 죽이고 남의 임금을 범한 이토 히로부미는 마땅히 천하의 여러 나라가 함께 토벌해야 할 것이다.

① 신돌석 등 평민 의병장이 활약하였다.
② 묄렌도르프가 외교 고문으로 활동하였다.
③ 구식 군인들이 일본 공사관을 습격하였다.
④ 13도 창의군이 서울 진공 작전을 전개하였다.
⑤ 동학 농민군이 집강소를 통해 폐정 개혁에 나섰다.

09 **자료와 관련된 시기의 의병 활동에 대한 설명으로 적절하지 <u>않은</u> 것은?**

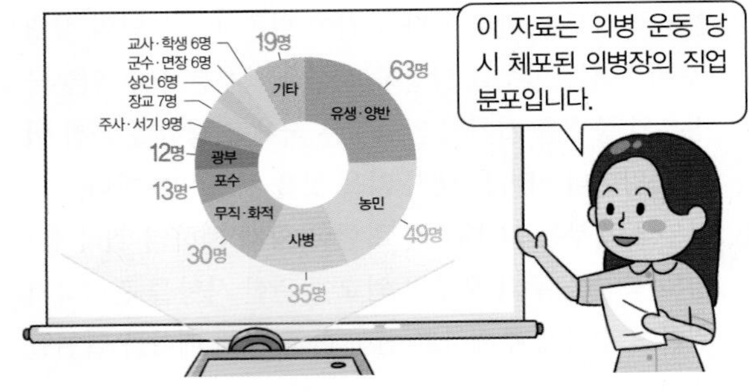

① 일제의 '남한 대토벌' 작전으로 큰 타격을 받았다.
② 고종이 해산 권고 조칙을 내려 대부분 해산하였다.
③ 13도 창의군이 결성되어 서울 진공 작전을 전개하였다.
④ 해산 군인이 의병에 합류하여 의병의 조직력과 전투력이 강화되었다.
⑤ 헤이그 특사 사건으로 고종이 강제로 퇴위당한 것에 저항해 봉기하였다.

10 **(가) 인물에 대한 설명으로 옳은 것은?**

한국사 스피드 퀴즈

하얼빈에서 한국 침략의 원흉인 이토 히로부미를 처단한 인물은?

(가)

① 13도 창의군을 이끌었다.
② "동양 평화론"을 집필하였다.
③ 친일파 이완용을 저격하였다.
④ 5적 암살단인 자신회를 조직하였다.
⑤ 친일 미국인 스티븐스를 사살하였다.

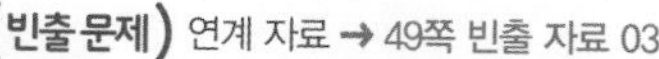

(빈출 문제) 연계 자료 → 49쪽 빈출 자료 03

11 다음 취지문을 발표한 단체에 대한 설명으로 옳은 것을 《보기》에서 모두 고르면?

> 무릇 나라의 독립은 오직 자강(自强) 여하에 있을 따름이다. …… 교육이 일어나지 못하면 국민의 지식이 열리지 않고 산업이 일어나지 않으면 나라의 부가 늘어나지 못하는 것이다. …… 교육과 산업의 발달이 곧 하나뿐인 자강의 방도임을 알 수 있을 것이다.

《보기》
ㄱ. 고종 강제 퇴위 반대 운동을 벌였다.
ㄴ. 민족 교육을 위해 오산 학교를 세웠다.
ㄷ. 사회 진화론을 바탕으로 실력 양성을 추구하였다.
ㄹ. 일제의 황무지 개간권 요구 반대 운동을 전개하였다.

① ㄱ, ㄴ ② ㄱ, ㄷ ③ ㄴ, ㄷ
④ ㄴ, ㄹ ⑤ ㄷ, ㄹ

12 밑줄 친 '이 단체'에 대한 설명으로 옳은 것은?

① 독립문 건설을 주도하였다.
② 만민 공동회 탄압에 앞장섰다.
③ 자기 회사와 태극 서관을 운영하였다.
④ 고종 강제 퇴위 반대 운동을 전개하였다.
⑤ 일제의 황무지 개간권 요구 반대 운동을 벌였다.

(빈출 문제) 연계 자료 → 49쪽 빈출 자료 03

13 다음 자료를 활용한 탐구 활동으로 가장 적절한 것은?

〈판결문〉

> 이 단체는 서간도에 단체 이주를 기도하여 조선 본토로부터 상당한 재력이 있는 다수 인민을 이주시켜 토지를 매입하고 촌락을 세워 새로운 영토로 삼고, 다수의 교육받은 청년을 모집하여 그곳에 보내어 민단을 조직하고 학교 및 교회를 세우고, 더 나아가 무관 학교를 설립하고 문무 겸비 교육을 실시하여 기회를 타서 독립 전쟁을 일으키고자 하였다.

① 신민회의 활동을 분석한다.
② 간도 협약의 영향을 조사한다.
③ 정미의병이 봉기한 원인을 파악한다.
④ 헌정 연구회의 활동 목표를 살펴본다.
⑤ 대한 자강회가 해체된 이유를 알아본다.

(빈출 문제) 연계 자료 → 49쪽 빈출 자료 04

14 다음 칙령이 제정된 시기에 볼 수 있던 모습으로 가장 적절한 것은?

〈칙령 제41호〉

제1조 울릉도를 울도로 개칭하여 강원도에 부속하고 도감을 군수로 개정하여 관제 중에 편입하고 군등(郡等)은 5등으로 할 것

제2조 군청 위치는 태하동으로 정하고 구역은 울릉 전도(全島)와 죽도(竹島), 석도(石島)를 관할할 것

① 토지를 조사하고 지계를 발급하는 관리
② 대한 제국의 외교 업무를 처리하는 일본인 통감
③ 의병에 합류해 일본군에 맞서 싸우는 해산 군인
④ 포츠머스에서 러시아와 조약을 맺는 일본 외교관
⑤ 고종 강제 퇴위 반대 운동을 벌이는 대한 자강회 회원

울쏘 서술형 문제

01 다음 자료를 읽고 물음에 답하시오.

> 일본국 정부는 한국과 타국 간에 현존하는 조약의 실행을 완수하는 임무를 담당하고 한국 정부는 금후 일본국 정부의 중개를 거치지 않고서는 국제적 성질을 가진 어떤 조약이나 약속을 맺지 않을 것을 서로 약속한다.

(1) 위 내용을 담고 있는 조약을 쓰시오.

(2) 위 조약의 불법성을 세 가지 근거를 제시해 서술하시오.

02 다음 자료를 읽고 물음에 답하시오.

> 이번에 너희들이 <u>의병</u>을 일으킨 것은 어찌 다른 뜻이 있어서였겠는가? …… 나라를 어지럽힌 무리는 처단당하고 남은 수괴들은 이미 다 귀양 갔으니 …… 너희들 백성들은 …… 지금의 형세를 헤아리고 짐의 고충을 살피어 즉시 서로 이끌고 물러가서 원래의 생업에 안착하라.
>
> –"고종실록"–

(1) 밑줄 친 '의병'을 쓰시오.

(2) 밑줄 친 '의병'이 봉기한 원인과 주도 세력, 특징을 서술하시오.

03 다음 자료를 읽고 물음에 답하시오.

> ((가))은/는 서간도에 단체 이주를 기도하여 조선 본토로부터 상당한 재력이 있는 다수 인민을 이주시켜 토지를 매입하고 촌락을 세워 새로운 영토로 삼고, 다수의 교육받은 청년을 모집하여 그곳에 보내어 민단을 조직하고 학교 및 교회를 세우고, 더 나아가 무관 학교를 설립하고 문무 겸비 교육을 실시하여 기회를 타서 독립 전쟁을 일으키고자 하였다.
>
> – '양기탁 판결문' (1911) –

(1) (가)에 해당하는 단체를 쓰시오.

(2) (가) 단체의 활동 내용을 세 가지만 서술하시오.

04 다음 자료를 읽고 물음에 답하시오.

> 1. 청·일 양국 정부는 도문강을 청국과 한국의 국경으로 하고 강 원천지에 있는 정계비를 기점으로 하여 석을수를 두 나라의 경계로 함을 성명한다.

(1) 위 조약의 명칭을 쓰시오.

(2) 일본이 대한 제국을 대신하여 청과 위 조약을 맺을 수 있었던 이유를 서술하시오.

상위 4% 문제

정답 및 해설 18쪽

01 다음 (가), (나) 조약에 대한 설명으로 옳은 것을 《보기》에서 모두 고르면?

> (가) 일본 정부는 한국과 타국 간에 현존하는 조약의 실행을 완수하는 임무를 담당하고 한국 정부는 금후 일본 정부의 중개를 거치지 않고서는 국제적 성질을 가진 어떤 조약이나 약속을 맺지 않을 것을 서로 약속한다.
>
> (나) • 한국 정부는 시정 개선에 관하여 통감의 지도를 받는다.
> • 한국 고등 관리의 임면은 통감의 동의를 얻어 행한다.
> • 한국 정부는 통감이 추천한 일본인을 한국 관리로 임명한다.

《보기》
ㄱ. (가)는 통감부가 설치되는 계기가 되었다.
ㄴ. (가)는 고종의 강제 퇴위 직후 체결되었다.
ㄷ. (나) 조약으로 이전보다 통감의 권한을 강화하였다.
ㄹ. (나) 조약은 이후 일본인 재정 고문의 파견으로 이어졌다.

① ㄱ, ㄴ ② ㄱ, ㄷ ③ ㄴ, ㄷ
④ ㄴ, ㄹ ⑤ ㄷ, ㄹ

02 다음 격문의 주장에 따라 이루어진 사실로 옳은 것은?

> 군대를 움직이는 데 가장 중요한 점은 고립을 피하고 일치단결함에 있다. 따라서 각 도의 의병을 통일하여 둑을 무너뜨리는 기세로 서울에 진공하면, 전 국토가 우리의 손안에 들어오고 한국 문제의 해결에 있어서도 유리하게 될 것이다.

① 신식 군대인 별기군이 창설되었다.
② 13도 창의군이 서울 진공 작전을 펼쳤다.
③ 을미사변과 단발령에 반발해 의병이 봉기하였다.
④ 황제의 군사권 강화를 위해 원수부가 설치되었다.
⑤ 신민회가 서간도 지역에 독립운동 기지를 건설하였다.

03 다음 글을 쓴 인물의 활동으로 옳은 것은?

> 슬프다! 가장 가깝고 가장 친하며 어질고 약한 한국을 억압하여 조약을 맺고 강점하였다. 지금 서양 세력이 동양으로 침략의 손길을 뻗어 오고 있는데, 이 재앙을 동양이 일치단결해서 막아 내는 것이 가장 중요함은 어린아이도 다 아는 일이다. 무슨 까닭으로 일본은 이러한 당연한 형세를 무시하고 같은 동양의 이웃 나라를 약탈하고 친구의 정을 끊어, 서양 세력이 애쓰지 않고 이득을 얻도록 한단 말인가.
> – "동양 평화론" –

① 비밀 결사인 신민회를 조직하였다.
② 하얼빈에서 이토 히로부미를 처단하였다.
③ 샌프란시스코에서 스티븐스를 저격하였다.
④ 정부의 지원을 받아 독립신문을 창간하였다.
⑤ 왜양일체론을 내세워 개항 반대 운동을 전개하였다.

04 밑줄 친 '이 단체'에 대한 설명으로 옳은 것은?

> 애국 계몽 운동가들은 학교를 설립하고 신문, 잡지를 발행하는 등 국민을 계몽하고 산업을 진흥하여 실력을 양성하는 데에 집중하였다. 이들은 일본에 대한 직접 투쟁을 무모하다고 판단하였고, 의병 운동을 비판적으로 바라보았다. 하지만 이 단체는 애국 계몽 운동의 한계를 극복하고 독립운동 기지 건설을 위해 노력하였다.

① 독립 협회를 계승하였다.
② 고종 강제 퇴위 반대 운동을 전개하였다.
③ 관민 공동회에서 헌의 6조 결의를 주도하였다.
④ 국권 회복과 공화정 수립을 목표로 활동하였다.
⑤ 일본의 황무지 개간권 요구 반대 운동을 벌였다.

07 개항 이후 경제·사회·문화적 변화

출제 경향
★ 화폐 정리 사업의 내용과 영향을 묻는 문제
★ 국채 보상 운동의 내용을 묻는 문제

01 개항 이후 경제적 변화

1. 개항 후 교역 구조의 변화 빈출 자료 01

(1) 개항 초기

구분	내용
일본 상인의 활동	• 영사 재판권, 일본 화폐 사용, 무관세 등 활용한 약탈적 무역 • 거류지 무역(활동 범위가 개항장 10리 이내로 제한)
조선의 상황	• 객주·여각 등 중개 상인 성장(일본 등 외국 상인과 내륙의 조선 상인을 중개) • 일본으로의 곡물 유출에 따른 곡물 가격 상승 • 외국산 면직물의 유입으로 가내 수공업 타격

(2) 임오군란 이후

① 조·청 상민 수륙 무역 장정(1882) : 양화진과 한성에 상점 개설 허용, 영사 재판권 허용, 내륙 활동 가능(허가 시)

② 조·일 통상 장정(1883) : 관세권 설정, 방곡령 근거 마련, 일본에 최혜국 대우 인정 → 청·일 상인의 경쟁 심화

③ 외국 상인의 내륙 진출 → 조선의 중개 상인 몰락

2. 일제의 경제 침탈 빈출 자료 02

구분	내용
이권 침탈	아관 파천 이후 열강이 최혜국 대우를 주장하며 각종 이권 차지
화폐 정리 사업	• 일본인 재정 고문 메가타가 주도 • 상평통보·백동화 등을 일본 제일은행권으로 교환(질이 나쁜 병종 백동화는 미교환) • 결과 : 다수 국내 상공업자 몰락, 통화량 감소, 화폐 정리에 필요한 자금 마련을 위해 일본에서 차관 도입
토지 약탈	• 러·일 전쟁 중 일본이 군용지 등 명목으로 토지 약탈 • 황무지 개간권 요구 → 보안회의 반대로 실패 • 동양 척식 주식회사 설립(1908) : 토지 약탈, 약탈한 토지는 일본인에 매매·양도, 한국인에게 소작시킴

3. 경제적 구국 운동 빈출 자료 03

(1) 경제 수호 노력

구분	내용
방곡령 선포	• 배경 : 개항 이후 일본 상인의 곡물 유출 → 국내 식량 사정 악화, 곡물 가격 대폭 상승 • 1883년 조·일 통상 장정에 방곡령 실시 근거 마련 → 여러 차례 방곡령 실시 • 1889년, 1890년에 황해도·함경도에 방곡령 선포 → 일본이 조·일 통상 장정의 규정(1개월 전 통보) 위반을 이유로 철회 요구 → 방곡령 철회 및 일본에 배상금 지불
상권 수호 운동	• 배경 : 외국 상인의 내륙 진출 • 전개 : 시전 상인이 외국 상인의 점포 철수를 요구하며 철시 투쟁 전개, 황국 중앙 총상회 조직(1898) • 민족 자본과 기업 육성 : 상회사, 은행, 철도 회사, 해운 회사 등 설립
이권 수호 운동	• 배경 : 아관 파천 이후 열강의 이권 침탈 심화 • 독립 협회 : 이권 수호 운동 전개, 만민 공동회를 개최해 러시아의 절영도 조차 요구 저지, 한·러 은행 폐쇄, 프랑스·독일의 광산 채굴권 요구 저지 • 일제의 황무지 개간권 요구 저지 : 보안회 활동, 농광회사 설립

(2) 국채 보상 운동

구분	내용
배경	일본의 막대한 차관 강요 → 대한 제국의 재정이 일본에 예속
전개	• 대구에서 서상돈 등의 주도로 시작(1907) • 서울에 국채 보상 기성회 조직 • 대한매일신보 등 언론 기관의 지원으로 전국으로 확산
결과	통감부의 탄압으로 실패

02 개항 이후 사회·문화의 변화

1. 근대 의식의 확대 빈출 자료 04

구분	내용
평등 의식 확산	• 갑신정변 : 인민 평등권 확립 주장 • 동학 농민 운동 : 노비 문서 소각, 과부 재가 허용 등 주장 • 갑오개혁 : 신분제 폐지, 평등 사회 실현을 위한 조치 시행 • 독립 협회 : 천부 인권 사상 바탕으로 개인의 인권 보장 요구
여성 의식 성장	• 여권 통문 발표(1898) : 여성 교육의 중요성 강조 • 여학교 설립, 교육·의료 등을 중심으로 여성의 사회 참여 확대
근대 교육 전개	• 1880년대 : 원산 학사(최초의 근대적 학교), 육영 공원, 선교사들의 사립 학교 설립(배재학당, 이화학당 등) • 1890년대 : 교육 입국 조서 반포, 사범 학교·소학교·외국어 학교 등 관립 학교 설립 • 1900년대 : 애국 계몽 운동 → 많은 사립 학교 설립
언론 발달	한성순보(1883), 독립신문(1896), 황성신문(1898), 제국신문(1898), 대한매일신보(1904) 등 창간 → 일제가 신문지법 제정해 탄압(1907)

2. 근대 문물의 수용과 문예의 새 경향

(1) 근대 문물 수용

구분	내용
통신	우편(우정총국), 전신과 전화 가설
교통	전차, 철도(경인선, 경부선, 경의선) 등 도입
전기	한성 전기 회사 설립(전등, 전차 가설)
의료	광혜원(→ 제중원, 1885) 등
의의와 한계	• 의의 : 생활의 편리 • 한계 : 외세의 침략과 이권 침탈에 이용

(2) 국학 연구와 문예의 새경향

구분	내용
국어	국문 연구소 설립, 주시경 등 국어 연구
국사	• 위인전과 외국 흥망사 간행 • 신채호 : "독사신론" → 민족주의 역사 연구의 방향 제시
문학	• 신소설 : 안국선의 "금수회의록" 등 • 신체시 : 최남선의 '해에게서 소년에게'
예술	창가와 창극 유행, 원각사에서 신극 공연, 서양식 화법 도입 등

(3) 해외 이주

구분	내용
배경	기근, 빈곤, 수탈 등을 피해 해외 이주
만주·연해주	지리적으로 근접, 이후 무장 독립운동의 기반이 됨
미주	• 노동 이민이 주, 1903년 하와이 이민을 시작으로 이주 • 이후 각종 단체를 설립해 한국 독립운동 지원

빈출 특강

빈출 자료 01 일본과의 무역 구조 변화 | 연계 문제 ➔ 58쪽 01번

[자료 1] 강화도 조약(1876)

양국의 인민들은 각자 임의로 무역하며 양국 관리들은 조금도 간섭할 수 없고 또 제한하거나 금지할 수도 없다.

[자료 2] 조 · 일 무역 규칙(1876)

1. 조선국 여러 항구에 거주하는 일본인은 쌀과 잡곡을 (사서 일본으로) 수출할 수 있다.

[자료 3] 조 · 일 통상 장정(1883)

- 입항하거나 출항하는 각 화물이 해관을 통과할 때는 응당 본 조약에 첨부된 세칙에 따라 관세를 납부해야 한다. ─ 관세권
- 조선국에서 가뭄과 홍수, 전쟁 등의 일로 국내에 양식이 부족할 것을 우려하여 일시 쌀 수출을 금지하려고 할 때에는 1개월 전에 지방관이 일본 영사관에게 통지하여 미리 그 기간을 항구에 있는 일본 상인들에게 전달하여 일률적으로 준수하는 데 편리하게 한다. ─ 방곡령

| 자료 분석 | [자료 1, 2]는 개항 직후 조선과 일본의 무역을 규정한 조약 규정으로, 일본 상인들이 무제한으로 조선의 양곡을 일본으로 가져갈 수 있으며, 정부가 어떤 조치도 취할 수 없게 되어 있음을 알 수 있다. 이 때문에 식량 부족과 곡물 가격 폭등으로 어려움을 겪던 조선 정부는 1883년에 [자료 3]의 조 · 일 통상 장정을 통해 관세권을 설정하고 방곡령 실시 근거를 마련하였다. 하지만 일본으로의 쌀 유출 규모는 줄어들지 않아 1890년에도 전체 대일 수출품의 절반 이상을 차지하였다.

빈출 자료 02 화폐 정리 사업 | 연계 문제 ➔ 59쪽 06번

2. 교환을 위하여 제공한 구 백동화는 화폐 감정 담당자가 (교환)비를 감정케 하며, 화폐 감정 담당자는 탁지부 대신이 임명한다.
3. 구 백동화의 상태가 매우 양호한 갑종 백동화는 개당 2전 5리의 가격으로 신화폐와 교환하여 주고, 상태가 좋지 않은 을종 백동화는 개당 1전의 가격으로 정부에서 매수하며, 매수를 원치 않는 자에 대해서는 정부가 절단하여 돌려준다. 단 형질이 조악하여 화폐로 인정키 어려운 병종 백동화는 매수하지 않는다.

| 자료 분석 | 대한 제국의 재정 고문으로 파견된 메가타는 화폐 정리 사업을 단행하였다. 이에 따라 백동화를 비롯한 구화폐를 새로운 일본 제일은행권으로 교환하게 하였다. 그런데 백동화의 가치를 갑종은 기존의 1/2만, 을종은 1/5만 인정하였고, 병종은 교환 대상에서 제외하였다. 그 결과 병종 백동화를 많이 소유하고 있던 한국인들이 큰 피해를 보게 되었다.

빈출 자료 03 국채 보상 운동 | 연계 문제 ➔ 60쪽 10번

[자료 1] 국채 보상 취지서

지금 우리들은 정신을 새로이 하고 충의를 떨칠 때이니, 국채 1천 3백만 원은 우리 한 제국의 존망에 직결된 것이다. 이것을 갚으면 나라가 보존되고 이것을 갚지 못하면 나라가 망할 것은 필연적인 사실이나, 현재 국고에서는 이 국채를 갚기 어려운즉 …… 그런데 이를 갚을 길이 있으니, 2천만 인이 3개월을 한정하여 담배를 끊고 그 대금으로 매 1인마다 매달 20전씩 징수하면 1,300만 원이 될 수 있다. …… 기어이 이를 실시해서 삼천리강토를 유지하게 되기를 간절히 바라는 바이다. - "대한매일신보"(1907) -

[자료 2] 우리 부인 동포들에게 알림

나라 위한 마음과 백성 된 도리에서 어찌 남녀가 다르리오. 듣사오니 국채를 갚으려고 2천만 동포들이 석 달간 연초를 아니 피고 큰 돈을 마련한다 하오니 족히 사람으로 감동케 하는 아름다움이라. 그리하지만 부인은 논하지 않는다고 하니 어찌 여자는 나라 백성이 아니리오. 본인들은 여자인 고로 일신에 가지고 있는 것이 다만 패물 등속이라. …… 뜻을 가진 부인 동포들은 다소를 막론하고 한마음으로 의연금을 모아 국채를 청산하는 것이 천만다행이라.

- "대한매일신보"(1907) -

| 자료 분석 | 1907년 대구에서 시작되어 전국으로 확대된 국채 보상 운동은 나랏빚을 갚아 일본의 경제적 예속에서 벗어나자는 경제적 구국 운동이었다. 국채 보상 운동은 "대한매일신보" 등 언론 기관의 지원을 받아 전국민적 규모로 확산되었으나 통감부의 탄압으로 실패로 끝나고 말았다.

빈출 자료 04 교육 입국 조서 | 연계 문제 ➔ 61쪽 13번

세계의 정세를 보면 부강하고 독립하여 사는 모든 나라는 다 국민의 지식이 밝기 때문이다. 이제 짐은 정부에 명하여 널리 학교를 세우고 인재를 길러 새로운 국민의 학식으로써 국가 중흥의 큰 공을 세우고자 하니, 국민은 나라를 위하는 마음으로 덕과 체와 지를 기를지어다. 왕실의 안전이 국민의 교육에 있고, 국가의 부강도 국민의 교육에 있도다. - "관보"(1895) -

| 자료 분석 | 자료는 제2차 갑오개혁이 진행되던 1895년에 고종이 발표한 교육 입국 조서의 일부이다. 고종은 교육 입국 조서에서 근대적 교육의 필요성을 강조하였는데, 이를 계기로 조선은 근대적 학제를 마련하고 초등 교육 기관인 소학교와 교원 양성을 위한 사범 학교 등 각종 관립 학교를 설립하게 되었다. 이러한 근대 교육의 확산은 당시 사람들에게 근대 의식이 확산되는 계기가 되었다.

올쏘 시험에 꼭 나오는 문제

개념 확인 문제

01 다음 서술 내용이 옳으면 ○표, 틀리면 ×표를 하시오.

(1) 조·청 상민 수륙 무역 장정으로 청 상인이 한성에 상점을 개설할 권리를 얻었다. ( )

(2) 일본은 조·일 통상 장정을 통해 최혜국 대우를 인정받았다. ( )

(3) 일본인 재정 고문 메가타가 화폐 정리 사업을 추진하였다. ( )

(4) 국채 보상 운동은 평양에서 시작해 전국으로 확산되었다. ( )

(5) 우리나라 최초의 근대적 교육 기관은 육영 공원이다. ( )

02 서로 관련된 사실을 바르게 연결하시오.

(1) 방곡령 선포 •	• ㉠ 보안회
(2) 상권 수호 운동 •	• ㉡ 황국 중앙 총상회
(3) 절영도 조차 요구 철회 •	• ㉢ 일제의 차관 제공
(4) 국채 보상 운동 •	• ㉣ 독립 협회
(5) 황무지 개간권 요구 반대 운동 •	• ㉤ 조·일 통상 장정

03 다음 내용에 해당하는 말을 《보기》에서 골라 쓰시오.

《보기》
ㄱ. 방곡령　　ㄴ. 여권 통문
ㄷ. 원산 학사　　ㄹ. 황국 중앙 총상회

(1) 조·일 통상 장정에 근거하여 일본으로의 쌀 수출을 금지하는 명령은? ( )

(2) 여성 교육의 중요성을 강조하기 위해 나온 글은? ( )

(3) 우리나라 최초의 근대적 학교는? ( )

(4) 시전 상인들이 상권 수호를 위해 만든 단체는? ( )

04 다음 빈칸에 들어갈 알맞은 말을 쓰시오.

(1) 일본은 1908년에 ( )을/를 설립하여 약탈한 토지를 일본인에 매매·양도하였다.

(2) ( )은/는 천부 인권 사상을 바탕으로 개인의 인권 보장을 요구하였다.

(3) 제2차 갑오개혁 때 ( ) 반포를 계기로 근대적 학제가 마련되었다.

(4) 일본은 1907년에 ( )을/를 제정하여 한국인의 언론 활동을 통제하였다.

(5) ( )은/는 "독사신론"을 통해 민족주의 사학의 연구 방향을 제시하였다.

01 개항 이후 경제적 변화

(빈출 문제) 연계 자료 ➜ 57쪽 빈출 자료 01

01 다음 조약 체결 이후에 볼 수 있던 모습으로 가장 적절한 것은?

> • 입항하거나 출항하는 각 화물이 해관을 통과할 때는 응당 본 조약에 첨부된 세칙에 따라 관세를 납부해야 한다.
> • 조선국에서 가뭄과 홍수, 전쟁 등의 일로 국내에 양식이 부족할 것을 우려하여 일시 쌀 수출을 금지하려고 할 때에는 1개월 전에 지방관이 일본 영사관에게 통지하여 미리 그 기간을 항구에 있는 일본 상인들에게 전달하여 일률적으로 준수하는 데 편리하게 한다.

① 일본에 파견된 통신사
② 방곡령을 내리는 지방관
③ 무관세 혜택을 누리는 일본 상인
④ 일본 공사관을 공격하는 구식 군인
⑤ 통리기무아문의 설치를 명령하는 고종

유사 선택지 문제

01_ ❶ ( ) 체결 이전 일본 상인은 조선에 관세를 납부하지 않았다.

01_ ❷ 조·일 통상 장정에는 일본에 (해안 측량권 / 영사 재판권 / 최혜국 대우)을/를 부여하는 규정이 담겨 있다.

01_ ❸ 조·일 통상 장정에는 방곡령을 실시할 수 있는 근거가 담겨 있다. (○ / ×)

02 (가) 시기의 모습으로 옳지 않은 것은?

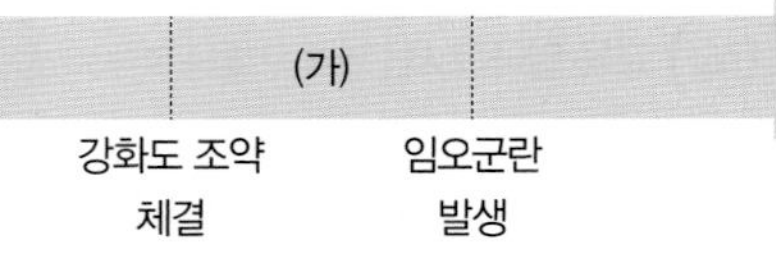

① 조사 시찰단이 일본에 파견되었다.
② 외국 상인이 한성에 상점을 개설하였다.
③ 쌀값 폭등으로 하층민의 불만이 고조되었다.
④ 일본 상인이 거류지에서 무역 활동을 벌였다.
⑤ 일본 상인이 영국산 면제품을 조선에 판매하였다.

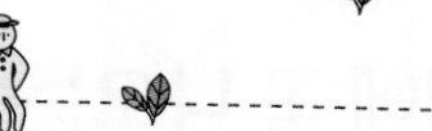

03 밑줄 친 ㉠을 허용하고 있는 조약으로 옳은 것은?

개항 초기에는 일본 상인이 무역의 중심이었다. 이들은 ㉠개항장에서 일본 화폐로 물건을 구매할 수 있었으며, 관세를 납부하지 않았다. 반면 조선은 무관세 무역을 허용하면서 재정 수입과 국내 산업을 보호할 장치를 잃어버렸다.

① 기유약조 ② 강화도 조약
③ 제물포 조약 ④ 조·일 무역 규칙
⑤ 조·일 수호 조규 부록

04 다음 사건을 일어난 순서대로 바르게 나열한 것은?

(가) 청 상인이 양화진과 한성에 점포를 개설할 권리를 얻었다.
(나) 일본 상인이 일본 화폐를 이용해 물건을 구매할 수 있게 되었다.
(다) 일본이 조선이 요구한 관세 부과, 방곡령을 수용하고 최혜국 대우를 얻었다.
(라) 청과 일본의 상인이 경쟁적으로 거류지를 벗어나서 한성에 들어와 상업 활동을 하였다.

① (가)-(나)-(다)-(라) ② (나)-(가)-(다)-(라)
③ (나)-(다)-(가)-(라) ④ (다)-(나)-(가)-(라)
⑤ (다)-(가)-(나)-(라)

05 다음 조약을 활용한 탐구 주제로 가장 적절한 것은?

조선 상인이 베이징에서 규정에 따라 교역하고 청 상인이 조선의 양화진과 서울에 들어가 업소를 개설한 경우를 제외하고 각종 화물을 내지로 운반하여 상점을 차리고 파는 것을 허가하지 않는다. 양국 상인이 내지로 들어가 토산물을 구입하려고 할 때는 허가증을 발급받아야 한다.

① 방곡령의 시행과 마찰
② 임오군란 이후 청 상인의 활동
③ 무관세 특권을 이용한 약탈적 무역
④ 외국 상인의 거류지 무역 전개 방식
⑤ 청·일 전쟁 이후 조선 시장에서 외국 상인의 경쟁

빈출 문제 연계 자료 → 57쪽 빈출 자료 02

06 다음 법령에 따라 시행된 사업에 대한 학생들의 발표 내용으로 옳은 것은?

상태가 매우 양호한 갑종 백동화는 개당 2전 5리의 가격으로 신화폐와 교환하여 주고, 상태가 좋지 않은 을종 백동화는 개당 1전의 가격으로 정부에서 매수하며, 매수를 원치 않는 자에 대해서는 정부가 절단하여 돌려준다. 단 형질이 조악하여 화폐로 인정키 어려운 병종 백동화는 매수하지 않는다.

① 당백전을 발행해 비용을 충당하였어요.
② 많은 한국인 상공업자의 몰락을 가져왔어요.
③ 동양 척식 주식회사의 주도로 추진되었어요.
④ 황국 중앙 총상회가 결성되는 계기가 되었어요.
⑤ 독립 협회가 만민 공동회를 열어 반대하였어요.

유사 선택지 문제

06_ ❶ (   )은/는 백동화와 구화폐를 일본 제일은행권으로 교환하는 사업이다.
06_ ❷ 화폐 정리 사업은 (제1차 한·일 협약 / 을사늑약)에 따라 조선에 재정 고문으로 파견된 메가타에 의해 단행되었다.
06_ ❸ 화폐 정리 사업을 추진하면서 질이 나쁜 병종 백동화는 교환 대상에서 제외시켰다. (○ / ×)

07 다음 이권을 가져간 국가에 대한 설명으로 옳은 것은?

① 조선을 속국으로 규정하였다.
② 조선의 문호 개방을 이끌어 냈다.
③ 군대를 보내 임오군란을 진압하였다.
④ 급진 개화파의 갑신정변을 지원하였다.
⑤ 제너럴 셔먼호 사건을 구실로 조선을 침략하였다.

올쏘 시험에 꼭 나오는 문제

08 다음 지도에 표시된 내용에 대한 설명으로 옳은 것을 〈보기〉에서 모두 고르면?

〈보기〉
ㄱ. 각 지방관에 의해 단행되었다.
ㄴ. 독립 협회의 지원으로 활성화되었다.
ㄷ. 조·일 통상 장정을 근거로 실시되었다.
ㄹ. 일본과의 마찰 없이 성공적으로 실시되었다.

① ㄱ, ㄴ ② ㄱ, ㄷ ③ ㄴ, ㄷ
④ ㄴ, ㄹ ⑤ ㄷ, ㄹ

09 (가)에 해당하는 단체로 옳은 것은?

> 우리가 혈심으로 본회를 창립하고 규칙을 내었으니 …… 이름은 ((가))라고 하고 …… 전(점포)의 지계를 정하되 동으로 철물교, 서로 송교, 남으로 작은 광교, 북으로 안현까지는 외국 사람들이 장사하는 것은 허락하지 말고 그 지계 밖에 본국 각전은 본회에서 관할할 일이라.
> –"독립신문"–

① 보안회 ② 농광회사
③ 독립 협회 ④ 대한 자강회
⑤ 황국 중앙 총상회

(빈출 문제) 연계 자료 → 57쪽 빈출 자료 03

10 자료의 경제적 구국 운동에 대한 설명으로 옳은 것은?

> 지금 우리들은 정신을 새로이 하고 충의를 떨칠 때이니, 국채 1천 3백만 원은 우리 한 제국의 존망에 직결된 것이다. 이것을 갚으면 나라가 보존되고 이것을 갚지 못하면 나라가 망할 것은 필연적인 사실이나, 현재 국고에서는 이 국채를 갚기 어려운즉 …… 2천만 인이 3개월을 한정하여 담배를 끊고 그 대금으로 매 1인마다 매달 20전씩 징수하면 1,300만 원이 될 수 있다.

① 독립신문의 적극적인 지원을 받았다.
② 한국인 상공업자의 몰락을 가져왔다.
③ 황국 중앙 총상회의 주도로 전개되었다.
④ 대구에서 시작되어 전국으로 확산되었다.
⑤ 시전 상인의 금난전권이 폐지되는 계기가 되었다.

유사 선택지 문제

10_ ❶ (   )은/는 늘어나는 국채를 갚아 일본의 경제적 예속에서 벗어나자는 운동이다.
10_ ❷ 국채 보상 운동은 대구에서 (서재필 / 서상돈 / 안중근) 등을 중심으로 시작되었다.
10_ ❸ 국채 보상 운동은 애국 계몽 운동 단체, 대한매일신보 등 언론사 등이 적극적으로 후원하였다. (○ / ×)

02 개항 이후 사회·문화의 변화

11 밑줄 친 '이 사건'으로 옳은 것은?

① 임오군란 ② 갑신정변
③ 갑오개혁 ④ 광무개혁
⑤ 을사의병

12 다음 자료가 발표된 시기에 볼 수 있던 모습으로 가장 적절한 것은?

> 먼저 문명개화한 나라를 보면 남녀가 같은 사람이라. 어려서부터 각각 학교에 다니며 여러 재주를 다 배우고 이목을 넓혀 장성한 후에 사나이와 부부가 되어 평생을 살더라도, 그 사나이의 통제를 하나도 받지 아니하고 도리어 극히 공경함을 받음은 다름 아니라 그 재주와 권리와 신의가 사나이와 같은 까닭이라.

① 국채 보상 운동에 참여한 여성
② 강화도 조약을 맺는 일본과 조선 관리
③ 만민 공동회에 참석한 독립 협회 회원
④ 을사늑약에 항거하는 의병에 참여한 농민
⑤ 척화주전론을 펴며 통상 수교 반대 운동을 벌이는 유생

(빈출 문제) 연계 자료 ➜ 57쪽 빈출 자료 04

13 다음 조서에 대한 설명으로 옳은 것을 《보기》에서 모두 고르면?

> 세계의 정세를 보면 부강하고 독립하여 사는 모든 나라는 다 국민의 지식이 밝기 때문이다. 이 지식을 밝히는 것은 교육으로 된 것이니, 교육은 실로 국가를 보존하는 근본이 된다. 교육은 그 길이 있는 것이니, 헛된 것과 실용적인 것을 먼저 구별하여야 한다. 이제 짐은 정부에 명하여 널리 학교를 세우고 인재를 길러 새로운 국민의 학식으로써 국가 중흥의 큰 공을 세우고자 하니, 국민은 나라를 위하는 마음으로 덕과 체와 지를 기를지어다. 왕실의 안전이 국민의 교육에 있고, 국가의 부강도 국민의 교육에 있도다.

《보기》
ㄱ. 제2차 갑오개혁 때 발표되었다.
ㄴ. 원산 학사가 세워지는 데 영향을 주었다.
ㄷ. 근대적 학교 제도가 마련되는 계기가 되었다.
ㄹ. 흥선 대원군의 서원 철폐 정책을 뒷받침하였다.

① ㄱ, ㄴ ② ㄱ, ㄷ ③ ㄴ, ㄷ
④ ㄴ, ㄹ ⑤ ㄷ, ㄹ

14 다음 주장을 폈던 인물에 대한 설명으로 옳은 것은?

> 국가의 역사는 민족 소장성쇠(消長盛衰)의 상태를 서술한 것이라. 민족을 빼면 역사가 없을 것이며, 역사를 빼면 민족이 국가에 대해 가지는 관념이 크지 않을 것이니, 오호라 역사가의 책임이 참으로 무겁구나. – "독사신론" –

① 국문 연구소에서 국어 체계를 연구하였다.
② 정부 지원을 받아 독립신문을 창간하였다.
③ 민족주의 사학의 연구 방향을 제시하였다.
④ 자신회를 조직해 을사 5적 처단에 나섰다.
⑤ 만주 하얼빈에서 이토 히로부미를 처단하였다.

15 (가) 신문에 대한 설명으로 옳은 것을 《보기》에서 모두 고르면?

> 신문으로는 황성신문, 기타 여러 가지 신문이 있었으나, 제일 환영을 받기는 영국인 베델이 경영하는 ((가))였다. 당시 정부의 잘못과 시국 변동을 여지없이 폭로하였다. 관을 쓴 노인도 사랑방에 앉아서 신문을 보면서 혀를 툭툭 차고, 각 학교 학생들은 주먹을 치며 통론하였다.

《보기》
ㄱ. 영문판을 발행하였다.
ㄴ. 박문국에서 간행되었다.
ㄷ. 국채 보상 운동 확산에 기여하였다.
ㄹ. 민간에서 발행한 최초의 신문이었다.

① ㄱ, ㄴ ② ㄱ, ㄷ ③ ㄴ, ㄷ
④ ㄴ, ㄹ ⑤ ㄷ, ㄹ

서술형 문제

01 다음 자료를 읽고 물음에 답하시오.

(가)	(나)
• 조선국 여러 항구에 거주하는 일본인은 쌀과 잡곡을 사서 일본으로 수출할 수 있다. • 일본국 정부에 소속된 선박들은 항세를 납부하지 않는다.	현재나 앞으로 조선 정부에서 어떠한 권리와 특전 및 혜택과 우대를 다른 나라 관리와 백성에게 베풀 때에는 일본국 관리와 백성도 마찬가지로 일체 그 혜택을 받는다.

(1) (가), (나)에 해당하는 조약을 쓰시오.

(2) (가), (나) 조약을 적용받던 시기 일본 상인의 무역 형태 변화를 두 가지만 서술하시오.

02 다음 자료를 읽고 물음에 답하시오.

1. 한국 궁내부는 전국 13도의 관유·민유 외에 산림·천택·진황지(陳荒地)의 개간을 일본인 나가모리에게 허가할 것
2. 나가모리는 그 특허에 기인하야 자기가 계산하여 전조의 황무지를 개척하되, 개간일로부터 만 5개년 후부터 궁내부에 세금을 납부할 것
3. 합동 기한은 50개년으로 정하되, 사후에 다시 약정할 것

(1) 위 요구에 대응하기 위해 조직된 단체를 쓰시오.

(2) 위 요구에 대응해 한국인이 벌인 활동 두 가지를 서술하시오.

03 다음 자료를 읽고 물음에 답하시오.

나라 위한 마음과 백성 된 도리에서 어찌 남녀가 다르리오. 듣사오니 국채를 갚으려고 2천만 동포들이 석 달간 연초를 아니 피고 큰돈을 마련한다 하오니 족히 사람으로 감동케 하는 아름다움이라. 그리하지만 부인은 논하지 않는다고 하니 어찌 여자는 나라 백성이 아니리오. 본인들은 여자인 고로 일신에 가지고 있는 것이 다만 패물 등속이라. …… 뜻을 가진 부인 동포들은 다소를 막론하고 한마음으로 의연금을 모아 국채를 청산하는 것이 천만다행이라.

(1) 위 자료에 나타난 경제적 구국 운동을 쓰시오.

(2) (1)의 운동이 전개된 배경과 전개 과정, 결과를 서술하시오.

04 다음 자료를 읽고 물음에 답하시오.

개항 이후 발행된 다양한 신문은 대중을 계몽하고 애국심을 높이기 위해 노력하였다. 특히 이 신문은 의병 활동을 호의적으로 보도하고, 국채 보상 운동을 전국에 확산하는 데 힘썼다. 또한 민족의식이 투철한 박은식, 신채호 등이 논설위원으로 참여하여 일본의 침략 행위를 신랄하게 비판하였다.

(1) 밑줄 친 '이 신문'을 쓰시오.

(2) (1)의 신문이 다른 신문에 비해 일본의 탄압을 적게 받은 이유를 사장과 관련해 서술하시오.

올쏘 상위 4% 문제

정답 및 해설 22쪽

01 다음 상황이 나타나던 시기에 볼 수 있던 모습으로 가장 적절하지 않은 것은?

> 어떠한 벽촌이든지 장날에 청 상인이 오지 않는 곳이 없다고 한다. …… 지금까지 안성 시장에는 수원 상인이 많았다. …… 요즘 들어 안성 시장에 청 상인이 늘어나 점차 상권을 빼앗겨 폐업하는 자가 많아졌다. …… 공주·강경 같은 곳은 모두 자기 집을 갖고 장사를 하고 있다. 전라도 같은 곳은 청 상인이 30명 정도 들어왔다.

① 방곡령을 내리는 조선 관리
② 한성순보를 발행하는 조선 관리
③ 일본 공사관을 공격하는 구식 군인
④ 한성에서 상권 경쟁을 벌이는 청과 일본 상인
⑤ 상회사를 만들어 외국 상인과 경쟁하는 조선 상인

02 (가) 조약에 대한 설명으로 옳은 것을 《보기》에서 모두 고르면?

> 우리 고을에 흉년이 든 것은 귀하도 잘 알고 있을 것이다. 궁지에 몰리고 먹을 것이 없어 비참하다. 곡물이 이출되는 것은 당분간 방지하지 않을 수 없다. 이에 ((가)) 제37조에 근거하여 기일에 앞서 통지하니 바라건대 귀국의 상민들에게 통지하여 음력 을유년 12월 20일부터 만 한 달 이후부터는 곡물을 이출하지 못하도록 할 것이다.

《보기》
ㄱ. 청 상인의 영사 재판권을 인정하였다.
ㄴ. 일본에 대한 최혜국 대우를 규정하였다.
ㄷ. 조선의 요구에 따라 관세권이 설정되었다.
ㄹ. 개항장에서 일본 화폐의 사용을 허용하였다.

① ㄱ, ㄴ ② ㄱ, ㄷ ③ ㄴ, ㄷ
④ ㄴ, ㄹ ⑤ ㄷ, ㄹ

03 밑줄 친 '이 운동'에 대한 설명으로 가장 적절한 것은?

① 일본의 황무지 개간권 요구 반대 운동을 펼쳤다.
② 애국 계몽 활동가를 중심으로 농광회사를 설립하였다.
③ 화폐 정리 사업을 통해 조선인이 설립한 은행을 지원하였다.
④ 황국 중앙 총상회를 조직하여 외국 상인의 상권 침탈에 맞섰다.
⑤ 대한매일신보 등 언론사의 적극적 지원으로 전국으로 확산되었다.

04 (가), (나) 신문의 공통점에 대한 학생들의 발표 내용으로 가장 적절한 것은?

(가)

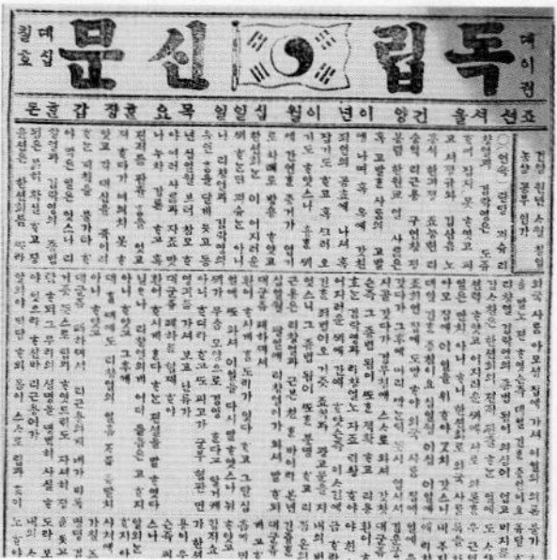
독립신문

(나)

大韓每日申報
대한매일신보

① 박문국에서 발행하였어요.
② 국채 보상 운동을 지원하였어요.
③ 영국인을 사장으로 하여 발행하였어요.
④ 외국인을 위한 영문판이 발행되었어요.
⑤ 항일 언론을 탄압하기 위해 제정된 신문지법을 적용받았어요.

08 일제의 식민지 지배 정책과 전시 동원 체제

출제 경향
★시기별 식민지 지배 정책의 특징을 묻는 문제
★시기별 일제의 경제 수탈 정책을 묻는 문제

01 무단 통치와 경제 수탈

1. 식민 통치 체제의 확립

(1) 조선 총독부 설치 : 식민 통치 최고 기관, 조선 총독 파견

(2) 1910년대 무단 통치 빈출 자료 01

① 헌병 경찰제 : 헌병이 경찰 업무 관여, 즉결 처분권 행사

② 위압적 분위기 조성 : 조선 태형령 시행, 언론·출판·집회·결사의 자유 억압, 일반 관리와 교원이 제복·칼 착용

③ 교육 : 제1차 조선 교육령 공포, 보통 교육·실업 교육 중심으로 편성 → 식민 통치에 순응하는 한국인 양성

2. 1910년대 경제 수탈 체제의 확립

(1) 토지 조사 사업 빈출 자료 02

목적	지세 확보로 식민 통치에 필요한 재정 마련, 토지 약탈
방법	임시 토지 조사국 설치(1910), 토지 조사령 공포(1912) → 토지 소유자가 정해진 기한 내에 직접 신고하는 방식으로 진행
결과	• 조선 총독부의 지세 수입 증가 • 미신고 토지 등이 조선 총독부 소유지로 편입 → 동양 척식 주식회사나 일본인에게 헐값으로 넘김 • 소유권만 인정, 농민의 관습적 경작권 부정 → 지주 권한 강화, 많은 농민이 기한부 임대 계약에 의한 소작농화, 만주·연해주 등지로 이주

(2) 산업 침탈 빈출 자료 03

① 회사령 제정(1910) : 기업 설립 시 조선 총독 허가 필요 → 한국의 자본 축적 차단, 일본의 원료 공급·상품 시장화 의도

② 어업령, 광업령 등 제정(허가제로 운영)

③ 철도, 도로, 항만 등 정비 → 식민지 수탈 기반 마련

02 민족 분열 통치와 경제 수탈

1. '문화 통치'(민족 분열 통치) 실시 빈출 자료 04

(1) 배경 : 일제가 3·1 운동을 계기로 무단 통치의 한계 인식, 국제 여론 악화

(2) '문화 통치'의 시행과 실상

통치 방식 변화	실상
문관 출신 총독도 임명 가능	실제 임명된 문관 출신 총독은 없음
보통 경찰제 실시, 조선 태형령 폐지	경찰 수와 예산 등 증가, 치안 유지법 시행 → 탄압과 감시 강화
언론·출판·집회·결사의 자유 일부 허용, 한글 신문 발행 허용	식민 통치를 인정하는 범위 내에서만 허용, 사전 검열 강화
도평의회, 부·면 협의회 등 설치	실권 없는 자문 기관, 일본인이나 친일 인사로 구성
보통학교 교육 연한 연장(4년 → 6년), 학교 수 일부 증설	학교 수 여전히 부족 → 한국인의 취학률은 일본인에 비해 현저히 낮음

(3) '문화 통치' 본질 : 한국인의 저항 무마, 친일 세력 양성 → 민족 분열 도모, 기만적인 통치 방식

2. 1920년대 경제 수탈의 확대

(1) 산미 증식 계획(1920~1934) 빈출 자료 05

① 배경 : 일본 내 쌀값 폭등으로 쌀 소동 발생

② 목적 : 한국에서 쌀 증산 → 일본으로 반출, 쌀 부족 해소

③ 내용 : 벼 재배 면적 확대, 수리 시설 확충, 품종 개량

④ 결과 : 증산량 이상의 쌀을 반출 → 한국의 식량 사정 악화, 증산 비용이 농민에게 전가되어 농민 부담 증가

(2) 일본 자본의 본격적 침투

① 회사령 폐지(1920) : 회사 설립을 신고제로 전환 → 일본 기업의 한국 진출 증가(한국인의 값싼 노동력 이용)

② 일본 상품의 관세 대부분 폐지(1923) : 값싼 일본산 제품의 유입 증가 → 한국인 기업에 큰 타격

03 전시 동원 체제와 민족 말살 통치

1. 1930년대 이후 식민지 경제 정책

(1) 만주 사변 전후 : 조선 공업화 정책 → 북부 지역에 대규모 공장 설립, 일본 독점 자본의 대거 진출, 남면북양 정책

(2) 중·일 전쟁 후 : 전쟁 물자 공급을 위한 병참 기지로 활용 → 군수 산업 위주로 산업 개편, 소비재 생산 위축

2. 전시 동원 체제와 민족 말살 통치 빈출 자료 06

(1) 전시 동원 체제 구축 : 국가 총동원법 제정(1938), 국민정신 총동원 운동 전개 → 전쟁에 필요한 물자와 인력 수탈의 본격화, 통제 강화

(2) 인력과 물자의 수탈

인력 수탈	• 전쟁 동원 : 지원병제, 학도 지원병제, 징병제 실시 • 노동력 동원 : 국민 징용령, 여자 정신 근로령, 일본군 '위안부' 강제 동원 등
물자 수탈	군수 물자 제작을 위한 금속, 미곡 공출 제도 실시, 산미 증식 계획 재개, 식량 배급제 실시 등

(3) 민족 말살 통치

목적	침략 전쟁을 확대하면서 한국인의 민족의식 말살 → 한국인을 전쟁에 쉽게 동원
내용	• 내선일체, 일선 동조론 강조 → 한국인을 일본인으로 동화시키는 황국 신민화 정책 추진, 일왕에 대한 한국인의 충성 강요 • 황국 신민 서사 암송, 궁성 요배, 신사 참배 강요 • 일본식 성명 사용 강요, 소학교 명칭을 '국민학교'로 변경(1941), 한국어 사용 금지, 조선일보·동아일보 폐간, 조선 사상범 예방 구금령 공포(1941) 등

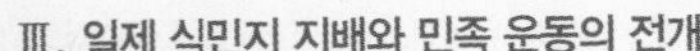

빈출 특강

빈출 자료 01 조선 태형령 | 연계 문제 → 66쪽 02번

> 제7조 ① 태형은 태 30 이하는 1회에 집행하며, 30이 증가할 때마다 1회를 추가한다.
> ② 태형의 집행은 1일 1회를 초과할 수 없다.
> 제11조 태형은 감옥 또는 ㉠즉결 관서에서 비밀리에 행한다.
> 제13조 이 영은 ㉡조선인에 한하여 적용한다.

| 자료 분석 | 일제는 1912년 조선 태형령을 공포하여 갑오개혁 때 폐지된 태형을 부활하였다.

- ㉠, ㉡ : 헌병 경찰은 즉결 처분권이 있어 정식 재판 없이 한국인에게만 매질하는 형벌을 가하였다.

빈출 자료 02 토지 조사 사업 | 연계 문제 → 67쪽 04번

> 4. 토지의 소유자는 조선 총독이 정하는 기간 내에 그 주소, 성명·명칭 및 소유지의 소재, 지목, 자번호, 사방의 경계표, 등급, 지적, 결수를 임시 토지 조사 국장에게 신고하여야 한다. 다만, 국유지는 보관 관청에서 임시 토지 조사 국장에게 통지하여야 한다.

| 자료 분석 | 1912년에 공포된 토지 조사령의 일부이다. 토지 조사 사업은 조선 총독이 정한 기한 내에 토지 소유주가 직접 신고하는 방식으로 진행되었는데, 미신고 토지나 소유권이 불분명한 토지는 조선 총독부 소유가 되었다.

빈출 자료 03 회사령 시행 | 연계 문제 → 67쪽 05번

> 제1조 회사의 설립은 ㉠조선 총독의 허가를 받아야 한다.
> 제5조 회사가 본령이나 본령에 의거하여 발하는 명령과 허가 조건에 위반하거나 또는 공공질서와 선량한 풍속에 반하는 행위를 할 때, ㉡조선 총독은 사업의 정지, 금지, 지점의 폐쇄 또는 회사의 해산을 명할 수 있다.

| 자료 분석 | 일제는 기업 설립 시 총독의 허가를 얻도록 하는 회사령을 실시하여 한국의 자본 형성과 축적을 억제하였으며, 한편으로는 일본 자본의 무분별한 한국 진출을 통제하려 하였다.

- ㉠, ㉡ : 조선 총독이 허가와 폐쇄의 권한을 모두 가졌으며, 한국인의 기업 설립은 소규모의 제조업, 매매업 등이 주로 허가되었다.

빈출 자료 04 '문화 통치' | 연계 문제 → 68쪽 07번

> 총독은 문무관 어느 쪽이라도 임용될 수 있는 길을 열고, 나아가 헌병에 의한 경찰 제도를 바꿔 보통 경찰에 의한 경찰 제도를 채택할 것이다. 그리고 복제를 개정하여 일반 관리·교원이 제복을 입고 칼을 차던 것을 폐지하고, 조선인의 임용·대우에 더 많이 고려하고자 한다.
>
> – "조선 총독부 관보", 1919. 9. 4. –

| 자료 분석 | 3·1 운동 이후 조선 총독으로 부임한 사이토 마코토 총독의 시정 방침 중 일부이다. 일제는 무단 통치의 한계를 인식하고 한국인의 불만을 무마하기 위해 '문화 통치'를 표방하였다. 하지만 이러한 사이토 총독의 발표 이면에는 한국인을 이간·분열시켜 독립운동을 약화하려는 목적이 숨겨져 있었다.

빈출 자료 05 산미 증식 계획 | 연계 문제 → 68쪽 09번

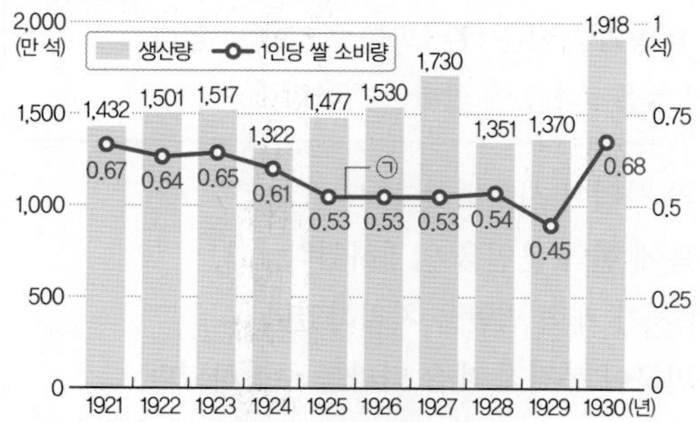

▲ 산미 증식 계획 기간 중 쌀 생산량과 1인당 쌀 소비량

| 자료 분석 | 산미 증식 계획으로 한국에서의 쌀 생산량이 다소 늘어나기도 하였지만, 일제는 더 많은 쌀을 일본으로 반출하였다.

- ㉠ : 한국인 1인 쌀 소비량이 감소하는 등 한국의 식량 상황이 더욱 나빠지는 것은 산미 증식 계획이 한국인을 위한 정책이 아니었음을 단적으로 보여 주는 것이다.

빈출 자료 06 전시 동원 체제 구축 | 연계 문제 → 69쪽 11번, 13번

[자료 1] 국가 총동원법

> 1. 국가 총동원이란 전시(전시에 준할 정도도 포함)에 국방 목적을 달성하기 위해 국가의 전력을 가장 유효하게 발휘하도록 인적 및 물적 자원을 운용하는 것이다.
> 4. 정부는 전시에 국가 총동원상 필요할 때는 칙령이 정하는 바에 따라 제국 신민을 징용하여 총동원 업무에 종사하게 할 수 있다.

[자료 2] 국민정신 총동원 운동 포스터

| 자료 분석 | • [자료 1]은 국가 총동원법으로 일제는 이를 근거로 전시 동원 체제를 구축하고 한국에서 인력과 물적 자원의 수탈을 본격화하였다.

- [자료 2]는 한국인을 통제하고 침략 전쟁에 동원하기 위해 일제가 1938년부터 시작한 국민정신 총동원 운동을 홍보하는 포스터이다. 이후 일제는 한국인의 직접 전쟁 참여를 독려하기 위해 국민정신 총동원 운동을 국민 총력 운동으로 전환하였다.

시험에 꼭 나오는 문제

개념 확인 문제

01 다음 서술 내용이 옳으면 ○표, 틀리면 ×표를 하시오.

(1) 일제는 1910년대에 관리와 교원에게 제복을 입고 칼을 차게 하였다. ( )

(2) 일제는 '문화 통치'를 시행하면서 문관 총독을 파견하였다. ( )

(3) 일제는 일본 자본의 한국 진출을 쉽게 하기 위해 1920년에 회사령을 폐지하였다. ( )

(4) 일제는 1941년에 초등 교육 기관인 소학교의 이름을 국민학교로 바꾸었다. ( )

(5) 일제는 중·일 전쟁 도발 이후 인적, 물적 자원의 수탈을 위해 치안 유지법을 제정하였다. ( )

02 서로 관련된 사실을 바르게 연결하시오.

(1) 무단 통치 • • ㉠ 보통 경찰제

(2) '문화 통치' • • ㉡ 조선 태형령 시행

(3) 토지 조사 사업 • • ㉢ 한국 쌀의 일본 반출

(4) 산미 증식 계획 • • ㉣ 황국 신민 서사 암송

(5) 민족 말살 통치 • • ㉤ 총독부 지세 수입 증가

03 다음 ㉠~㉣에 들어갈 알맞은 말을 쓰시오.

'문화 통치'의 시행	실상
(㉠) 출신 총독 임명 가능	실제로는 임명되지 않음
(㉡) 경찰제 실시	경찰 수 증가, (㉢) 유지법 시행
언론·출판·집회·결사의 자유 일부 허용, 한글 신문 발행 허용	식민 통치를 인정하는 범위 내에서만 허용, 사전 (㉣) 강화
도평의회, 부·면 협의회 등 설치	실권 없는 자문 기관, 일본인이나 친일 인사로 구성
교육 기회 확대	학교 수 여전히 부족 → 한국인의 취학률은 일본인에 비해 낮음

04 다음 빈칸에 들어갈 알맞은 말을 쓰시오.

(1) 일제는 1910년에 기업 설립 시 총독의 허가를 얻도록 하는 ( )을/를 제정하였다.

(2) 일제는 ( )을/를 계기로 식민 통치 방식을 무단 통치에서 '문화 통치'로 바꾸었다.

(3) 일제는 자국의 쌀 부족 문제를 해결하기 위해 1920년부터 한국에서 ( )을/를 추진하였다.

(4) 일제는 일선 동조론과 내선일체를 내세워 한국인을 일본인으로 만들기 위한 ( ) 정책을 추진하였다.

(5) 일제는 중·일 전쟁 도발 후 ( ) 정책을 추진하여 한반도에서 군수 산업과 중화학 공업을 확대하였다.

01 무단 통치와 경제 수탈

01 일제 식민 통치를 총괄한 (가)에 대한 학생의 발표 내용으로 옳지 않은 것은?

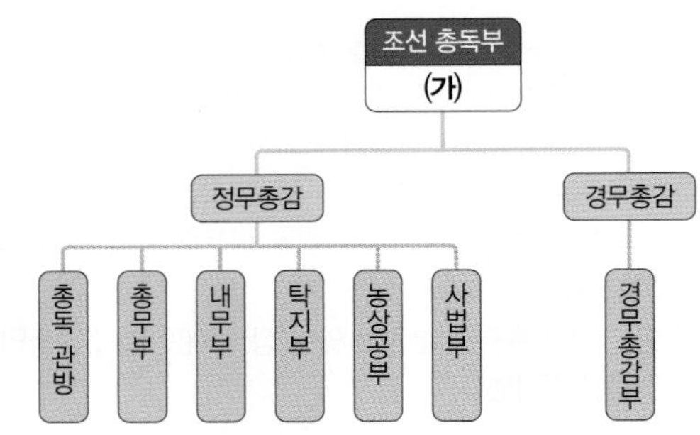

① 일왕에 직속되어 있었어요.
② 한국에서 군 통수권을 행사하였어요.
③ 일본 의회의 엄격한 통제를 받았어요.
④ 육·해군 현역 대장 중에서 임명되었어요.
⑤ 친일파로 구성된 중추원을 자문 기구로 두었어요.

(빈출 문제) 연계 자료 → 65쪽 빈출 자료 01

02 다음 법령이 적용된 시기의 사실로 옳은 것은?

> 제7조 ① 태형은 태 30 이하는 1회에 집행하며, 30이 증가할 때마다 1회를 추가한다.
> ② 태형의 집행은 1일 1회를 초과할 수 없다.
> 제13조 이 영은 조선인에 한하여 적용한다.

① 화폐 정리 사업이 시행되었다.
② 조선 총독에 현역 군인을 임명하였다.
③ 군국기무처가 개혁 법안을 처리하였다.
④ 동학 농민군이 봉건적 폐습 타파를 주장하였다.
⑤ 통감이 추천한 일본인이 각 부의 차관에 임명되었다.

유사 선택지 문제

02_ ❶ 1912년 일제는 ( )을/를 제정하여 한국인에게만 적용하였다.

02_ ❷ (무단 통치 / 문화 통치 / 민족 말살 통치) 시기에 일제는 조선 태형령을 시행하였다.

02_ ❸ 일제의 헌병 경찰은 재판 없이 한국인에게 태형을 가할 수 있었다. (○ / ×)

03 (가)에 들어갈 내용으로 가장 적절한 것은?

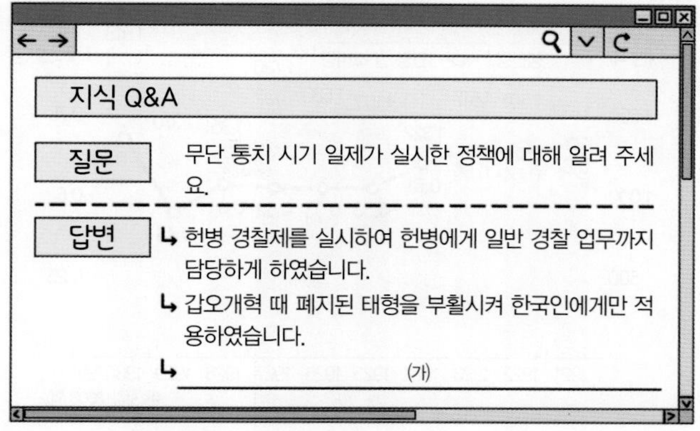

① 단발령을 실시하였습니다.
② 신사 참배를 강요하였습니다.
③ 대한 제국 군대를 강제 해산하였습니다.
④ 독도를 일제의 영토로 불법 편입하였습니다.
⑤ 교사에게 제복을 입고 칼을 차게 하였습니다.

(빈출 문제) 연계 자료 → 65쪽 빈출 자료 02

04 다음 법령이 제정된 시기에 볼 수 있는 모습으로 가장 적절한 것은?

> 토지의 소유자는 조선 총독이 정하는 기간 내에 그 주소, 성명·명칭 및 소유지의 소재, 지목, 자번호, 사방의 경계표, 등급, 지적, 결수를 임시 토지 조사 국장에게 신고하여야 한다. 다만, 국유지는 보관 관청에서 임시 토지 조사 국장에게 통지하여야 한다.

① 만민 공동회에 참석하는 상인
② 토지 개혁론을 구상하는 실학자
③ 집강소에서 치안을 담당하는 농민
④ 지계를 발급하는 양지아문의 관리
⑤ 총독의 허가를 받아 회사를 설립하는 자본가

(빈출 문제) 연계 자료 → 65쪽 빈출 자료 03

05 다음 법령이 시행된 시기의 사실로 옳은 것은?

> 제1조 회사의 설립은 조선 총독의 허가를 받아야 한다.
> 제5조 회사가 본령이나 본령에 의거하여 발하는 명령과 허가 조건에 위반하거나 또는 공공질서와 선량한 풍속에 반하는 행위를 할 때, 조선 총독은 회사의 해산을 명할 수 있다.

① 치안 유지법이 제정되었다.
② 병참 기지화 정책이 추진되었다.
③ 황국 중앙 총상회가 창설되었다.
④ 통리기무아문이 개혁을 주도하였다.
⑤ 한국인의 기본권이 제한되거나 박탈되었다.

유사 선택지 문제

05_ ❶ 일제는 기업 설립 시 총독의 허가를 받도록 한 (　　　)을/를 제정하였다.

05_ ❷ 총독 허가제 회사령은 (무단 통치 / 문화 통치 / 민족 말살 통치) 시기에 시행되었다.

05_ ❸ 일본인 기업의 한국 진출을 쉽게 하기 위해 1920년 회사령을 폐지하고 신고제를 실시하였다. (○ / ×)

02 민족 분열 통치와 경제 수탈

06 다음 시정 방침을 발표한 배경으로 옳은 것은?

> 정부(일본)는 관제를 개혁하여 총독 임용의 범위를 확대하고 경찰 제도를 개정하는 등 시대의 흐름에 순응하고자 한다.

① 3·1 운동의 발생
② 러·일 전쟁의 발발
③ 중·일 전쟁의 발발
④ 광주 학생 항일 운동 발생
⑤ 안중근의 이토 히로부미 처단

시험에 꼭 나오는 문제

(빈출 문제) 연계 자료 ➔ 65쪽 빈출 자료 04

07 다음 관보의 내용이 기만적이라는 것을 증명하기 위한 탐구 활동으로 가장 적절한 것은?

> **조선 총독부 관보**
> ○○호 ○○○○년 ○○월○○일
>
> 총독은 문무관 어느 쪽이라도 임용될 수 있는 길을 열고, 나아가 헌병에 의한 경찰 제도를 바꿔 보통 경찰에 의한 경찰 제도를 채택할 것이다. 그리고 복제를 개정하여 일반 관리·교원이 제복을 입고 칼을 차던 것을 폐지하고, 조선인의 임용·대우에 더 많이 고려하고자 한다.

① 토지 조사 사업의 영향을 분석한다.
② 문관 총독이 임용된 사례를 조사한다.
③ 조선 태형령의 시행 목적을 알아본다.
④ 일본식 성명 사용을 강요한 배경을 파악한다.
⑤ 보통학교의 수업 연한을 일본보다 단축한 이유를 살펴본다.

08 다음 법령이 제정된 시기에 볼 수 있는 모습으로 가장 적절한 것은?

> 제1조 국체(國體)를 변혁하거나 사유 재산 제도를 부인할 목적으로 결사를 조직하거나 그 사정을 알고 가입한 자는 10년 이하의 징역 또는 금고에 처한다.

① 일본군에 징병되는 청년
② 동아일보를 읽고 있는 시민
③ 조선 태형령을 시행하는 헌병 경찰
④ 제복과 칼을 착용하고 수업을 하는 교사
⑤ 탑골 공원에서 독립 선언서를 낭독하는 학생

(빈출 문제) 연계 자료 ➔ 65쪽 빈출 자료 05

09 그래프를 보고 학생들이 나눈 대화 내용으로 적절하지 않은 것은?

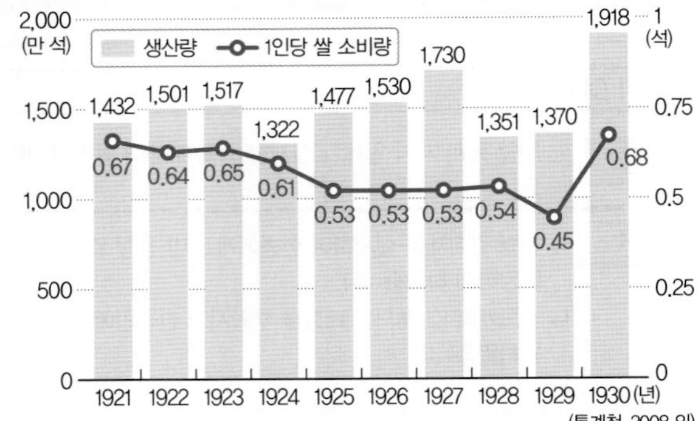

(통계청, 2008 외)

① 이 시기 대부분 농민들의 생활은 어려워졌어.
② 쌀 증산 비용은 대부분 농민에게 떠넘겨졌다는군.
③ 증산된 쌀보다 많은 양이 일본으로 반출되었을 거야.
④ 쌀 생산이 늘면서 한국인의 식량 사정이 점차 좋아졌어.
⑤ 산미 증식 계획이 한국인을 위한 것이 아니었다는 점을 확인할 수 있군.

03 전시 동원 체제와 민족 말살 통치

10 (가)에 들어갈 내용으로 가장 적절한 것은?

① 회사령
② 헌병 경찰제
③ 조선 태형령
④ 토지 조사령
⑤ 황국 신민 서사 암송

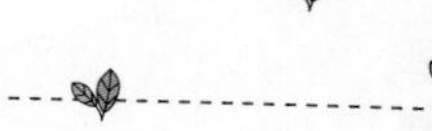

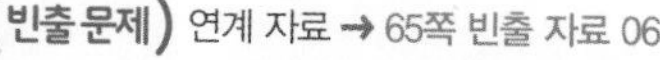

(빈출 문제) 연계 자료 → 65쪽 빈출 자료 06

11 다음 법령이 제정된 시기를 연표에서 옳게 고른 것은?

1. 국가 총동원이란 전시(전시에 준할 정도도 포함)에 국방 목적을 달성하기 위해 국가의 전력을 가장 유효하게 발휘하도록 인적 및 물적 자원을 운용하는 것이다.
4. 정부는 전시에 국가 총동원상 필요할 때는 칙령이 정하는 바에 따라 제국 신민을 징용하여 총동원 업무에 종사하게 할 수 있다.

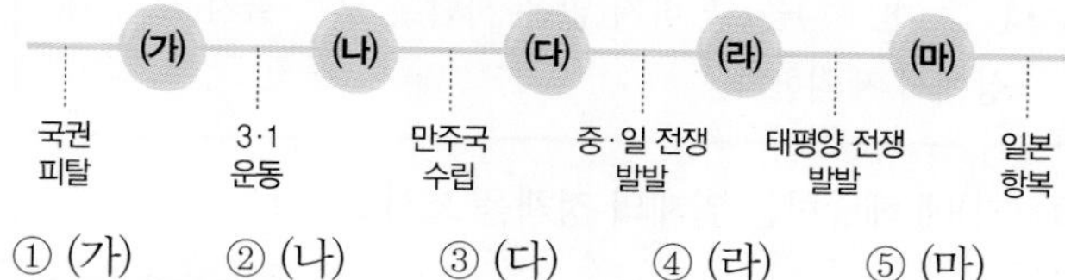

① (가) ② (나) ③ (다) ④ (라) ⑤ (마)

유사 선택지 문제

11_ ❶ (   )은/는 전시 동원 체제 강화를 위해 제정되었다.

11_ ❷ 국가 총동원법은 (만주 사변 / 중·일 전쟁 / 태평양 전쟁)을 계기로 제정되었다.

11_ ❸ 국가 총동원법에 따라 징용과 징병 등 인적 자원의 수탈이 이루어졌다. (○ / ×)

12 일제가 다음 내용을 학생들에게 암송하도록 강요한 시기에 볼 수 있는 모습으로 적절하지 않은 것은?

1. 우리들은 대일본 제국의 신민입니다.
2. 우리들은 마음을 합하여 '천황' 폐하에게 충의를 다합니다.
3. 우리들은 인고단련하고 훌륭하고 강한 국민이 되겠습니다.

① 징용으로 끌려가는 청년
② 일본식 성명을 사용하는 한국 학생
③ 전쟁터로 끌려다니는 일본군 '위안부'
④ 한국인에게 태형을 가하는 헌병 경찰
⑤ 공출 명목으로 놋그릇을 빼앗아 가는 관리

(빈출 문제) 연계 자료 → 65쪽 빈출 자료 06

13 밑줄 친 ㉠에 해당하는 사건으로 옳은 것은?

① 만주 사변 ② 청·일 전쟁
③ 러·일 전쟁 ④ 중·일 전쟁
⑤ 태평양 전쟁

14 다음 주장에 부합하는 내용으로 옳지 않은 것은?

이번 사변에서 조선에서는 상당량의 군수 물자를 공출하여 어느 정도 효과를 올렸다. …… 그러나 아직 불충분하며 중국 대륙 작전군에 대해 일본으로부터의 해상 수송이 차단당하는 경우가 있더라도, 조선의 힘만으로 보충할 수 있도록 조선 산업 분야를 다각화하며 특히 군수 공업의 육성에 역점을 두어야 한다.

① 지원병제가 도입되었다.
② 토지 조사 사업이 시행되었다.
③ 산미 증식 계획이 재개되었다.
④ 여자 정신 근로령이 실시되었다.
⑤ 생활필수품의 배급제가 시행되었다.

서술형 문제

정답 및 해설 24쪽

01 다음 자료를 읽고 물음에 답하시오.

> 제1조 토지의 조사와 측량은 본령에 의한다.
> 제4조 토지의 소유자는 조선 총독이 정하는 기간 내에 그 주소, 성명·명칭 및 소유지의 소재, 지목, 자번호, 사방의 경계표, 등급, 지적, 결수를 임시 토지 조사 국장에게 신고하여야 한다. 다만, 국유지는 보관 관청에서 임시 토지 조사 국장에게 통지하여야 한다.

(1) 위 법령의 명칭을 쓰시오.

(2) 위 법령의 시행 결과를 세 가지 서술하시오.

02 다음 자료를 읽고 물음에 답하시오.

> 총독은 문무관 어느 쪽이라도 임용될 수 있는 길을 열고, 나아가 헌병에 의한 경찰 제도를 바꿔 보통 경찰에 의한 경찰 제도를 채택할 것이다. 그리고 복제를 개정하여 일반 관리·교원이 제복을 입고 칼을 차던 것을 폐지하고, 조선인의 임용·대우에 더 많이 고려하고자 한다.

(1) 위 시정 방침 발표의 계기가 된 민족 운동을 쓰시오.

(2) 위 시정 방침이 한국인을 기만한 것이었음을 두 가지 근거를 제시하여 서술하시오.

03 다음 자료를 읽고 물음에 답하시오.

> • (　　(가)　　)을/를 하지 않은 사람의 자제는 학교에 입학시킬 수 없도록 한다.
> • 일본인 교사는 아동을 이유 없이 혼내 부모가 (　　(가)　　)을/를 하도록 한다.
> • (　　(가)　　)을/를 하지 않은 사람은 행정 기관에서 모든 사무를 처리하지 않는다.
> • (　　(가)　　)을/를 하지 않은 사람은 모든 물자 보급 대상에서 제외한다.

(1) (가)에 해당하는 일제의 정책을 쓰시오.

(2) 위 정책 시행의 목적을 서술하시오.

04 다음 자료를 읽고 물음에 답하시오.

> 1. 국가 총동원이란 전시(전시에 준할 정도도 포함)에 국방 목적을 달성하기 위해 국가의 전력을 가장 유효하게 발휘하도록 인적 및 물적 자원을 운용하는 것이다.
> 4. 정부는 전시에 국가 총동원상 필요할 때는 칙령이 정하는 바에 따라 제국 신민을 징용하여 총동원 업무에 종사하게 할 수 있다.

(1) 위 법령의 명칭을 쓰시오.

(2) 위 법령이 제정된 계기와 목적을 서술하시오.

올쏘 상위 4% 문제

정답 및 해설 24쪽

01 다음 법령이 시행된 시기에 있었던 사실로 옳은 것은?

> • 조선 총독부에 경무총감부를 둔다. 경무총장에는 조선 주둔 헌병대 사령관인 육군장관으로 충원하고 총독의 명을 받아 조선에 있어서의 경찰 사무를 총리하여 경찰관서의 직원을 지휘·감독한다.
> • 각 도(道)에 경무부를 두며, 각 도 헌병대장인 육군좌관으로서 부장에 충원하여 경무총장의 명을 받아 도내의 경찰 사무를 장리하며, 관내의 경찰관서 직원을 지휘·감독한다.

① 3·1 운동이 일어났다.
② 치안 유지법이 제정되었다.
③ 조선어 학회 사건이 일어났다.
④ 통감이 각 부 차관에 일본인을 추천하였다.
⑤ 국민정신 총동원 조선 연맹이 조직되었다.

02 다음 정책 변경의 배경으로 가장 알맞은 것은?

> **조선 총독부 관보**
> ○○호 ○○○○년 ○○월○○일
>
> **동양 척식 주식회사, 이주민 정책 변경**
>
> 1. 이주민(2정보 이내 자작농)을 5호 이상의 단체와 단호(개인)로 구분 …… 개인의 경우 (당국의) 보조 없이는 곤란함에 따라 단체를 폐지하고, 개인에게 자금을 대부한다.
> 2. 10정보 이내의 지주 이민의 경우 지대 일시금을 2분의 1에서 4분의 1로 인하하고, 이자도 7푼 5리에서 7푼으로 인하한다.

① 헌병 경찰제가 시행되었다.
② 국가 총동원법이 제정되었다.
③ 토지 조사 사업이 진행되었다.
④ 산미 증식 계획이 추진되었다.
⑤ 병참 기지화 정책이 실시되었다.

03 다음 계획의 시행 결과로 옳은 것은?

> ○○ ○○ 계획 요강
>
> 일본 인구는 해마다 70만 명씩 늘어나고, 국민 생활이 향상되면 1인당 소비량도 점차 늘어나게 될 것이므로 앞으로 쌀이 계속 모자랄 것이다. 따라서 지금 미곡 증식 계획을 수립하여 일본 제국의 식량 문제를 해결하는 데 도움을 주는 것은 진실로 국책상 급무라고 믿는다.

① 지계가 발급되었다.
② 지역별로 방곡령이 실시되었다.
③ 만주로부터 잡곡 수입이 늘어났다.
④ 동양 척식 주식회사가 설립되었다.
⑤ 인삼, 채소 등 상품 작물 재배가 이루어졌다.

04 다음 규정이 적용된 시기에 볼 수 있는 모습으로 적절하지 <u>않은</u> 것은?

> 제2조 국민학교에서는 항상 다음 각호의 사항에 유의하여 아동을 교육하여야 한다.
> 1. …… 특히 국체에 대한 신념을 공고히 하여 황국 신민이라는 자각에 철저하게 하도록 힘써야 한다.
> 2. …… 충량한 황국 신민의 자질을 얻게 하고, 내선일체·신애 협력의 미풍을 기르는 것에 힘써야 한다.

① 전쟁 참여를 독려하는 문인
② 남산의 조선 신궁에 참배하는 청년
③ 기차를 타고 만주로 떠나는 통감부 관리
④ 궁성 요배 강요 전단지를 배포하는 여성
⑤ 한국식 이름을 가진 학생을 불러 혼내는 일본인 교사

09 3·1 운동과 다양한 민족 운동

출제 경향
★시기별 무장 투쟁의 내용을 묻는 문제
★신간회 창립 배경과 활동 내용을 묻는 문제

01 3·1 운동과 대한민국 임시 정부

1. 1910년대 민족 운동

(1) 국내 항일 비밀 결사 빈출 자료 01

독립 의군부 (1912)	임병찬 등이 고종의 밀명을 받아 조직, 복벽주의 추구 → 전국적인 의병 전쟁 계획
대한 광복회 (1915)	박상진이 총사령, 민주 공화국 수립 지향 → 만주에 군관 학교 설립 추진, 군자금 모금, 친일 부호 처단 등

(2) 국외 독립운동의 전개 빈출 자료 02

북간도	간민회 조직(자치 단체), 중광단 결성(무장 독립 투쟁), 서전서숙과 명동 학교 설립(민족 교육)
서간도	경학사 조직(자치 단체), 신흥 강습소 설립(→ 신흥 무관 학교)
상하이	신한 청년당 조직 → 김규식을 파리 강화 회의에 파견
연해주	권업회 조직(자치 단체), 대한 광복군 정부 수립(이상설, 이동휘가 정·부통령, 1914)
미주	대한인 국민회(독립운동 지원, 한인 권익 향상), 박용만이 대조선 국민 군단 조직(하와이)

2. 3·1 운동

배경	• 국외 : 민족 자결주의의 대두, 레닌의 약소민족 해방 운동 지원 선언, 일본 도쿄의 유학생들이 2·8 독립 선언 • 국내 : 고종 서거 → 종교계 지도자와 학생 등이 시위 계획
전개	민족 대표의 독립 선언 발표(태화관), 학생과 시민의 독립 선언서 낭독(탑골 공원) → 비폭력 만세 시위로 시작 → 전국 확산
의의	• 일제 강점기 최대 규모의 항일 민족 운동 • 대한민국 임시 정부 수립의 계기 • 민족 운동의 주체 확대 → 다양한 민족 운동과 사회 운동 전개 • 일제 통치 방식 변화의 계기(무단 통치 → '문화 통치') • 중국의 5·4 운동 등 약소민족 반제국주의 운동에 영향

3. 대한민국 임시 정부의 수립과 활동 빈출 자료 03

(1) 임시 정부 수립과 통합

- 대한 국민 의회(연해주)
- 한성 정부(서울)
- 대한민국 임시 정부(상하이)

⇒

- 대한민국 임시 정부(대통령 이승만, 국무총리 이동휘)
- 최초 민주 공화제 정부, 삼권 분립

(2) 대한민국 임시 정부의 활동

비밀 조직	연통제(행정 조직), 교통국(통신 기관) 운영
자금 모금	독립 공채 발행, 국민 의연금 모금
군사 활동	군무부 설치, 직할 군단으로 광복군 사령부·광복군 총영 설치
외교 활동	파리 강화 회의에 독립 청원서 제출, 구미 위원부 설치
기타	한·일 관계 사료집 간행(국제 연맹에 제출), 독립신문 발간

(3) 국민 대표 회의 개최(1923) : 대한민국 임시 정부의 새로운 노선 모색을 위해 개최 → 창조파와 개조파의 대립으로 결렬 → 대한민국 임시 정부의 활동 침체

(4) 체제 개편 : 이승만 탄핵(1925) → 2대 대통령으로 박은식 선출 → 국무령 중심의 집단 지도 체제로 전환

02 다양한 민족 운동의 전개

1. 1920년대 무장 독립 전쟁

봉오동 전투 (1920. 6.)	홍범도가 이끄는 대한 독립군 등 독립군 연합 부대가 봉오동에서 일본군 격퇴
청산리 대첩 (1920. 10.)	김좌진이 이끄는 북로 군정서 등 독립군 연합 부대가 청산리 일대에서 6일간 전투를 벌여 일본군을 크게 격파
독립군의 시련	간도 참변 → 다수의 독립군이 밀산부에 모여 대한 독립 군단 결성 → 자유시로 이동 → 자유시 참변(1921)
3부 성립, 통합	• 성립 : 만주 지역에서 참의부, 정의부, 신민부 성립 → 민정 기관과 군정 기관을 갖춘 공화주의적 자치 정부 • 통합 운동 : 1920년대 후반 민족 유일당 운동 전개 → 3부가 국민부와 혁신 의회로 재편

2. 의열 투쟁

(1) 의열단 : 김원봉이 만주 지린에서 조직(1919) 빈출 자료 04

활동	• 신채호의 '조선 혁명 선언'이 활동 지침 • 1920년대 암살과 파괴 활동 → 김익상(조선 총독부), 김상옥(종로 경찰서), 나석주(동양 척식 주식회사) 등
변화	1920년대 후반에 조직적 무장 투쟁 노선으로 전환 → 단원들이 조선 혁명 간부 학교 설립, 민족 혁명당 결성을 주도

(2) 한인 애국단 : 김구가 상하이에서 조직(1931) → 이봉창, 윤봉길 의거(1932) → 중국 국민당 정부가 적극적으로 한국 독립운동을 지원하는 계기 마련

3. 실력 양성 운동 빈출 자료 05

물산 장려 운동	• 전개 : 평양에서 조만식 등이 시작, 토산품 애용 강조 → 전국으로 확산, 사회주의자들의 비판을 받음 • 구호 : '내 살림 내 것으로', '조선 사람 조선 것' 등
민립 대학 설립 운동	• 전개 : 이상재 등이 주도 → 모금 운동 방식으로 전개 • 구호 : '한민족 1천만이 한 사람 1원씩' • 결과 : 모금 성과 저조로 실패, 일제가 경성 제국 대학 설립
문맹 퇴치 운동	문자 보급 운동(조선일보), 브나로드 운동(동아일보)

4. 학생 항일 운동과 신간회의 결성

(1) 학생 항일 운동

6·10 만세 운동 (1926)	• 배경 : 사회주의 세력의 성장, 순종의 서거 • 전개 : 순종 장례일에 학생 중심으로 만세 시위 전개 • 의의 : 민족주의계와 사회주의계 연대의 공감대 형성
광주 학생 항일 운동(1929)	• 전개 : 광주에서 한·일 학생 간의 충돌 → 광주 지역 학생 총궐기 → 신간회의 지원, 전국으로 확산 • 의의 : 3·1 운동 이후 최대 규모의 항일 민족 운동

(2) 신간회 결성(1927) 빈출 자료 06

① 창립 : 중국의 제1차 국·공 합작, 정우회 선언(1926) → 비타협적 민족주의 세력과 사회주의 진영의 연대

② 강령 : 정치적·경제적 각성, 민족 단결 강화, 기회주의 배격

③ 해소 : 사회주의자들의 주도로 해소(1931)

빈출 특강

빈출 자료 01 대한 광복회 강령

- 부호의 의연금 및 일본인이 불법 징수하는 세금을 압수하여 무장을 준비한다.
- 남북 만주에 군관 학교를 세워 독립 전사를 양성한다.
- 종래의 의병 및 해산 군인과 만주 이주민을 소집하여 훈련한다.
- 중국, 러시아 등 여러 나라에 의뢰하여 무기를 구입한다.
- 일본인 고관 및 한인 반역자를 수시 수처에서 처단하는 행형부(行刑部)를 둔다.

| 자료 분석 | 1915년에 조직된 비밀 결사인 대한 광복회 강령이다. 대한 광복회는 민주 공화국의 수립을 목표로 군대식 조직을 갖추고 독립군 양성을 위해 노력하였다. 그러나 군자금 마련을 위해 활동하던 중 일제 경찰에게 조직이 드러나 해체되었다.

빈출 자료 02 국외 독립운동 기지 | 연계 문제 → 74쪽 02번

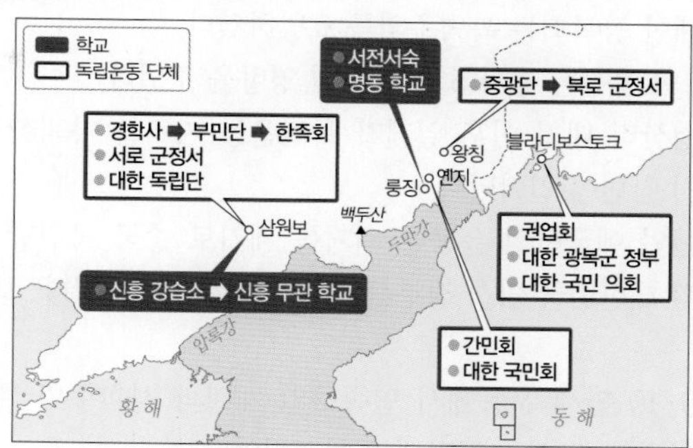

| 자료 분석 | 민족 지도자들은 지리적으로 가까운 만주와 연해주 일대에 한인촌을 건설하였다. 그리고 그곳에 자치 단체를 만들고 학교를 세워 민족 교육을 실시하면서 독립군을 양성하였다.

빈출 자료 03 대한민국 임시 헌법 | 연계 문제 → 75쪽 04번

제1조 대한민국은 대한 인민으로 조직함
제2조 ㉠ 대한민국의 주권은 대한 인민 전체에 있음
제3조 대한민국의 강토는 구한국의 판도로 함
제4조 대한민국의 인민은 일체 평등함
제5조 ㉡ 대한민국의 입법권은 의정원이, 행정권은 국무원이, 사법권은 법원이 행사함

| 자료 분석 | 3·1 운동 직후 상하이의 민족 지도자들은 임시 의정원 회의에서 '대한민국 임시 헌장'을 선포하였다. 이후 통합 운동이 일어나 1919년 9월 '대한민국 임시 헌장'을 보강하여 '대한민국 임시 헌법'을 제정하고 중국 상하이에 통합된 대한민국 임시 정부가 수립되었다.

- ㉠, ㉡ : 대한민국 임시 정부가 삼권 분립의 원칙에 따라 수립된 민주 공화제 정부임을 알 수 있다.

빈출 자료 04 조선 혁명 선언 | 연계 문제 → 76쪽 08번

조선 안에 강도 일본이 제조한 혁명의 원인이 산같이 쌓여 있다. 언제든지 민중의 폭력적 혁명이 개시되어 '독립을 못하면 살지 않으리라', '일본을 구축하지 못하면 물러서지 않으리라'는 구호를 가지고 계속 전진하면 목적을 관철하고야 말지니, 이는 경찰의 칼이나 군대의 총이나 간활한 정치가의 수단으로도 막지 못하리라. …… 이제 폭력 –암살, 파괴, 폭동– 의 목적을 대략 열거하건대,
㉠1. 조선 총독 및 각 관공리　2. 일본 '천황' 및 각 관공리
3. 정탐노, 매국적　4. 적의 일체 시설물

| 자료 분석 | 김원봉의 요청을 받은 신채호가 1923년에 작성하였다. 신채호는 이 글에서 일제 요인 처단과 식민 통치 기구 파괴 등을 통한 민중의 직접 혁명으로 독립을 이룰 수 있음을 강조하였다.

- ㉠ : 의열단 활동의 대상인 '7가살', '5파괴' 대상과 거의 일치한다.

빈출 자료 05 물산 장려 운동 | 연계 문제 → 76쪽 10번

[자료 1] 물산 장려회 포스터

[자료 2] 조선 물산 장려회 취지서

부자와 빈자를 막론하고 우리가 우리의 손에 산업의 권리, 생활의 제1조건을 장악하지 아니하면, …… 우리는 이와 같은 견지에서 우리 조선 사람의 물산을 장려하기 위하여 ㉡ 조선 사람은 조선 사람이 지은 것을 사 쓰고, 조선 사람은 단결하여 그 쓰는 물건을 스스로 제작하여 공급하는 것을 목적으로 한다.
– "산업계", 1923. 11. –

| 자료 분석 | 1920년대 초부터 국내 민족주의 계열이 주도한 물산 장려 운동은 민족 산업의 육성과 경제적 자립을 도모한 가장 대표적인 실력 양성 운동이었다.

- ㉠ : 물산 장려 운동이 시작된 평양의 조선 물산 장려회가 제작한 포스터이며, 포스터의 표어는 토산품 애용을 강조하고 있다.
- ㉡ : 토산품 애용을 강조하며, 이 운동의 목적이 민족 산업 육성에 있음을 밝혔다.

빈출 자료 06 신간회 창립 | 연계 문제 → 77쪽 13번

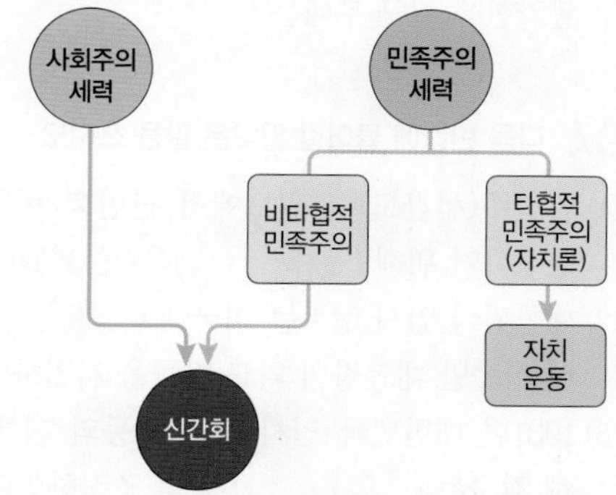

| 자료 분석 | 도표는 비타협적 민족주의 세력과 사회주의 세력이 연대하여 신간회가 창립되었음을 보여 준다. 신간회는 일제와 타협하는 타협적 민족주의 세력을 기회주의로 규정하여 비판하였다.

올쏘 시험에 꼭 나오는 문제

개념 확인 문제

01 다음 서술 내용이 옳으면 ○표, 틀리면 ×표를 하시오.

(1) 대한 광복회는 복벽주의를 표방하였다. ( )

(2) 3·1 운동은 중국 5·4 운동에 영향을 주었다. ( )

(3) 청산리 대첩 이후 일제가 독립운동 기지를 파괴한 자유시 참변이 일어났다. ( )

(4) 한인 애국단의 윤봉길 의거를 계기로 중국 국민당 정부가 대한민국 임시 정부를 적극적으로 지원하였다. ( )

(5) 6·10 만세 운동에서 민족주의 계열과 사회주의 계열이 연대할 수 있는 공감대가 형성되었다. ( )

02 서로 관련된 사실을 바르게 연결하시오.

(1) 신간회 • • ㉠ 청산리 대첩

(2) 의열단 • • ㉡ 토산품 애용

(3) 북로 군정서 • • ㉢ 조선 혁명 선언

(4) 물산 장려 운동 • • ㉣ 독립 공채 발행

(5) 대한민국 임시 정부 • • ㉤ 광주 학생 항일 운동 지원

03 다음 내용에 해당하는 단체를 《보기》에서 골라 쓰시오.

《보기》
ㄱ. 독립 의군부 ㄴ. 북로 군정서
ㄷ. 대한 광복회 ㄹ. 대한인 국민회

(1) 임병찬 등이 고종의 밀명을 받아 조직하였으며, 복벽주의를 추구한 단체는? ( )

(2) 민주 공화국 수립을 지향하였으며, 군관 학교 설립 추진, 친일 부호 처단 등의 활동을 한 단체는? ( )

(3) 미주 지역에서 조직된 독립운동 단체는? ( )

(4) 북간도 지역을 중심으로 활동하였으며, 청산리 대첩에서 활약한 독립군 부대는? ( )

04 다음 빈칸에 들어갈 알맞은 말을 쓰시오.

(1) 남만주(서간도) 삼원보에서 신민회 회원들이 독립군을 양성하기 위해 (   )을/를 세웠다.

(2) 대한민국 임시 정부는 미국에 (   )을/를 설치하여 이승만 대통령의 외교 활동을 지원하였다.

(3) 1931년 대한민국 임시 정부 활동의 침체를 극복하기 위해 김구는 (   )을/를 조직하였다.

(4) (   )은/는 평양에서 조만식 등 민족주의 계열 인사들의 주도로 시작되었다.

(5) 1929년 한·일 학생 간의 충돌을 계기로 광주 학생들이 총궐기한 (   )이/가 일어났다.

01 3·1 운동과 대한민국 임시 정부

01 (가), (나) 단체의 공통점으로 옳은 것은?

> (가) 의병장 출신의 임병찬이 고종의 밀지를 받고 전국 곳곳의 의병장과 유생을 모아 조직하였으며, 전국적인 의병 전쟁을 계획하였다.
> (나) 대구에서 채기중과 박상진 등을 중심으로 조직되었으며, 군자금을 마련하기 위해 부유한 친일파를 처단하고 광산, 우편차 등을 습격하였다.

① 복벽주의를 표방하였다.
② 봉오동 전투에 참여하였다.
③ 비밀 결사 형태로 조직되었다.
④ 남만주(서간도)의 삼원보 건설을 주도하였다.
⑤ 공화정 형태의 근대 국가 건설을 목표로 삼았다.

(빈출 문제) 연계 자료 ➜ 73쪽 빈출 자료 02

02 (가) 지역에서 전개된 민족 운동으로 옳은 것은?

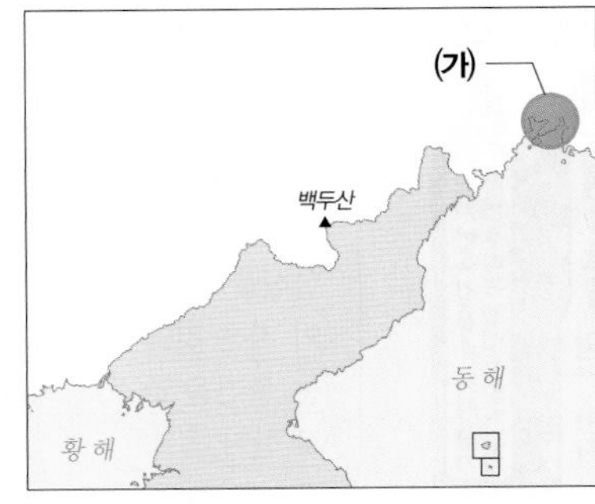

① 대한인 국민회가 조직되었다.
② 대한 광복군 정부가 수립되었다.
③ 대조선 국민 군단이 결성되었다.
④ 신흥 강습소에서 독립군이 양성되었다.
⑤ 명동 학교가 설립되어 민족 교육이 실시되었다.

03 밑줄 친 ㉠에 대한 설명으로 옳은 것은?

> 코리아는 조용한 아침의 나라라는 뜻의 조선이라는 옛 지명으로 다시 일컬어지고 있다. …… 코리아에서는 오랫동안 독립을 위한 항쟁이 계속되어 여러 차례 폭발하였다. 그 가운데서도 중요한 것은 1919년의 ㉠ 독립 만세 운동이었다. 한민족, 특히 청년 남녀는 우세한 적에 맞서 용감히 투쟁하였다. - "세계사 편력" -

① 순종의 장례일에 일어났다.
② 중국의 5·4 운동에 영향을 주었다.
③ 학생과 사회주의 계열이 주도하였다.
④ 한·일 학생 간 충돌이 발단이 되었다.
⑤ 광주에서 시작되어 전국으로 확대되었다.

(빈출 문제) 연계 자료 → 73쪽 빈출 자료 03

04 다음 헌법을 제정한 정부에 대한 설명으로 옳은 것은?

> 제1조 대한민국은 대한 인민으로 조직함
> 제2조 대한민국의 주권은 대한 인민 전체에 있음
> 제3조 대한민국의 강토는 구한국의 판도로 함
> 제4조 대한민국의 인민은 일체 평등함
> 제5조 대한민국의 입법권은 의정원이, 행정권은 국무원이, 사법권은 법원이 행사함

① 3부 통합 운동의 결과로 수립되었다.
② 독립군 조직으로 조선 의용군을 두었다.
③ 제1차 국·공 합작의 영향을 받아 수립되었다.
④ 비밀 행정 조직으로 연통제와 교통국을 두었다.
⑤ 광주 학생 항일 운동 당시 진상 조사단을 파견하였다.

유사 선택지 문제

04_ ❶ (　　　)을/를 계기로 대한민국 임시 정부가 수립되었다.
04_ ❷ 대한민국 임시 정부는 (상하이 / 연해주 / 한성)에 위치하였다.
04_ ❸ 대한민국 임시 정부가 3·1 운동을 주도하여 거족적인 민족 운동으로 발전하였다. (○ / ×)

05 다음 상황이 나타난 배경으로 옳은 것은?

> 정부는 자리를 잡았으나 경제적 곤란으로 정부를 유지할 길도 망연하였다. 정부의 집세가 30원, 심부름꾼 월급이 20원 미만이었으나, 이것도 낼 수 없어서 여러 번 집주인에게 송사를 겪었다. 그래서 나는 임시 정부 청사에서 자고, 밥은 돈벌이 직업을 가진 동포의 집으로 이 집 저 집으로 돌아다니면서 얻어먹었다. - "백범일지" -

① 만주 사변이 일어났다.
② 국민 대표 회의가 결렬되었다.
③ 파리 강화 회의가 성과 없이 끝났다.
④ 간도 참변으로 많은 한인이 피해를 입었다.
⑤ 윤봉길이 훙커우 공원에서 의거를 일으켰다.

02 다양한 민족 운동의 전개

06 (가), (나) 사이의 시기에 있었던 사실로 옳은 것은?

> (가) 홍범도의 대한 독립군, 최진동의 군무 도독부군, 안무의 국민회군 등은 연합 부대를 편성하여 추격해 오는 일본군을 봉오동에서 기습 공격하여 크게 승리하였다.
> (나) 간도 지역의 독립군은 소련과 만주의 국경 지대인 밀산부에 집결하여 서일을 총재로 대한 독립 군단을 조직하고 일본군을 피해 러시아 영토인 자유시로 집결하였다.

① 3부 통합 운동이 전개되었다.
② 상하이에 대한민국 임시 정부가 수립되었다.
③ 조선 혁명군이 한·중 연합 작전을 전개하였다.
④ 이봉창이 도쿄에서 일왕이 탄 마차에 폭탄을 던졌다.
⑤ 독립군 연합 부대가 청산리 일대에서 일본군에 대승을 거두었다.

07 다음 협정이 체결된 시기를 연표에서 옳게 고른 것은?

> 2. 중국 관헌은 각 현에 알려 재류 조선인이 무기를 휴대하고 조선에 침입하는 것을 엄금한다. 범한 자는 이를 체포하여 조선 관헌(일제의 군경)에게 인도한다.
> 3. 불령선인(일제에 따르지 않는 한국인) 단체를 해산하고 소유한 총기를 수색하여 이를 몰수하고 무장을 해제한다.
> 4. 조선 관헌이 지명하는 불령단 수령을 체포하여 조선 관헌에게 인도한다.

① (가) ② (나) ③ (다) ④ (라) ⑤ (마)

(빈출 문제) 연계 자료 → 73쪽 빈출 자료 04

08 다음 선언을 활동 지침으로 삼은 단체에 대한 설명으로 옳은 것은?

> 조선 안에 강도 일본이 제조한 혁명의 원인이 산같이 쌓여 있다. 언제든지 민중의 폭력적 혁명이 개시되어 '독립을 못하면 살지 않으리라', '일본을 구축하지 못하면 물러서지 않으리라'는 구호를 가지고 계속 전진하면 목적을 관철하고야 말지니, 이는 경찰의 칼이나 군대의 총이나 간활한 정치가의 수단으로도 막지 못하리라.

① 군정부 형태로 운영되었다.
② 청산리 전투에 참여하였다.
③ 단원들이 민족 혁명당 결성을 주도하였다.
④ 김구의 주도로 상하이에서 조직된 의열 투쟁 단체이다.
⑤ 한·중 연대 항일 전선을 구축하는 계기를 마련하였다.

유사 선택지 문제

08_ ❶ 의열단은 (   )을/를 활동 지침으로 삼았다.
08_ ❷ 의열단은 (김원봉 / 김구 / 신채호)의 주도로 활동하였다.
08_ ❸ 의열단원 윤봉길은 상하이 훙커우 공원에서 의거를 일으켰다. (○ / ×)

09 밑줄 친 ㉠의 의거를 주도한 단체에 대한 설명으로 옳은 것은?

> 1932년 ㉠ 윤봉길 의사의 의거가 일어났다. 중국 국민당의 장제스는 윤봉길 의사의 의거를 높이 평가하였다. 이전까지 중국 국민당 정부는 대한민국 임시 정부에 대해 냉담한 입장이었다. 하지만 윤봉길 의사의 의거를 계기로 중국 국민당 정부는 대한민국 임시 정부를 돕기 시작하였다.

① 김원봉의 주도로 활동하였다.
② 3부 통합 운동으로 조직되었다.
③ 광주 학생 항일 운동을 지원하였다.
④ 신채호의 조선 혁명 선언을 활동 지침으로 삼았다.
⑤ 대한민국 임시 정부의 침체 극복을 위해 조직되었다.

(빈출 문제) 연계 자료 → 73쪽 빈출 자료 05

10 다음 자료의 민족 운동에 대한 설명으로 옳은 것은?

① 독립 협회의 지지를 받았다.
② 모금 운동의 형태로 전개되었다.
③ 경성 제국 대학 설립으로 이어졌다.
④ 일부 사회주의자들의 비판을 받았다.
⑤ '한민족 1천만이 한 사람이 1원씩'의 구호를 내세웠다.

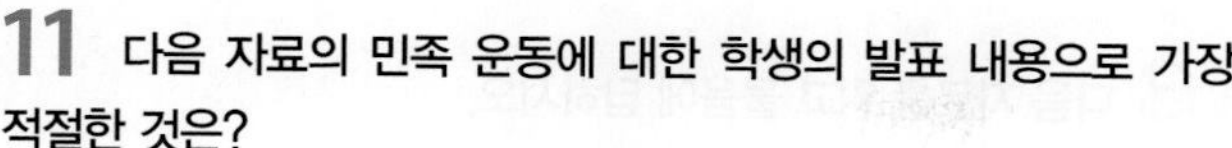

11 다음 자료의 민족 운동에 대한 학생의 발표 내용으로 가장 적절한 것은?

> 근래 일반의 교육열이 매우 높아감에 따라 여러 가지 학교가 모두 부족하여 교육을 받고자 하는 청년의 곤란이 진실로 비상하지만 그중에도 조선 안에는 한 개의 대학교도 설립되지 않아 대학 교육을 받고자 하는 사람을 인도할 곳이 없을 뿐 아니라 …… 이번에 조선 전도의 다수의 유지를 망라하여 민중 운동으로 될 수 있는 대로 많은 사람의 힘을 합하여 민립 대학 한 곳을 세워 보고자 한다.

① 이상재 등 민족주의 계열이 주도하였어요.
② 대구에서 시작되어 전국으로 확산되었어요.
③ 대한매일신보 등이 모금 운동을 이끌었어요.
④ 관세 철폐 움직임에 대응하여 전개되었어요.
⑤ 경성 제국 대학이 폐쇄되는 성과를 거두었어요.

12 다음 퀴즈 정답에 해당하는 민족 운동에 대한 설명으로 옳은 것은?

① 신간회 해소를 주장하였다.
② 광주 학생 항일 운동을 지원하였다.
③ 자치 운동을 벌여 일제와 타협하였다.
④ 한·일 학생 간 충돌이 발단이 되어 일어났다.
⑤ 민족주의 계열과 사회주의 계열의 연대 가능성을 보여 주었다.

(빈출 문제) 연계 자료 → 73쪽 빈출 자료 06

13 (가) 단체에 대한 설명으로 옳은 것을 《보기》에서 모두 고르면?

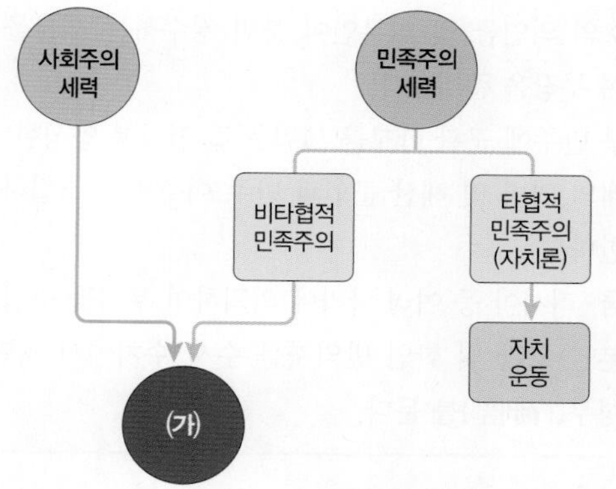

《보기》
ㄱ. 정우회 선언을 발표하였다.
ㄴ. 6·10 만세 운동을 주도하였다.
ㄷ. 농민 운동과 노동 운동을 지원하였다.
ㄹ. 국내뿐만 아니라 만주, 일본 등지에도 지회를 두었다.

① ㄱ, ㄴ ② ㄱ, ㄷ ③ ㄴ, ㄷ
④ ㄴ, ㄹ ⑤ ㄷ, ㄹ

14 다음 주장이 제기된 당시에 볼 수 있는 모습으로 가장 적절한 것은?

> 1. 검속된 광주 조선 학생을 즉시 탈환하라!
> 1. 식민지 노예 교육을 반대하라!
> 1. 살인적 폭도 일본 이민군(移民群)을 방축(放逐)하라!
> 1. 신간회·청총에 민족적 환기를 호소하라!
> 1. 세계 피압박 대중 건투 만세!

① 청산리 대첩을 거둔 독립군
② 순종의 장례일에 만세를 부르는 청년
③ 민중 대회 개최를 논의하는 신간회 회원
④ 치안 유지법 제정을 논의하는 일제의 관리
⑤ 국민 대표 회의에서 새로운 조직 결성을 주장하는 민족 지도자

서술형 문제

정답 및 해설 27쪽

01 다음 자료를 읽고 물음에 답하시오.

- 부호의 의연금 및 일본인이 불법 징수하는 세금을 압수하여 무장을 준비한다.
- 남북 만주에 군관 학교를 세워 독립 전사를 양성한다.
- 종래의 의병 및 해산 군인과 만주 이주민을 소집하여 훈련한다.
- 중국, 러시아 등 여러 나라에 의뢰하여 무기를 구입한다.
- 일본인 고관 및 한인 반역자를 수시 수처에서 처단하는 행형부(行刑部)를 둔다.

(1) 다음 강령을 세운 단체를 쓰시오.

(2) (1) 단체의 활동 목표와 활동 내용을 두 가지 서술하시오.

02 다음 자료를 읽고 물음에 답하시오.

독립 선언서

우리는 오늘 조선이 독립한 나라이며 조선인이 이 나라의 주인임을 선언한다. 우리는 이를 세계 모든 나라에 알려 인류가 모두 평등하다는 큰 뜻을 분명히 하고, 우리 후손이 민족 스스로 살아갈 정당한 권리를 영원히 누리게 할 것이다.

– 공약 3장 –

1. 일체의 행동은 가장 질서를 존중하고, 우리의 주장과 태도로 하여금 어디까지든지 광명정대하게 하라.

(1) 위 독립 선언서가 발표된 민족 운동을 쓰시오.

(2) (1) 민족 운동의 영향을 받은 사실을 세 가지 서술하시오.

03 다음 자료를 읽고 물음에 답하시오.

대한민국 임시 정부는 일제의 감시와 탄압으로 연통제와 교통국이 발각되어 활동이 어려워지면서 재정적으로 어려움을 겪게 되었다. 또한 초기의 주요 정책이었던 외교 독립론이 강대국의 무관심으로 성과를 거두지 못하자 독립운동 방법론을 둘러싸고 지도자 사이에 대립이 심해졌다. 이에 새로운 활로를 모색하기 위해 1923년 상하이에서 이 회의가 개최되었다.

(1) 밑줄 친 '이 회의'를 쓰시오.

(2) (1) 회의가 결렬된 이유를 서술하시오.

04 다음 자료를 읽고 물음에 답하시오.

일제의 차별적인 교육 정책으로 교육 기회를 얻지 못한 한국인의 문맹자 수가 늘어났다. 이에 문자를 보급하여 민중을 계몽하고 생활을 개선하려고 하는 ㉠문맹 퇴치 운동이 일어났다.

(1) 밑줄 친 ㉠을 주도한 민족 운동의 진영을 쓰시오.

(2) 밑줄 친 ㉠에 해당하는 구체적인 사례 두 가지를 서술하시오.

상위 4% 문제

정답 및 해설 27쪽

01 (가)를 발행한 조직에 대한 설명으로 옳지 않은 것은?

((가)) 발행 조례
- 기체 정액은 4천만 원으로 하며, …… 이율은 연 100분의 5로 함
- 상환 기간은 대한민국이 완전히 독립한 후 만 5개년으로부터 30개년 이내로 수시로 상환하는 것으로 하며, 그 방법은 재무총장이 정함

① 대한국 국제를 반포하였다.
② 국민 대표 회의 이후 세력이 약화되었다.
③ 광복군 사령부와 광복군 총영을 설치하였다.
④ 파리 강화 회의에 독립 청원서를 제출하였다.
⑤ 독립신문을 간행하여 독립 의식을 고취하였다.

02 밑줄 친 '이 회의'에 대한 설명으로 옳은 것은?

○○호 **독립신문** ○○○○년 ○○월○○일

31일 오후 모교당에서 장엄한 의식 거행

이 회의의 개막식은 예보한 바와 같이 지난 1923년 1월 31일 오후 2시부터 일반 동포의 참관을 허용하고 가장 숭엄 장중(崇嚴莊重)한 의식을 거행하였더라. 먼저 국민 대표 회의 준비 위원장이 이 회의를 소집하게 된 동기와 그 취지를 말하고, 본 회의 의장 김동삼 씨의 주도로 일동이 일어나 국기에 대하여 경의를 표하였다.
⋮

① 신간회 해소를 결의하였다.
② 이승만의 탄핵을 결의하였다.
③ 개조파와 창조파의 대립으로 결렬되었다.
④ 국무령 중심의 내각 책임제 개헌안을 결의하였다.
⑤ 대통령에 이승만, 국무총리에 이동휘를 선출하였다.

03 (가)에 들어갈 내용으로 가장 적절한 것은?

○○○ 활동

인물	투쟁 내용
박재혁	부산 경찰서에 폭탄 던짐
김익상	조선 총독부에 폭탄 던짐
김상옥	종로 경찰서에 폭탄 던짐
김지섭	일본 왕궁에 폭탄 던짐
○○○	(가)

조선 혁명 선언을 활동 지침으로 삼았던 이 단체의 투쟁 내용입니다.

① 이토 히로부미를 저격
② 동양 척식 주식회사에 폭탄 던짐
③ 부임하는 조선 총독에게 폭탄 던짐
④ 타이완에서 독검으로 일본 왕족 처단
⑤ 상하이 훙커우 공원 일본군 기념식장에 폭탄 던짐

04 다음 선언이 발표되었을 무렵의 사실로 옳지 않은 것은?

우리가 승리를 향해 구체적으로 전진하기 위해서는 현실적으로 가능한 모든 조건을 충분히 이용하지 않으면 아니 될 것이다. 따라서 민족주의적 세력에 대해서는 그 부르주아 민주주의적 성질을 분명히 인식함과 동시에 …… 그것이 타락한 형태로 나타나지 않는 것에 한해서는 적극적으로 제휴하여, 대중의 개량적 이익을 위해서도 종래의 소극적 태도를 버리고 분연히 싸워야 할 것이다.

① 만주에서 3부 통합 운동이 전개되었다.
② 한국 독립 유일당 북경 촉성회가 활동하였다.
③ 일부 인사가 자치권을 얻을 것을 주장하였다.
④ 일제가 치안 유지법으로 사회주의자를 탄압하였다.
⑤ 코민테른이 민족주의 세력과의 협동 전선에 부정적 태도를 보였다.

10 사회·문화의 변화와 광복을 위한 노력

출제 경향
★ 여성 운동과 형평 운동 등 사회 운동을 묻는 문제
★ 조선 의용대와 한국광복군의 활동을 파악하는 문제

01 사회·문화의 변화와 사회 운동

1. 사회·문화의 변화

(1) 도시와 농촌의 변화

도시 변화	• 배경 : 교통 발달, 공업화 → 도시화 진전 • 변화 : 일본인과 한국인 거주지 분리, 도시 외곽에 빈민가(토막촌) 형성
농촌 변화	식민지 지주제 강화 → 한국인 지주와 부농층은 영농 규모 확대, 대다수 농민은 높은 소작료와 각종 비용 부담으로 빈곤

(2) 생활의 변화

생활양식 변화	경제력 갖춘 계층 중심으로 서양식 복장 확산, 서양 식품의 소비, 문화 주택과 고층 건물 등장 등
대중문화 유행	신문·잡지 등을 통해 영화·연극·가요 등 대중문화 유행 → 모던 보이·모던 걸 출현에 영향

2. 농민 운동과 노동 운동 빈출 자료 01

구분	농민 운동	노동 운동
1920년대	소작인 조합·농민 조합 결성 → 소작료 인하와 소작권 이동 반대 등 생존권 보장을 요구하는 투쟁(암태도 소작 쟁의 등)	노동조합 결성 → 노동 조건 개선을 위한 생존권 투쟁(원산 총파업 등)
1930년대	비합법적(혁명적) 조합 중심의 정치 투쟁화, 항일 투쟁	

3. 다양한 사회 운동의 전개 빈출 자료 02

청년·학생 운동	3·1 운동 이후 청년·학생이 항일 운동의 주체로 성장 → 6·10 만세 운동, 광주 학생 항일 운동 등에 적극 참여
여성 운동	• 여성의 단체 결성 → 계몽 활동 전개 • 근우회 창립(1927) : 여성계의 민족 유일당 운동
소년 운동	방정환의 천도교 소년회가 주도 → 어린이날 제정, 잡지 "어린이" 발행
형평 운동	조선 형평사 조직(진주, 1923) → 백정에 대한 차별 철폐, 권리 보장 요구

4. 민족 문화 수호 운동

(1) 한글 연구

① 조선어 연구회(1921) : 가갸날 제정, 잡지 "한글" 발행

② 조선어 학회(1931) : 한글 맞춤법 통일안 제정, 우리말 큰사전 편찬 시도 → 조선어 학회 사건(1942)으로 중단

(2) 국사 연구

① 민족주의 사학 : 민족정신 강조, 박은식과 신채호의 활동 → 1930년대 정인보, 안재홍 등이 계승(조선학 운동)

② 사회 경제 사학 : 백남운이 한국사를 세계사의 보편적 발전 법칙에 따라 체계화 → 식민 사관의 정체성론 비판에 기여

③ 실증 사학 : 문헌 고증을 통한 객관적 역사 서술 추구, 진단 학회의 활동

02 광복을 위한 노력

1. 1930년대 만주 지역에서의 무장 투쟁

(1) 한·중 연합 작전 빈출 자료 03

배경	일제의 만주 침략, 만주국 수립 → 중국인의 반일 감정 고조
활동	• 조선 혁명군(남만주) : 양세봉 지휘, 항일 중국군과 함께 영릉가 전투, 흥경성 전투에서 승리 • 한국 독립군(북만주) : 지청천 지휘, 항일 중국군과 함께 쌍성보 전투, 대전자령 전투에서 승리

(2) 항일 유격 투쟁 : 사회주의 세력이 주도, 중국 공산당과 함께 활동 → 동북 항일 연군에 참여

2. 1930년대 이후 중국 관내에서의 무장 투쟁

(1) 조선 의용대 : 조선 민족 전선 연맹의 부대

① 창설(1938) : 김원봉 등이 주도, 중국 국민당의 지원을 받아 창설 → 중국 관내 최초의 한인 무장 부대

② 활동 : 정보 수집, 포로 심문, 후방 교란 등 활약

③ 분화 : 적극적 항일전 수행을 위해 다수 병력이 화북 지방으로 이동, 김원봉과 일부 병력은 한국광복군에 합류

(2) 한국광복군 : 대한민국 임시 정부의 정규군

① 창설(1940) : 임시 정부의 충칭 정착(1940) 후 체제 재정비 과정에서 중국 국민당의 지원을 받아 창설

② 활동 : 선전 활동·포로 심문 등 심리전에서 활약, 영국군의 요청으로 인도·미얀마 전선에 일부 병력 파견, 미 전략 정보국(OSS)과 협력하여 국내 진공 작전 계획

3. 건국 준비 활동 빈출 자료 04

(1) 충칭 시기 대한민국 임시 정부

① 체제 정비 : 김구를 주석으로 단일 지도 체제 마련

② 건국 강령 발표(1941) : 조소앙의 삼균주의에 기초 → 보통 선거에 의한 민주 공화국 건설 추구

③ 태평양 전쟁 발발 직후 대일 선전 포고(1941), 한국광복군이 연합군의 일원으로 참전

(2) 조선 독립 동맹(1942)

결성	화북 지방으로 이동한 조선 의용대 인사들과 중국 공산당 소속의 한인이 참여, 옌안에서 결성
활동	• 조선 의용대 화북 지대의 개편 → 조선 의용군 조직 • 건국 강령 발표 → 민주 공화국 수립 지향

(3) 조선 건국 동맹(1944)

조직	국내에서 여운형 등의 주도로 결성(1944)
목표	민주주의 원칙에 따른 국가 건설
활동	광복을 대비하여 중앙과 지방에 조직망 형성, 조선 독립 동맹과 대한민국 임시 정부와의 연계 모색

빈출 특강

빈출 자료 01) 1920년대와 1930년대 농민 운동

[자료 1] 1920년대 농민의 상황

지주에 대한 소작인의 불평과 불만은 가는 곳마다 없는 곳이 없다. …… 이전에는 ㉠지세도 지주 측에서 부담할 뿐만 아니라 소출을 반 반씩 나누어 주는 반 분작을 마다하고 도조로 주기를 희망할 만큼 후했는데, 지금에 와서는 오히려 그 반 분작을 바랄 수도 없다고 한다. 너야 굶어 죽든 말든 내 배만 부르면 그만이라는 셈으로, 한번 매겨 놓은 도지는 수확이 좋든 나쁘든 조금도 감해 주지 않고 그대로 받아 가는데, 작년 같은 흉년에도 불벼락같이 받아 갈 것을 받아 가고야 말았다. - "동아일보", 1925. 2. 22. -

[자료 2] 1930년대 농민 운동의 주장

1. 일체의 채무 계약의 무효를 주장한다.
1. 잡세를 철폐하라.
1. ㉡토지는 농민(에게)
1. 노동자의 단결을 강고히 하자.
1. 우리가 버려야 할 것은 철쇄이며 우리가 얻어야 할 것은 사회이다.
1. ㉢현 계급(단계)은 부르주아 민주주의의 전취 과정에 있다.
1. 만국의 무산자여 단결하라.

- '양양 농민 조합 제5회 정기 대회', 1931 -

| 자료 분석 | 일제의 토지 조사 사업과 산미 증식 계획 시행으로 토지를 잃고 소작농으로 전락하는 농민이 많았는데, 소작농은 50%가 넘는 높은 소작료에 시달리며 각종 비용까지 떠안아 생존권을 위협받았다. 이에 농민(소작인) 조합을 만들어 생존권 수호를 위한 소작 쟁의를 전개하였다. 하지만 일제가 지주의 편에서 농민 운동을 탄압하자, 농민은 사회주의 세력과 연대하여 혁명적 농민 조합을 만들어 저항하였다.

- ㉠ : 1920년대 농민 운동이 생존권 투쟁의 성격이 강했음을 보여 준다.
- ㉡, ㉢ : 1930년대 농민 운동이 사회주의 세력과 연대하고 급진적인 구호를 내세우며 정치 투쟁으로 변모하고 있음을 알 수 있다.

빈출 자료 02) 형평 운동 | 연계 문제 → 83쪽 05번

[자료 1] 조선 형평사 창립 취지문

공평은 사회의 근본이고, 애정은 인류의 근본이다. 그런고로 우리는 계급을 타파하고 모욕적 칭호를 폐지하며 교육을 권장하며 우리도 참다운 인간이 되고자 하는 것이 ㉠본사(本社)의 주된 뜻이다. 지금까지 조선의 백정은 어떤 지위와 어떤 압박을 받아 왔던가. …… 천하고 가난하고 ㉡열약하고 비천하고 굴종한 자는 누구였던가? 아아! 그것은 우리 백정이 아니었던가?

[자료 2] 포스터

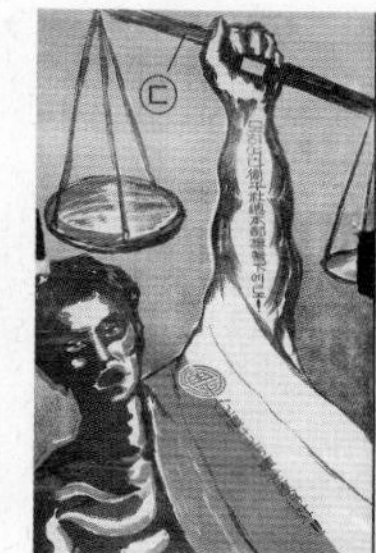

제8회 전국 대회

| 자료 분석 | 갑오개혁으로 신분제가 폐지되었지만, 백정에 대한 사회적 차별은 사라지지 않았다. 호적에 도한(백정)으로 직업이 기입되어 자녀의 학교 입학이 거부되는 등 사회적 차별은 일제 강점기에 더욱 심해졌다. 이에 1923년 진주 백정 이학찬 등이 백정에 대한 차별 철폐를 목적으로 조선 형평사를 창립하고 형평 운동을 벌였다.

- ㉠ : 조선 형평사를 말한다.
- ㉡ : 열등하고 약하다는 의미이다.
- ㉢ : '형(衡)'은 백정이 사용하는 저울을 의미하며, 저울처럼 평등한 사회를 만들겠다는 의지를 상징한다.

빈출 자료 03) 한·중 연합 작전 | 연계 문제 → 84쪽 09번

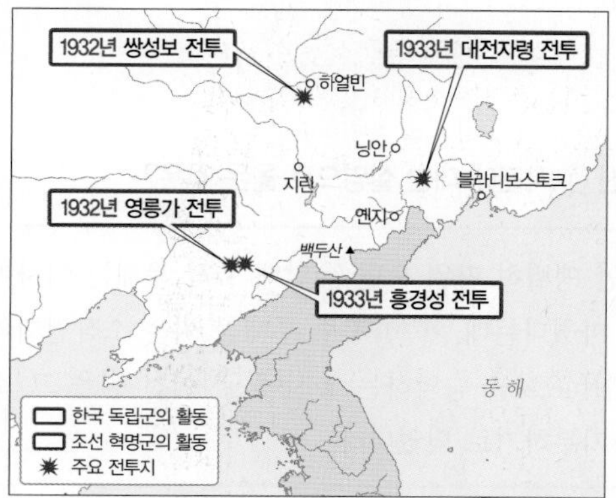

| 자료 분석 | 1930년대 초반 남만주 지역에서는 조선 혁명군이, 북만주 지역에서는 한국 독립군이 항일 중국군과 연합 작전을 전개하여 일본군을 격퇴하였다.

빈출 자료 04) 건국 강령 | 연계 문제 → 85쪽 12번

[자료 1] 대한민국 임시 정부의 대한민국 건국 강령

- 보통 선거에는 만 18세 이상 남녀로 선거권을 행사하되 신앙·교육·거주 연수·사회 출신·재산 상황과 과거 행동을 분별치 아니하며 ……
- 대생산 기관의 공구와 수단을 국유로 하고 토지·광산·어업 …… 은행·전신·교통 등과 대규모의 농·공·상기업과 성시 공업 구역의 공용적 주요 방산은 국유로 하고 ……

[자료 2] 조선 독립 동맹의 건국 강령

1. 전 국민의 보통 선거에 의한 민주 정권을 수립한다.

6. 조선에 있는 일본 제국주의자의 일체 자산 및 토지를 몰수하고 일본 제국주의와 밀접한 관계에 있는 대기업을 국영으로 귀속하며 토지 분배를 실행한다.

| 자료 분석 | 이념과 활동 지역은 달랐지만, 대한민국 임시 정부와 조선 독립 동맹은 광복 후 민주 공화국 건설을 추구하였음을 알 수 있다. 정치적으로는 보통 선거를 통한 민주 공화국을 수립하고 경제적으로는 주요 산업의 국유화와 부의 균등 분배를 주장하였다.

시험에 꼭 나오는 문제

개념 확인 문제

01 다음 서술 내용이 옳으면 ○표, 틀리면 ×표를 하시오.

(1) 일제 강점기 서울 청계천 남쪽의 남촌에 일본인이 비교적 많이 거주하였다. ( )

(2) 일제 강점기에는 신문과 잡지 등의 매체를 통해 영화, 연극, 대중가요 등 대중문화가 유행하였다. ( )

(3) 조선어 학회는 한글 맞춤법 통일안을 제정하고 우리말 큰사전을 편찬하려고 하였다. ( )

(4) 박은식은 "조선 사회 경제사"를 집필하여 식민 사관의 정체성론을 비판하였다. ( )

02 서로 관련된 사실을 바르게 연결하시오.

(1) 한국광복군 •   • ㉠ 양세봉
(2) 한국 독립군 •   • ㉡ 독수리 작전
(3) 조선 의용대 •   • ㉢ 쌍성보 전투
(4) 조선 혁명군 •   • ㉣ 조선 독립 동맹
(5) 조선 의용군 •   • ㉤ 중국 관내 최초의 한인 무장 부대

03 다음 내용에 해당하는 단체를 《보기》에서 골라 쓰시오.

《보기》
ㄱ. 근우회   ㄴ. 조선 형평사
ㄷ. 진단 학회   ㄹ. 천도교 소년회

(1) 여성계의 민족 유일당 운동으로 설립된 민족 협동 전선 단체는? ( )

(2) 이병도, 손진태 등이 조직하였으며, 한국사의 실증적 연구와 관련된 단체는? ( )

(3) 방정환이 주도하였으며, 어린이날 제정, "어린이" 잡지 발행 등의 활동을 한 단체는? ( )

(4) 백정들이 주도하여 결성하였으며, 백정에 대한 사회적 차별 철폐를 주장한 단체는? ( )

04 다음 빈칸에 들어갈 알맞은 말을 쓰시오.

(1) 만주 사변을 계기로 북만주 지역에서 ( )와/과 항일 중국군이 한·중 연합 작전을 전개하였다.

(2) 만주에서 활동하던 사회주의자들은 ( )에 참여하여 항일 유격 투쟁을 전개하였다.

(3) 조선 의용대의 다수 병력이 화북 지방으로 이동하였고, 김원봉과 일부 병력은 ( )에 합류하였다.

(4) 대한민국 임시 정부는 조소앙의 ( )에 기초하여 대한민국 건국 강령을 발표하였다.

(5) 1944년 국내에서는 여운형의 주도로 ( )이/가 결성되었다.

01 사회·문화의 변화와 사회 운동

01 밑줄 친 '영화'가 처음 상영된 시기에 볼 수 있는 모습으로 적절하지 않은 것은?

① 운동장에서 축구를 하는 어린이
② 군수 공장에 동원된 근로 정신대원
③ 극장에서 미국 영화를 관람하는 청년
④ 전차를 타고 회사에 출근하는 직장인
⑤ 서울 거리를 활보하는 모던 걸과 모던 보이

02 밑줄 친 ㉠ 사건에 대한 설명으로 옳은 것은?

오랫동안 맹렬히 싸워 오던 ㉠암태 소작 문제는 이사이 일단락을 마쳤다는데, …… 지주 문재철 씨는 소작인회의 요구인 4할(40%)을 승낙하는 동시에 금 이천 원을 그 소작인회에 기부하기로 되었더라.

① 신간회의 지원을 받았다.
② 원산 총파업으로 확대되었다.
③ 혁명적 농민 조합을 중심으로 전개되었다.
④ 조선 농민 총동맹의 지도 아래 전개되었다.
⑤ 고율의 소작료에 반대하는 생존권 투쟁이었다.

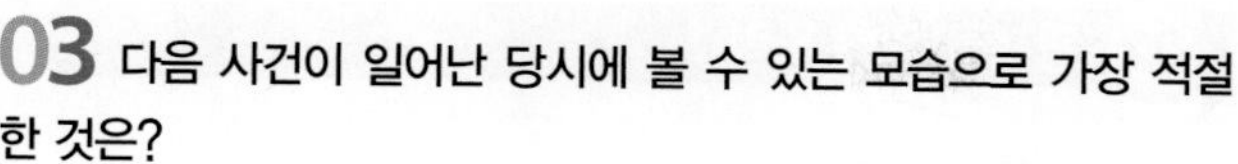

03 다음 사건이 일어난 당시에 볼 수 있는 모습으로 가장 적절한 것은?

> 원산 총파업은 한 석유 회사에서 일본인 감독이 한국인 노동자를 구타한 사건에서 비롯되었다. 감독 파면과 근무 조건 개선을 요구하며 파업이 시작되었고, 회사가 약속을 어기고 탄압을 가하자 원산 지역 노동자들의 총파업으로 이어졌으며 일반 사무원들까지 가세하였다. 일제가 경찰과 군대, 깡패까지 동원하여 노동자들을 탄압하고 노조 간부들을 검거하였으나, 원산의 노동자들은 이에 굴하지 않고 항쟁을 계속하였다.

① 국채 보상 운동에 참여한 여성
② 강연회를 개최하는 신간회 회원
③ 치안 유지법 공포를 알리는 기자
④ 국민 대표 회의에 참석한 독립운동가
⑤ 청산리 일대에서 일본군과 싸우는 북로 군정서군

04 (가) 단체에 대한 학생의 발표 내용으로 가장 적절한 것은?

① 어린이날을 제정하였어요.
② 기관지로 "신여성"을 발행하였어요.
③ 여성계의 민족 유일당 운동으로 조직되었어요.
④ 사회주의 계열의 대표적인 여성 단체였어요.
⑤ 백정에 대한 차별 폐지 운동을 주도하였어요.

(빈출 문제) 연계 자료 → 81쪽 빈출 자료 02

05 다음 주장을 바탕으로 전개된 사회 운동의 목적으로 옳은 것은?

> 공평은 사회의 근본이고 애정은 인류의 본령이다. 그러한 까닭으로 우리는 계급을 타파하고 모욕적 칭호를 폐지하여, 우리도 참다운 인간이 되는 것을 기하자는 것이 우리의 주장이다. …… 직업의 구별이 있다고 한다면, 금수의 생명을 빼앗는 자는 우리만이 아니다.

① 자치권의 획득
② 신분제의 폐지
③ 민족 기업의 육성
④ 근로 조건의 개선
⑤ 백정에 대한 차별 폐지

유사 선택지 문제

05_ ❶ (   )은/는 백정들이 주도한 차별 철폐 운동이었다.
05_ ❷ 백정들은 1923년 (평양 / 진주 / 대구)에서 조선 형평사를 조직하였다.
05_ ❸ 일부 보수적 사람들은 형평 운동에 반대하여 불매 운동을 벌이는 등 반형평 운동을 전개하였다. (○ / ×)

06 (가) 인물에 대한 설명으로 옳은 것은?

> **백과사전**
>
> - 잡지명 : "어린이"
> - 발행처 : 개벽사
> - 내용 : 천도교 소년회를 조직한 ((가)   )이/가 동요와 동화를 수록하여 발행한 잡지이다.

① 오산 학교를 설립하였다.
② 소년 운동을 주도하였다.
③ 5적 암살단을 조직하였다.
④ 이토 히로부미를 저격하였다.
⑤ 한인 애국단원으로 활동하였다.

시험에 꼭 나오는 문제

07 밑줄 친 '이 단체'에 대한 설명으로 옳지 않은 것은?

> ○○호 **한국사 신문** ○○○○년 ○○월 ○○일
>
> **'일본말 사용하는 시대에 한글 연구와 보급은 위법' 치안 유지법 위반으로 관련자 구속**
>
> 함경도 홍원 경찰서에서는 10월 1일에 이윤재, 한징 등 11명을 검거하였다고 밝혔다. 이들의 죄명은 치안 유지법 위반이라고 하는데, 이 단체가 국체 변혁을 목적으로 만든 결사라며 억지로 죄를 구성하고 고문까지 하였다고 한다. 수사관들은 일본말을 사용하는 시대에 한글을 연구, 보급하는 것은 민중에게 민족의식을 높여 조선 독립을 꾀하려는 것이 아니냐며 재판에 넘겨질 것이라고 말하였다.

① 표준어를 제정하였다.
② 한글 맞춤법 통일안을 제정하였다.
③ 문맹 퇴치를 위한 교재를 만들었다.
④ 우리말 큰사전의 편찬을 시도하였다.
⑤ "개벽", "신여성" 등의 잡지를 발행하였다.

08 다음 주장을 편 학자에 대한 설명으로 옳은 것은?

> 조선 민족의 발전사는 그 과정이 아무리 아시아적이라고 하더라도 사회 구성의 내면적 발전 법칙 그 자체는 오로지 세계사적인 것이며, 삼국 시대의 노예제 사회, 통일 신라기 이래의 동양적 봉건 사회, 이식 자본주의 사회는 오늘날에 이르기까지 조선 역사의 기록적 총 발전 단계를 나타내는 보편사적인 특징이며, 그것들은 제각기 특유의 법칙을 갖고 있다. - "조선 사회 경제사" -

① 민족정신을 강조하였다.
② '조선 혁명 선언'을 작성하였다.
③ 대한민국 임시 정부의 대통령을 역임하였다.
④ 식민 사관의 정체성론을 극복하는 데 기여하였다.
⑤ 문헌 고증을 통한 객관적인 역사 서술을 강조하였다.

02 광복을 위한 노력

(빈출 문제) 연계 자료 → 81쪽 빈출 자료 03

09 (가), (나) 전투에서 활약한 독립군에 대한 설명으로 옳은 것은?

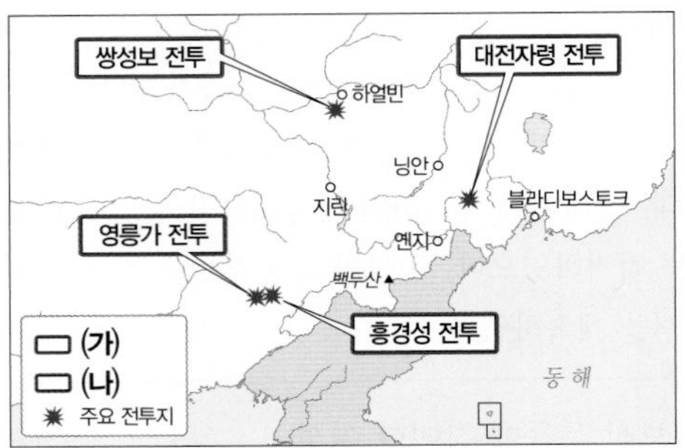

① (가)–양세봉의 지휘를 받았다.
② (가)–중국 관내 최초의 한인 무장 부대였다.
③ (나)–지청천을 중심으로 활동하였다.
④ (나)–임시 정부의 요청으로 중국 관내로 이동하였다.
⑤ (가), (나)–항일 중국군과 한·중 연합 작전을 전개하였다.

유사 선택지 문제

09_ ❶ (　　　)을/를 계기로 만주에서는 독립군과 항일 중국군이 한·중 연합 작전을 벌였다.
09_ ❷ 양세봉이 이끄는 (조선 혁명군 / 대한 독립군 / 조선 의용군)은 항일 중국군과 연합 작전을 벌였다.
09_ ❸ 지청천이 이끄는 한국 독립군은 임시 정부의 요청에 따라 중국 관내로 이동하였다. (○ / ×)

10 (가)에 들어갈 내용으로 가장 적절한 것은?

> ○○ ○○○
> • 결성 : 김원봉의 주도로 1938년 결성
> • 활동 : 정보 수집, 포로 심문, 후방 교란 등
> • 분화 : 다수의 병력이 화북 지방으로 이동, 일부는 대한민국 임시 정부에 합류
> • 의의 : ______(가)______

① 대일 선전 성명서를 발표하였다.
② 쌍성보 전투에서 승리를 거두었다.
③ 청산리 대첩의 승리를 이끌어 냈다.
④ 미국의 지원을 받아 국내 정진군을 편성하였다.
⑤ 중국 관내에서 조직된 최초의 한인 무장 부대였다.

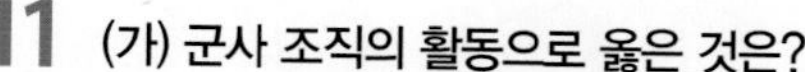

11 (가) 군사 조직의 활동으로 옳은 것은?

> 대한민국 임시 정부는 대한민국 원년에 정부가 공포한 군사 조직법에 의거하여 …… ((가))을/를 조직하고 …… 공동의 적인 일본 제국주의자들을 타도하기 위해 연합군의 일원으로 항전을 계속한다. …… 우리는 한·중 연합 전선에서 우리 스스로의 부단한 투쟁을 감행하여 동아시아를 비롯한 아시아 민중의 자유와 평등을 쟁취할 것을 약속하는 바이다.

① 영릉가와 흥경성 전투에서 승리하였다.
② 동북 항일 연군에 참여하여 활동하였다.
③ 상하이 훙커우 공원에 폭탄을 투척하였다.
④ 중국 공산당의 팔로군 등과 함께 대일 항전을 벌였다.
⑤ 인도·미얀마 전선에서 영국군과 연합 작전을 벌였다.

(빈출 문제) 연계 자료 → 81쪽 빈출 자료 04

12 다음 강령을 발표한 조직에 대한 설명으로 옳은 것은?

> • 보통 선거에는 만 18세 이상 남녀로 선거권을 행사하되 신앙·교육·거주 연수·사회 출신·재산 상황과 과거 행동을 분별치 아니하며 ……
> • 대생산 기관의 공구와 수단을 국유로 하고 토지·광산·어업 …… 은행·전신·교통 등과 대규모의 농·공·상기업과 성시 공업 구역의 공용적 주요 방산은 국유로 ……

① 여운형을 중심으로 서울에서 조직되었다.
② 산하에 무장 조직으로 조선 의용군을 두었다.
③ 광복 직후 조선 건국 준비 위원회로 발전하였다.
④ 태평양 전쟁이 일어나자 일본에 선전 포고를 하였다.
⑤ 광주 학생 항일 운동 당시 진상 조사단을 파견하였다.

13 다음 단체에 대한 설명으로 옳은 것은?

> • 1942년에 중국 화북 지역에서 한국인 사회주의자들을 중심으로 결성되었다.
> • 적극적인 항일 투쟁을 주장하며 화북으로 이동해 있던 조선 의용대 화북 지대를 조선 의용군으로 개편하고 군사 조직으로 삼았다.

① 3부 통합 운동을 주도하였다.
② 워싱턴에 외교 위원회를 설치하였다.
③ 청산리 전투에서 주도적 역할을 하였다.
④ 중국 국민당 정부의 지원을 받아 조직되었다.
⑤ 보통 선거에 의한 민주 공화국 수립을 목표로 활동하였다.

14 (가)에 들어갈 내용으로 옳은 것은?

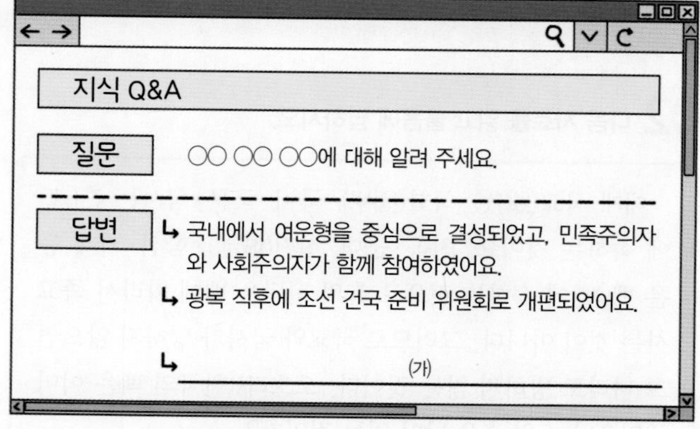

① 한성 정부의 법통을 계승하였어요.
② 대일 선전 성명서를 발표하였어요.
③ 무장 조직으로 조선 혁명군을 두었어요.
④ 조선 독립 동맹과 연합 작전을 계획하였어요.
⑤ 삼균주의에 기초한 건국 강령을 발표하였어요.

올쏘 서술형 문제

01 다음 자료를 읽고 물음에 답하시오.

> • 조선 여성 운동은 세계 사정에 의하여 또 조선 여성의 성숙도에 의하여 바야흐로 한 중대한 계단으로 진전하였다. 부분 부분으로 분산되었던 운동이 전선적 협동 전선으로 조직된다. …… 모든 분열 정신을 극복하고 우리의 협동 전선으로 하여금 더욱 공고하게 하는 것이 조선 여성의 의무이다. …… ○○○는 이와 같은 견지에서 사업을 전개하려 하는 것을 선언하나니 우리의 앞길이 여하히 험악할지라도 우리는 1,000만 자매의 힘으로써 우리의 역사적 임무를 수행하려 한다.
>
> – ○○○ 선언문, "근우" 창간호 –
>
> • **○○○ 행동 강령**
>
> 1. 여성에 대한 사회적·법률적 일체 차별 철폐
> 2. 일체 봉건적 인습과 미신 타파
> 6. 부인 노동의 임금 차별 철폐 및 산전 산후 임금 지불
> 7. 부인 및 소년공의 위험 노동 및 야업 폐지
>
> – "동아일보", 1929. 7. 25 –

(1) 위 선언과 강령을 내세운 단체를 쓰시오.

(2) 위 자료를 참고하여 (1) 단체 결성의 역사적 의의와 활동 내용을 두 가지 서술하시오.

02 다음 자료를 읽고 물음에 답하시오.

> 대개 국교(國敎)·국학(國學)·국어·국문·국사는 혼(魂)에 속하는 것이요, 전곡·군대·성지(城池)·함선·기계 등은 백(魄)에 속하는 것으로 혼의 됨됨은 백에 따라서 죽고 사는 것이 아니다. 그러므로 국교와 국사가 망하지 않으면 그 나라도 망하지 않는 것이다. 오호라! 한국의 백은 이미 죽었으나 소위 혼은 남아 있는 것인가?

(1) 위 내용을 주장한 역사가를 쓰시오.

(2) (1) 역사가의 역사 연구 경향을 저술과 연관 지어 서술하시오.

03 다음 도표를 보고 물음에 답하시오.

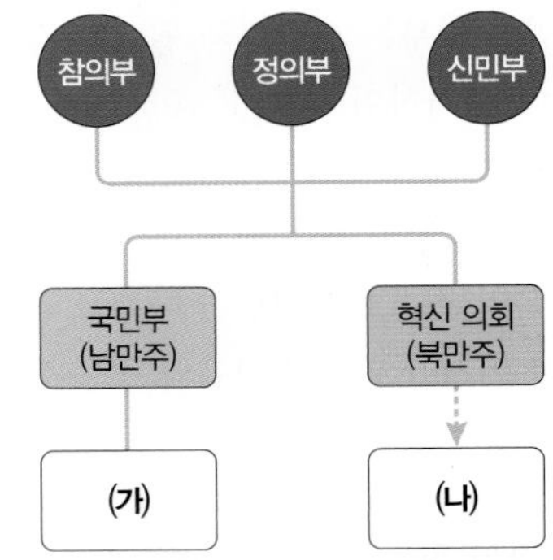

(1) (가), (나)에 해당하는 독립군 부대를 쓰시오.

(2) (가), (나) 독립군 부대가 1930년대 초에 전개한 공통적인 활동을 그 배경과 함께 서술하시오.

04 다음 자료를 읽고 물음에 답하시오.

> ㉠<u>삼균(三均) 제도</u>를 골자로 한 헌법을 실행하여 정치와 경제와 교육의 민주적 시설로 실제상 균형을 도모하며, 전국의 토지와 대생산 기관의 국유가 완성되고 전국 학령 아동 전체에 대한 고급의 무상 교육이 완성되고 보통 선거 제도가 구속 없이 완전히 실시되어 …… 극빈 계급의 물질과 정신상 생활 정도와 문화 수준이 보장되는 과정을 건국의 제2기라 함

(1) 밑줄 친 ㉠을 처음 주장한 인물을 쓰시오.

(2) 위 건국 강령을 바탕으로 대한민국 임시 정부가 세우고자 한 국가의 모습을 정치, 경제, 교육적 측면에서 서술하시오.

올쏘 상위 4% 문제

01 (가), (나) 인물의 공통점으로 옳은 것은?

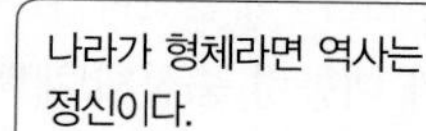

역사는 '아'와 '비아'와의 투쟁의 기록인 것이다.

나라가 형체라면 역사는 정신이다.

(가)  (나) 

① 민족정신을 강조하였다.
② 민족 개조론을 주장하였다.
③ 유물 사관에 입각하여 역사를 연구하였다.
④ 대한민국 임시 정부의 대통령에 선출되었다.
⑤ 세계사의 발전 법칙을 한국사에 적용하였다.

02 다음 합의문 작성의 배경으로 옳은 것은?

> 한국 독립군과 중국 호로군의 합의문
> 1. 한·중 양군은 최악의 상황이 오는 경우에도 장기간 항전할 것을 맹세한다.
> 2. 중동 철도를 경계선으로 서부 전선은 중국이 맡고, 동부 전선은 한국이 맡는다.
> 3. 전시의 후방 전투 훈련은 한국 장교가 맡고 한국군에 필요한 군수품은 중국군이 공급한다.

① 일제가 만주를 침략하여 만주국을 세웠다.
② 윤봉길이 상하이 훙커우 공원에서 의거를 일으켰다.
③ 일본이 진주만을 공격하여 태평양 전쟁을 도발하였다.
④ 일본이 대동아 공영권 건설을 내세우며 동남아시아를 침략하였다.
⑤ 루거우차오 사건을 계기로 일본이 중국을 본격적으로 침략하였다.

03 교사의 질문에 대한 학생의 대답으로 옳은 것을 〈보기〉에서 모두 고르면?

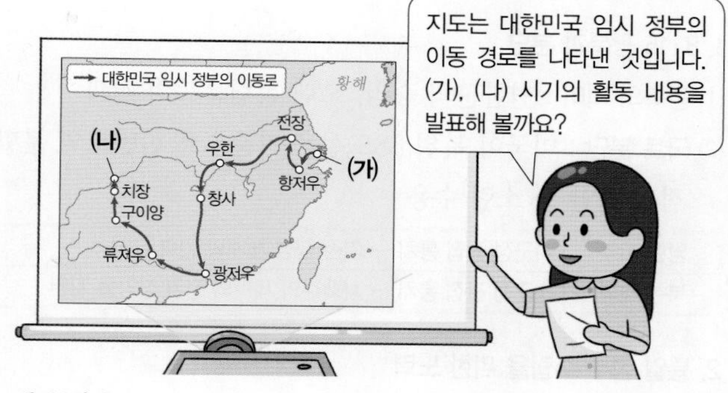

〈보기〉
ㄱ. (가)-조선 의용대의 일부 병력을 흡수하였어요.
ㄴ. (가)-파리 강화 회의에 독립 청원서를 제출하였어요.
ㄷ. (나)-국무령 중심의 집단 지도 체제로 개편하였어요.
ㄹ. (나)-삼균주의에 기초한 건국 강령을 발표하였어요.

① ㄱ, ㄴ ② ㄱ, ㄷ ③ ㄴ, ㄷ
④ ㄴ, ㄹ ⑤ ㄷ, ㄹ

04 (가)~(다)의 공통점으로 옳은 것은?

조직	중심인물	위치	주요 활동
(가)	김구 등	충칭	한국광복군 창설, 대일 선전 포고
(나)	김두봉 등	옌안	조선 의용군 조직, 팔로군과 항일 무장 투쟁
(다)	여운형 등	경성	무장봉기를 통한 일제의 후방 교란 시도

① 3·1 운동을 계기로 조직되었다.
② 대한민국 임시 정부로 통합되었다.
③ 민주 공화국 수립을 목표로 삼았다.
④ 중국 국민당 정부의 지원을 받았다.
⑤ 삼균주의를 기본 이념으로 수용하였다.

11 8·15 광복과 6·25 전쟁

출제 경향
★통일 정부 수립을 위한 노력을 묻는 문제
★6·25 전쟁의 전개 과정을 묻는 문제

01 8·15 광복과 통일 정부 수립 노력

1. 8·15 광복과 분단

(1) 광복의 의미 : 연합군의 승리, 오랜 독립운동의 결과

(2) 국토 분단 : 미국이 북위 38도선을 기준으로 한반도의 분할 점령 제안 → 소련 수용

남한 지역	미군정 직접 통치 → 기존 행정 체계와 인력 유지
북한 지역	소군정 간접 통치 → 사회주의 세력의 정권 장악을 지원

2. 통일 정부 수립을 위한 노력

(1) 조선 건국 준비 위원회(1945) 빈출 자료 01

성립	광복 직후 여운형, 안재홍 등이 결성
활동	지부 설치, 치안대 조직 → 좌익 세력의 주도권 장악으로 일부 우익 세력 이탈 → 미군 진주에 대비하여 조선 인민 공화국 선포

(2) 모스크바 3국 외상 회의 빈출 자료 02

회의 내용	미국·영국·소련 대표가 회의 개최 → 한국 민주주의 임시 정부 수립, 미·소 공동 위원회 설치, 최대 5년간의 신탁 통치 논의
영향	국내 좌우 세력의 대립 심화(우익-신탁 통치 반대, 좌익-초기에 신탁 통치 반대, 3상 회의의 결정 지지로 선회)

(3) 좌우 합작 운동(1946) 빈출 자료 03, 04

배경	국내 좌우 대립 심화, 미·소 공동 위원회 휴회, 이승만의 정읍 발언
전개	여운형, 김규식 등 중도파 중심으로 좌우 합작 위원회 결성(미군정의 지원) → 좌우 합작 7원칙 발표
결과	7원칙을 둘러싼 좌우 대립 심화, 미군정의 지지 철회, 여운형 암살 등으로 중단

(4) 남북 협상(1948. 4.)

배경	미·소 공동 위원회 결렬 → 미국, 한반도 문제를 유엔 총회에 넘김 → 유엔, 남북한 총선거 실시 결의, 유엔 한국 임시 위원단 파견 → 소련이 입북 거부 → 유엔 소총회가 남한만의 총선거 결정
내용	김구, 김규식 등이 평양에서 김일성, 김두봉 등 북한 지도부와 남북 지도자 협의회 진행 → 남북 협상 공동 성명 발표
결과	남북에서 각각 정부 수립을 진행, 실패

(5) 제주 4·3 사건(1948)

배경	1947년 제주도 3·1절 기념행사 후 시위에 경찰이 발포 → 수습 과정에서 미군정이 제주도민 탄압 → 미군정에 대한 반감 고조
과정	• 제주도 내 좌익 세력이 남한만의 단독 선거 반대, 미군 철수를 주장하며 무장봉기(1948. 4. 3.) • 미군정, 정부의 무력 진압에서 수많은 민간인 피해자 발생 • 진행 과정에 여수·순천 10·19 사건 발생

02 대한민국 정부의 수립

1. 대한민국 정부 수립

(1) 5·10 총선거 : 유엔 감시하에 실시된 남한만의 총선거(남북 협상파와 좌익 세력 불참) → 제헌 국회의원 선출

(2) 제헌 헌법 : 대한민국 임시 정부의 법통 계승 표방, 삼권 분립과 대통령 중심제 채택

(3) 정부 수립 : 국회에서 대통령 이승만과 부통령 이시영 선출 → 대한민국 정부 수립 선포(1948. 8. 15.)

2. 제헌 국회의 활동

(1) 반민족 행위자 처벌을 위한 노력

배경	일제 잔재 청산의 여론 고조 → 반민족 행위 처벌법 제정(1948. 9.)
과정	반민족 행위 특별 조사 위원회(반민 특위) 구성, 친일파 조사와 검거 활동 → 이승만 정부의 방해, 경찰의 반민 특위 습격 등 → 법 개정으로 반민 특위 활동의 기한 등 축소 → 친일파 청산 노력 좌절

(2) 농지 개혁

배경	토지 분배와 지주제 개혁 요구 고조, 북한의 토지 개혁 실시
시행	• 농지 개혁법 제정(경자유전의 원칙, 1949) • 3정보를 초과하는 농지 대상, 유상 매입·유상 분배 방식
결과	지주·소작제 거의 소멸, 대부분의 농민이 자작농화

3. 북한 정권의 수립

(1) 북조선 임시 인민 위원회(1946) : 토지 개혁 실시(무상 몰수, 무상 분배), 남녀평등법 제정, 주요 산업 국유화 등

(2) 북한 정권 수립 : 최고 인민 회의의 헌법 제정 → 초대 수상에 김일성 선출, 정부 수립 선포(1948. 9.)

03 6·25 전쟁과 남북 분단의 고착화

1. 6·25 전쟁 빈출 자료 05

배경	정부 수립 후 미·소 양군의 철수, 38도선 일대에서 남북한의 무력 충돌 빈발, 애치슨 선언
전개	북한군 남침 → 서울 함락 → 유엔군 참전 → 인천 상륙 작전(1950. 9. 15.) → 서울 수복 → 압록강 유역까지 진격, 중국군 개입 → 1·4 후퇴 → 38도선 부근에서 전선 고착 → 소련의 제의로 정전 협상 시작(1951) → 정전 협정 체결(1953. 7.)
영향	한·미 상호 방위 조약 체결, 남북 간 적대감 심화

2. 이승만의 독재와 전후 복구 사업

(1) 이승만의 독재 강화 빈출 자료 06

발췌 개헌 (1952)	제2대 국회의원 선거 결과 반이승만 성향 후보가 대거 당선 → 대통령 직선제 개헌 단행(발췌 개헌) → 이승만의 대통령 재선 성공
사사오입 개헌 (1954)	개정 헌법 공포 당시 대통령에 한해 3선 금지 폐지의 규정을 둔 개헌안 발의 → 의결 정족수 1표 부족으로 부결 → 자유당이 사사오입 논리를 내세워 개헌안 통과 선언
반공 독재 강화	간첩 혐의를 씌워 조봉암 처형, 진보당의 정당 등록 취소, 국가 보안법 개정, 경향신문 폐간 등

(2) 전후 복구 사업 : 귀속 재산 처리와 미국의 원조 경제 → 삼백 산업 발달

빈출 특강

빈출 자료 01 조선 건국 준비 위원회

| 연계 문제 → 90쪽 02번

- 우리는 완전한 독립 국가 건설을 기함
- 우리는 전 민족의 정치적·경제적·사회적 기본 요구를 실현할 수 있는 민주주의 정권 수립을 기함
- 우리는 ㉠일시적 과도기에 있어서 국내 질서를 자주적으로 유지하며 대중 생활의 확보를 기함

– "매일신보", 1945. 9. 3. –

| 자료 분석 | 광복 직후 여운형이 중심이 되어 조직된 조선 건국 준비 위원회의 강령이다.

- ㉠ : 광복 직후부터 정식 정부가 출범할 때까지 사회 안정을 위해 노력하고, 식량과 생활필수품 확보에 주력하여 국민 생활을 안정시키고자 하였다.

빈출 자료 02 모스크바 3국 외상 회의 결정문(요약)

| 연계 문제 → 91쪽 03번

1. 한국의 독립을 위해 임시 민주 정부를 수립한다.
3. 미·소 공동 위원회의 임무는 한국의 자치 정부 수립과 독립 국가 건설을 돕고 지원하는 데 있다. 공동 위원회의 제안은 한국 임시 정부의 자문을 거쳐 미국·소련·중국 정부에 제출되어, ㉠최장 5개년간의 4개국 신탁 통치에 관한 협정에 합의하게 될 것이다.

| 자료 분석 | 1945년 12월 미국, 영국, 소련 대표가 한국의 독립 문제를 협의하고 발표한 결정문의 요약 내용이다.

- ㉠ : 좌우 대립이 심화되는 원인이 되었다. 우익 진영은 신탁 통치가 한국인의 자주권을 부정하는 결정이라고 비판하여 반대 운동을 벌였다. 좌익 진영은 처음에는 반대하였으나 신탁 통치를 독립을 위한 지원 방안으로 받아들여 3상 회의의 결정을 지지하였다.

빈출 자료 03 이승만의 정읍 발언

| 연계 문제 → 91쪽 04번

이제 우리는 무기 휴회된 미·소 공동 위원회가 재개될 기색도 보이지 않으며 통일 정부를 고대하나 여의치 않으니 우리는 남방만이라도 임시 정부 혹은 위원회 같은 것을 조직하여 38이북에서 소련이 철퇴하도록 세계 공론에 호소하여야 될 것이니 여러분도 결심하여야 될 것이다. – "서울신문", 1946. 6. 3. –

| 자료 분석 | 1946년 3월에 개최된 제1차 미·소 공동 위원회에서 미국과 소련이 임시 정부 수립에 참여할 정당 및 사회단체의 범위를 놓고 대립하다가 아무런 성과를 거두지 못한 채 휴회되었다. 이에 이승만은 순회 연설 중이던 정읍에서 남한 단독 정부 수립론을 공개적으로 제기하였다.

빈출 자료 04 좌우 합작 7원칙

| 연계 문제 → 91쪽 05번

1. 모스크바 3국 외상 회의 결정에 따라 남북을 통한 좌우 합작으로 임시 정부를 수립할 것
2. 미·소 공동 위원회의 속개를 요청하는 공동 성명을 발표할 것
3. ㉠몰수·유조건 몰수·체감 매상 등으로 토지를 회수하여 농민에게 무상으로 나누어 주며, 중요 산업을 국유화할 것

| 자료 분석 | 좌우 합작 위원회는 좌우익의 요구를 절충하여 좌우 합작 7원칙을 결정하였다. 그러나 좌익과 우익은 반민족 행위자 처벌과 토지 개혁을 두고 입장 차이를 극명하게 드러냈다.

- ㉠ : 우익은 지나치게 급진적이라며 반대하였고, 좌익은 지주의 이익을 위한 것이라고 비판하였다.

빈출 자료 05 6·25 전쟁

| 연계 문제 → 93쪽 11번

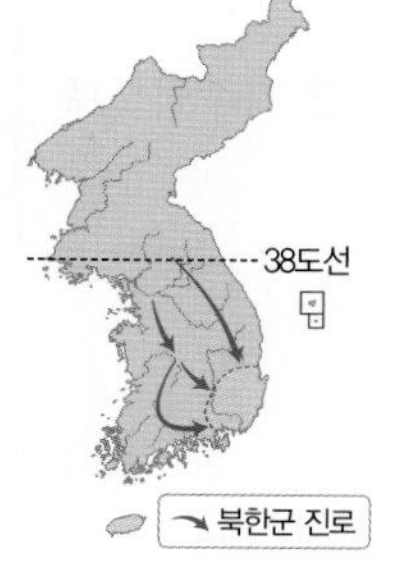

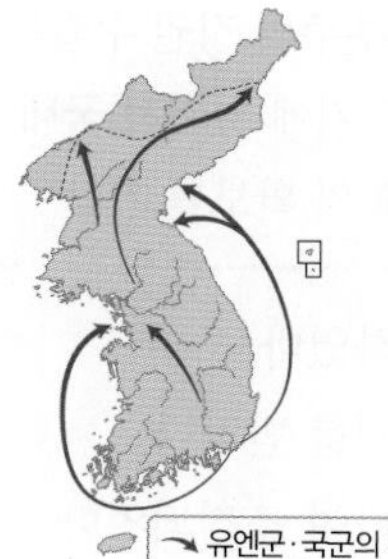

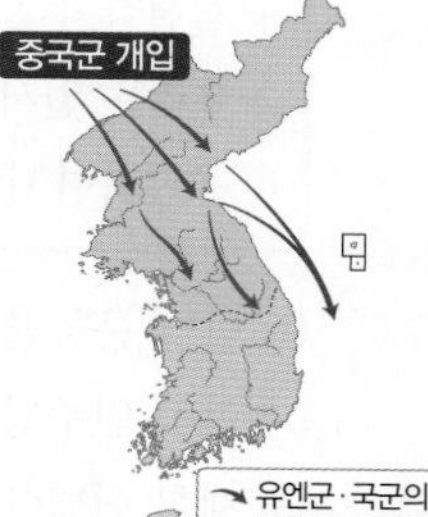

| 자료 분석 | 6·25 전쟁은 1950년 북한의 기습 남침으로 시작되었다. 이후 1953년 7월 정전 협정이 체결될 때까지 한반도 대부분의 지역이 전쟁터가 되어 많은 인명 피해가 발생하고 산업 시설 등이 파괴되었다.

빈출 자료 06 사사오입 개헌(2차 개헌)

| 연계 문제 → 93쪽 13번

제55조 대통령과 부통령의 임기는 4년으로 한다. 단, ㉠재선에 의하여 1차 중임할 수 있다. 대통령이 궐위된 때에는 부통령이 대통령이 되고 잔임 기간 중 재임한다.

부칙 ㉡이 헌법 공포 당시의 대통령에 대하여는 제55조 제1항 단서의 제한을 적용하지 아니한다.

| 자료 분석 | 사사오입 개헌은 법과 절차를 무시하고 이승만 대통령 장기 독재의 기반을 마련한 개헌이었다.

- ㉠ : 대통령은 1차에 한해 중임할 수 있다.
- ㉡ : 개헌안 부칙에 예외 규정을 두어 개정 헌법 공포 당시의 대통령인 이승만의 3선이 가능할 수 있도록 만들었다.

시험에 꼭 나오는 문제

개념 확인 문제

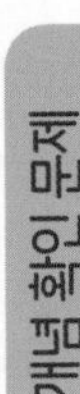

01 다음 서술 내용이 옳으면 ○표, 틀리면 ×표를 하시오.

(1) 광복 직후 조직된 조선 건국 준비 위원회는 좌우 합작의 형태로 구성되었다. ( )
(2) 광복 후 남한에서는 미군이 기존 행정 체계와 인력을 유지하며 직접 통치를 실시하였다. ( )
(3) 이승만 정부는 농지를 무상으로 매입하여 무상으로 분배하는 농지 개혁법을 제정하였다. ( )
(4) 이승만 정부는 사사오입 개헌을 통해 대통령 간선제에서 직선제로 바꾸었다. ( )

02 서로 관련된 사실을 바르게 연결하시오.

(1) 애치슨 선언 •   • ㉠ 신탁 통치 논의
(2) 좌우 합작 위원회 •   • ㉡ 6·25 전쟁 발발
(3) 조선 건국 준비 위원회 •   • ㉢ 여운형, 김규식이 주도
(4) 모스크바 3국 외상 회의 •   • ㉣ 조선 인민 공화국 수립 선포

03 다음 내용에 해당하는 개념을 《보기》에서 골라 쓰시오.

《보기》
ㄱ. 남북 협상 ㄴ. 발췌 개헌 ㄷ. 농지 개혁

(1) 경자유전의 원칙에 따라 3정보를 초과하는 농지를 유상 매입, 유상 분배한 일은? ( )
(2) 단독 정부 수립의 분위기가 고조되자 김구, 김규식 등이 평양에서 북한 지도부와 만나 협의한 일은? ( )
(3) 이승만 대통령의 재선을 위해 대통령 직선제를 주요 내용으로 하는 개헌안을 통과시킨 일은? ( )

04 다음 빈칸에 들어갈 알맞은 말을 쓰시오.

(1) 1948년 제주에서는 좌익 세력과 일부 주민이 단독 정부 수립에 반대하는 과정에서 ( )이/가 일어났다.
(2) 남한에서는 유엔 감시하에 ( )을/를 치러 국회의원을 선출하였다.
(3) 제헌 국회에서는 친일파 처단을 위해 ( )을/를 제정하였다.
(4) 6·25 전쟁의 정전 협정 후 ( )이/가 체결되어 한·미 동맹이 강화되었다.

01 8·15 광복과 통일 정부 수립 노력

01 다음 포고령이 적용된 시기에 볼 수 있는 모습으로 가장 적절한 것은?

> 1. 북위 38도 이남의 조선 영토와 조선 인민에 대한 통치의 전 권한은 당분간 본관의 권한하에서 시행된다.
> 2. …… 중요한 사업에 종사하는 자는 별도의 명령이 있을 때까지 종래의 정상적인 기능과 의무를 수행하고 모든 기록과 재산을 보존·보호하여야 한다.
> 3. …… 점령군에 대한 모든 반항 행위 또는 공공 안녕을 교란하는 행위를 감행하는 자에 대해서는 용서 없이 엄벌에 처할 것이다.

① 농지 개혁법 제정을 환영하는 농민
② 여수·순천의 봉기 진압에 나선 국군
③ 북한군의 남침에 한강 다리를 건너는 피란민
④ 친일파를 연행하여 조사하는 반민 특위 조사관
⑤ 대한민국 임시 정부 요인의 귀국을 환영하는 시민

(빈출 문제) 연계 자료 → 89쪽 빈출 자료 01

02 다음 강령을 발표한 단체에 대한 설명으로 옳은 것은?

> • 우리는 완전한 독립 국가 건설을 기함
> • 우리는 전 민족의 정치적·경제적·사회적 기본 요구를 실현할 수 있는 민주주의 정권 수립을 기함
> • 우리는 일시적 과도기에 있어서 국내 질서를 자주적으로 유지하며 대중 생활의 확보를 기함

① 반탁 운동을 주도하였다.
② 한국 민주당의 지지를 받았다.
③ 제헌 헌법에 근거하여 조직되었다.
④ 조선 인민 공화국 수립을 선포하였다.
⑤ 여운형과 김규식의 주도로 조직되었다.

유사 선택지 문제

02_ ❶ ( )은/는 광복 직후 식량과 생활필수품 확보에 주력하였다.
02_ ❷ 여운형은 (대한민국 임시 정부 / 조선 건국 동맹 / 조선 독립 동맹)을/를 기반으로 조선 건국 준비 위원회를 조직하였다.
02_ ❸ 남한에 진주한 미군은 조선 건국 준비 위원회의 활동을 지원하였다. (○ / ×)

빈출 문제 연계 자료 → 89쪽 빈출 자료 02

03 다음 결정문이 발표된 시기를 연표에서 옳게 고른 것은?

1. 한국의 독립을 위하여 한국 임시 민주 정부를 수립한다.
2. 임시 정부 수립을 위하여 미·소 공동 위원회를 설치하고 한국의 정당 및 사회단체와 협의한다.
3. 미·소 공동 위원회의 임무는 한국의 자치 정부 수립과 독립 국가 건설을 돕고 지원하는 데 있다. 공동 위원회의 제안은 한국 임시 정부의 자문을 거쳐 미국·소련·영국·중국 정부에 제출되어, 최장 5개년간 4개국 신탁 통치에 관한 협정에 합의하게 될 것이다.

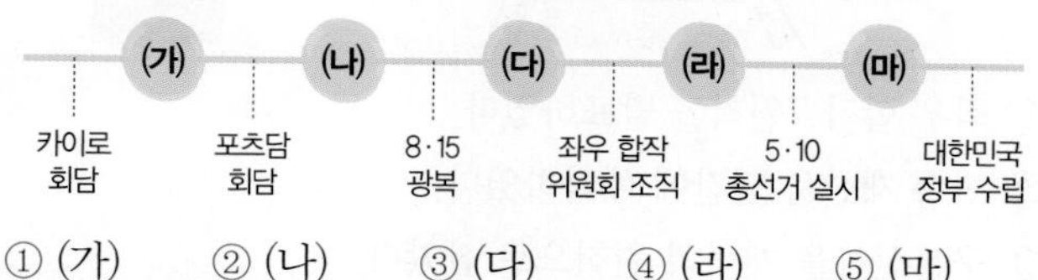

① (가) ② (나) ③ (다) ④ (라) ⑤ (마)

유사 선택지 문제

03_ ❶ 미국, 영국, 소련의 외무 장관이 (　　　　　　　　)을/를 열고 한국 독립 문제를 협의하였다.

03_ ❷ 모스크바 3국 외상 회의 결정에 따라 (미·소 공동 위원회 / 좌우 합작 위원회 / 반민족 행위 특별 조사 위원회)가 개최되었다.

03_ ❸ 신탁 통치 문제가 국내에 알려지자 이승만은 신탁 통치안에 찬성하는 운동을 벌였다. (○ / ×)

빈출 문제 연계 자료 → 89쪽 빈출 자료 03

04 다음 주장을 편 인물에 대한 설명으로 옳지 않은 것은?

무기한 휴회된 미·소 공동 위원회가 다시 열릴 기색도 보이지 않으며, 통일 정부를 고대하였으나 여의치 않게 되었다. 우리 남한만이라도 임시 정부 또는 위원회 같은 것을 조직하여 38도선 이북에서 소련이 물러가도록 세계 여론에 호소하여야 될 것이니, 여러분도 결심해야 할 것이다.

① 반탁 운동을 주도하였다.
② 5·10 총선거에 참여하였다.
③ 반공 독재 체제를 강화하였다.
④ 반민 특위 활동을 적극 지지하였다.
⑤ 대한민국 임시 정부에 참여하였다.

빈출 문제 연계 자료 → 89쪽 빈출 자료 04

05 다음 원칙이 발표된 배경으로 옳은 것은?

1. 모스크바 3국 외상 회의 결정에 따라 남북을 통한 좌우 합작으로 임시 정부를 수립할 것
2. 미·소 공동 위원회의 속개를 요청하는 공동 성명을 발표할 것
3. 몰수·유조건 몰수·체감 매상 등으로 토지를 회수하여 농민에게 무상으로 나누어 주며, 중요 산업을 국유화할 것
5. 남북의 정치범 석방에 노력하며, 남북 좌우의 테러적 활동을 제지하도록 노력할 것

① 좌우 대립이 심화되었다.
② 제헌 국회가 구성되었다.
③ 6·25 전쟁이 발발하였다.
④ 대한민국 정부가 수립되었다.
⑤ 남한만의 단독 선거가 결정되었다.

06 다음 자료를 활용한 탐구 활동으로 가장 적절한 것은?

1. 우리 강토에서 외국 군대가 즉시 철거하는 것이 조선 문제를 해결하는 유일한 방법이다.
3. 연석 회의에 참가한 모든 정당 사회단체들은 임시 정부를 수립하고 통일적 조선 입법 기관을 선거하여 통일적 민주 정부를 수립해야 한다.
4. 이 성명서에 서명한 모든 정당 사회단체들은 남조선 단독 선거의 결과를 결코 인정하지 않을 것이며 지지하지도 않을 것이다.

① 6·25 전쟁의 영향을 알아본다.
② 애치슨 선언의 배경을 조사한다.
③ 반탁 운동이 전개된 이유를 분석한다.
④ 김구와 김규식의 통일 정부 수립 노력을 살펴본다.
⑤ 제2차 미·소 공동 위원회가 개최된 계기를 파악한다.

07 (가)에 들어갈 내용으로 가장 적절한 것은?

① 신탁 통치 반대
② 통일 정부 수립 요구
③ 제주도로 부대 출동 반대
④ 미·소 공동 위원회 재개 요구
⑤ 모스크바 3국 외상 회의의 결정 지지

02 대한민국 정부의 수립

08 다음 헌법을 제정한 국회에 대한 설명으로 옳지 <u>않은</u> 것은?

> 제1조 대한민국은 민주 공화국이다.
> 제2조 대한민국의 주권은 국민에게 있고 모든 권력은 국민으로부터 나온다.
> 제86조 농지는 농민에게 분배하며 그 분배의 방법, 소유의 한도, 소유권의 내용과 한계는 법률로써 정한다.
> 제101조 국회는 1945년 8월 15일 이전의 악질적인 반민족 행위를 처벌하는 특별법을 제정할 수 있다.

① 발췌 개헌안을 통과시켰다.
② 대한민국을 국호로 정하였다.
③ 5·10 총선거를 통해 구성되었다.
④ 이승만을 대통령으로 선출하였다.
⑤ 반민족 행위 특별 조사 위원회를 설치하였다.

09 밑줄 친 '정부'에 대한 설명으로 옳은 것은?

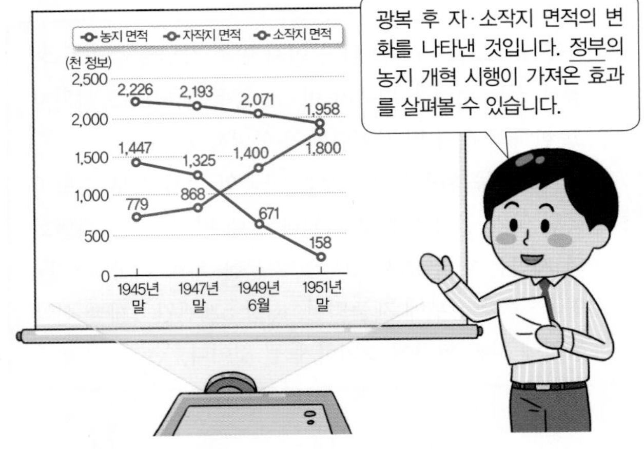

① 좌우 합작 7원칙을 발표하였다.
② 귀속 재산을 민간에 매각하였다.
③ 구본신참을 개혁의 원칙으로 삼았다.
④ 파리 강화 회의에 독립 청원서를 제출하였다.
⑤ 무상 몰수, 무상 분배의 토지 개혁을 추진하였다.

10 다음 법령에 대한 학생의 발표 내용으로 적절한 것을 《보기》에서 모두 고르면?

> • 일본 정부와 공모하여 한·일 합병에 적극적으로 협력한 자, 한국의 주권을 침해하는 조약 또는 문서에 조인한 자와 모의한 자는 사형 또는 무기 징역에 처하고, 그 재산과 유산의 전부 혹은 2분의 1 이상을 몰수한다.
> • 일본 정부로부터 작위를 받은 자 또는 일본 제국 의회의 의원이 되었던 자는 무기 또는 5년 이상의 징역에 처하고, 그 재산과 유산의 전부 혹은 2분의 1 이상을 몰수한다.

《보기》
ㄱ. 제헌 헌법을 근거로 제정된 특별법이에요.
ㄴ. 반민족 행위 특별 조사 위원회 설치의 근거였어요.
ㄷ. 일본인 소유의 재산을 처리할 목적으로 제정되었어요.
ㄹ. 이승만 정부가 적극적으로 친일파 청산에 나서는 동력이 되었어요.

① ㄱ, ㄴ ② ㄱ, ㄷ ③ ㄴ, ㄷ
④ ㄴ, ㄹ ⑤ ㄷ, ㄹ

03 6·25 전쟁과 남북 분단의 고착화

(빈출 문제) 연계 자료 → 89쪽 빈출 자료 05

11 6·25 전쟁에서 나타난 (가)~(라)의 전선 변화를 순서대로 바르게 나열한 것은?

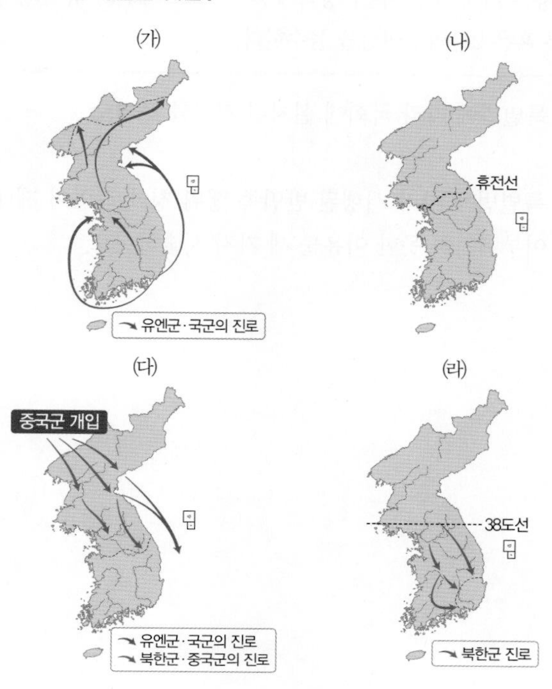

① (가)-(나)-(다)-(라) ② (나)-(라)-(가)-(다)
③ (다)-(가)-(라)-(나) ④ (라)-(가)-(다)-(나)
⑤ (라)-(다)-(가)-(나)

12 (가)에 들어갈 내용으로 가장 적절한 것은?

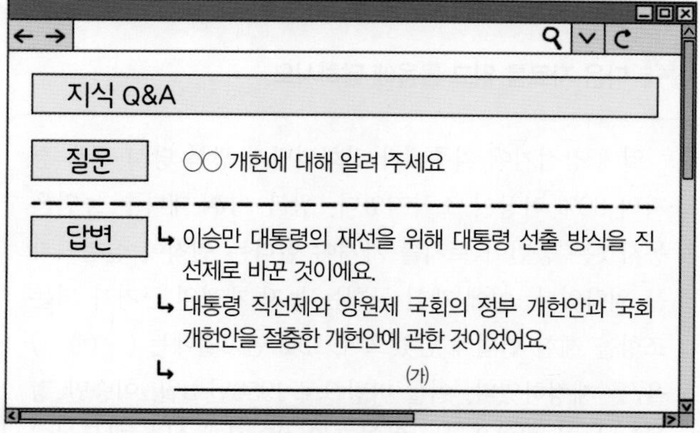
지식 Q&A

질문 ○○ 개헌에 대해 알려 주세요

답변
↳ 이승만 대통령의 재선을 위해 대통령 선출 방식을 직선제로 바꾼 것이에요.
↳ 대통령 직선제와 양원제 국회의 정부 개헌안과 국회 개헌안을 절충한 개헌안에 관한 것이었어요.
↳ (가)

① 6·25 전쟁 중에 추진되었어요.
② 사사오입 개헌이라고 불리기도 해요.
③ 초대 대통령에 한해 3선 금지 규정을 없앴어요.
④ 경향신문이 폐간된 이후에 개헌이 이루어졌어요.
⑤ 개헌 직후 실시된 선거로 장면 정부가 출범하였어요.

(빈출 문제) 연계 자료 → 89쪽 빈출 자료 06

13 밑줄 친 ㉠에 해당하는 인물에 대한 설명으로 옳은 것은?

> 제55조 대통령과 부통령의 임기는 4년으로 한다. 단, 재선에 의하여 1차 중임할 수 있다. 대통령이 궐위된 때에는 부통령이 대통령이 되고 잔임 기간 중 재임한다.
>
> 부칙 ㉠이 헌법 공포 당시의 대통령에 대하여는 제55조 제1항 단서의 제한을 적용하지 아니한다.

① 반공을 앞세워 반대 세력을 탄압하였다.
② 조선 건국 준비 위원회의 결성을 주도하였다.
③ 남북 협상에 참여하기 위해 평양을 방문하였다.
④ 통일 정부 수립을 위해 좌우 합작 위원회를 조직하였다.
⑤ 단독 정부 수립에 반대하여 5·10 총선거에 불출마하였다.

14 밑줄 친 '이 산업'에 대한 탐구 활동으로 가장 적절한 것은?

① 병참 기지화 정책의 결과를 살펴본다.
② 토지 조사령이 제정된 이유를 파악한다.
③ 산미 증식 계획의 추진 결과를 알아본다.
④ 전후 복구 과정에서 발달한 산업을 분석한다.
⑤ 허가제 회사령이 신고제로 전환된 배경을 조사한다.

서술형 문제

정답 및 해설 32쪽

01 다음 자료를 읽고 물음에 답하시오.

> 1. 한국의 독립을 위하여 한국 임시 민주 정부를 수립한다.
> 2. 임시 정부 수립을 위하여 (㈎)을/를 설치하고 한국의 정당 및 사회단체와 협의한다.
> 3. (㈎)의 임무는 한국의 자치 정부 수립과 독립 국가 건설을 돕고 지원하는 데 있다. …… 미국·소련·영국·중국 정부에 제출되어, 최장 5개년간 4개국 신탁 통치에 관한 협정에 합의하게 될 것이다.
>
> – 모스크바 3국 외상 회의 결정문(요약) –

(1) (가)에 해당하는 기구를 쓰시오.

(2) 위 결정 내용 중 3항에 대한 우리 민족의 반응을 서술하시오.

02 다음 자료를 읽고 물음에 답하시오.

> 1. 모스크바 3국 외상 회의 결정에 따라 남북을 통한 좌우 합작으로 임시 정부를 수립할 것
> 3. 몰수·유조건 몰수·체감 매상 등으로 토지를 회수하여 농민에게 무상으로 나누어 주며, 중요 산업을 국유화할 것
> 4. 친일파, 민족 반역자를 처리할 조례를 본 위원회에서 제안한 입법 기구가 심의 결정하여 실시하게 할 것

(1) 위 원칙을 발표한 단체를 쓰시오.

(2) 위 원칙 중 3항과 4항에 대한 좌익과 우익 진영의 입장을 서술하시오.

03 다음 자료를 읽고 물음에 답하시오.

> 일본 정부와 통모하여 한·일 합병에 적극 협력한 자, 한국의 주권을 침해하는 조약 또는 문서에 조인한 자와 모의한 자는 사형 또는 무기 징역에 처하고 그 재산과 유산의 전부 혹은 2분의 1 이상을 몰수한다.

(1) 위 특별법에 따라 국회에 설치된 기구를 쓰시오.

(2) 위 특별법에 따라 시행된 반민족 행위 청산 작업이 제대로 이루어지지 못한 이유를 세 가지 서술하시오.

04 다음 자료를 읽고 물음에 답하시오.

> 일제 강점기에 지주제가 강화되면서 광복 당시 전체 경지의 60% 이상이 소작지였다. 광복 이후 대다수 농민은 농사짓는 농민이 토지를 가져야 한다는 원칙이 실현되기를 원하였다. 이에 제헌 국회는 농지 개혁의 근거가 되는 조항을 제헌 헌법에 담았으며, 1949년 6월에는 (㈎)을/를 제정하였다. 이를 바탕으로 1950년 3월, 이승만 정부는 농지 개혁을 실시하였고 6·25 전쟁 이후 마무리되었다.

(1) (가)에 들어갈 법령을 쓰시오.

(2) (가) 법령에 담긴 농지 개혁의 원칙과 방식을 서술하시오.

상위 4% 문제

정답 및 해설 33쪽

01 밑줄 친 '그'의 활동으로 옳은 것은?

> 패망이 임박하자 조선 총독부는 한국에 거주하는 일본인의 안전한 귀국을 위해 당시 국내 지도자와 교섭을 벌였다. 이에 그는 다섯 가지 조건을 내걸고 총독부와 교섭을 벌여 치안 유지권 및 방송국, 언론 기관 등을 넘겨받았다.

① 5·10 총선거에 출마하였다.
② 한국광복군 창설을 주도하였다.
③ 한국독립당을 중심으로 활동하였다.
④ 독립 촉성 중앙 협의회를 조직하였다.
⑤ 김규식과 함께 좌우 합작 7원칙을 발표하였다.

02 밑줄 친 ㉠, ㉡이 개최된 사이의 시기에 있었던 사실로 옳은 것은?

> 미국과 소련은 모스크바 3국 외상 회의의 결정 사항을 이행하기 위해 덕수궁에서 ㉠제1차 미·소 공동 위원회를 열었다. 이 회의에서 미국과 소련은 민주주의 임시 정부 수립에 참여할 정당 및 사회단체의 범위를 놓고 대립하였다. 미국과 소련의 주장이 맞서면서 제1차 미·소 공동 위원회는 성과를 거두지 못한 채 무기한 휴회되었다. 이후 미국과 소련은 ㉡제2차 미·소 공동 위원회를 열었으나 협의 참여 단체에 대한 이견을 좁히지 못하였다. 결국 미국은 한반도 문제를 유엔에 넘겼다. 소련은 이를 두고 모스크바 3국 외상 회의의 결정을 위반하는 것이라며 유엔 총회에 불참하였다.

① 여수·순천 10·19 사건이 일어났다.
② 한·미 상호 방위 조약이 체결되었다.
③ 조선 건국 준비 위원회가 조직되었다.
④ 이승만이 남한 단독 정부 수립을 주장하였다.
⑤ 유엔 한국 임시 위원단이 한반도를 방문하였다.

03 밑줄 친 ㉠에 대한 설명으로 옳지 않은 것은?

> 유구한 역사와 전통에 빛나는 우리들 대한 국민은 기미 3·1 운동으로 대한민국을 건립하여 세계에 선포한 위대한 독립 정신을 계승하여 이제 민주 독립 국가를 재건함에 있어서 정의·인도와 동포애로써 민족의 단결을 공고히 하여 모든 사회적 폐습을 타파하고 …… 우리들의 ㉠정당하게 또 자유로이 선거된 대표로써 구성된 국회에서 단기 4281년 7월 12일 이 헌법을 제정한다.

① 5·10 총선거로 구성되었다.
② 대통령과 부통령을 선출하였다.
③ 헌법을 제정하고 국호를 정하였다.
④ 임기 2년의 국회의원으로 구성되었다.
⑤ 기립 투표로 발췌 개헌안을 통과시켰다.

04 다음 결의가 채택된 시기를 연표에서 옳게 고른 것은?

> 〈유엔 안보리 결의 82호〉
> 북한군의 대한민국에 대한 무력 공격을 중대한 관심으로서 주목하여, 이 행동이 평화 파괴를 조성함을 단정하고,
> 1. 전쟁 행위의 즉시 정지를 요구하고 또한, 북한군을 즉시 북위 38도선까지 철수시킬 것을 북한 당국에 요구하고 ……

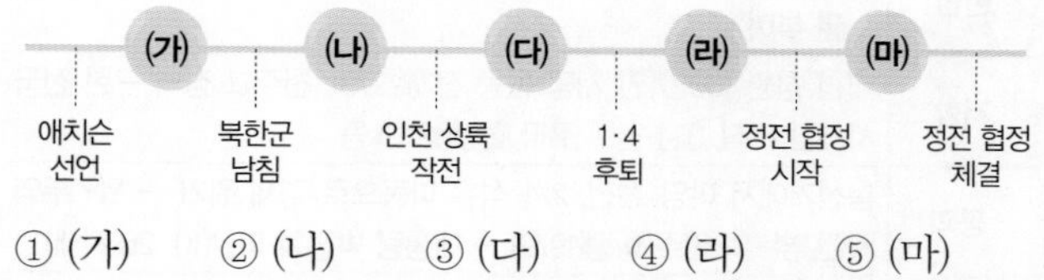

① (가) ② (나) ③ (다) ④ (라) ⑤ (마)

12 4·19 혁명과 민주주의의 발전

출제 경향
★ 4·19 혁명, 6월 민주 항쟁의 원인과 결과를 묻는 문제
★ 각 정부가 추진한 주요 정책을 묻는 문제

01 4·19 혁명에서 시작된 민주화 운동

1. 4·19 혁명과 장면 내각

(1) 4·19 혁명(1960) 빈출 자료 01

원인	이승만 정부의 장기 독재, 3·15 부정 선거
전개	2·28 민주 운동 등 3·15 부정 선거 규탄 시위 → 마산에서 시위 중 사망한 김주열의 시신 발견 → 서울 등 대도시에서 부정 선거 규탄 시위 확대(4. 19.), 경찰의 발포, 비상계엄 선포 → 대학교수단의 시국 선언(4. 25.) → 이승만 하야 성명(4. 26.)
결과	허정 과도 정부 수립 → 개헌(내각 책임제, 양원제 국회)

(2) 장면 정부

① 출범 : 새 헌법에 따라 민의원, 참의원 선거 → 민주당 승리 → 국무총리 장면 중심의 내각 구성
② 정책 : 지방 자치제 시행, 경제 개발 5개년 계획안 마련
③ 한계 : 부정 선거 책임자와 부정 축재 처벌에 소극적, 사회 여러 계층의 다양한 요구를 정책에 반영하지 못함

2. 5·16 군사 정변과 박정희 정부 빈출 자료 02

(1) 군사 정부 구성

① 5·16 군사 정변(1961) : 박정희 등 일부 군인들의 정변, 정권 장악 → 장면 정부 붕괴, '혁명 공약' 발표
② 군정 실시 : 국가 재건 최고 회의가 주도 → 중앙정보부 설치, 기존 정치인의 활동 금지, 언론 탄압 등
③ 민정 이양 : 개헌(대통령 중심제, 단원제 국회) → 민주 공화당 조직, 대통령 선거에 후보로 나선 박정희 당선

(2) 박정희 정부

한·일 협정	김종필과 오히라의 비밀 회담 → 6·3 시위(한·일 회담 반대 시위, 1964) → 정부가 비상계엄 선포, 시위 진압 → 한·일 협정 체결(1965)로 국교 정상화, 경제 개발 자금의 일부 확보
베트남 파병	• 미국의 경제·군사적 지원 약속 → 1964~1973년까지 파병 • 베트남 특수로 경제 성장에 기여 • 고엽제 후유증, 한국군과 베트남 민간인 희생 문제 등 야기
3선 개헌	안보 강화와 경제 개발 지속을 명분으로 대통령 3선을 위한 개헌 단행(1969) → 박정희의 장기 집권 토대 마련

3. 유신 체제 성립과 저항 빈출 자료 03

배경	• 냉전 체제 완화, 7·4 남북 공동 성명 발표 • 국가 안보와 경제 성장을 명분으로 비상 국무 회의에서 헌법 개정안 의결 → 국민 투표로 유신 헌법 확정
유신 헌법	• 대통령 간선제(통일 주체 국민 회의에서 선출, 임기 6년) • 대통령에게 국회의원 3분의 1 추천권, 법관 임명권, 긴급 조치권 부여
저항	개헌 청원 100만 인 서명 운동 전개(1973), 천주교 정의 구현 전국 사제단 조직, 3·1 민주 구국 선언(1976) 등
붕괴	총선거에서 야당 선전, 2차 석유 파동으로 경제 위기 → YH 무역 사건, 부·마 민주 항쟁(1979) → 대통령 박정희 피살(10·26 사태)

4. 신군부 등장과 5·18 민주화 운동

(1) 신군부 등장 : 10·26 사태 후 전두환 등 신군부가 실권 장악(12·12 군사 반란, 1979) → 신군부 퇴진을 요구하는 민주화 운동('서울의 봄', 1980) → 비상계엄 확대

(2) 5·18 민주화 운동

① 전개 : 광주 시민의 민주화 시위(계엄령 철폐, 신군부 퇴진 요구) → 신군부가 공수 부대 동원, 무차별 진압 → 시민군 조직, 저항 → 탱크, 헬기를 동원한 계엄군의 무력 진압
② 의의 : 1980년대 민주화 운동의 토대, 아시아 국가들의 민주화 운동에 영향

02 6월 민주 항쟁과 민주주의의 발전

1. 전두환 정부와 6월 민주 항쟁

(1) 전두환 정부 성립

성립	신군부가 국가 보위 비상 대책 위원회 설치(언론 통폐합, 삼청 교육대 설치) → 통일 주체 국민 회의에서 전두환을 대통령으로 선출(1980) → 7년 단임 대통령 간선제로 개헌 → 전두환이 제12대 대통령으로 선출(1981)
정책	• 대학 내 경찰 상주, 학생 운동, 노동 운동 등 민주화 운동 탄압 • 야간 통행금지 해제, 중·고등학생 두발과 교복 자율화, 프로 야구단 창단 등 유화 정책

(2) 6월 민주 항쟁 빈출 자료 04

배경	• 전두환 정부의 강압적 통치, 대통령 직선제 개헌 요구 확산 • 부천 경찰서 성 고문 사건, 박종철 고문치사 사건 발생 • 전두환 정부의 4·13 호헌 조치(대통령 간선제 고수)
전개	천주교 정의 구현 전국 사제단이 박종철 고문치사 사건의 은폐·조작 폭로 → 직선제 개헌과 정권 퇴진 운동 전개 → 시위 과정에서 이한열 피격 → 6·10 국민 대회, 시위 확산 → 6·29 민주화 선언
결과	5년 단임의 대통령 직선제 개헌

2. 평화적 정권 교체와 민주주의의 발전 빈출 자료 05

노태우 정부	대통령 직선제 개헌 후 노태우 대통령 당선 → 여소야대 국회, 3당 합당, 북방 외교 추진, 서울 올림픽 개최
김영삼 정부	• 고위 공직자 재산 등록, 금융 실명제 시행, 지방 자치제 전면적인 실시, 전두환과 노태우 두 전직 대통령 처벌, 하나회 척결 • 임기 말 외환위기 발생
김대중 정부	• 정부 수립 이후 처음으로 선거를 통한 평화적 정권 교체 • 국제 통화 기금(IMF)의 지원금 조기 상환 → 외환위기 극복 • 대북 화해 협력 정책 추진, 남북 정상 회담 개최
노무현 정부	• 권위주의 청산, 지방 분권화와 과거사 정리 노력 • 저소득층 대상의 복지 정책 강화, 지방 혁신 도시 건설, 행정 수도 이전 추진, 남북 정상 회담 개최
이명박 정부	• 성장 위주의 경제 정책 추진, G20 정상 회의 개최 • 4대강 살리기 사업 추진 → 시민 사회와 갈등
박근혜 정부	• 창조 경제, 안정과 통합의 사회 등을 국정 지표로 제시 • 시민의 촛불 시위, 탄핵과 하야 촉구 → 대통령 탄핵

빈출 특강

빈출 자료 01) 3·15 부정 선거 | 연계 문제 → 98쪽 01번

> 여유 있는 투표 용지에 선거인 명부에 표시해 둔 유권자 4할의 수에 자유당 후보자에게 미리 찍어 놓는다. …… 기표소는 종전과는 달리 기표소 내에서도 서로 누구를 찍었는가를 볼 수 있게 칸을 막아 놓고 조장이 자유당에 찍은 것을 확인한 뒤 용지를 접지 않고 투표함 옆에 있는 자유당계 위원이 재차 확인하여 투입 족족 몇 매가 투입되는지 계산토록 공개 투표를 한다. - "동아일보", 1960. 3. 4. -

| 자료 분석 | 민주당이 폭로한 3·15 부정 선거 지시 사항의 일부이다. 1960년 제4대 대통령 선거 유세 도중 민주당 후보인 조병옥이 사망하면서 이승만의 당선이 확실해졌다. 그러나 이승만 정부와 자유당은 당시 85세의 이승만이 당선되더라도 건강상의 문제로 부통령이 대통령직을 승계하는 상황이 생길 것을 우려하여 부통령에 이기붕을 당선시키기 위해 온갖 부정을 저질렀다. 부정 선거에 대한 저항에서 시작된 학생, 시민의 시위는 4·19 혁명으로 발전하였다.

빈출 자료 02) 5·16 군사 정변 | 연계 문제 → 99쪽 04번

> 1. 반공을 제1의 국시(國是)로 한다.
> 3. 부패와 구악을 일소하고 도의와 민족정기를 바로잡는다.
> 4. 민생고를 해결하고 국가 자주 경제 재건에 총력을 기울인다.
> 6. ㉠과업이 성취되면 양심적인 정치인들에게 정권을 이양하고 군 본연의 임무에 복귀한다.

| 자료 분석 | 박정희를 비롯한 군인들이 군사 정변을 일으켜 정권을 장악하고 발표한 혁명 공약이다. 이들은 반공을 내세워 4·19 혁명으로 분출된 국민의 민주적 요구를 억압하고 군정을 실시하였다.

- ㉠ : 당초 군 본연의 임무에 복귀한다고 약속하였지만, 이를 어기고 비밀리에 민주 공화당을 창당한 후 전역한 박정희는 제5대 대통령 선거에 출마하여 당선되었다.

빈출 자료 03) 유신 체제 | 연계 문제 → 99쪽 06번

> 다음 각호의 행위를 금한다.
> - 유언비어를 날조, 유포하거나 왜곡하여 전파하는 행위
> - 집회 또는 신문, 방송 등 공중 전파 수단이나 문서, 음반 등 표현물에 의하여 대한민국 헌법을 부정·반대·왜곡 또는 비방하거나 그 개정 또는 폐지를 주장·청원·선동 또는 선전하는 행위
> - 이 조치를 공연히 비방하는 행위

| 자료 분석 | 유신 헌법은 대통령에게 국민의 기본권까지 제한할 수 있는 긴급 조치권과 법관 인사권, 국회의원 3분의 1 추천권 등 막강한 권한을 부여하였다. 유신 체제는 삼권 분립이라는 민주 정치의 기본 원리를 무시한 권위주의적 독재 체제였다.

빈출 자료 04) 6월 민주 항쟁 | 연계 문제 → 100쪽 09번

> **[자료 1] 6·10 국민 대회 선언문**
> 오늘 우리는 40년 독재 정치를 청산하고 희망찬 민주 국가를 건설하기 위한 거보를 전 국민과 함께 내딛는다. 국가의 미래요 소망인 ㉠꽃다운 젊은이를 야만적인 고문으로 죽여 놓고 그것도 모자라 뻔뻔스럽게 국민을 속이려 했던 현 정권에게 국민의 분노가 무엇인지를 분명히 보여 주고, ㉡국민적 여망인 개헌을 일방적으로 파기한 4·13 폭거를 철회시키기 위한 민주 장정을 시작한다.

> **[자료 2] 6·29 민주화 선언**
> 첫째, 여야 합의하에 조속히 대통령 직선제 개헌을 하고 새 헌법에 의해 대통령 선거로 1988년 2월 평화적 정부 이양을 실현하도록 하겠습니다. …… 둘째, 최대한의 공명정대한 선거 관리가 이루어져야 합니다. 셋째, 극소수를 제외한 모든 시국 관련 사범들은 석방되어야 합니다.

| 자료 분석 | 박종철 고문치사 사건에 대한 진실이 폭로되면서 민주화 운동 세력은 전국적인 조직을 결성하여 체계적 항쟁을 선언하였다. 이를 기점으로 시위는 확산되었고, 결국 정부는 당시 여당 대통령 후보 노태우를 앞세워 직선제 개헌 요구를 수용하는 선언을 하였다.

- ㉠ : 박종철 고문치사 사건을 말한다.
- ㉡ : 기존 간선제 헌법으로 대통령 선거를 치르겠다고 발표한 4·13 호헌 조치를 말한다.

빈출 자료 05) 노태우 정부 | 연계 문제 → 100쪽 10번

[자료 1] 제13대 대통령 선거 후보자별 득표율

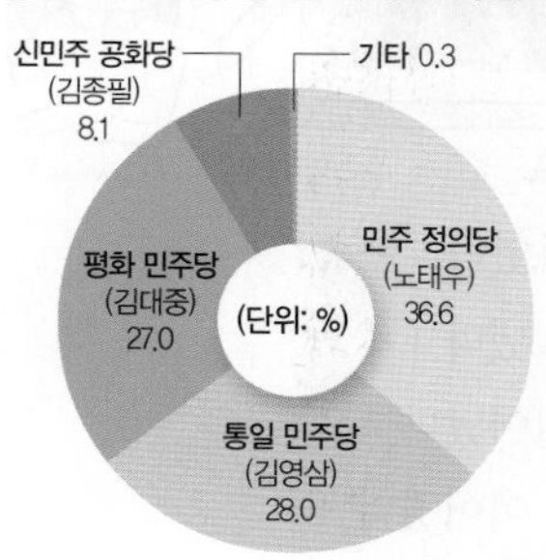

[자료 2] 제13대 총선 정당별 의석수

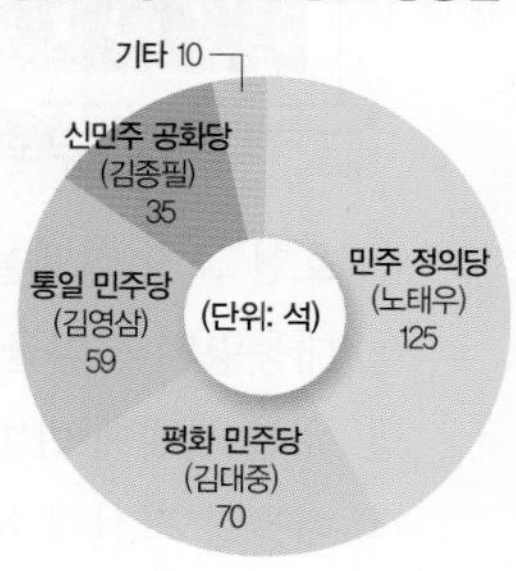

| 자료 분석 | [자료 1]은 6월 민주 항쟁으로 대통령 직선제 개헌이 이루어진 후 처음 실시된 대통령 선거의 결과이다. 야당의 김영삼, 김대중 두 후보가 얻은 득표율이 과반이 넘지만, 야당의 후보 단일화 실패로 여당 후보인 노태우가 대통령에 당선되었다. 하지만 이듬해 실시된 국회의원 선거에서는 여당인 민주 정의당보다 세 야당의 의석수가 많은 여소야대 정국이 형성되었다. 이런 정국에서 야당의 요구로 전두환 정부의 비리와 5·18 민주화 운동의 진상 규명을 위한 국회 청문회가 개최되기도 하였다.

올쏘 시험에 꼭 나오는 문제

개념 확인 문제

01 다음 서술 내용이 옳으면 ○표, 틀리면 ×표를 하시오.

(1) 3·15 부정 선거에 대한 국민적 저항으로 6·3 시위가 일어났다. ( )
(2) 장면 정부는 경제 개발 5개년 계획안을 마련하였다. ( )
(3) 박정희 정부는 3선 개헌을 통해 장기 집권의 토대를 마련하였다. ( )
(4) 박정희 정부는 7·4 남북 공동 성명을 발표하여 통일 분위기를 높인 후 유신 헌법을 제정하였다. ( )
(5) 3선 개헌에 반발하여 5·18 민주화 운동이 일어났다. ( )

02 서로 관련된 사실을 바르게 연결하시오.

(1) 노태우 정부 • • ㉠ 북방 외교 추진
(2) 김영삼 정부 • • ㉡ 4대강 살리기 사업
(3) 김대중 정부 • • ㉢ 역사 바로 세우기
(4) 노무현 정부 • • ㉣ 행정 수도 이전 추진
(5) 이명박 정부 • • ㉤ 국제 통화 기금의 지원금 조기 상환

03 다음 내용에 해당하는 정부를 ◀ 보기 ▶에서 골라 쓰시오.

◀ 보기 ▶
ㄱ. 장면 정부 ㄴ. 노태우 정부
ㄷ. 김영삼 정부 ㄹ. 김대중 정부

(1) 정부 수립 이후 처음으로 선거를 통한 평화적 정권 교체로 탄생한 정부는? ( )
(2) 서울 올림픽 대회를 성공적으로 개최하고, 북한과 유엔에 동시 가입한 정부는? ( )
(3) 금융 실명제를 전격 시행하고, 지방 자치제를 전면적으로 실시한 정부는? ( )
(4) 4·19 혁명 이후 내각 책임제를 중심으로 하는 헌법 개정에 따라 출범한 정부는? ( )

04 다음 빈칸에 들어갈 알맞은 말을 쓰시오.

(1) 5·16 군사 정변 직후 군부는 ( )을/를 중심으로 군정을 실시하였다.
(2) 신군부는 광주에서 일어난 ( )을/를 진압한 후 국가 보위 비상 대책 위원회를 설치하여 정치적 실권을 장악하였다.
(3) 전두환 정부의 박종철 고문치사와 4·13 호헌 조치에 반발한 시위가 확산되어 ( )이/가 일어났다.
(4) 노태우 정부 시기 여소야대 정국을 극복하기 위해 ( )을/를 단행하였다.

01 4·19 혁명에서 시작된 민주화 운동

(빈출 문제) 연계 자료 → 97쪽 빈출 자료 01

01 다음 자료를 활용한 탐구 활동으로 가장 적절한 것은?

> 기표소는 종전과는 달리 기표소 내에서도 서로 누구를 찍었는가를 볼 수 있게 칸을 막아 놓고 조장이 자유당에 찍은 것을 확인한 뒤 용지를 접지 않고 투표함 옆에 있는 자유당계 위원이 재차 확인하여 투입 족족 몇 매가 투입되는지 계산토록 공개 투표를 한다.
> – 민주당이 폭로한 선거 지시 사항, "동아일보" –

① 신군부의 정권 장악 과정을 살펴본다.
② 5·18 민주화 운동의 영향을 분석한다.
③ 4·19 혁명이 일어난 원인을 알아본다.
④ 6월 민주 항쟁의 전개 과정을 파악한다.
⑤ 유신 체제에 대한 저항 운동을 조사한다.

유사 선택지 문제

01_ ❶ 이승만 정부와 자유당은 이기붕을 부통령에 당선시키기 위해 ( )을/를 자행하였다.
01_ ❷ 3·15 부정 선거에 대한 국민적 저항으로 (4·19 혁명 / 6·3 시위 / 6월 민주 항쟁)이/가 일어났다.
01_ ❸ 4·19 혁명이 일어나 이승만 대통령이 탄핵되었다. (○ / ×)

02 밑줄 친 '시위'를 도화선으로 발생한 역사적 사건에 대한 설명으로 옳은 것은?

① 호헌 조치 철폐를 요구하였다.
② 대통령의 사임을 이끌어 냈다.
③ 유신 체제에 반발하여 일어났다.
④ 대통령 직선제 개헌으로 이어졌다.
⑤ 박종철 고문치사 사건을 계기로 확대되었다.

03 다음 헌법이 적용된 시기에 있었던 사실로 옳은 것은?

> 제32조 민의원 의원의 정수와 선거에 관한 사항은 법률로 써 정한다. 참의원 의원은 특별시와 도를 선거구로 하여 정하는 바에 의하여 선거하며 그 정수는 민의원 의원 정수의 4분의 1을 초과하지 못한다.
> 제53조 대통령은 양원 합동 회의에서 선거하고 재적 국회 의원 3분의 2 이상의 투표를 얻어 당선된다.

① 한·일 협정이 체결되었다.
② 3·15 부정 선거가 자행되었다.
③ 경제 개발 5개년 계획안이 마련되었다.
④ 대통령에게 긴급 조치권이 부여되었다.
⑤ 반민족 행위 특별 조사 위원회가 설치되었다.

(빈출 문제) 연계 자료 → 97쪽 빈출 자료 02

04 다음 공약을 발표한 세력에 대한 설명으로 옳은 것은?

> 1. 반공을 제1의 국시(國是)로 한다.
> 2. 미국 및 자유 우방과 유대를 공고히 한다.
> 3. 부패와 구악을 일소하고 도의와 민족정기를 바로잡는다.
> 4. 민생고를 해결하고 국가 자주 경제 재건에 총력을 기울인다.
> 5. 통일을 위하여 공산주의와 대결할 실력 배양에 힘쓴다.
> 6. 과업이 성취되면 양심적인 정치인들에게 정권을 이양하고 군 본연의 임무에 복귀한다.

① 삼청 교육대를 설치하였다.
② 4·13 호헌 조치를 발표하였다.
③ 처음으로 남북 정상 회담을 개최하였다.
④ 국가 재건 최고 회의를 통해 군정을 실시하였다.
⑤ 북방 외교를 추진하여 공산권 국가와 수교하였다.

05 다음 각서가 작성된 시기에 볼 수 있는 모습으로 가장 적절한 것은?

> • 대한민국 국군의 현대화 계획을 위해 상당량의 장비를 제공하며 파병에 따른 경비를 부담한다.
> • 전쟁 보급 물자와 용역, 장비를 대한민국에서 구매하며 각종 사업에 한국을 참여시킨다.
> • 한국의 경제 발전을 지원하기 위해 차관을 제공한다.

① 베트남에 파병되는 국군
② 개헌 청원 서명 운동을 벌이는 시민
③ 한·일 협정 체결 반대 시위를 벌이는 학생
④ 통일 주체 국민 회의에서 선출되는 대통령
⑤ 3선 개헌안을 편법으로 통과시키는 국회의원

(빈출 문제) 연계 자료 → 97쪽 빈출 자료 03

06 다음 조치를 시행한 정부에 저항한 민주화 운동으로 옳은 것은?

> 다음 각호의 행위를 금한다.
> – 유언비어를 날조, 유포하거나 왜곡하여 전파하는 행위
> – 집회 또는 신문, 방송 등 공중 전파 수단이나 문서, 음반 등 표현물에 의하여 대한민국 헌법을 부정·반대·왜곡 또는 비방하거나 그 개정 또는 폐지를 주장·청원·선동 또는 선전하는 행위
> – 이 조치를 공연히 비방하는 행위

① 6·3 시위 ② 4·19 혁명
③ 6월 민주 항쟁 ④ 부·마 민주 항쟁
⑤ 5·18 민주화 운동

유사 선택지 문제

06_ ❶ (   ) 헌법은 대통령에게 긴급 조치권을 부여하였다.
06_ ❷ 유신 체제에 저항하여 1979년에 부산을 비롯한 경남 지역에서 (부·마 민주 항쟁 / 5·18 민주화 운동 / 6월 민주 항쟁)이 일어났다.
06_ ❸ 유신 헌법에 따라 대통령은 통일 주체 국민 회의에서 간선제로 선출되었다. (○ / ×)

시험에 꼭 나오는 문제

02 6월 민주 항쟁과 민주주의의 발전

07 (가) 운동에 대한 설명으로 옳은 것은?

((가)) 일지

5. 18. 대학생들의 시위 전개
5. 19. 공수 부대 증파, 강경 진압 항의 시위 확산
5. 20. 전남 도청 앞에서 차량 시위 전개
5. 21. 공수 부대 집단 발포, 시민군 무장
5. 27. 계엄군의 도청 점령, 진압 작전 종료

① 내각 책임제 개헌의 계기가 되었다.
② 부정 선거가 시위 발생의 원인이었다.
③ 박정희 독재 체제에 대한 저항 운동이었다.
④ 헌법 재판소의 대통령 탄핵 심판으로 이어졌다.
⑤ 6월 민주 항쟁 등 민주화 운동의 토대가 되었다.

08 (가) 정부에 대한 설명으로 옳지 않은 것은?

((가)) 정부는 야간 통행금지 전면 해제, 중·고등학생 두발 및 교복 자율화, 학생회 부활, 프로 야구단 및 축구단 창단 등 유화 정책을 펼쳐 통치 체제를 안정시키려 하였다.

① 4·13 호헌 조치를 발표하였다.
② 보도 지침을 내려 언론을 통제하였다.
③ 금강산댐 사건으로 안보 위기를 조장하였다.
④ 대통령 직선제 개헌 후 새로운 헌법에 따라 수립되었다.
⑤ 경찰 고문으로 대학생이 사망한 사건을 은폐·조작하였다.

(빈출 문제) 연계 자료 → 97쪽 빈출 자료 04

09 다음 선언문이 발표된 민주화 운동의 결과로 가장 알맞은 것은?

오늘 우리는 40년 독재 정치를 청산하고 희망찬 민주 국가를 건설하기 위한 거보를 전 국민과 함께 내딛는다. 국가의 미래요 소망인 꽃다운 젊은이를 야만적인 고문으로 죽여 놓고 그것도 모자라 뻔뻔스럽게 국민을 속이려 했던 현 정권에게 국민의 분노가 무엇인지를 분명히 보여 주고, 국민적 여망인 개헌을 일방적으로 파기한 4·13 폭거를 철회시키기 위한 민주 장정을 시작한다.

① 신군부가 집권하였다.
② 대통령이 하야하였다.
③ 유신 체제가 붕괴되었다.
④ 여야 정권 교체가 이루어졌다.
⑤ 대통령 직선제 개헌이 이루어졌다.

유사 선택지 문제

09_ ❶ 전두환 정부는 간선제의 기존 헌법에 따라 대통령 선거를 치르겠다는 (   )을/를 발표하였다.
09_ ❷ 박종철 고문치사 사건과 4·13 호헌 조치 발표 등에 저항하여 (4·19 혁명 / 5·18 민주화 운동 / 6월 민주 항쟁)이 일어났다.
09_ ❸ 전두환 정부는 노태우를 통해 국민의 대통령 직선제 개헌 요구를 받아들이는 6·29 민주화 선언을 발표하였다. (○ / ×)

(빈출 문제) 연계 자료 → 97쪽 빈출 자료 05

10 다음 도표와 같이 구성된 국회가 운영된 시기에 있었던 사실로 옳은 것은?

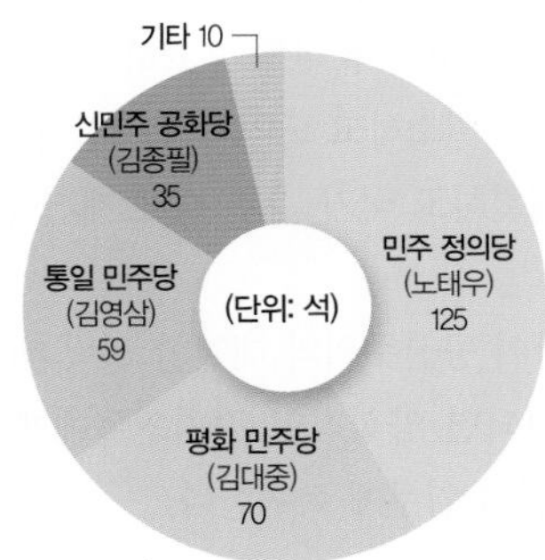

① 국민 기초 생활 보장법을 제정하였다.
② 지방 자치제가 전면적으로 실시되었다.
③ 처음으로 남북 정상 회담이 개최되었다.
④ 경제 협력 개발 기구(OECD)에 가입하였다.
⑤ 전두환 정부의 비리 조사를 위한 청문회가 개최되었다.

11 다음 뉴스가 처음 보도된 시기의 모습으로 옳은 것은?

① 금융 실명제가 실시되었다.
② 남북 정상 회담이 개최되었다.
③ 국사 교과서 국정화가 추진되었다.
④ 국정 농단을 규탄하는 촛불 시위가 벌어졌다.
⑤ 친일 반민족 행위 진상 규명 위원회가 설치되었다.

12 다음 정책을 실시한 정부에 대한 설명으로 옳은 것은?

> 제주 4·3 사건 및 의문사 진상 규명, 민주화 운동 관련자 명예 회복 등 과거사 정리를 추진하는 한편, 여성부를 신설하여 성차별 극복에 힘쓰고 국가 인권 위원회를 설치하였다. 또한 대북 화해 협력 정책을 펼쳐 2000년에 평양에서 남북 정상 회담을 갖고 6·15 남북 공동 선언을 발표하였다.

① 서울 올림픽을 개최하였다.
② 행정 수도 이전을 추진하였다.
③ G20 정상 회의를 개최하였다.
④ 4대강 살리기 사업을 추진하였다.
⑤ 국제 통화 기금의 지원금을 조기 상환하였다.

13 밑줄 친 '정부'에 대한 설명으로 옳은 것은?

> <u>정부</u>는 권위주의 청산, 지방 분권, 과거사 정리를 위해 노력하였다. 국가 정보원, 검찰 등 국가 권력 기관의 독립성을 강화하고 행정 수도 이전, 지방 혁신 도시 건설, 주요 공공 기관의 지방 이전을 추진하였다. 친일 반민족 행위 진상 규명 위원회와 진실 화해 위원회도 조직하였다.

① 유신 헌법을 제정하였다.
② 한·일 협정을 체결하였다.
③ 베트남에 국군을 파병하였다.
④ 남북 정상 회담을 개최하였다.
⑤ 4대강 살리기 사업을 추진하였다.

14 (가), (나) 사이의 시기에 있었던 사실로 옳은 것은?

> (가) 외환위기 속에서 치러진 대통령 선거에서 야당 후보가 대통령에 당선되어 정부 수립 이후 처음으로 선거를 통한 평화적 정권 교체가 이루어졌다.
> (나) 성장 위주의 경제 정책을 공약으로 내세운 야당 후보가 대통령에 당선되어 10년 만에 다시 여야 정권 교체가 이루어졌다.

① 지방 자치제의 전면적인 시행을 결정하였다.
② 북방 외교를 추진하여 소련, 중국 등과 국교를 수립하였다.
③ 대북 화해 협력 정책을 추진하여 남북 관계가 개선되었다.
④ 역사 바로 세우기 사업을 추진하여 두 전직 대통령을 법정에 세웠다.
⑤ 정권 안정을 위해 야간 통행금지를 해제하는 등 유화 정책을 추진하였다.

서술형 문제

정답 및 해설 35쪽

01 다음 자료를 읽고 물음에 답하시오.

1. 마산, 서울, 기타 각지의 학생 데모는 주권을 빼앗긴 국민의 울분을 대신하여 궐기한 학생들의 순진한 정의감의 발로이며 부정과 불의에 항거하는 민족정기의 표현이다.
2. 이 데모를 공산당의 조정이나 야당의 사주로 보는 것은 고의의 왜곡이며 학생들의 정의감에 대한 모독이다.
5. 3·15 선거는 불법 선거이다. 공명선거에 의하여 정·부통령 선거를 다시 실시하라.

(1) 위 선언문이 발표된 민주화 운동을 쓰시오.

(2) (1) 민주화 운동이 가져온 결과를 서술하시오.

02 다음 자료를 읽고 물음에 답하시오.

1970년대 들어서서 박정희 정부는 위기를 맞았다. 냉전 체제가 완화되면서 반공 정책을 계속 추진하기 어려워졌으며 경제도 침체되었다. 국내외 상황 변화에 위기감을 느낀 박정희 정부는 1972년 7·4 남북 공동 성명을 발표하여 북한과 평화 통일 원칙에 합의하였다. 그리고 1972년 10월, 현행 헌법이 평화 통일을 뒷받침할 수 없다는 명분으로 전국에 비상계엄을 선포하여 국회를 해산하고 비상 국무 회의에서 제정한 (　(가)　)을/를 국민 투표로 확정하였다.

(1) (가)에 들어갈 개정 헌법을 가리키는 용어를 쓰시오.

(2) (1) 헌법에서 대통령에게 부여한 권한을 세 가지 서술하시오.

03 다음 자료를 읽고 물음에 답하시오.

우리는 왜 총을 들 수밖에 없었는가? 그 대답은 너무 간단합니다. 너무나 무자비한 만행을 더 이상 보고 있을 수만 없어서 너도나도 총을 들고 나섰던 것입니다. …… 정부 당국은 18일 오후로부터 각 학교에 공수 부대를 투입하고 이에 반발하는 학생들에게 대검을 꽂고 "돌격 앞으로!"를 감행하였고, 이에 우리 학생들은 다시 거리로 뛰쳐나와 정부 당국의 불법 처사를 규탄하였던 것입니다.

(1) 위 시민 궐기문이 발표된 민주화 운동을 쓰시오.

(2) (1) 민주화 운동의 의의를 세 가지 서술하시오.

04 다음 자료를 읽고 물음에 답하시오.

첫째, 여야 합의하에 조속히 대통령 직선제 개헌을 하고 새 헌법에 의해 대통령 선거로 1988년 2월 평화적 정부 이양을 실현하도록 하겠습니다. …… 국민은 나라의 주인이며, 국민의 뜻은 모든 것에 우선하는 것입니다. 둘째, 최대한의 공명정대한 선거 관리가 이루어져야 합니다. 셋째, 극소수를 제외한 모든 시국 관련 사범들은 석방되어야 합니다.

(1) 위 내용을 발표한 시국 수습 특별 선언을 쓰시오.

(2) (1)의 배경이 된 민주화 운동이 일어난 계기를 서술하시오.

상위 4% 문제

01 (가) 민주화 운동의 결과로 옳은 것은?

> • 앞으로 전개될 모든 형태의 민족 운동, 사회 운동 및 민주 통일 운동은 다 같이 ((가))을/를 그들의 고향으로 한다. 따라서 그 자체로서 '영구 혁명'의 출발이지 그 완성은 아니다. – 10주년 기념사 –
> • ((가))이/가 있었기에 우리는 유신을 거부해야 할 당위성을 찾았고, 우리는 필승의 신념을 가질 수 있었다. …… 5·16에 의해 말살된 것이 아니다. – 20주년 기념사 –

① 내각 책임제 개헌이 이루어졌다.
② 일부 군인들에 의해 군정이 실시되었다.
③ 국민이 직접 대통령을 선출하게 되었다.
④ 국가 보위 비상 대책 위원회가 설치되었다.
⑤ 한·일 협정이 체결되어 국교가 정상화되었다.

02 밑줄 친 ㉠에 대한 설명으로 옳은 것을 《보기》에서 모두 고르면?

> 〈판 결 문〉
> ㉠5·18 내란 행위자들이 …… 헌법 기관인 대통령, 국무위원들에 대하여 강압을 가하고 있는 상태에서, 이에 항의하기 위하여 일어난 광주 시민들의 시위는 …… 헌정 질서를 수호하기 위한 정당한 행위 …… 그 시위 진압 행위는 …… 국헌 문란에 해당한다.

《보기》
ㄱ. 언론사를 통폐합하여 통제하였다.
ㄴ. 삼청 교육대를 설치하여 공포 분위를 조성하였다.
ㄷ. 국가 재건 최고 회의를 구성하여 정권을 장악하였다.
ㄹ. 비상계엄을 선포하여 국회를 해산하고 헌법을 개정하여 대통령 임기를 6년으로 하였다.

① ㄱ, ㄴ　② ㄱ, ㄷ　③ ㄴ, ㄷ
④ ㄴ, ㄹ　⑤ ㄷ, ㄹ

03 다음 도표의 대통령 선거 결과가 나올 수 있었던 배경을 알아보기 위한 탐구 활동으로 가장 적절한 것은?

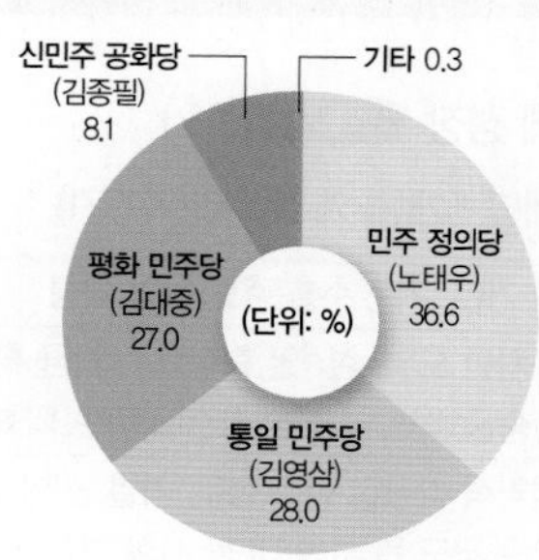

① 6월 민주 항쟁의 결과를 알아본다.
② 부·마 민주 항쟁의 배경을 이해한다.
③ 6·3 시위가 일어난 이유를 조사한다.
④ 4·19 혁명이 일어난 원인을 파악한다.
⑤ 5·18 민주화 운동의 전개 과정을 살펴본다.

04 (가)에 들어갈 내용으로 가장 적절한 것은?

① 5·18 특별법 제정
② 소련, 중국과 국교 수립
③ 대북 화해 협력 정책 추진
④ 지방 자치제 전면적인 실시
⑤ 반민족 행위 진상 규명 위원회 설치

Ⅳ. 대한민국의 발전

13 경제 성장과 사회·경제적 변화

출제 경향
★ 1960년대와 1970년대의 경제 성장 내용을 묻는 문제
★ 외환위기의 발생 원인과 극복 과정을 묻는 문제

01 1960~70년대 경제 성장과 사회·문화의 변화

1. 정부 주도의 경제 성장 빈출 자료 01

(1) 제1·2차 경제 개발 5개년 계획(1962~1971)

목표	자립 경제 기반 구축, 수출 주도 산업 육성
자금 확보	외국에서 차관 도입, 한·일 협정으로 자금 확보, 서독 파견 광부와 간호사의 송금, 베트남 전쟁 특수에 따른 외화 획득
성과	• 노동 집약적 경공업 성장(섬유, 가발, 신발 등) • 경부 고속 국도 완공(1970) 등 사회 간접 자본 확충
한계	1960년대 말 세계 경제의 침체로 수출 실적 부진, 외채 상환 부담 증가 → 창원 일대에 자유 무역 단지 조성, 8·3 조치(기업에 상환 유예, 사채 동결, 1972)

(2) 제3·4차 경제 개발 5개년 계획(1972~1981)

목표	중화학 공업 육성
성과	• 석유 화학, 조선, 철강, 비철 금속, 전자, 자동차를 포함한 기계 산업 투자 확대 • 경상도 해안가에 대규모 산업 단지 조성 • 수출 100억 달러 달성(1977)
위기	• 제1차 석유 파동(1973)을 중동 지역의 건설 사업 진출로 극복 • 제2차 석유 파동(1978)과 중화학 공업에 대한 과잉 투자, 물가 폭등 → 경제 상황 악화로 유신 체제에 대한 국민의 불만 고조

2. 사회의 변화

(1) 도시화 : 산업화로 인구가 도시로 집중 → 주택·교통·환경 문제, 광주 대단지 사건 등 도시 빈민 문제 발생

(2) 농촌 사회의 변화

① 새마을 운동 실시(1970)

배경	저임금 정책 유지를 위한 저곡가 정책 → 도시와 농촌의 소득 격차 심화, 이촌향도로 농촌 인구 급감
목표	농가 소득 증대, 농촌 근대화 → 도시와 농촌의 균형 발전 추구
성과	'근면, 자조, 협동' 강조 → 농촌 환경 개선과 농가 소득 증대에 일정한 성과
한계	유신 체제를 정당화하는 데 이용됨

② 농민 운동 : 함평 고구마 사건(1976)을 계기로 전국적 농민 단체 조직 → 농민 운동 확산

(3) 노동 운동의 전개 빈출 자료 02

배경	수출 가격 경쟁력 확보를 위해 노동자의 권리 제한, 저임금 정책
전개	• 전태일 분신 사건(1970)을 계기로 노동 문제에 대한 사회적 관심, 학생, 지식인 등이 노동 운동을 지원 • 여성 노동자를 중심으로 생존권 보장 요구 투쟁 확산, 노동조합 결성 시도 → 박정희 정부가 탄압, 규제

3. 대중문화의 발달과 통제

(1) 대중문화의 확산

① 대중 매체 보급 : 1970년대 이후 텔레비전 보급 → 대중문화 확산, 정책 홍보에 이용, 지역 간 정보 격차 축소

② 청년 문화 형성 : 청소년 사이에 서구 문화가 빠르게 전파 → 기성세대와 구분되는 문화 형성, 통기타와 청바지, 미니스커트, 장발 유행

(2) 유신 체제하 문화 통제 : 대중음악과 영화에 대한 사전 검열 시행, 장발과 미니스커트 단속, 금지곡 지정 등

02 외환위기 극복과 경제·사회의 변화

1. 1980년대 이후 한국 경제의 변화

(1) 1980~90년대 경제 빈출 자료 03

전두환 정부	• 1970년대 말 경제 위기 → 중화학 공업의 중복 투자와 부실기업 정리, 금융 시장 일부 개방으로 점차 경제 회복 • 1980년대 중반 이후 3저(저유가, 저금리, 저달러) 호황으로 수출 증가, 연평균 10% 이상 고도성장
김영삼 정부	• 선진 자본주의 국가들의 시장 개방 압력 고조 • 신자유주의 정책 추진 → 노동 시장 유연화, 농산물 시장 개방, 외환 거래 자유화 등 추진 • 경제 협력 개발 기구(OECD) 가입 • 방만한 기업 경영과 외국 자본의 이탈로 외환위기 발생 → 국제 통화 기금(IMF)에 구제 금융 지원 요청

(2) 외환위기 극복과 경제 상황의 변화 빈출 자료 04

김대중 정부	구조 조정, 부실기업 정리, 정리 해고·파견 근로제 도입, 국민의 금 모으기 운동 → 국제 통화 기금의 지원금 조기 상환
노무현 정부	독점 기업에 대한 규제 강화, 빈부 격차 해소에 노력, 한·미 자유 무역 협정(FTA) 체결
이명박 정부	친기업 정책 추진

2. 사회적 민주화의 진전과 현대 사회의 과제

(1) 노동 운동 활성화

① 6월 민주 항쟁으로 노동자의 사회의식 성장 → '노동자 대투쟁' 전개, 1,000여 개의 노동조합 결성(1987), 민주노총 설립(1995)

② 외환위기 이후 양극화 현상 심화 → 비정규직 노동자의 기본권 보장을 중심으로 노동 운동 활발

(2) 농민 운동 : 시장 개방 압력에 반대, 전국 농민회 총연맹 결성(1990)

(3) 복지와 인권 중시 : 국민 연금 제도 시행(1988), 전 국민 의료 보험 실시(1989), 국민 기초 생활 보장법 제정(1999), 국가 인권 위원회 설립(2001) 등

(4) 시민운동 활성화 : 사회 문제 비판, 각종 사회 현안의 해결을 위한 대안 제시

(5) 현대 사회의 과제 : 사회 양극화 심화, 저출산·고령화 사회, 세대 간 갈등, 다문화 사회 형성 등

빈출 특강

빈출 자료 01 경제 성장 | 연계 문제 → 106쪽 02번, 107쪽 05번

[자료 1] 외국 자본 도입과 경제 성장

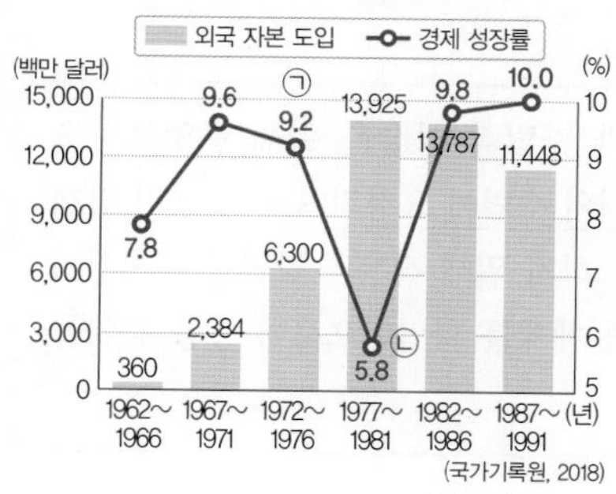

[자료 2] 중화학 공업과 경공업 비중

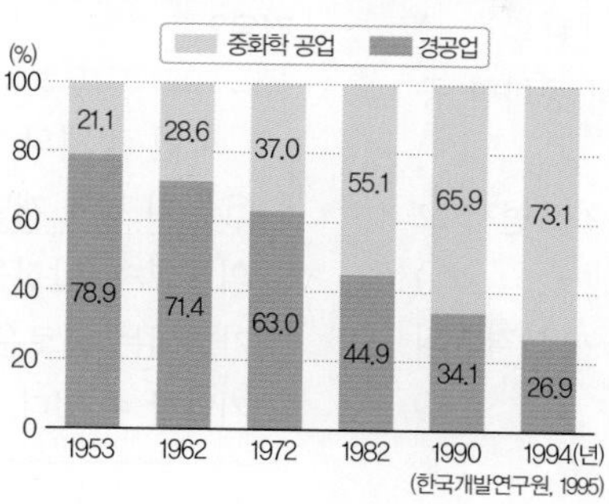

[자료 3] 1인당 국민 총소득의 증가(명목)

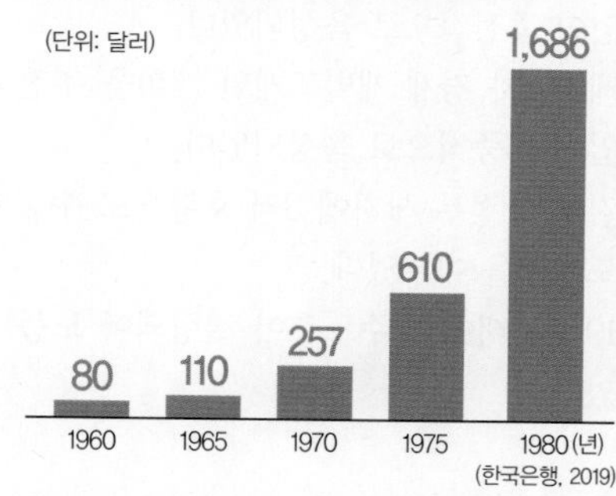

| 자료 분석 | 박정희 정부는 정부 주도 아래 수출을 늘려 경제 성장을 달성하려 하였다. 이를 위해 **[자료 1]**과 같이 외국 자본을 들여와 수출을 위한 산업을 적극 육성하였는데, **[자료 2]**에서 알 수 있듯이 1960년대에는 낮은 임금을 이용한 노동 집약적 산업(경공업)을 적극 육성하였고, 1970년대에는 중화학 공업을 육성하였다. 그 결과 **[자료 3]**과 같이 1970년대를 거치면서 1인당 국민 총소득이 확연하게 증가하였다.

- ㉠ : 1973년 제1차 석유 파동이 발생하였으나 성장률의 하락이 크지 않음을 알 수 있다. 이는 중동 산유국의 건설 투자 확대에 한국 기업이 참여하여 큰 혼란 없이 극복하였기 때문이다.
- ㉡ : 1978년 제2차 석유 파동의 발생이 한국 경제를 크게 위협하였다.

빈출 자료 02 전태일의 편지 | 연계 문제 → 108쪽 07번

> 저는 22살 된 청년입니다. 직업은 재단사로 직장은 동대문구 평화 시장입니다. …… 종업원의 90% 이상이 평균 연령 18세의 여성입니다. 근로 기준법이 없다고 하더라도 인간으로서 어떻게 여자에게 하루 15시간의 작업을 강요합니까? 또한 2만여 명 중 40%를 차지하는 시다공(보조)들은 ㉠<u>평균 연령 15세의 어린이들입니다. 전부가 하루에 90원 내지 100원의 급료를 받으며 1일 16시간의 작업</u>을 합니다. …… 저희들의 요구는 ㉡<u>1일 14시간의 작업 시간을 단축하십시오. 1일 10~12시간으로 1개월 중 휴일 2일</u>을 일요일마다 휴일로 쉬기를 희망합니다.

| 자료 분석 | 평화 시장의 재단사로 일하던 전태일은 [자료]의 편지를 쓰기도 하고 관청뿐 아니라 각계에 노동 문제를 알렸지만 노동자의 생존권은 무시되었고, 근로 기준법은 지켜지지 않았다. 결국 전태일은 1970년 근로 기준법 준수 등을 요구하며 분신하였다.

- ㉠ : 당시 근로 기준법에는 13세 이상 16세 미만의 근로 시간은 1일 7시간을 명시하였다.
- ㉡ : 근로 기준법에는 1일 8시간과 1주 48시간 근무, 주 1회 휴일 보장 등이 규정되어 있었다. 1960~70년대 정부의 성장 중심 정책과 고도성장의 이면에는 이를 위한 저임금 정책에 희생된 노동자가 있었음을 알 수 있다.

빈출 자료 03 3저 호황

연도	경제 성장률	유가 (달러/배럴)	금리 (정부채, %)	엔(달러) 환율
1981	7.2	35.5	23.6	219.6
1984	10.4	29.0	14.3	250.3
1985	7.7	27.7	13.5	160.0
1986	11.2	15.1	11.5	200.1
1987	12.5	17.7	12.4	123.4
1988	11.9	14.7	13.0	124.9
1989	7.0	16.7	14.7	144.0
1990	9.8	20.9	15.0	134.6

| 자료 분석 | 1980년대 중반 이후 전 세계적으로 나타난 저유가, 저금리, 저달러(3저)에 힘입어 한국 경제는 연 12%에 가까운 고도성장을 이루었고 무역 수지도 흑자를 기록하였다.

빈출 자료 04 외환위기와 극복 | 연계 문제 → 109쪽 11번

[자료 1] 국제 통화 기금 지원 요청 발표문(1997)

> 최근 한국 경제는 대기업 연쇄 부도에 따른 대외 신인도 하락으로 국제 금융 시장에서 단기 자금 만기 연장의 어려움 등 외화 차입의 곤란으로 일시적인 유동성 부족 사태에 직면하게 되었습니다. …… 정부는 금융 시장의 안정이 확고히 정착되게 하기 위해 …… 국제 통화 기금(IMF) 자금 지원을 요청하기로 하였습니다.

[자료 2] 김대중 대통령 연설(2001)

> 이제 우리 국민이 발 벗고 나서 빚을 다 갚고 외환 보유액도 많아져 아이엠에프(IMF) 외환위기를 완전히 졸업하게 되었습니다. …… 30대 기업 중 절반 이상이 문을 닫거나 해체되거나 주인이 바뀌었습니다. …… 수많은 근로자들이 구조 조정으로 실업의 고통을 감내해야 했습니다.

| 자료 분석 | **[자료 1]**은 1997년 외환위기 당시 정부가 국제 통화 기금에 지원을 요청한 사실을 알리는 발표문이다. **[자료 2]**는 김대중 대통령이 2001년 외환위기 극복을 알리는 연설문이다. 외환위기 상황에서 출범한 김대중 정부는 주요 공기업을 민영화하고 정리 해고와 파견 근로제 등 다양한 방법을 통해 외환위기를 극복하였다.

올쏘 시험에 꼭 나오는 문제

개념 확인 문제

01 다음 서술 내용이 옳으면 ○표, 틀리면 ×표를 하시오.

(1) 제1차 경제 개발 5개년 계획 시기에는 노동 집약적 경공업이 중점적으로 육성되었다. ( )
(2) 제3·4차 경제 개발 5개년 계획을 추진하면서 중화학 공업이 집중적으로 육성되었다. ( )
(3) 김영삼 정부 시기에 3저 호황으로 수출이 증가하면서 고도성장을 이루었다. ( )
(4) 1970년대에 민주노총이 결성되어 노동 운동이 본격화되었다. ( )

02 서로 관련된 사실을 바르게 연결하시오.

(1) 박정희 정부 • • ㉠ 3저 호황
(2) 전두환 정부 • • ㉡ 경제 협력 개발 기구 가입
(3) 김영삼 정부 • • ㉢ 수출 100억 달러 최초 달성
(4) 김대중 정부 • • ㉣ 국제 통화 기금의 구제 금융 상환

03 다음 내용에 해당하는 사건을 《보기》에서 골라 쓰시오.

《보기》
ㄱ. 외환위기 ㄴ. 새마을 운동
ㄷ. 광주 대단지 사건 ㄹ. 함평 고구마 사건

(1) 국가의 불합리한 행정과 탄압에 맞선 농민들의 조직적 저항 운동으로 이후 농민 운동에 영향을 끼친 사건은? ( )
(2) 정부와 서울시가 서울의 판자촌 주민을 강제로 이주시키는 과정에서 일어난 사건은? ( )
(3) 낙후된 농촌을 근대화하여 도시와 농촌을 균형 있게 발전시킨다는 목적으로 추진된 것은? ( )

04 다음 빈칸에 들어갈 알맞은 말을 쓰시오.

(1) 1973년 일어난 ( )을/를 극복하기 위해 한국 기업들이 중동의 건설 사업에 적극 진출하였다.
(2) 1970년 ( ) 분신 사건을 계기로 노동자의 생존권 보장을 요구하는 투쟁이 본격화되었다.
(3) ( ) 정부는 장발과 미니스커트 단속, 금지곡 지정 등 대중문화를 통제하였다.
(4) 국민의 최저 생활을 보장하고 자립할 수 있도록 하기 위해 1999년에 ( )이/가 제정되었다.

01 1960~70년대 경제 성장과 사회·문화의 변화

01 밑줄 친 ㉠에 따라 추진된 정책에 대한 설명으로 옳지 않은 것은?

> 국민 경제의 개전과 자립적 성장을 위해 무엇보다도 ㉠장기 경제 개발 계획의 수립이 요청되며 …… 국민 경제의 조속한 발전을 도모하기 위해 정부의 강력한 계획성이 가미되는 새로운 경제 체제를 확립함으로써 승공 통일을 기약할 수 있다.

① 수출과 성장을 중시하였다.
② 외국 자본을 적극적으로 유치하였다.
③ 농업과 공업의 균형 발전을 지향하였다.
④ 대기업에 대한 금융 지원을 강화하였다.
⑤ 저곡가 정책을 토대로 값싼 노동력을 확보하였다.

(빈출 문제) 연계 자료 → 105쪽 빈출 자료 01

02 (가) 시기 변화의 이유로 가장 적절한 것은?

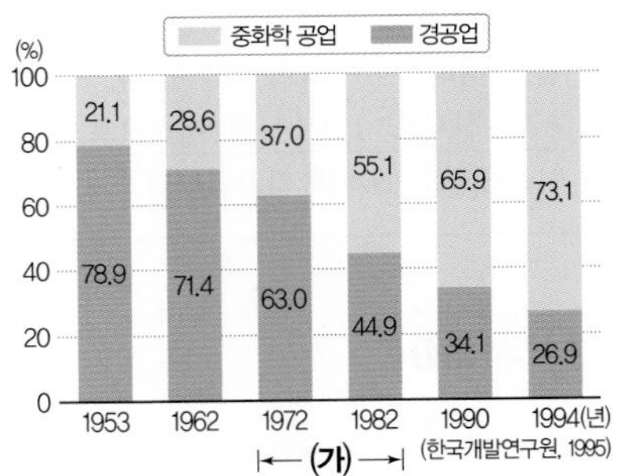

① 3저 호황이 나타났다.
② 삼백 산업이 발달하였다.
③ 노동 집약적 산업을 육성하였다.
④ 국제 통화 기금의 구제 금융을 지원받았다.
⑤ 철강, 기계, 조선 등의 산업을 집중 육성하였다.

유사 선택지 문제

02_ ❶ ( ) 정부는 경공업 중심의 경제 성장에 한계를 느끼고 1970년대부터 중화학 공업을 적극 육성하였다.
02_ ❷ 박정희 정부는 제3·4차 경제 개발 5개년 계획을 추진하면서 (경공업 / 서비스 산업 / 중화학 공업)을 적극 육성하였다.
02_ ❸ 중화학 공업의 집중 육성으로 1970년대에는 연평균 10%가 넘는 고도성장을 이루었다. (○ / ×)

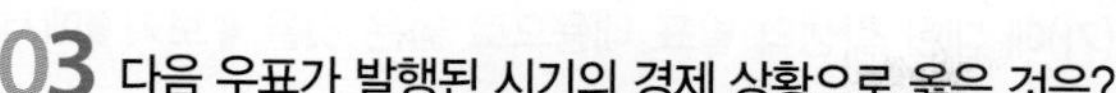

03 다음 우표가 발행된 시기의 경제 상황으로 옳은 것은?

① 귀속 재산이 민간에 매각되었다.
② 미국의 잉여 농산물 원조가 증가하였다.
③ 제1차 석유 파동으로 경제가 침체되었다.
④ 의류·신발 등 노동 집약적 산업이 육성되었다.
⑤ 유상 매입, 유상 분배를 원칙으로 농지 개혁이 추진되었다.

04 밑줄 친 '경제 개발 자금' 마련에 도움이 된 사실로 옳은 것을 《보기》에서 모두 고르면?

《보기》
ㄱ. 8·3 조치 시행
ㄴ. 베트남 전쟁 파병
ㄷ. 한·일 국교 정상화
ㄹ. 함평 고구마 사건

① ㄱ, ㄴ ② ㄱ, ㄷ ③ ㄴ, ㄷ
④ ㄴ, ㄹ ⑤ ㄷ, ㄹ

(빈출 문제) 연계 자료 → 105쪽 빈출 자료 01

05 (가) 시기에 경제 성장률이 크게 낮아진 이유로 옳은 것을 《보기》에서 모두 고르면?

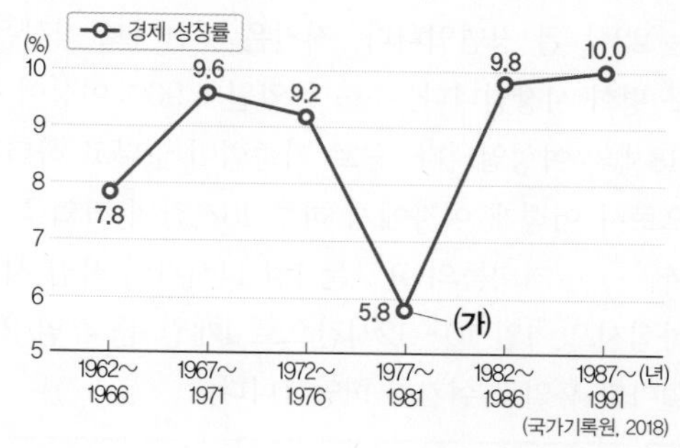

《보기》
ㄱ. 제2차 석유 파동
ㄴ. 중화학 공업에 대한 과잉 투자
ㄷ. 국제 통화 기금에 구제 금융 지원 신청
ㄹ. 민주노총 설립에 따른 노동 운동 활성화

① ㄱ, ㄴ ② ㄱ, ㄷ ③ ㄴ, ㄷ
④ ㄴ, ㄹ ⑤ ㄷ, ㄹ

06 다음 상황이 국내에 끼친 영향으로 옳은 것은?

1970년대 말의 불황기 속에서 공급 과잉을 유지하던 석유 가격이 1978년의 이란 혁명을 계기로 다시 상승함으로써 발생하였다. 하지만 기본적인 문제는 석유 수출국 기구의 산유 정책이 변화하여 산유량이 크게 늘지 않은 상태에서 소비국들이 석유를 대체할 연료를 찾기 어려운 데 있었다. 이러한 상황에서 세계 무역 조건이 악화되면서 경기 침체가 나타나기 시작하였다.

① 3선 개헌이 단행되었다.
② 서독에 광부와 간호사가 파견되었다.
③ 유신 체제에 대한 국민의 불만이 높아졌다.
④ 제 1·2차 경제 개발 5개년 계획이 추진되었다.
⑤ 창원(마산) 일대에 자유 무역 단지가 조성되었다.

시험에 꼭 나오는 문제

(빈출 문제) 연계 자료 → 105쪽 빈출 자료 02

07 다음 편지가 작성된 시기를 연표에서 옳게 고른 것은?

> 존경하는 대통령 각하!
> 저는 22살 된 청년입니다. 직업은 재단사로 직장은 동대문구 평화 시장입니다. …… 종업원의 90% 이상이 평균 연령 18세의 여성입니다. 근로 기준법이 없다고 하더라도 인간으로서 어떻게 여자에게 하루 15시간의 작업을 강요합니까? …… 저희들의 요구는 1일 14시간의 작업 시간을 단축하십시오. 1일 10~12시간으로 1개월 중 휴일 2일을 일요일마다 휴일로 쉬기를 희망합니다.

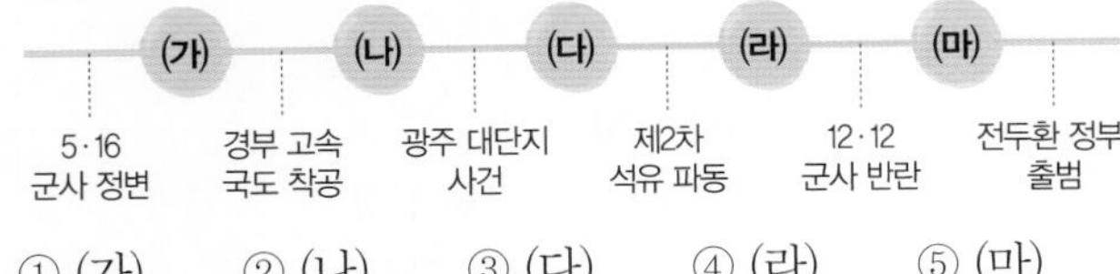

① (가) ② (나) ③ (다) ④ (라) ⑤ (마)

유사 선택지 문제

07_❶ 박정희 정부는 수출 가격 경쟁력을 위해 (   )을/를 지속하며 노동 운동을 억압하였다.

07_❷ 1970년에 일어난 (전태일 분신 사건 / 광주 대단지 사건 / 민주노총 설립)은 노동 운동의 확산에 선구적 역할을 하였다.

07_❸ 1960, 70년대에는 노동자를 보호하기 위해 제정된 근로 기준법이 제대로 적용되지 않았다. (○ / ×)

08 밑줄 친 ㉠의 사례로 가장 적절한 것은?

① 원산 총파업 ② YH 무역 사건
③ 광주 대단지 사건 ④ 함평 고구마 사건
⑤ 전태일 분신 사건

09 (가)에 대한 학생의 발표 내용으로 옳은 것을 《보기》에서 모두 고르면?

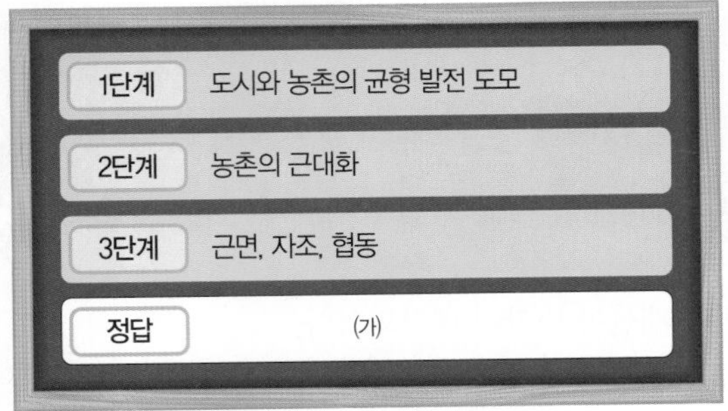

《보기》
ㄱ. 농촌 인구의 증가를 가져왔어요.
ㄴ. 농촌의 생활 환경 개선에 기여하였어요.
ㄷ. 전두환 정부 시기에 처음 실시되었어요.
ㄹ. 유신 체제 정당화에 이용되기도 하였어요.

① ㄱ, ㄴ ② ㄱ, ㄷ ③ ㄴ, ㄷ
④ ㄴ, ㄹ ⑤ ㄷ, ㄹ

02 외환위기 극복과 경제·사회의 변화

10 밑줄 친 '이 시기'에 있었던 사실로 옳은 것은?

> 이 시기 세계적으로 나타난 저유가, 저달러, 저금리 현상에 힘입어 자동차와 기계, 철강, 반도체 등 기술 집약 산업을 중심으로 한국 경제가 연 12%에 가까운 고도성장을 이루었다.

① 새마을 운동이 시작되었다.
② 6월 민주 항쟁이 일어났다.
③ 경부 고속 국도가 완공되었다.
④ 전태일 분신 사건이 일어났다.
⑤ 세계 무역 기구(WTO)가 출범하였다.

빈출 문제 연계 자료 → 105쪽 빈출 자료 04

11 다음 상황이 발생하게 된 배경으로 옳지 않은 것은?

> 최근 한국 경제는 …… 대외 신인도 하락으로 국제 금융 시장에서 단기 자금 만기 연장의 어려움 등 외화 차입의 곤란으로 일시적인 유동성 부족 사태에 직면하게 되었습니다. …… 정부는 금융 시장의 안정이 확고히 정착되게 하기 위해 …… 국제 통화 기금(IMF) 자금 지원을 요청하기로 하였습니다.

① 정부의 외환 보유고가 급격히 감소하였다.
② 정리 해고제와 파견 근로제를 도입하였다.
③ 금융 규제 완화로 단기 외채 유입이 늘어났다.
④ 한국에 투자한 외국 자본이 급속히 빠져나갔다.
⑤ 외채에 의존하여 운영된 기업들이 연쇄적으로 부도를 맞았다.

12 (가) 시기에 볼 수 있는 모습으로 가장 적절한 것은?

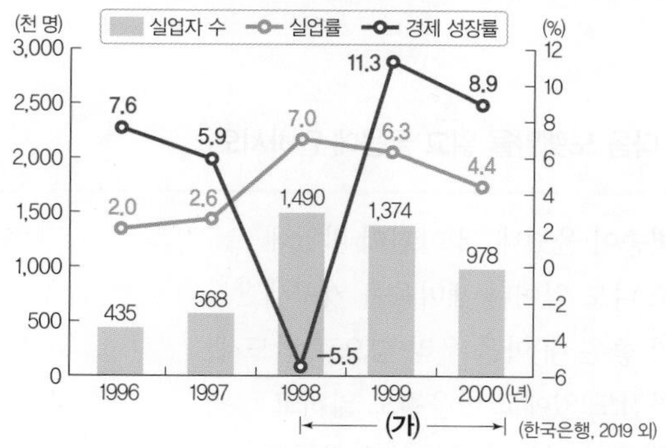

① 민주노총을 결성하는 노동자들
② 금 모으기 운동에 참여하는 시민
③ 경부 고속 국도 착공식을 보도하는 기자
④ 경제 협력 개발 기구 가입을 발표하는 공무원
⑤ 중화학 공업의 본격적인 육성을 선언하는 대통령

13 (가), (나) 시기의 상황으로 옳은 것을 《보기》에서 모두 고르면?

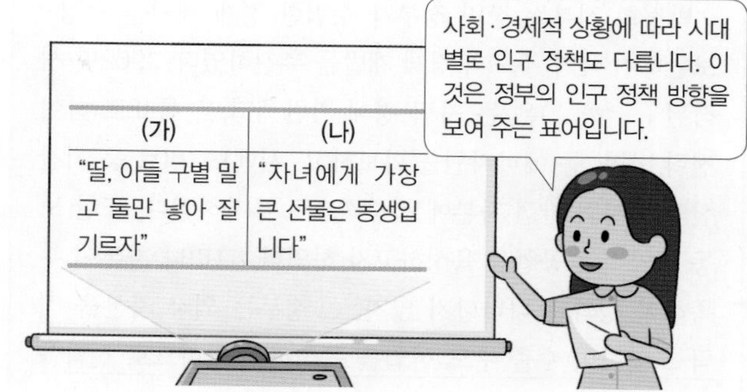

《보기》
ㄱ. (가)–출산 장려금 지급 정책이 확대되었다.
ㄴ. (가)–인구 증가가 경제 성장을 위협한다는 인식이 팽배하였다.
ㄷ. (나)–정부가 산아 제한에서 출산율 회복으로 인구 정책을 전환하였다.
ㄹ. (나)–노인 인구가 차지하는 비율이 20% 이상인 초고령 사회에 진입하였다.

① ㄱ, ㄴ ② ㄱ, ㄷ ③ ㄴ, ㄷ
④ ㄴ, ㄹ ⑤ ㄷ, ㄹ

14 다음 대책이 발표된 시기의 모습으로 적절하지 않은 것은?

> 〈공연 활동 정화 대책〉
> 1. 목표 : 도민의 생활과 밀접한 관계가 있는 모든 공연 활동을 과감하게 정화하여 건전한 도민 생활과 지역 사회 기풍을 확립함으로써 난국을 타개하는 총화 유신 정신을 계도하는 데 이바지함

① 아시아를 중심으로 한류가 유행하였다.
② 학생에게 국민 교육 헌장을 암송하게 하였다.
③ 한국 방송 윤리 위원회를 통해 방송 금지곡을 지정하였다.
④ 고등학교에 군사 교육(교련)이 정규 과목으로 개설되었다.
⑤ 영화 시작 전에 정부 시책을 홍보하는 대한 뉴스가 상영되었다.

정답 및 해설 38쪽

서술형 문제

01 다음 자료를 읽고 물음에 답하시오.

> 박정희 정부는 장면 정부가 수립한 경제 계획을 수정·보완하여 국가 주도의 경제 개발을 추진하였다. 1962년 시작된 ((가))은/는 자립 경제 기반 구축을 목표로 하여 전력, 석탄 등 에너지원을 확보하고, 시멘트, 비료 등 기간 산업과 사회 간접 자본에 집중적으로 투자하였다. 또한 노동 집약적 경공업을 육성하고자 하였다. 그러나 자본이 부족하여 성과가 나타나지 않자, ㉠정부는 외국 자본을 적극 도입하여 수출 주도 산업을 육성하는 방향으로 전략을 수정하였다.

(1) (가)에 들어갈 내용을 쓰시오.

(2) 밑줄 친 ㉠에 따라 추진된 정부의 자금 마련 방안을 서술하시오.

02 다음 그래프를 보고 물음에 답하시오.

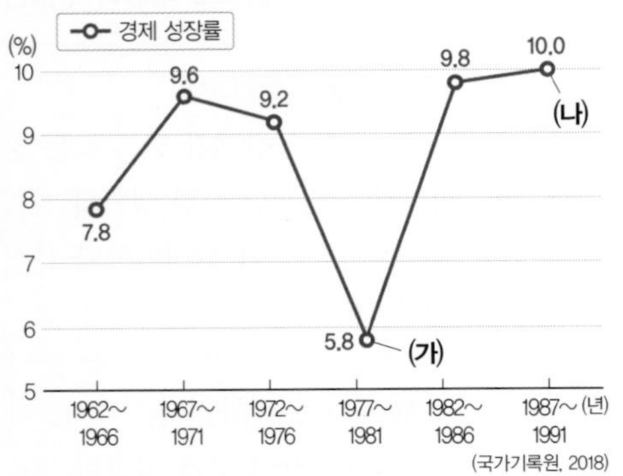

(국가기록원, 2018)

(1) (가)의 경제 침체를 가져온 요인 두 가지를 쓰시오.

(2) (나)의 경제 성장이 가능하였던 이유를 당시 세계 경제 상황과 연관 지어 서술하시오.

03 다음 자료를 읽고 물음에 답하시오.

> 정경 유착을 배경으로 방만하게 운영되던 기업들이 부도가 나면서 국가 신용도가 떨어지고 동남아시아의 경제 위기까지 겹치면서 한국 경제의 위기감이 높아졌다. 외국 금융 기업들이 국내 금융 기업에 채권 상환 기간의 연장을 거부하고 정부의 외환 보유고도 급격히 줄어들었다. 국가 신용도가 떨어지고 국제 단기 자금이 이탈하면서 기업과 금융 기관들은 해외 결제를 할 수 없는 ((가))을/를 맞게 되어 정부는 국제 통화 기금과 국제 금융 협약을 맺었다. 이러한 상황 속에서 출범한 ㉠새 정부는 위기 극복을 위해 노력하여 2001년에 국제 통화 기금의 지원금을 조기 상환할 수 있었다. 이 과정에서 국민은 자발적으로 금 모으기 운동에 참여하여 위기 극복에 힘을 보탰다.

(1) (가)에 들어갈 경제 상황을 의미하는 용어를 쓰시오.

(2) 밑줄 친 ㉠에 해당하는 내용을 세 가지 서술하시오.

04 다음 노랫말을 읽고 물음에 답하시오.

> 새벽종이 울렸네 새 아침이 밝았네
> 너도 나도 일어나 새마을을 가꾸세
> 살기 좋은 내 마을 우리 힘으로 만드세
> 초가집도 없애고 마을길도 넓히고
> 푸른 동산 만들어 알뜰살뜰 다듬세
> 살기 좋은 내 마을 우리 힘으로 만드세

(1) 위 노랫말과 관련된 사회 운동을 쓰시오.

(2) (1) 운동이 이룬 성과와 한계를 서술하시오.

상위 4% 문제

정답 및 해설 38쪽

01 다음 정책이 실시된 배경으로 가장 적절한 것은?

> 정부는 지금부터 동해안, 남해안, 서해안 지방에 여러 가지 대단위 국제 규모의 공업 단지, 또는 기지를 조성해 나갈 생각입니다.
> 첫째는 포항과 같은 제2의 종합 제철 공장 건설을 앞으로 추진해야 하겠고, 또 대단위 기계 종합 공업 단지도 만들어야 되겠습니다. 지금 울산에 있는 석유·화학 공업 단지와 같은 제2의 종합 화학 공업 단지를 또 만들어야 되겠습니다. …… 정부는 앞으로 중화학 공업 정책을 선언하고, 이 방면에 중점적인 지원과 시책을 펴나갈 것입니다.

① 3저 호황이 막을 내렸다.
② 제2차 석유 파동이 일어났다.
③ 외환위기로 국가 부도 위기를 맞았다.
④ 중동 전쟁으로 석유 가격이 급등하였다.
⑤ 외채 부담과 국제 경기 침체로 수출에 어려움을 겪었다.

02 다음 조치에 대한 학생의 발표 내용으로 가장 적절한 것은?

> ○○호 **한국사 신문** ○○○○년 ○○월○○일
>
> **경제의 안정과 성장에 관한 긴급 명령 시행**
>
> 정부는 8월 2일 현재 모든 기업이 보유하고 있는 사채를 정부에 신고하도록 하는 조치를 시행한다고 발표하였다. 그리고 이 사채들은 8월 3일자로 월 1.35%, 3년 거치 5년 분할 상환으로 조정한다는 긴급 명령을 내렸다.

① 외환위기를 극복하는 과정에서 추진되었어요.
② 국제 통화 기금의 구제 금융 지원으로 이어졌어요.
③ 이명박 정부가 친기업 정책의 하나로 시행하였어요.
④ 금융 기관과의 거래에는 본인 실명만을 사용하도록 규정하였어요.
⑤ 부채 부담에 흔들리던 기업을 지원하려는 목적에서 실시되었어요.

03 다음 내용의 양해 각서를 체결한 정부의 정책으로 옳은 것은?

> • 국제 통화 기금(IMF)으로부터 적절한 규모의 자금 지원
> • 부실 금융 기관 구조 조정 및 인수, 합병 제도 마련
> • 외국 금융 기관의 국내 자회사 설립 허용
> • 외국인 주식 취득을 종목당 50%까지 확대
> • 노동 시장의 유연성을 높임

① 4대강 살리기 사업을 추진하였다.
② 경제 개발 5개년 계획을 마련하였다.
③ 경제 민주화와 창조 경제를 내세웠다.
④ 경제 협력 개발 기구(OECD)에 가입하였다.
⑤ 미국과 자유 무역 협정(FTA)을 체결하였다.

04 밑줄 친 '법률'에 대한 설명으로 옳은 것은?

① 최저 임금제를 마련하였다.
② 출산 장려금 지급 정책을 확대하였다.
③ 전 국민 의료 보험 실시를 이끌어 냈다.
④ 정부와 지방 자치 단체가 국민의 최저 생활을 보장하였다.
⑤ 다문화 가족 구성원의 삶의 질을 높일 수 있도록 지원하였다.

14 남북 화해와 동아시아의 평화 노력

출제 경향
★ 북한의 정치, 경제 변화를 시기별로 묻는 문제
★ 남북 간 합의서를 통해 남북 교류와 관계를 묻는 문제

01 북한 사회의 변화

1. 3대 세습과 정치 상황의 변화

김일성 체제	• 6·25 전쟁을 거치면서 경쟁자 제거, 숙청 → 김일성 유일 지배 체제 확립 • 사회주의 헌법 제정(1972) : 주체사상을 국가 통치 이념으로 명문화, 국가 주석제 채택 → 김일성 권력 절대화의 기반
김정일 체제	• '선군 정치' 표방 → 군을 우선하는 통치 방식 • 핵과 미사일 개발로 국제적 고립 • 남북 정상 회담(2000, 2007)
김정은 체제	• '경제 건설과 핵 무력 건설 병진 노선' 채택(2013) • '사회주의 경제 건설 집중 노선' 채택(2018) • 남북 정상 회담과 북·미 정상 회담 개최

2. 경제 상황의 변화 빈출 자료 01

1960년대	'경제와 국방 건설의 병진' 방침, '자립적 민족 경제 건설' 추진
1970년대	• 인민 경제 발전 6개년 계획으로 생산력 강화 • 지나친 자립 경제 추구 → 경제 발전에 한계를 드러냄
1980년대	합영법 제정으로 외국 자본과 기술 도입 시도 → 투자 유치 실패
1990년대	• 사회주의권 붕괴로 경제 위기 심화('고난의 행군') • 나진·선봉 자유 경제 무역 지대 설치, 남북 경제 교류 확대(금강산 관광 사업 등)
2000년대 이후	• 시장 경제 요소 도입, 신의주 등지에 경제특구 설치 • 핵 실험에 따른 국제적 경제 제재로 어려움 심화

02 평화 통일을 위한 화해와 협력

1. 1980년대 이전 남북 관계

(1) 박정희 정부 빈출 자료 02)

① 1960년대 : '선 건설, 후 통일' 주장, 반공 강조 → 남북 긴장 상황 고조

② 1970년대 : 냉전 완화 → 7·4 남북 공동 성명(자주·평화·민족 대단결의 통일 원칙, 남북 조절 위원회 설치) → 남북한의 독재 체제 강화로 대화 중단

(2) 전두환 정부 : 북한이 남한의 수해 피해에 구호물자 제공 → 이산가족 고향 방문단과 예술 공연단 상호 방문(1985)

2. 냉전 해체 이후 남북 대화와 협력 빈출 자료 03)

(1) 노태우 정부 : 냉전 해체의 국제 정세 변화 → 남북한 유엔 동시 가입(1991), 남북 기본 합의서 채택(1991), 비핵화 공동 선언(1992)

(2) 김영삼 정부

① 북한의 경수로 원자력 발전소 건설 사업에 참여, 지원

② 북한의 핵 개발 의혹, 김일성 사망 → 남북 관계 경색

(3) 김대중 정부 빈출 자료 04)

① 대북 화해 협력 정책(햇볕 정책) 추진 → 기업인 정주영이 소 떼를 몰고 방북, 금강산 관광 시작 등

② 최초의 남북 정상 회담(2000) → 6·15 남북 공동 선언(통일 방안의 공통성 인정, 경제 협력의 확대 합의)

(4) 노무현 정부

① 대북 화해 협력 정책 계승 → 개성 공업 지구 조성, 경의선과 동해선 철도 연결 사업 등 추진

② 제2차 남북 정상 회담(2007) → 남북 관계 발전과 평화 번영을 위한 선언(10·4 남북 정상 선언)

(5) 이명박 정부 : 연평도 포격 도발 등 → 남북 관계 악화

(6) 박근혜 정부 : 대북 강경 정책 지속, 개성 공단 사업 중단

(7) 문재인 정부 : 한반도 평화 체제를 위한 화해 협력 방안 제시, 남북 정상 회담(2018) → 판문점 선언

03 동아시아 평화를 위한 노력

1. 역사 갈등

일본과의 갈등	• 1980년대 이후 우경화 심화, 과거 침략 전쟁을 미화 → 역사 교과서에 반영 • 헌법 개정 시도 → 전쟁이 가능한 국가를 만들기 위한 움직임 • 노동자 강제 동원 및 일본군 '위안부' 등 전쟁 피해자에 대한 배상 외면
중국과의 갈등	동북 공정을 통해 고조선, 부여, 고구려, 발해를 중국의 역사로 편입 시도

2. 동아시아 영토 분쟁

북방 4도	• 배경 : 제2차 세계 대전 승전국 소련이 러·일 전쟁 때 빼앗긴 사할린 남부와 쿠릴 열도 남부의 4개 섬(북방 4도) 차지 • 일본의 반환 요구 ↔ 러시아가 실효 지배
센카쿠 열도	• 배경 : 청·일 전쟁에서 승리한 일본이 차지 → 태평양 전쟁 이후 미국이 점령 → 미국이 일본에 반환 • 중국은 일본의 강탈 주장 ↔ 일본은 주인 없는 섬을 자국 영토에 편입하였음을 주장

3. 우리 땅 독도

(1) 일본의 침탈 : 러·일 전쟁 중 불법 점령

(2) '한국 영토'의 근거

① 한국 영토로 표시한 고지도, 옛 정부 문서 등 존재

② 연합국 최고 사령관 각서 제677호 부속 지도

③ 한국 정부가 인접 해양에 대한 주권에 관한 선언 발표(1952)

④ 독도 경비대 파견 등 실효적 지배

빈출 특강

빈출 자료 01 북한의 경제 변화 | 연계 문제 → 115쪽 03번, 04번

[자료 1] 합영법

제1조 조선 민주주의 인민 공화국 합영법은 우리나라와 세계 여러 나라들 사이의 경제·기술 협력과 교류를 확대 발전시키는 데 이바지한다.
제5조 합영 기업은 당사자들이 출자한 재산에 대한 소유권을 가지며 독자적으로 경영 활동을 한다.
제7조 국가는 장려하는 대상과 해외 조선 동포들과 하는 합영 기업, 일정한 지역에 창설된 합영 기업에 대하여 세금의 감면, 유리한 토지 이용 조건의 제공 같은 우대를 한다.

[자료 2] 북한의 경제 성장률

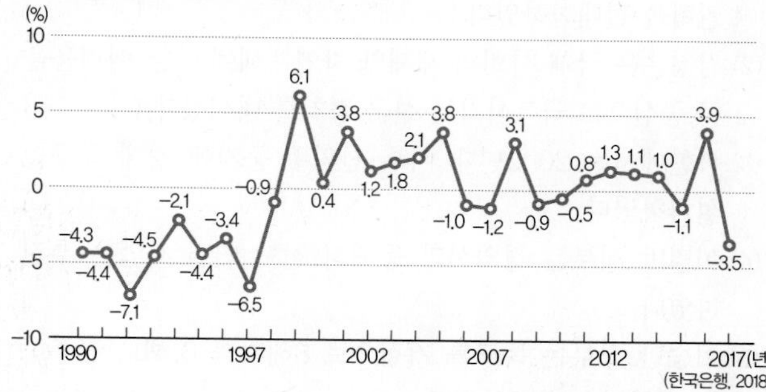

| 자료 분석 | 북한은 지나친 자립 경제를 추구하다가 경제가 침체되자, 외국 자본과 기술 도입을 통해 이를 극복하려고 [자료 1]의 합영법을 제정하였다. 하지만 외국 자본 유치에 실패하여 큰 성과를 거두지 못하였다. 이후 1990년대에는 홍수와 가뭄 등 자연재해와 핵 개발에 따른 국제 사회의 제재로 극심한 식량난과 경제 위기를 겪었다. [자료 2]에서 1990년대 북한의 경제 성장률이 마이너스를 기록하고 있음을 확인할 수 있다.

빈출 자료 02 7·4 남북 공동 성명 | 연계 문제 → 116쪽 07번

1. 통일은 외세에 의존하거나 외세의 간섭을 받지 않고 자주적으로 해결해야 한다.
2. 통일은 상대를 반대하는 무력행사에 의거하지 않고 평화적 방법으로 실현해야 한다.
3. 사상과 이념, 제도의 차이를 초월하여 하나의 민족으로서 민족적 대단결을 도모하여야 한다.

| 자료 분석 | 1972년 남북한 당국자들이 비밀리에 상호 방문을 통해 합의한 7·4 남북 공동 성명이다. 자주·평화·민족 대단결이라는 통일의 3대 원칙에 남북한이 처음으로 합의하였지만, 남북한이 모두 독재 체제를 강화하는 데 이용하였다.

빈출 자료 03 남북 기본 합의서 | 연계 문제 → 116쪽 09번

남과 북은 7·4 남북 공동 성명에서 천명된 ㉠조국 통일 3대 원칙을 재확인하고, …… ㉡쌍방 사이의 관계가 나라와 나라 사이의 관계가 아닌 통일을 지향하는 과정에서 잠정적으로 형성되는 특수 관계라는 것을 인정하고, 평화 통일을 성취하기 위한 공동의 노력을 경주할 것을 다짐하면서, 다음과 같이 합의하였다.
1. 남과 북은 서로 상대방의 체제를 인정하고 존중한다.
9. 남과 북은 상대방에 대하여 무력을 사용하지 않으며 상대방을 무력으로 침략하지 아니한다.

| 자료 분석 | 냉전 해체와 사회주의권 붕괴 등의 국제 정세를 배경으로 남북한이 여러 차례 고위급 회담에 나서서 1991년 채택한 남북 기본 합의서이다. 이는 남북한 정부 간에 최초로 공식 합의한 문서이기도 하다.
- ㉠ : 7·4 남북 공동 성명에서 합의된 자주·평화·민족 대단결의 원칙을 말한다.
- ㉡ : 남한과 북한의 관계에 대해 통일을 전제로 국가와 국가의 관계가 아닌 것으로 규정하였다.

빈출 자료 04 6·15 남북 공동 선언 | 연계 문제 → 117쪽 11번

1. 남과 북은 나라의 ㉠통일 문제를 그 주인인 우리 민족끼리 서로 힘을 합쳐 자주적으로 해결해 나가기로 하였다.
2. 남과 북은 나라의 ㉡통일을 위한 남측의 연합제 안과 북측의 낮은 단계의 연방제 안이 서로 공통성이 있다고 인정하고, 앞으로 이 방향에서 통일을 지향시켜 나가기로 하였다.
3. 남과 북은 올해 ㉢8·15에 즈음하여 흩어진 가족, 친척 방문단을 교환하며, 비전향 장기수 문제를 해결하는 등 인도적 문제를 조속히 풀어 나가기로 하였다.
4. ㉣남과 북은 경제 협력을 통하여 민족 경제를 균형적으로 발전시키고, 사회, 문화, 체육, 보건, 환경 등 제반 분야의 협력과 교류를 활성화하여 서로의 신뢰를 다져 나가기로 하였다.

| 자료 분석 | 김대중 정부의 대북 화해 협력 정책이 추진되면서 2000년 처음으로 남북 정상 회담이 평양에서 개최되었다. 김대중 대통령이 북한의 평양을 방문하여 개최한 남북 정상 회담의 결과로 6·15 남북 공동 선언이 발표되었다. 이후 이산가족 상봉과 서신 교류가 이루어지고 남북 교역이 확대되는 등 남북 간 교류가 점차 활성화되었다.
- ㉠~㉣ : 통일 문제의 자주적 해결, 통일 방안의 공통성 인정, 이산가족 문제의 조속한 해결, 남북 경제 협력의 확대에 합의하였다.

시험에 꼭 나오는 문제

개념 확인 문제

01 다음 서술 내용이 옳으면 ○표, 틀리면 ×표를 하시오.

(1) 북한에서는 1972년 사회주의 헌법을 제정하여 김일성의 권력을 절대화하였다. ( )

(2) 김정은은 국제 사회의 제재와 자연재해에 따른 어려움을 군 중심으로 극복하자는 선군 정치를 내세웠다. ( )

(3) 북한에서는 2000년대 이후 신의주 등지에 경제 특구를 설치하였다. ( )

(4) 이명박 정부는 경의선과 동해선 철도 연결 사업을 추진하였다. ( )

(5) 이승만 정부는 독도를 기점으로 8해리를 영해로 간주하는 평화선을 발표하였다. ( )

02 서로 관련된 사실을 바르게 연결하시오.

(1) 박정희 정부 •   • ㉠ 개성 공업 지구 조성
(2) 전두환 정부 •   • ㉡ 7·4 남북 공동 성명
(3) 노태우 정부 •   • ㉢ 6·15 남북 공동 선언
(4) 김대중 정부 •   • ㉣ 남북 기본 합의서 채택
(5) 노무현 정부 •   • ㉤ 남북 이산가족 고향 방문

03 다음 내용에 해당하는 개념을 《보기》에서 골라 쓰시오.

《보기》
ㄱ. 합영법   ㄴ. 주체사상
ㄷ. 선군 정치   ㄹ. 고난의 행군

(1) 북한이 1984년 외국 자본과 기술을 직접 도입하기 위해 제정한 것은? ( )

(2) 김일성의 권력을 절대화하는 데 기여한 북한의 통치 이념은? ( )

(3) 군을 중심으로 사회를 이끈다는 북한의 통치 방식은? ( )

(4) 1990년대 북한이 국제 사회의 제재와 자연재해로 겪은 극심한 식량난과 경제 위기를 이르는 말은? ( )

04 다음 빈칸에 들어갈 알맞은 말을 쓰시오.

(1) 남북한은 ( )에서 자주, 평화, 민족 대단결의 통일 원칙에 합의하였다.

(2) ( ) 정부는 국제 사회가 제안한 북한의 경수로 원자력 발전소 건설 사업에서 주도적 역할을 하였다.

(3) 김대중 정부는 ( )을/를 추진하여 처음으로 남북 정상 회담을 개최하였다.

(4) 중국은 ( )을/를 통해 고조선, 부여, 고구려, 발해의 역사를 모두 중국의 역사라 주장하였다.

01 북한 사회의 변화

01 밑줄 친 ㉠의 사례로 옳은 것은?

> 6·25 전쟁 이후 ㉠김일성은 경쟁자를 제거하고 권력을 강화하였다. 또한 중국과 소련이 갈등을 겪는 상황에서 두 나라의 영향력에서 벗어나려는 자주 노선을 추구하였다. 이러한 과정에서 김일성 유일 지배 체제가 확립되었다.

① 선군 정치를 내세웠다.
② 고난의 행군을 계속하였다.
③ 8월 종파 사건을 일으켰다.
④ 천리마 운동을 전개하였다.
⑤ '경제 건설과 핵 무력 건설 병진 노선'을 채택하였다.

02 다음 북한 헌법에 대한 설명으로 옳은 것을 《보기》에서 모두 고르면?

> 제89조 조선 민주주의 인민 공화국 주석은 국가의 수반이며 조선 민주주의 인민 공화국 주권을 대표한다.
> 제90조 조선 민주주의 인민 공화국 주석은 최고 인민 회의에서 선거한다. 조선 민주주의 인민 공화국 주석의 임기는 4년으로 한다.

《보기》
ㄱ. 국가 주석제를 채택하였다.
ㄴ. 국방 위원장의 권한을 강화하였다.
ㄷ. 주체사상을 통치 이념으로 공식화하였다.
ㄹ. 김정은에게 권력이 세습된 후 제정되었다.

① ㄱ, ㄴ   ② ㄱ, ㄷ   ③ ㄴ, ㄷ
④ ㄴ, ㄹ   ⑤ ㄷ, ㄹ

(빈출 문제) 연계 자료 → 113쪽 빈출 자료 01

03 다음 법령을 제정한 목적으로 옳은 것은?

> 제1조 조선 민주주의 인민 공화국 합영법은 우리나라와 세계 여러 나라들 사이의 경제·기술 협력과 교류를 확대 발전시키는 데 이바지한다.
> 제5조 합영 기업은 당사자들이 출자한 재산에 대한 소유권을 가지며 독자적으로 경영 활동을 한다.

① '우리식 사회주의'의 완성
② 주체사상의 통치 이념화
③ 외국 자본과 기술의 도입
④ 자립적 민족 경제의 건설
⑤ 김일성 유일 지배 체제의 확립

(빈출 문제) 연계 자료 → 113쪽 빈출 자료 01

04 (가) 시기의 북한 사회에 대한 설명으로 옳은 것은?

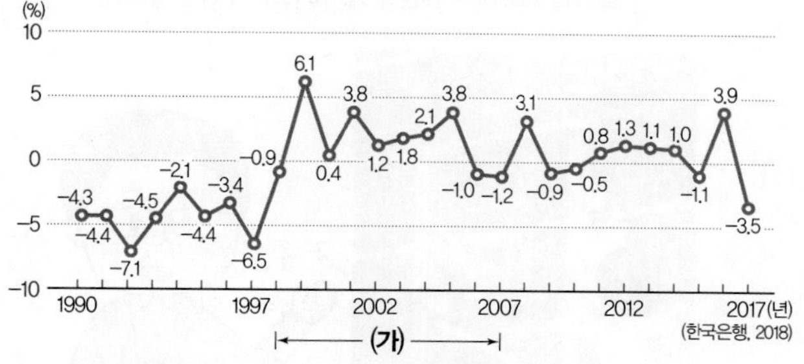

북한의 경제 성장률

① 인민 경제 발전 6개년 계획을 추진하였다.
② '경제 건설과 핵 무력 건설 병진 노선'을 채택하였다.
③ 나진·선봉 지역에 자유 경제 무역 지대를 설치하였다.
④ 금강산 관광, 개성 공업 지구 사업 등 남한과의 교류가 확대되었다.
⑤ '사회주의 경제 건설 집중 노선'을 채택하여 대외 관계 개선과 경제 건설에 우선순위를 둔 정책 추진이 이루어졌다.

02 평화 통일을 위한 화해와 협력

05 다음 남북한 상황이 전개된 시기를 연표에서 옳게 고른 것은?

> 정부는 공산주의와 대결하여 승리할 토대를 마련하려면 먼저 자본주의 공업화를 이룩해야 한다는 논리로 '선 건설, 후 통일'을 주장하며 반공을 '제일의 국시'로 내세우고 강력한 반공 정책을 펼쳤다. 북한도 '대남 혁명 전략'의 일환으로 청와대 습격과 요인 암살을 목적으로 무장간첩을 보내는 등 한반도의 긴장을 고조시켰다.

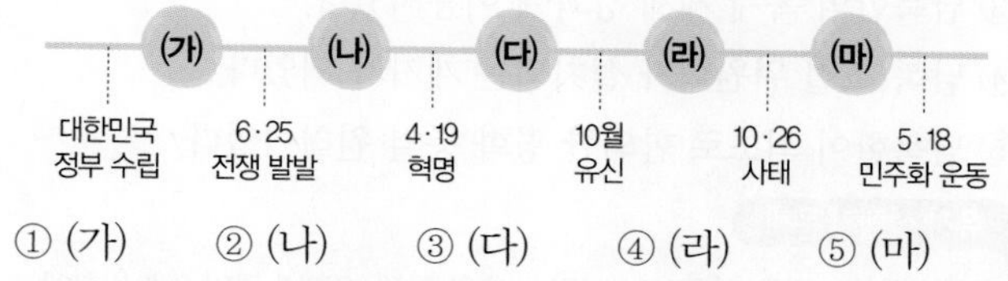

① (가) ② (나) ③ (다) ④ (라) ⑤ (마)

06 밑줄 친 '남북 대화'에 대한 설명으로 옳은 것은?

닉슨 독트린 발표와 미국과 중국의 관계 개선 등 냉전 체제 완화 상황에서 남북한의 관계는 어떤 변화를 맞았나요?

남한에서는 3선 개헌 이후 커진 국민의 불만을 해소하고, 북한에서는 경제적 어려움을 할 수 있는 변화가 필요하였습니다. 그래서 남북 대화에 나서게 되었습니다.

① 남북한 정상이 백두산을 방문하였다.
② 평양에서 남북 정상 회담이 개최되었다.
③ 남북한 당국자들이 비밀리에 회담하였다.
④ 남북한이 남북 기본 합의서에 합의하였다.
⑤ 이산가족 고향 방문단과 예술 공연단 상호 방문이 이루어졌다.

올쏘 시험에 꼭 나오는 문제

(빈출 문제) 연계 자료 → 113쪽 빈출 자료 02

07 다음 성명에 대한 설명으로 옳지 않은 것은?

> 1. 통일은 외세에 의존하거나 외세의 간섭을 받지 않고 자주적으로 해결해야 한다.
> 2. 통일은 상대를 반대하는 무력행사에 의거하지 않고 평화적 방법으로 실현해야 한다.
> 3. 사상과 이념, 제도의 차이를 초월하여 하나의 민족으로서 민족적 대단결을 도모하여야 한다.

① 남북 이산가족 상봉으로 이어졌다.
② 서울과 평양에서 동시에 발표되었다.
③ 남북한의 독재 체제 강화에 이용되었다.
④ 남북 조절 위원회가 설치되는 계기가 되었다.
⑤ 남북한이 최초로 합의한 평화 통일 원칙이었다.

유사 선택지 문제

07_ ❶ 남북한은 당국자의 비밀 접촉을 통해 1972년 통일 3대 원칙에 합의한 (　　　　　　　　)을/를 발표하였다.
07_ ❷ 7·4 남북 공동 성명에는 (남북 조절 위원회 설치 / 개성 공단 조성 / 남북한 유엔 동시 가입)의 내용이 포함되었다.
07_ ❸ 7·4 남북 공동 성명은 남북한의 독재 체제 강화에 이용되기도 하였다. (○ / ×)

08 밑줄 친 '정부' 시기에 있었던 사실로 옳은 것은?

① 남북 정상 회담 개최
② 남북 조절 위원회 설치
③ 금강산 관광 사업 시작
④ 올림픽에 남북한 공동 입장
⑤ 이산가족 고향 방문단, 예술 공연단 상호 방문

(빈출 문제) 연계 자료 → 113쪽 빈출 자료 03

09 다음 합의에 대한 설명으로 옳은 것은?

> 남과 북은 7·4 남북 공동 성명에서 천명된 조국 통일 3대 원칙을 재확인하고, …… 쌍방 사이의 관계가 나라와 나라 사이의 관계가 아닌 통일을 지향하는 과정에서 잠정적으로 형성되는 특수 관계라는 것을 인정하고, 평화 통일을 성취하기 위한 공동의 노력을 경주할 것을 다짐하면서, 다음과 같이 합의하였다.
> 1. 남과 북은 서로 상대방의 체제를 인정하고 존중한다.
> 2. 남과 북은 상대방에 대하여 무력을 사용하지 않으며 상대방을 무력으로 침략하지 아니한다.

① 김대중 정부 시기에 발표되었다.
② 남북 고위급 회담에서 채택되었다.
③ 남북 정상 회담 개최 후 발표되었다.
④ 남북한이 유엔에 동시 가입하는 계기가 되었다.
⑤ 통일 방식에 대한 합의와 경제 협력 등의 내용을 담았다.

10 밑줄 친 '정부' 시기에 볼 수 있는 모습으로 가장 적절한 것은?

① 평양에서 정상 회담을 갖는 대통령
② 소 떼를 몰고 방북 길에 나선 기업 회장
③ 비핵화 공동 선언에 서명하는 남북한 대표
④ 남한에 가져온 수해 구호물자를 하역하는 북한 노동자
⑤ 개성 지역의 고려 궁성 유적 발굴·조사를 위해 회의하는 남북한 학자

(빈출 문제) 연계 자료 → 113쪽 빈출 자료 04

11 다음 선언에 대한 설명으로 옳은 것은?

> 2. 남과 북은 나라의 통일을 위한 남측의 연합제 안과 북측의 낮은 단계의 연방제 안이 서로 공통성이 있다고 인정하고, 앞으로 이 방향에서 통일을 지향시켜 나가기로 하였다.
> 4. 남과 북은 경제 협력을 통하여 민족 경제를 균형적으로 발전시키고, 사회, 문화, 체육, 보건, 환경 등 제반 분야의 협력과 교류를 활성화하여 서로의 신뢰를 다져 나가기로 하였다.

① 처음으로 통일 3대 원칙에 합의하였다.
② 최초의 남북 정상 회담에서 발표되었다.
③ 남북한의 유엔 동시 가입에 합의하였다.
④ 남북 조절 위원회 설치 내용이 담겨 있다.
⑤ 유신 헌법과 사회주의 헌법 제정에 이용되었다.

유사 선택지 문제

11_ ❶ (　　　) 대통령은 2000년에 평양을 방문하여 처음으로 남북 정상 회담을 개최하였다.
11_ ❷ 최초의 남북 정상 회담의 결과 (　　　　　　　　)이/가 발표되었다.
11_ ❸ 남북한은 6·15 남북 공동 선언을 발표하여 자주·평화·민족 대단결이라는 통일 3대 원칙을 제시하였다. (○ / ×)

12 다음 합의가 이루어진 시기의 사실로 옳은 것은?

> 1. 6·15 공동 선언을 고수하고 적극 구현해 나간다.
> 4. 현 정전 체제를 종식시키고 항구적인 평화 체제를 구축하기 위한 종전 선언을 협력해 추진하기로 하였다.
> 5. 경제 협력 사업을 적극 활성화하기로 하였다.
> • 서해 평화 협력 특별 지대를 설치하여 공동 어로 구역과 평화 수역 설정, 민간 선박의 해주 직항로 통과, 한강 하구 공동 이용 등을 추진해 나가기로 하였다.
> • 개성-신의주 철도와 개성-평양 고속 도로를 공동으로 이용하기 위해 개보수 문제를 협의·추진하기로 하였다.

① 개성 공업 지구가 폐쇄되었다.
② 남북 조절 위원회가 설치되었다.
③ 금강산 해로 관광이 시작되었다.
④ 경의선과 동해선 철도가 연결되었다.
⑤ 처음으로 이산가족 고향 방문이 이루어졌다.

03 동아시아 평화를 위한 노력

13 (가)에 들어갈 내용으로 옳은 것을 〈보기〉에서 모두 고르면?

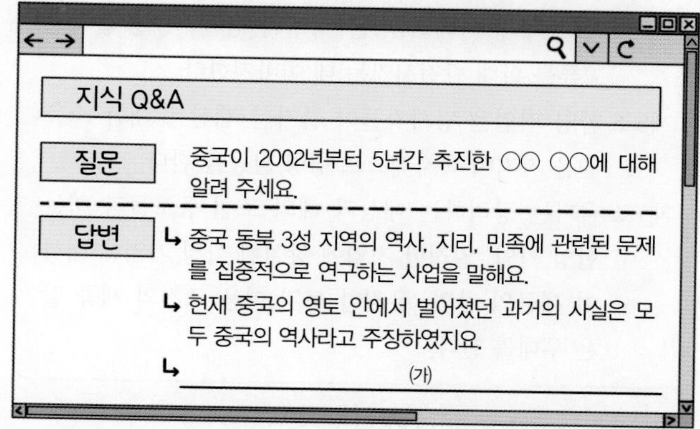

〈보기〉
ㄱ. 대한 제국 칙령 제41호의 의미를 부정하는 것이에요.
ㄴ. 북한과 국경 문제로 갈등이 증폭되면서 시작되었어요.
ㄷ. 당의 책봉으로 발해가 건국된 것처럼 설명하고 있어요.
ㄹ. 고구려의 역사를 중국사의 일부로 포함하려고 하였어요.

① ㄱ, ㄴ　② ㄱ, ㄷ　③ ㄴ, ㄷ
④ ㄴ, ㄹ　⑤ ㄷ, ㄹ

14 다음 자료에 나타난 일본의 주장을 비판하기 위한 탐구 활동으로 적절하지 않은 것은?

> 유엔 해양법 협약이 발효되면서 한국과 일본은 1998년에 신한·일 어업 협정을 새롭게 맺었다. 일본의 시마네현은 신한·일 어업 협정 이후 어획량이 급감하자 2005년 3월에 '다케시마의 날'을 제정하여 독도가 일본 땅이라고 주장하였다. 일본 정부도 독도에 대한 영유권을 주장하는 한편, 2008년 이후 검인정 교과서에 독도를 자국의 영토라고 기술하게 하였다.

① 조선 후기 안용복의 활동을 조사한다.
② 대한 제국 칙령 제41호의 내용을 분석한다.
③ 1909년 일본과 청이 국경을 정한 협약을 살펴본다.
④ "세종실록지리지"에서 독도에 대한 기록을 찾아본다.
⑤ 1877년에 내려진 일본 태정관의 지시 내용을 알아본다.

서술형 문제

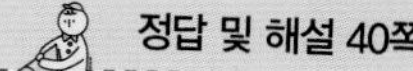
정답 및 해설 40쪽

01 다음 자료를 읽고 물음에 답하시오.

> 제1조 조선 민주주의 인민 공화국 ((가))은/는 우리나라와 세계 여러 나라들 사이의 경제·기술 협력과 교류를 확대 발전시키는 데 이바지한다.
> 제5조 합영 기업은 당사자들이 출자한 재산에 대한 소유권을 가지며 독자적으로 경영 활동을 한다.
> 제7조 국가는 장려하는 대상과 해외 조선 동포들과 하는 합영 기업, 일정한 지역에 창설된 합영 기업에 대하여 세금의 감면, 유리한 토지 이용 조건의 제공 같은 우대를 한다.

(1) (가)에 들어갈 위 법령의 명칭을 쓰시오.

(2) 북한이 (1) 법령을 제정한 목적을 서술하시오.

02 다음 자료를 읽고 물음에 답하시오.

> 첫째, 통일은 외세에 의존하거나 외세의 간섭을 받음이 없이 자주적으로 해결되어야 한다.
> 둘째, 통일은 서로 상대방을 적대하는 무력행사에 의거하지 않고, 평화적 방법으로 실현되어야 한다.
> 셋째, 사상과 이념, 제도의 차이를 초월하여 우선 하나의 민족으로서 민족적 대단결을 도모하여야 한다.

(1) 남북한에서 공동으로 발표된 위 성명의 명칭을 쓰시오.

(2) 남북 관계에서 (1)이 갖는 역사적 의의를 서술하시오.

03 다음 자료를 읽고 물음에 답하시오.

> 남북한의 국제 연합 가입 신청은 안보리에서 만장일치로 채택되었다. …… ㉠ 남북한의 유엔 가입은 한반도의 긴장을 완화하고 남북한 신뢰 구축 분위기를 조성할 것이며, 통일로 나아가는 대화의 장을 제공할 것으로 기대된다.

(1) 밑줄 친 ㉠을 추진한 정부를 쓰시오.

(2) 밑줄 친 ㉠의 성사 배경을 당시 국제 정세의 변화와 연관 지어 서술하시오.

04 다음 자료를 읽고 물음에 답하시오.

> ((가))은/는 우리 땅입니다. 그냥 우리 땅이 아니라 특별한 역사적 의미를 가진 우리 땅입니다. …… 우리에게 ((가))은/는 단순히 조그만 섬에 대한 영유권의 문제가 아니라 일본과의 관계에서 잘못된 역사의 청산과 완전한 주권 확립을 상징하는 문제입니다.
> – 노무현 대통령 특별 담화문 –

(1) (가)에 들어갈 지역을 쓰시오.

(2) (1)이 우리 영토임을 세 가지 근거를 제시하여 서술하시오.

상위 4% 문제

정답 및 해설 41쪽

01 (가), (나) 시기의 북한에 대한 설명으로 옳은 것을 《보기》에서 모두 고르면?

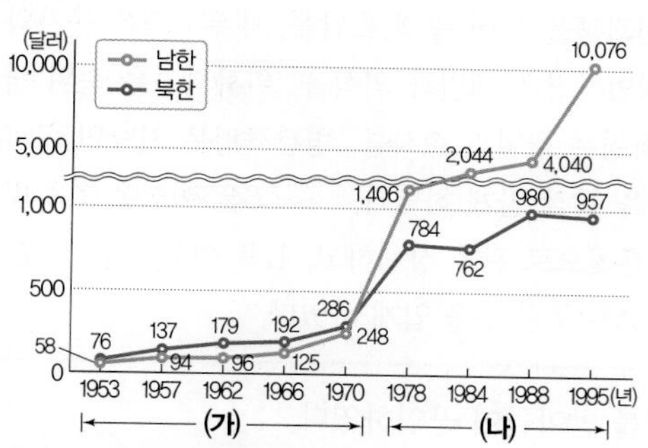

▲ 남북한 1인당 국민 총생산

《보기》
ㄱ. (가)–국가 경제 발전 5개년 전략을 발표하였다.
ㄴ. (가)–반대 세력을 숙청하고 김일성 중심의 통치 체제를 확립하였다.
ㄷ. (나)–연안파와 소련파가 김일성 개인숭배를 비판하였다.
ㄹ. (나)–외국 자본과 기술을 직접 도입하기 위해 합영법을 제정하였다.

① ㄱ, ㄴ ② ㄱ, ㄷ ③ ㄴ, ㄷ
④ ㄴ, ㄹ ⑤ ㄷ, ㄹ

02 (가), (나) 사이의 시기에 있었던 사실로 옳은 것은?

> (가) 4·19 혁명 이후 장면 정부 때에는 민간 차원에서 평화 통일 운동이 활발해졌다. 남북 학생 회담이 추진되고 남북 연방제론, 중립화 통일론 등 다양한 통일 방안이 제시되었다.
> (나) 미국이 중국과 관계를 개선하는 등 동아시아에서도 냉전 체제가 완화되었다. 미국은 동북아 정세 안정을 위해 박정희 정부에 남북 대화를 권고하였다.

① 남북 정상 회담이 개최되었다.
② 남북한이 통일의 3대 원칙에 합의하였다.
③ 남북한이 비핵화 공동 선언을 체결하였다.
④ 이산가족 고향 방문단과 예술 공연단 상호 방문이 이루어졌다.
⑤ 남한 정부가 '선 건설, 후 통일'을 주장하며 반공 정책을 강화하였다.

03 (가), (나)에 대한 설명으로 옳지 <u>않은</u> 것은?

> (가) 첫째, 통일은 외세에 의존하거나 외세의 간섭을 받지 않고 자주적으로 해결해야 한다. 둘째, 통일은 상대를 반대하는 무력행사에 의거하지 않고 평화적으로 실현해야 한다. 셋째, 사상과 이념, 제도의 차이를 초월하여 하나의 민족으로서 민족적 대단결을 도모하여야 한다.
> (나) 1. 나라의 통일 문제를 우리 민족끼리 서로 힘을 합쳐 자주적으로 해결해 나가기로 하였다.
> 2. 나라의 통일을 위한 남측의 연합제 안과 북측의 낮은 단계의 연방제 안이 서로 공통성이 있다고 인정하고, 이 방향에서 통일을 지향하기로 하였다.

① (가)–남북한이 처음으로 합의한 통일 원칙이다.
② (가)–남북 조절 위원회 설치의 계기가 되었다.
③ (나)–남북 정상 회담을 통해 합의되었다.
④ (나)–남북 교류가 활발해지는 계기가 되었다.
⑤ (가), (나)–남북 이산가족 상봉으로 이어졌다.

04 (가) 정부 시기에 이루어진 남북 교류의 내용으로 옳은 것을 《보기》에서 모두 고르면?

> ((가)) 정부는 평양에서 남북 정상 회담을 통해 '남북 관계 발전과 평화 번영을 위한 선언(10·4 남북 정상 선언)'을 채택하였다. 이 선언에서 남북한은 남북 관계를 확대·발전시킬 것을 합의하였고, 한강 하구의 공동 이용과 서해안 공동 어로수역과 평화 수역 설정, 경제특구 설치 등을 내용으로 하는 '서해 평화 협력 특별 지대' 합의를 도출하였다.

《보기》
ㄱ. 개성 공업 지구가 조성되었다.
ㄴ. 경의선과 동해선 철도가 연결되었다.
ㄷ. 북한이 남한에 수해 구호물자를 제공하였다.
ㄹ. 이산가족 고향 방문단 및 예술 공연단 상호 방문이 이루어졌다.

① ㄱ, ㄴ ② ㄱ, ㄷ ③ ㄴ, ㄷ
④ ㄴ, ㄹ ⑤ ㄷ, ㄹ

단원 마무리 문제

01 (가), (나) 도구가 처음 사용된 시기의 공통된 사회 모습으로 가장 적절한 것은?

(가)

(나)

① 무덤으로 고인돌을 만들었다.
② 농경과 목축으로 식량을 생산하였다.
③ 대부분 무리를 지어 이동 생활을 하였다.
④ 계급이 발생하지 않은 평등한 사회였다.
⑤ 철제 무기를 이용해 정복 활동을 벌였다.

02 철기 시대 등장한 (가), (나) 나라에 대한 설명으로 옳은 것을 ◖보기◗에서 모두 고르면?

◖ 보기 ◗
ㄱ. (가)-8조법으로 나라를 다스렸다.
ㄴ. (가)-나라의 중대한 일은 제가 회의에서 결정하였다.
ㄷ. (나)-민며느리제라는 혼인 풍속이 있었다.
ㄹ. (나)-중앙 집권적 영역 국가로 발전하였다.

① ㄱ, ㄴ ② ㄱ, ㄷ ③ ㄴ, ㄷ
④ ㄴ, ㄹ ⑤ ㄷ, ㄹ

03 다음 제도를 제정한 국왕의 업적으로 옳은 것은?

> 내신좌평을 두어 왕명 출납을, 내두좌평은 물자와 창고를, 내법좌평은 예법과 의식을, 위사좌평은 숙위 병사를, 조정좌평은 형벌과 송사를, 병관좌평은 지방의 군사에 관한 일을 각각 맡게 하였다. …… 6품 이상은 자줏빛 옷을 입고 은꽃으로 관을 장식하고, 11품 이상은 붉은 옷을, 16품 이상은 푸른 옷을 입게 하였다.

① 불교를 받아들여 공인하였다.
② 유학 교육을 위해 태학을 설립하였다.
③ 활발한 정복 활동으로 한강 유역을 장악하였다.
④ 웅진에서 사비로 천도하고, 한강 하류 유역을 일시 회복하였다.
⑤ 대가야를 병합하여 낙동강 유역을 차지하고, 함흥평야까지 진출하였다.

04 다음 문화유산에 공통적으로 담긴 사상에 대한 설명으로 옳은 것은?

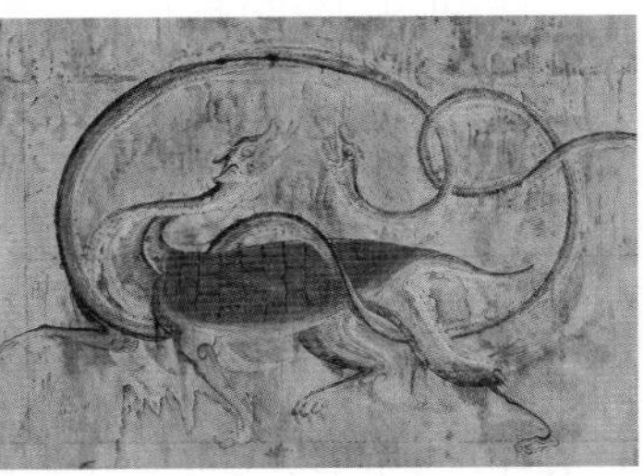

① 많은 승탑이 건립되는 배경이 되었다.
② 묘청의 서경 천도 운동에 영향을 주었다.
③ 고려 말 신진 사대부에게 수용되어 발전하였다.
④ 고구려의 연개소문이 불교를 견제하려 권장하였다.
⑤ 고려 태조가 평양을 서경으로 승격시킨 근거로 활용되었다.

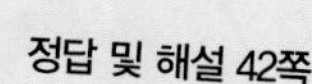

05 밑줄 친 ㉠에 해당하는 사실로 옳은 것은?

> 통일 신라의 신문왕은 김흠돌의 난을 진압하여 왕권을 견고히 하였다. 이를 바탕으로 통일 신라는 넓어진 영토와 늘어난 인구를 효과적으로 통치하기 위해 ㉠<u>여러 제도를 정비</u>하였다.

① 3성 6부의 중앙 관제를 마련하였다.
② 지방을 9주 5소경 체제로 정비하였다.
③ 인재 선발을 위해 과거제를 실시하였다.
④ 모든 백성을 양인과 천인으로 구분하였다.
⑤ 6조 직계제를 채택해 국왕의 국정 주도권을 강화하였다.

06 (가), (나) 정치 세력에 대한 학생들의 발표 내용으로 옳은 것은?

> (가) 저희들이 보건대 서경 임원역의 땅은 음양가들이 말하는 대화세(명당)입니다. 이곳에 궁궐을 짓고 옮기시면 천하를 다스릴 수 있습니다. 또한 금이 예물을 가져와서 스스로 항복할 것이요, 주변의 서른여섯 나라가 모두 머리를 조아릴 것입니다.
> (나) 금년 여름 서경 대화궁에 30여 군데나 벼락이 떨어졌습니다. 서경이 만약 좋은 땅이라면 하늘이 이렇게 하였을 리 없습니다. …… 또 서경은 아직 추수가 끝나지 않았습니다. 지금 행차하시면 농작물을 짓밟을 것입니다. 이는 백성을 사랑하고 물건을 아끼는 뜻과 어긋납니다.

① (가)의 대부분은 친원적 성향을 보였어요.
② (가)는 정변을 일으켜 정권을 장악하였어요.
③ (나)는 중방을 통해 국정을 운영하였어요.
④ (나)는 여러 대에 걸쳐 고위 관직을 차지한 개경의 문벌이 중심이었어요.
⑤ (가)와 (나)의 대립 과정에서 사화가 발생하였어요.

07 (가) 지역의 확보 과정을 알아보기 위한 탐구 활동으로 가장 적절한 것은?

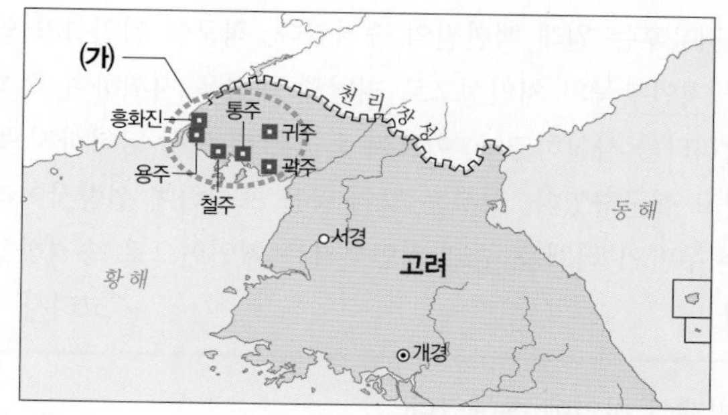

① 거란 침입 시 서희의 활동을 알아본다.
② 삼별초의 대몽 항쟁 과정을 살펴본다.
③ 최윤덕과 김종서가 개척한 지역을 파악한다.
④ 윤관이 별무반을 이끌고 개척한 지역을 조사한다.
⑤ 고려가 금과 군신 관계를 맺게 된 이유를 분석한다.

08 밑줄 친 '이 국왕'에 대한 설명으로 옳은 것은?

① 성문 법전을 반포하였다.
② 쌍성총관부를 공격하였다.
③ 노비안검법을 실시하였다.
④ 사심관 제도를 도입하였다.
⑤ 개척한 영토에 순수비를 세웠다.

단원 마무리 문제

09 밑줄 친 '처인부곡'에 거주하던 사람들에 대한 설명으로 가장 적절한 것은?

> 김윤후는 원래 백현원의 승려였다. 적군이 침입하자 인근 처인부곡의 처인성으로 피난해 백성을 지휘하여 적장 살리타를 사살하였다. 이로써 적군은 더 이상 남하하지 못하고 철군하였다. 정부는 그의 공을 포상하여 섭랑장이라는 무반의 직책을 주고 처인부곡은 처인현으로 승격하였다.
> -"고려사"-

① 법제상 천인에 속하였다.
② 주로 수공업 제품 생산에 종사하였다.
③ 문과에 응시해 중앙 관직에 진출하였다.
④ 매년 정해진 신공을 몸값으로 납부하였다.
⑤ 일반 군현민보다 더 많은 세금을 부담하였다.

10 (가)에 들어갈 내용으로 옳은 것은?

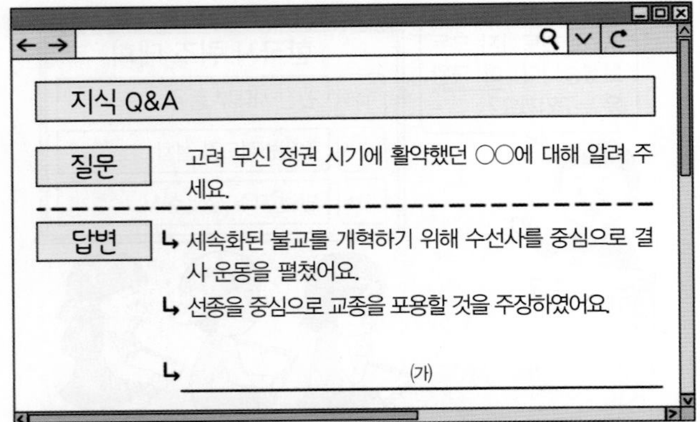

① "삼국유사"를 저술하였어요.
② 유불 일치설을 주장하였어요.
③ 해동 천태종을 개창하였어요.
④ 정혜쌍수와 돈오점수를 강조하였어요.
⑤ 교관겸수를 수행 방법으로 제시하였어요.

11 (가), (나) 사이에 있었던 사실로 옳은 것은?

> (가) 새로 건국된 명이 철령 이북의 땅을 요구하자 고려는 요동 정벌을 추진하였다. 이에 요동 정벌을 반대하던 이성계는 압록강 하류의 위화도에서 군대를 돌려 개경으로 돌아와 권력을 장악하였다.
> (나) 정도전, 조준 등 급진 개혁파는 이성계와 손잡고 역성 혁명에 반대하던 정몽주 등을 제거한 후 조선을 건국하였다.

① 공신 세력의 위훈을 삭제하였다.
② 도방을 폐지해 국왕의 군사권을 강화하였다.
③ 조선의 기본 법전인 "경국대전"을 반포하였다.
④ 국방을 강화하기 위해 천리장성을 축조하였다.
⑤ 과전법을 실시해 신진 관료의 경제 기반을 마련하였다.

12 (가) 인물에 대한 설명으로 옳은 것은?

① 4군 6진을 개척하였다.
② 경기도에 대동법을 도입하였다.
③ 붕당의 근원인 서원을 대폭 정리하였다.
④ 훈구를 견제하기 위해 사림을 등용하였다.
⑤ 규장각을 설치해 자신의 정책을 뒷받침하였다.

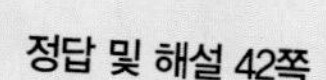

13 (가), (나)에 대한 설명으로 옳은 것을 《보기》에서 모두 고르면?

(가)

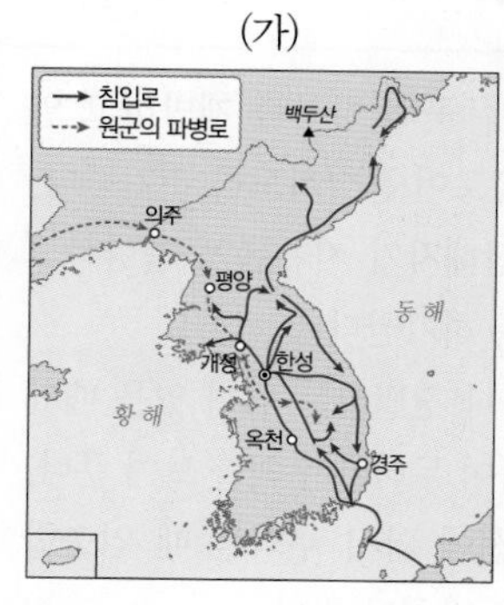

(나)

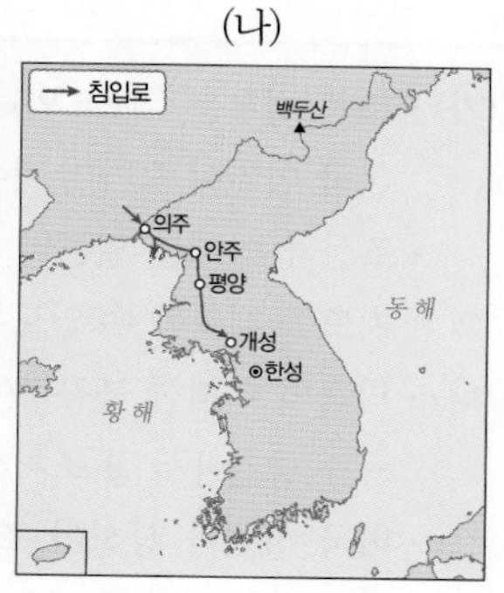

《보기》
ㄱ. (가)－신흥 무인 세력이 성장하였다.
ㄴ. (가)－명군까지 참전한 동아시아 국제전이었다.
ㄷ. (나)－조선이 명과의 국교를 단절하였다.
ㄹ. (나)－후금이 조선과 형제의 관계를 맺고 돌아갔다.

① ㄱ, ㄴ ② ㄱ, ㄷ ③ ㄴ, ㄷ
④ ㄴ, ㄹ ⑤ ㄷ, ㄹ

14 다음 자료를 통해 당시 사회 모습을 추론한 것으로 가장 적절한 것은?

> 허생이 "내 조금 시험해 볼 일이 있으니 그대는 내게 만금(萬金)을 빌려주시오."라고 말하였다. 변씨는 "그러시오." 하고 곧 만금을 빌려주었다. …… 허생은 대추, 밤, 감, 배 등의 여러 과실을 모두 두 배 값으로 사서 모았다. 허생이 과실을 모두 사들이자 온 나라가 잔치나 제사를 치르지 못하게 되었다. 얼마 안 되어서 두 배 값을 받고 과일을 판 상인들이 10배의 값을 치르고 다시 사갔다.

① 관영 수공업이 발달하였다.
② 상품 화폐 경제가 발달하였다.
③ 모내기법이 처음으로 도입되었다.
④ 민간인의 광산 채굴이 금지되었다.
⑤ 시전 상인의 금난전권이 강화되었다.

15 다음과 같은 변화의 내용으로 옳지 않은 것은?

> 양 난 이후 조선의 신분 제도에는 큰 변화가 나타났다. 소수 가문에 권력이 집중되면서 경제적으로 몰락하여 일반 상민이나 천민과 큰 차이가 없어지는 잔반이 많아졌다. 또한 상민과 천민이 신분을 상승하기도 하였다.

① 노비종모법이 실시되었다.
② 중앙 관서의 공노비가 해방되었다.
③ 납속을 통해 양인이 되는 노비가 늘어났다.
④ 부농층이 공명첩 매입을 통해 신분을 상승시켰다.
⑤ 향·부곡·소를 일반 군현으로 승격시켜 양인을 늘렸다.

16 밑줄 친 '농민 봉기'에 해당하는 것을 《보기》에서 모두 고르면?

《보기》
ㄱ. 만적의 난 ㄴ. 홍경래의 난
ㄷ. 임술 농민 봉기 ㄹ. 망이·망소이의 난

① ㄱ, ㄴ ② ㄱ, ㄷ ③ ㄴ, ㄷ
④ ㄴ, ㄹ ⑤ ㄷ, ㄹ

올쏘 단원 마무리 문제

01 밑줄 친 '그'에 대한 설명으로 옳은 것은?

> 양반 가문, 충신 가문, 효자 및 열녀 가문, 과거 급제자, 현직 관리는 전부 군포가 면제되었다. …… 그가 의연히 단행하여 군포를 혁파하고 호포법을 실시하여, 귀천 없이 국세를 고르게 부담하니 쌓인 폐단이 한꺼번에 정리되었다.

① 화폐 정리 사업을 주도하였다.
② 권력 기구로 교정도감을 설치하였다.
③ 농민의 군포 부담을 1필로 줄여 주었다.
④ 왕권 강화를 위해 6조 직계제를 실시하였다.
⑤ 왕실의 권위를 높이기 위해 경복궁 중건을 추진하였다.

02 다음 전투가 벌어졌던 시기를 연표에서 옳게 고른 것은?

> 양헌수가 순무중군으로 있었다. …… 광성보에서 몰래 전등사로 가서 주둔하였다. …… 전등사는 높은 산 위라 매복하고 있다가 한꺼번에 북과 나발을 불며 좌우에서 총을 쏘았다. 장수가 총에 맞아 말에서 떨어지고 서양인 십여 명이 죽었다. 혼쭐이 난 서양인들을 쫓아가니 제 동료의 시체를 옆에 끼고 급히 본진으로 도망갔다.

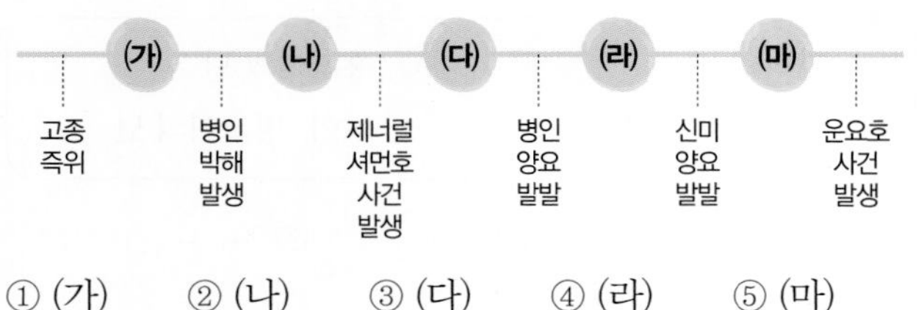

① (가) ② (나) ③ (다) ④ (라) ⑤ (마)

03 (가), (나) 조약의 공통점에 대한 학생들의 발표 내용으로 옳은 것을 《보기》에서 모두 고르면?

> (가) • 조선 정부는 (부산 외) 두 곳의 항구를 개방하고 일본국 인민이 오가며 자유로이 통상하도록 허가한다.
> • 조선국 연해를 일본국 항해자가 자유롭게 측량하고 지도를 제작할 수 있도록 허가한다.
>
> (나) • 타국의 어떠한 불공평이나 경멸하는 일이 있을 때에 …… 중간에서 잘 조처하여 두터운 우의를 보여 준다.
> • 미국 상인과 상선이 조선에 와서 무역할 때 입출항하는 화물은 모두 세금을 바쳐야 한다.

《보기》
ㄱ. 영사 재판권을 인정하였어요.
ㄴ. 조선에게 불리한 불평등 조약이에요.
ㄷ. 상대국에 대해 최혜국 대우를 허용하였어요.
ㄹ. 수출입 상품에 대해 관세를 부과하도록 규정하였어요.

① ㄱ, ㄴ ② ㄱ, ㄷ ③ ㄴ, ㄷ
④ ㄴ, ㄹ ⑤ ㄷ, ㄹ

04 다음 외교 사절이 파견되었을 때 볼 수 있던 모습으로 가장 적절한 것은?

> 동래부 암행어사 이헌영은 뜯어보라.
> 일본 사람의 조정 논의와 시세 형편, 풍속, 인물과 다른 나라들과의 수교·통상 등의 대략을 한 번 염탐하는 것이 아주 좋겠다. …… 이 밖에 뒷일은 별도 문서로 조용히 보고하라.

① 독립신문을 읽고 있는 학생
② 척화주전론을 주장하는 유생
③ 하와이로 이민을 떠나는 농민
④ 의병을 이끌고 일본군과 싸우는 유생
⑤ 통리기무아문에서 개화 정책을 논의하는 관리

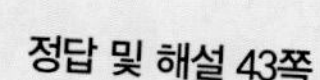

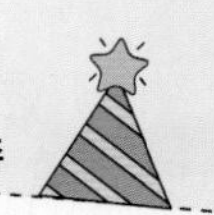

05 다음 사건의 결과로 옳은 것은?

〈사건 일지〉

6월 5일 : 겨와 모래가 섞인 쌀을 급료로 지급하려던 선혜청 관리를 무위영 군인들이 구타함

6월 9일 : 군인들이 선혜청 당상 민겸호의 집과 일본 공사관 등을 습격함

6월 10일 : 고종이 흥선 대원군에게 국정을 맡김

6월 27일 : 청의 마젠창이 이끄는 청군이 인천에 도착함

7월 13일 : 청이 흥선 대원군을 납치하여 톈진으로 데려감

① 군국기무처가 폐지되었다.
② 신식 군대인 별기군이 설치되었다.
③ 청과 일본 군대가 조선에서 철수하였다.
④ 조·청 상민 수륙 무역 장정이 체결되었다.
⑤ 농민군과 정부가 전주 화약을 체결하였다.

06 지도의 사건에 대한 설명으로 가장 알맞은 것은?

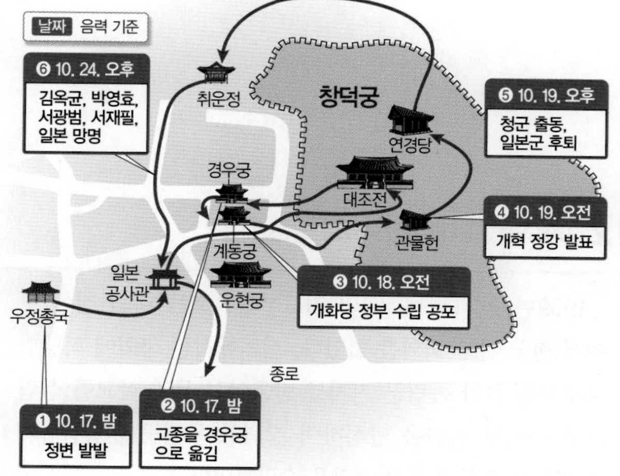

① 의회 제도의 설립을 추진하였다.
② 최초의 근대적 정치 개혁 운동이었다.
③ 영국이 거문도를 불법 점령하는 빌미가 되었다.
④ 일본과 제물포 조약을 체결하는 계기가 되었다.
⑤ 비변사가 사실상 폐지되고 의정부와 삼군부의 기능이 부활하였다.

07 밑줄 친 '그들'의 요구 사항으로 가장 적절한 것은?

우리 정부는 왕명을 받들어 교정청을 설치하고 당상관 15명을 두어 먼저 폐정 몇 가지를 개혁했는데, 모두 그들이 사정을 하소연한 일이었다. 자주적 개혁을 추진함으로써 일본인들의 요구와 끼어듦을 막고자 하였다.

– "속음청사" –

① 단발령을 시행할 것
② 혜상공국을 혁파할 것
③ 탐관오리를 징벌할 것
④ 재정을 탁지부로 일원화할 것
⑤ 정부 사무와 왕실 사무를 분리할 것

08 밑줄 친 '이 집회'의 개최를 주도한 단체에 대한 설명으로 옳은 것은?

이 집회는 세 사람의 연설로 시작되었다. 회장 윤치호, 의정부 참정 박정양, 백정 박성춘이 차례로 연설하였다. …… 정부 대표인 박정양은 "폐하께서 '인민들이 차가운 곳에서 날을 보내고 있으니 오늘은 정부의 여러 대신이 합석하여 나라를 이롭게 하고 백성을 편리하게 하는 그 방책을 들어 보도록 하라.'라고 하셨습니다."라고 말하였다.

① 의회 설립 운동을 전개하였다.
② 고종의 강제 퇴위에 반대하였다.
③ 자기 회사와 태극 서관을 운영하였다.
④ 일제의 황무지 개간권 요구에 반대하였다.
⑤ 왜양일체론을 내세워 개항 반대 운동을 벌였다.

단원 마무리 문제

09 다음 장소에서 황제 즉위식을 거행한 뒤 정부가 추진한 개혁 내용으로 가장 적절한 것은?

① 태양력을 채택하였다.
② 신분제를 폐지하였다.
③ 재판소를 설치하였다.
④ 교육 입국 조서를 발표하였다.
⑤ 일부 지역에 지계를 발급하였다.

10 다음 조약을 근거로 추진된 사실로 가장 적절한 것은?

> 1. 한국 정부는 일본 정부가 추천한 일본인 1명을 재정 고문으로 삼아 …… 재무에 관한 사항은 일체 그의 의견을 물어 시행해야 한다.
> 2. 한국 정부는 일본 정부가 추천한 외국인 1명을 외교 고문으로 삼아 …… 외교에 관한 중요한 사무는 일체 그의 의견을 물어서 시행해야 한다.

① 통감부가 설치되었다.
② 신문지법이 제정되었다.
③ 각 부처에 일본인 차관이 임명되었다.
④ 묄렌도르프가 외교 고문에 임명되었다.
⑤ 메가타가 화폐 정리 사업을 전개하였다.

11 (가), (나) 의병 봉기 사이에 있었던 사실로 옳지 않은 것은?

> (가) 국모의 원수를 생각하며 이미 이를 갈았는데, 참혹함이 더욱 심해져 임금께서 머리를 깎이시고 의관을 찢기는 지경에 이른 데다가 …… 우리 부모로부터 받은 몸을 금수로 만드니 이 무슨 일인가. 우리 부모로부터 받은 머리카락을 깎았으니 이 무슨 변괴인가.
> (나) 7월 이후로 황제의 자리까지 빼앗아 이를 선위라 거짓으로 말하고 안으로 10부의 대신과 밖으로 팔도 수령을 일진회로 메워 임용하고 …… 백성이 발 디딜 곳이 없어졌으므로 팔도의 의사가 아무 모의함도 없이 뜻을 같이하니 민심이 곧 하늘의 뜻인 것이다.

① 대한국 국제가 반포되었다.
② 고종이 헤이그에 특사를 파견하였다.
③ 일본이 대한 제국의 외교권을 강탈하였다.
④ 고종이 러시아 공사관으로 거처를 옮겼다.
⑤ 경복궁을 점령한 일본군의 강요로 군국기무처가 설치되었다.

12 (가) 단체에 대한 설명으로 옳은 것은?

> 1909년 봄, ((가))의 지도부들은 양기탁의 집에 모여서 전국 간부 회의를 열었다. 회의에서는 국외에 적당한 후보지를 골라 독립군 기지를 만들어서 무관 학교를 설립하고 독립군 사관을 양성하여 강력한 독립군을 창건하기로 결정하고 독립 전쟁 전략을 수립하였다.

① 만민 공동회를 개최하였다.
② 상권 수호 운동을 주도하였다.
③ 러시아의 절영도 조차 요구를 철회시켰다.
④ 고종의 강제 퇴위 반대 운동을 전개하였다.
⑤ 공화 정체의 근대 국가 수립을 목표로 삼았다.

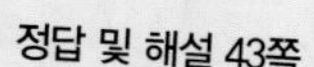

13 (가), (나)에 들어갈 내용이 옳게 짝지어진 것은?

조약 체결과 열강의 경제 침투

1876 강화도 조약 : 영사 재판권, 해안 측량권 허용
조·일 수호 조규 부록 : 일본 화폐 사용
조·일 무역 규칙 : ______(가)______
1882 조·미 수호 통상 조약 : 최혜국 대우
조·청 상민 수륙 무역 장정 : ______(나)______

	(가)	(나)
①	관세권 설정	방곡령 근거 마련
②	방곡령 근거 마련	최혜국 대우 규정
③	최혜국 대우 규정	영사 재판권 인정
④	양곡의 무제한 유출	청 상인의 한성 진출 허용
⑤	일본 상인의 내륙 진출	관세권 설정

14 밑줄 친 '나'에 대한 설명으로 옳은 것은?

나는 암살범이 아니다. 이토 히로부미는 대한 제국을 침략하고 동양 평화를 어지럽혔으므로 대한 제국의 의병 자격으로 제거한 것이다. …… 될 수 있는 한 생포되어서 정정당당한 이유를 발표하여 우리나라의 억울한 사정을 만국에 선전하기로 마음먹었으며 이렇게 죽는다면 또 다른 내가 천 사람이고 만 사람이고 나올 것이다.

① 갑신정변을 일으켰다.
② 13도 창의군을 이끌었다.
③ "동양 평화론"을 집필하였다.
④ 한반도 중립화론을 구상하였다.
⑤ 영남 만인소 작성을 주도하였다.

15 밑줄 친 '이 운동'에 대한 학생들의 발표 내용으로 가장 적절한 것은?

① 독립 협회의 주도로 전개되었어요.
② 고종의 강제 퇴위에 반발해 일어났어요.
③ 전개 과정에서 농광회사가 설립되었어요.
④ 대한매일신보 등 언론사의 지원을 받았어요.
⑤ 학교를 세워 교육을 통한 실력 양성을 추구하였어요.

16 다음 문서가 작성되었던 시기에 볼 수 있던 모습으로 가장 적절한 것은?

경인 철도 부설 공사에 대하여는 한강 가교 공사를 제외한 기타 공사가 거의 준공되어 앞으로 2, 3개월이 경과되면 인천, 노량진 간에 객차 운전을 하게 될 것으로 예상됩니다. 그래서 이 선로에 필요한 모든 건물의 보전 및 열차 운전상 위험을 예방하기 위하여 적당한 법령을 반포하여 이것을 실시하게 하는 것이 필요하다고 생각됩니다.

① 서울로 진공하는 13도 창의군
② 일본군과 싸우는 해산 군인 출신 의병
③ 집강소에서 개혁안을 실천하는 농민군
④ 토지 소유자를 조사하는 대한 제국 관리
⑤ 만국 평화 회의에 특사를 파견하는 고종

단원 마무리 문제

01 (가), (나) 법령이 제정된 사이의 시기에 있었던 사실로 옳지 않은 것은?

> (가) • 태형은 태 30 이하는 1회에 집행하며, 30이 증가할 때마다 1회를 추가한다.
> • 이 영은 조선인에 한하여 적용한다.
> (나) 국체(國體)를 변혁하거나 사유 재산 제도를 부인할 목적으로 결사를 조직하거나 그 사정을 알고 가입한 자는 10년 이하의 징역 또는 금고에 처한다.

① 대한 광복회가 활동하였다.
② 조선 형평사가 조직되었다.
③ 6·10 만세 운동이 일어났다.
④ 물산 장려 운동이 전개되었다.
⑤ 민립 대학 설립 운동이 추진되었다.

02 다음 법령이 시행된 결과로 옳은 것을 《보기》에서 모두 고르면?

> 제1조 토지의 조사 및 측량은 본령에 의한다.
> 제4조 토지의 소유자는 조선 총독이 정하는 기간 내에 주소, 씨명, 명칭 및 소유지의 소재, 지목, 자번호, 사표, 등급, 지적, 결수를 임시 토지 조사 국장에게 신고해야 한다.

《보기》
ㄱ. 쌀 생산량이 증가하였다.
ㄴ. 총독부의 지세 수입이 증가하였다.
ㄷ. 자영농이 증가하고 소작농이 감소하였다.
ㄹ. 동양 척식 주식회사의 소유지가 늘어났다.

① ㄱ, ㄴ ② ㄱ, ㄷ ③ ㄴ, ㄷ
④ ㄴ, ㄹ ⑤ ㄷ, ㄹ

03 다음 주장을 실현하기 위해 일제가 추진한 정책으로 옳은 것은?

> 내선일체는 반도 통치의 최고 지도 목표이다. 내가 항상 역설하는 것은 내선일체는 서로 손을 잡는다든가, 형태가 융합한다든가 하는 그런 미적지근한 것이 아니다. 손을 잡은 것도 떨어지면 또한 별개가 된다. 물과 기름도 무리하게 혼합하면 융합된 형태로 되지만 그것으로도 안 된다. 형태도, 마음도, 피도, 육체도 모두 일체가 되지 않으면 안 된다. …… 내선일체의 강화 구현이야말로 동아시아 신건설의 핵심을 이루는 것이니, 그것이 아니 되고는 만주국을 형제국으로 하고 중국과 제휴하는 것은 말할 수도 없다.

① 통감부를 설치하였다.
② 일본식 성명 사용을 강요하였다.
③ 일본인을 각 부 차관에 임명하였다.
④ 한국인에게만 태형령을 적용하였다.
⑤ 헌병 경찰제를 보통 경찰제로 바꾸었다.

04 (가)에 대한 설명으로 옳은 것은?

한국사 스피드 퀴즈

1915년 조직된 비밀 결사로, 박상진이 총사령으로 활약하였으며, 군자금 모금과 친일 부호 처단의 활동을 전개하였습니다. 이 단체는 무엇일까요?

① 복벽주의를 표방하였다.
② 물산 장려 운동을 주도하였다.
③ 고종의 밀지를 받아 조직되었다.
④ 러시아의 이권 침탈을 저지하였다.
⑤ 민주 공화국 수립을 목표로 삼았다.

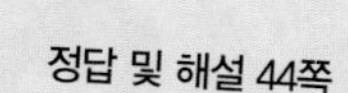

05 (가) 지역에서 전개된 민족 운동에 대한 탐구 활동으로 가장 적절한 것은?

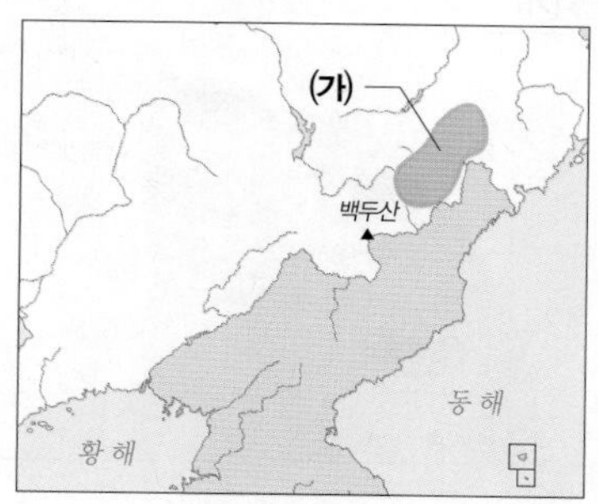

① 민족 교육을 위해 명동 학교가 설립되었다.
② 3·1 운동 직후 대한 국민 의회가 조직되었다.
③ 박용만의 주도로 대조선 국민 군단이 창설되었다.
④ 독립군 양성을 위해 신흥 무관 학교가 설립되었다.
⑤ 권업회를 중심으로 대한 광복군 정부가 수립되었다.

06 밑줄 친 '만세 시위'의 영향으로 옳지 않은 것은?

> 탑골 공원에는 학생과 시민들이 모여 있었는데 민족 대표가 나타나지 않자, 군중 중에서 한 명이 팔각정 단상에 올라가 독립 선언서를 읽었다. 이후 학생과 시민들은 '독립 만세'를 외치고 태극기를 흔들며 종로를 행진하였다. 여기에 고종의 국상에 참석하러 모여든 사람들이 합세하면서 <u>만세 시위</u>가 확산되었다.

① 13도 창의군이 조직되었다.
② 중국에서 5·4 운동이 일어났다.
③ 민족 운동의 주체가 확대되었다.
④ 일제가 '문화 통치'를 실시하였다.
⑤ 대한민국 임시 정부가 수립되었다.

07 다음 판결이 있었던 시기를 연표에서 옳게 고른 것은?

> 심판문
> 〈주문〉
> 대통령 이승만을 면직함
> 〈사실 및 이유〉
> 임시 의정원에서 통과된 대통령 이승만 탄핵안에 의거하여 그 위법된 사실을 조사한 바 …… 판결하건데 정무를 총괄하는 국가 총책임자로서 정부의 행정과 재무를 방해하고, 임시 헌법에 의해 의정원의 선거를 받아 취임한 대통령이 자기 지위에 불리한 결의라 하여 의정원의 결의를 부인하고, …… 고로 주문과 같이 심판함

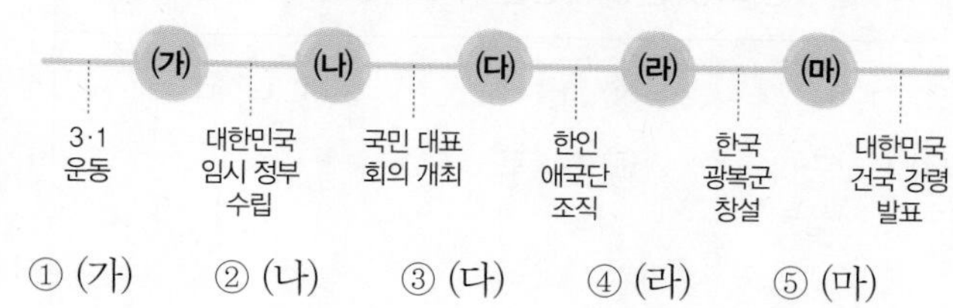

① (가) ② (나) ③ (다) ④ (라) ⑤ (마)

08 다음 자료의 민족 운동에 대한 설명으로 옳은 것은?

> 내 살림 내 것으로!
> 보아라! 우리의 먹고 입고 쓰는 것이 다 우리의 손으로 만든 것이 아니었다. 이것이 세상에 제일 무섭고 위태한 일인 줄을 오늘에야 우리는 깨달았다. 피가 있고 눈물이 있는 형제자매들아, 우리가 서로 붙잡고 서로 의지하여 살고서 볼 일이다.

① 모금 운동 형태로 전개되었다.
② 사회주의 계열도 적극 동참하였다.
③ 관세 철폐 움직임을 배경으로 일어났다.
④ 대구에서 시작되어 전국으로 확산되었다.
⑤ 대한매일신보 등 언론사의 지원을 받았다.

09 밑줄 친 ㉠ 주장에 부합하는 사실로 옳은 것을 《보기》에서 모두 고르면?

평소 우리가 큰 신뢰와 경의를 표하고 있는 미·영 양국 또한 모두 자기 나라의 이익을 도모하는 데만 급급했을 뿐만 아니라 조선 문제 때문에 일본 측의 감정을 상하는 일에는 양국이 다 회피하였다. 조선 독립은 당분간 절망적이므로 우리 조선인은 힘써 교육과 산업과 문화적 시설에 열중하여 ㉠실력 양성에 주력하지 않으면 안 된다.

《보기》

ㄱ. 민립 대학 설립을 위한 모금 운동이 전개되었다.
ㄴ. 동아일보사 주도로 브나로드 운동이 전개되었다.
ㄷ. 식민지 지주제에 저항하여 농민 운동이 전개되었다.
ㄹ. 열악한 노동 환경 개선을 위해 노동 운동이 전개되었다.

① ㄱ, ㄴ ② ㄱ, ㄷ ③ ㄴ, ㄷ
④ ㄴ, ㄹ ⑤ ㄷ, ㄹ

10 (가)에 대한 학생의 발표 내용으로 옳지 않은 것은?

지금 우리 사회에는 두 가지 조류가 있다. 하나는 민족주의 운동의 조류요, 다른 하나는 계급 해방을 추구하는 ((가)) 운동의 조류인가 한다. 이 두 가지 조류가 물론 해방의 근본적 정신에 있어서는 조금도 다를 것이 없다. 그러나 운동의 방법과 이론적 해석에 이르러서는 털끝의 차이로 1000리의 차이가 생겨 도리어 민족 운동의 전선을 혼란스럽게 하여 …….

① 신간회 결성에 참여하였어요.
② 민립 대학 설립 운동을 주도하였어요.
③ 농민 운동과 노동 운동을 지원하였어요.
④ 물산 장려 운동에 비판적 태도를 보였어요.
⑤ 치안 유지법 제정으로 활동이 위축되었어요.

11 (가)에 대한 설명으로 옳지 않은 것은?

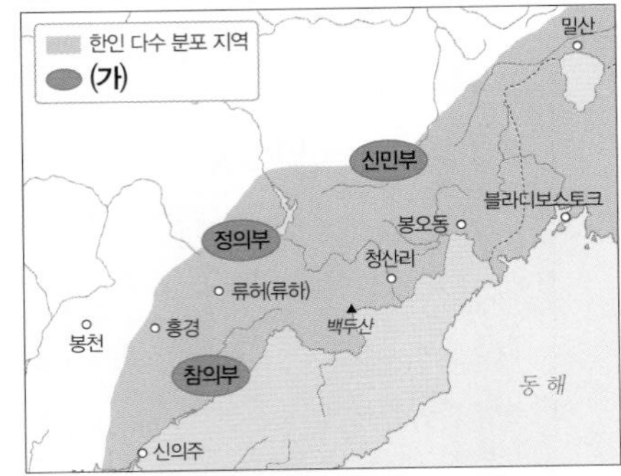

① 동북 항일 연군으로 통합되었다.
② 민정 조직과 군정 조직을 갖추었다.
③ 미쓰야 협정으로 활동에 어려움을 겪었다.
④ 동포 사회에서 세금을 거두어 정부를 운영하였다.
⑤ 통합 운동을 벌여 국민부와 혁신 의회로 재편되었다.

12 밑줄 친 '조선인'이 소속된 단체에 대한 설명으로 옳은 것은?

1932년 1월 8일 아침 10시경, 도쿄에서 열병식을 거행하고 돌아오는 일왕 행렬이 대궐문에 도달하자 난데없이 폭탄이 터졌다. 궁내부 대신이 탔던 수레가 맞을 뻔하였으나 다친 사람은 없었다고 한다. 경찰이 범인을 체포하였는데, 상하이에서 온 조선인으로 판명이 되었다.

① 나철, 오기호의 주도로 조직되었다.
② 중국 관내 최초의 한인 무장 부대였다.
③ 조선 혁명 선언을 활동 지침으로 삼았다.
④ 중국 공산당의 팔로군과 함께 항일전을 전개하였다.
⑤ 대한민국 임시 정부의 침체 극복을 위해 조직되었다.

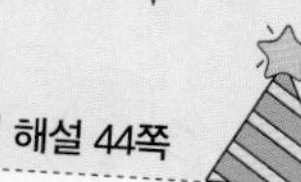

13 (가), (나) 민족 운동의 공통점으로 옳은 것은?

> (가) 고종의 국장일에 사람들이 많이 모일 것을 예상하고 대규모 시위 계획이 진행되었다. 거사일, 탑골 공원에 모여 있던 수많은 사람이 독립 선언식을 거행한 후 독립 만세를 외치며 거리를 행진하였다. 만세 시위는 서울 전역으로 퍼져 나갔고, 대도시에서 지방 중소 도시와 농촌으로 확산되었다.
> (나) 대한 제국의 마지막 황제 순종이 서거하자, 순종의 장례일인 6월 10일에 운구 행렬을 따라 대규모 만세 시위가 전개되었다.

① 일제 식민 통치 방식의 변화를 가져왔다.
② 대한민국 임시 정부 수립에 영향을 주었다.
③ 학생들이 시위 확산에 주도적인 역할을 하였다.
④ 사회주의 계열이 준비 과정에 적극 참여하였다.
⑤ 민족주의 계열과 사회주의 계열의 연대 가능성을 보여 주었다.

14 다음 서약문을 작성한 군사 조직에 대한 설명으로 옳지 <u>않은</u> 것은?

> 본인은 …… 각항을 준수하옵고 만일 이를 어기는 행위가 있으면 군의 엄중한 처분을 감수할 것을 이에 서약하나이다.
> 1. 조국 광복을 위하야 헌신하고 일체를 희생하겠음
> 2. 대한민국 건국 강령을 충실히 따르겠음
> 3. 임시 정부를 적극 옹호하고 법령을 절대 준수하겠음
> 4. 공약과 기율을 엄수하고 장관 명령에 절대 복종하겠음
> 5. 건국 강령과 지도 정신에 위배되는 선전이나 정치 조직을 군 내외에 행하지 않겠음

① 중국 관내 최초의 한인 무장 부대였다.
② 중국 국민당 정부의 지원을 받아 창설되었다.
③ 일부 조선 의용대 대원의 합류로 전투력이 강화되었다.
④ 영국의 요청으로 인도·미얀마 전선에 공작대를 파견하였다.
⑤ 미국과 협약을 맺고 국내 진공 작전을 위한 특수 훈련을 받았다.

15 밑줄 친 '나'에 대한 설명으로 옳은 것은?

> <u>나</u>의 '조선 경제사'의 기도(企圖)는 사회의 경제적 구성을 기축으로 대체로 다음과 같은 제 문제를 취급하려 하였다.
> 제1. 원시 씨족 공산체의 태양(態樣)
> 제2. 삼국의 정립 시대의 노예 경제
> 제3. 삼국 시대 말경부터 최근세에 이르기까지의 아시아적 봉건 사회의 특질

① 민족 개조론을 주장하였다.
② '조선 혁명 선언'을 집필하였다.
③ 민족정신으로 '조선 국혼'을 강조하였다.
④ 대한민국 임시 정부의 대통령에 선출되었다.
⑤ 식민 사관의 정체성론을 극복하는 데 기여하였다.

16 다음 자료에 나타난 시기에 볼 수 있는 모습으로 가장 적절한 것은?

> 가을철에 접어들어 또 징용 기피자 3명이 이곳 은신골로 찾아들었다. 그들의 말을 들으면, "요즈음 은신골에는 징용 기피자들이 모여들어서 현재 수십 명에 달한다."는 소문이 마을에 퍼져 있다고 한다.

① 한국인에게 태형을 가하는 헌병 경찰
② 친일 부호를 처단하는 대한 광복회 단원
③ 총독의 허가를 얻어 회사를 세우는 자본가
④ 진주에서 조선 형평사 창립을 발표하는 백정
⑤ 거액의 국방헌금 납부를 자랑하는 지역의 유지

단원 마무리 문제

01 (가) 인물에 대한 설명으로 옳은 것은?

> 광복 이후 정부 수립을 위해 가장 신속하게 움직인 지도자는 ((가))이다. 그는 조선 건국 동맹을 기반으로 조선 건국 준비 위원회(건준)를 조직하여 광복 직후 사회 안정을 위해 노력하는 한편, 식량과 생활필수품 확보에 주력하여 국민 생활을 안정시키려 하였다.

① 좌우 합작 운동을 벌였다.
② 김구와 남북 협상에 나섰다.
③ 5·10 총선거에 출마하였다.
④ 반민 특위의 조사를 받았다.
⑤ 단독 정부 수립을 주장하였다.

02 다음 두 시위가 일어난 배경으로 옳은 것은?

① 국민 대표 회의가 결렬되었다.
② 모스크바 3국 외상 회의가 개최되었다.
③ 중도 세력이 좌우 합작 7원칙을 제시하였다.
④ 유엔 소총회에서 남한만의 단독 선거가 결정되었다.
⑤ 이승만이 정읍 발언을 통해 단독 정부 수립을 제안하였다.

03 다음 헌법에 대한 학생의 발표 내용으로 옳지 않은 것은?

> 제86조 농지는 농민에게 분배하며 그 분배의 방법, 소유의 한도, 소유권의 내용과 한계는 법률로써 정한다.
> 제101조 국회는 1945년 8월 15일 이전의 악질적인 반민족 행위를 처벌하는 특별법을 제정할 수 있다.

① 제헌 국회에서 제정되었어요.
② 제86조를 근거로 농지 개혁법이 제정되었어요.
③ 제101조는 국민의 친일파 처단 열망을 반영한 것이에요.
④ 전문에서 대한민국 임시 정부를 계승하였다고 밝혔어요.
⑤ 대통령은 국민의 직접 선거로 선출하도록 규정하였어요.

04 다음 담화문 발표의 배경으로 옳은 것은?

> 〈담화문〉
> 우리가 건국 초창에 앉아서 앞으로 세울 사업에 더욱 노력해야 할 것이요. 지난날에 구애되어 앞날에 장해되는 것보다 …… 국가의 기강을 밝히기에 표준을 두어야 할 것이니 …… 또 증거가 불충분한 경우에는 관대한 편이 가혹한 형벌보다 동족을 애호하는 도리가 될 것이다.
> – "경향신문" –

① 4·19 혁명이 일어났다.
② 이승만 정부가 반공 포로를 석방하였다.
③ 임시 의정원이 대통령의 탄핵을 결의하였다.
④ 미·소 공동 위원회가 성과 없이 무기 휴회되었다.
⑤ 반민족 행위 특별 조사 위원회가 친일파 처단에 나섰다.

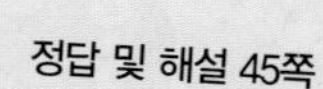
정답 및 해설 45쪽

05 다음 법령이 제정된 시기에 볼 수 있는 모습으로 가장 적절한 것은?

> 제2조 본 법에서 귀속 재산이라 함은 …… 대한민국 정부에 이양된 일체의 재산을 지칭한다. 단, 농경지는 따로 농지 개혁법에 의하여 처리한다.
> 제3조 귀속 재산은 본 법과 본 법의 규정에 의하여 발하는 명령의 정하는 바에 의하여 국용 또는 공유 재산, 국영 또는 공영 기업체로 지정되는 것을 제한 외에는 대한민국의 국민 또는 법인에게 매각한다.

① 5·10 총선거에 출마하는 인사
② 한강 이남으로 후퇴하는 유엔군
③ 발췌 개헌에 동의하는 국회의원
④ 농지 개혁법 시행을 준비하는 공무원
⑤ 미·소 공동 위원회에 참석한 미·소 대표

06 다음 조약이 체결된 배경으로 옳은 것은?

> • 각 당사국은 …… 공통한 위험에 대처하기 위하여 각자의 헌법상의 수속에 따라 행동할 것을 선언한다.
> • 상호적 합의에 의하여 미합중국의 육군, 해군과 공군을 대한민국의 영토 내와 그 부근에 배치하는 권리를 대한민국은 이를 허락하고 미합중국은 이를 수락한다.

① 정전 협정이 체결되었다.
② 제주 4·3 사건이 일어났다.
③ 5·16 군사 정변이 일어났다.
④ 국군이 베트남에 파병되었다.
⑤ 여수·순천 10·19 사건이 일어났다.

07 (가), (나) 사이의 시기에 있었던 사실로 옳은 것은?

> (가) 제3대 대통령 및 제4대 부통령 선거에서 민주당 후보가 갑자기 사망하면서 이승만이 대통령에 당선되었다. 그러나 무소속 후보로 나섰던 조봉암이 예상보다 많은 표를 얻었고, 부통령 선거에서는 민주당의 장면이 당선되었다.
> (나) 제4대 대통령 선거 유세 도중 민주당 후보가 사망하면서 이승만의 당선이 확실해졌다. 그러나 자유당은 부통령이 대통령직을 승계하는 상황이 생길 것을 우려하여 이기붕을 부통령에 당선시키기 위해 온갖 부정을 저질렀다.

① 발췌 개헌이 단행되었다.
② 대통령을 국회에서 간선으로 선출하였다.
③ 정부가 진보당의 정당 등록을 취소하였다.
④ 북한의 남침으로 6·25 전쟁이 발발하였다.
⑤ 반민족 행위 특별 조사 위원회가 활동하였다.

08 (가) 시기의 경제 상황으로 옳은 것은?

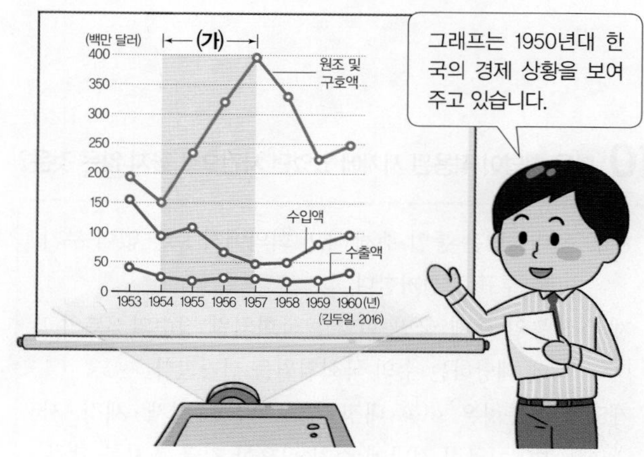

① 삼백 산업이 발달하였다.
② 경제 협력 개발 기구에 가입하였다.
③ 외환 부족으로 국가 부도 위기를 맞았다.
④ 제1차 경제 개발 5개년 계획이 시작되었다.
⑤ 중동 건설 사업 진출로 석유 파동의 위기를 극복하였다.

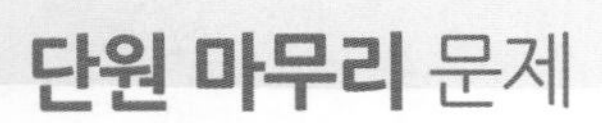

09 다음 시국 선언문 발표의 배경으로 옳은 것은?

> 1. 마산, 서울, 기타 각지의 학생 데모는 주권을 빼앗긴 국민의 울분을 대신하여 궐기한 학생들의 순진한 정의감의 발로이며 부정과 불의에 항거하는 민족정기의 표현이다.
> 4. 누적된 부패와 부정과 횡포로써 민권을 유린하고 민족적 참극과 국제적 수치를 초래케 한 현 정부와 집권당은 그 책임을 지고 속히 물러가라.

① 정부가 공수 부대를 투입하여 시민군을 무력으로 진압하였다.
② 경찰의 발포로 부정 선거를 규탄하던 학생들이 희생되었다.
③ 정부가 대통령의 중임 제한을 폐지한 유신 헌법을 제정하였다.
④ 제주도에서 남한만의 단독 선거에 반발하여 무장봉기가 일어났다.
⑤ 호헌 철폐와 대통령 직선제 개헌을 요구하는 전국적인 시위가 일어났다.

10 다음 헌법이 적용된 시기에 있었던 사건으로 옳지 않은 것은?

> 제39조 대통령은 통일 주체 국민 회의에서 토론 없이 무기명 투표로 선거한다.
> 제40조 통일 주체 국민 회의는 국회의원 정수의 3분의 1에 해당하는 수의 국회의원을 선거한다.
> 제53조 대통령은 …… 내정·외교·국방·경제·재정·사법 등 국정 전반에 걸쳐 필요한 긴급 조치를 할 수 있다.

① YH 무역 사건 ② 부·마 민주 항쟁
③ 12·12 군사 반란 ④ 5·18 민주화 운동
⑤ 7·4 남북 공동 성명

11 밑줄 친 '이 항쟁'의 결과로 가장 알맞은 것은?

① 대통령이 하야하였다.
② 여야 정권 교체가 이루어졌다.
③ 6·29 민주화 선언이 발표되었다.
④ 국가 보위 비상 대책 위원회가 설치되었다.
⑤ 헌법을 개정하여 대통령 임기를 7년 단임으로 규정하였다.

12 다음 연설을 한 대통령 재임 시기에 있었던 사실로 옳은 것은?

① 야간 통행금지를 폐지하였다.
② 국민 교육 헌장을 제정하였다.
③ 지방 자치제를 전면 시행하였다.
④ 서울 올림픽 대회를 개최하였다.
⑤ 소련, 중국과 국교를 수립하였다.

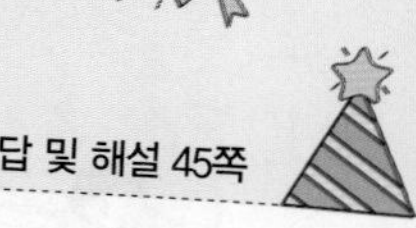

13 다음 연설이 이루어진 시기에 볼 수 있는 모습으로 가장 적절한 것은?

> 지난날 우리는 국토 분단의 비극과 6·25 전쟁의 참화를 입고 사회적 혼란과 빈곤의 악순환을 겪어 왔다. …… 온 국민이 불사조처럼 일어나서 총화 단결하여 땀 흘려 일한 결과 1964년에 1억 달러의 실적을 기록한 지 13년, 그리고 1970년에 10억 달러의 실적을 올린 지 겨우 7년 만에 100억 불의 수출 목표를 달성하였다.

① 금 모으기 운동에 참여하는 시민
② 경부 고속 국도 준공식에 참석한 대통령
③ 사사오입 개헌안을 통과시키는 국회의원
④ 유신 체제에 반대하는 활동을 벌이는 재야인사
⑤ 한·일 국교 수립에 반대하는 시위를 벌이는 학생

14 (가) 시기의 사실로 옳지 않은 것은?

	연도	경제 성장률	유가 (달러/배럴)	금리 (정부채, %)	엔(달러) 환율
	19△△	7.2	35.5	20.9	219.6
	19△△	10.4	29.0	14.3	250.3
	19△△	7.7	27.7	13.5	160.0
(가)	19△△	11.2	15.1	11.5	200.1
(가)	19△△	12.5	17.7	12.4	123.4
(가)	19△△	11.9	14.7	13.0	124.9
(가)	19△△	7.0	16.7	14.7	144.0
	19△△	9.8	20.9	15.0	134.6

① 서울 올림픽 경기가 개최되었다.
② 3저 호황으로 경제가 고도성장을 하였다.
③ 대통령을 선출하는 직접 선거가 이루어졌다.
④ 정부가 국제 통화 기금의 구제 금융 지원을 받았다.
⑤ 이 시기 이루어진 국회의원 선거에서 야당이 다수 의석을 차지하였다.

15 다음에서 설명하는 시기 북한의 모습으로 옳은 것은?

> 북한은 핵 실험을 감행하는 한편 경제를 지속적으로 발전시킬 수 있는 토대를 마련하기 위한 방안으로 '국가 경제 발전 5개년 전략'을 발표하였다.

① 김정일이 선군 정치를 내세웠다.
② 김정일이 후계자로 공식화되었다.
③ 김일성이 8월 종파 사건을 일으켰다.
④ 국가 주석제를 채택한 사회주의 헌법이 제정되었다.
⑤ 김정일 사후 김정은이 권력을 승계하여 북한을 통치하였다.

16 다음 합의서 채택의 배경으로 가장 적절한 것은?

> 남북 철도 및 도로 연결 실무 협의회
> 제1차 회의 합의서
>
> 남과 북은 ○○○○년 9월 13일부터 17일까지 금강산에서 철도 및 도로 연결 실무 협의회 제1차 회의를 가지고 경의선과 동해선 철도 및 도로 연결을 위한 실무적 문제들에 대하여 다음과 같이 합의하였다.
>
> 1. 경의선과 동해선 철도 및 도로 연결을 위한 착공식은 9월 18일에 하며 착공식 시간, 장소, 형식 등은 문서 교환 방식으로 착공식 하루 전에 교환한다.

① 남북 조절 위원회가 설치되었다.
② 남북 기본 합의서가 채택되었다.
③ 남북한이 유엔에 동시 가입하였다.
④ 7·4 남북 공동 성명이 발표되었다.
⑤ 6·15 남북 공동 선언이 발표되었다.

Memo

올쏘
내신強자
강
고등 한국사

정답 및 해설

오개념을 바로잡는 친절한 해설

올쏘 내신 強자

고등 한국사

동아출판

올쏘
내신强자
강
고등 한국사

올쏘
고등 한국사
내신강자
정답 및 해설

정답 및 해설

I. 전근대 한국사의 이해

01 고대 국가의 지배 체제와 사상

개념 확인 문제 본문 10쪽

01 (1) ○ (2) ○ (3) × (4) × (5) ○ 02 (1) ㉡ (2) ㉠ (3) ㉣ (4) ㉤ (5) ㉢ (6) ㉥ 03 (1) ㄴ (2) ㄹ (3) ㄱ (4) ㄷ 04 (1) 신문왕 (2) 발해 (3) 법흥왕 (4) 도교 (5) 주자감

시험에 꼭 나오는 문제 본문 10~13쪽

01 ⑤ 02 ③ 03 ⑤ 04 ① 05 ③ 06 ③ 07 ① 08 ② 09 ③ 10 ⑤ 11 ④ 12 ② 13 ⑤ 14 ② 15 ③ 16 ②

01 구석기 시대에는 뗀석기를 도구로 사용하였으며, 사냥과 채집을 위해 이동 생활을 하였다. 신석기 시대에는 간석기가 사용되었으며, 농경과 목축이 시작되었고, 정착 생활을 하였다.

오답 선택지 풀이 ⑤ 구석기 시대와 신석기 시대에는 아직까지 계급이 발생하지 않았다. 씨족과 부족 중심은 신석기 시대, 계급 발생은 청동기 시대의 특징이다.

02 자료는 빗살무늬 토기와 덧무늬 토기로 신석기 시대에 제작해 사용된 도구이다. 신석기 시대에는 강가나 바닷가에 움집을 짓고 정착 생활을 하였다.

오답 선택지 풀이 ② 청동기 시대에 군장은 권위를 높이기 위해 거대한 고인돌을 만들었다.
④ 철기 시대에 대한 설명이다.
⑤ 청동기 시대의 군장은 제정일치의 지배자로 각 부족을 다스렸다. 또한 이 시기 청동기가 등장하면서 정복 전쟁이 활발해졌다.

03 자료는 고조선의 건국 이야기이다. 고조선은 청동기 문화와 농경 문화를 배경으로 단군왕검에 의해 건국되었다.

오답 선택지 풀이 ① 부여, ② 삼한, ③ 옥저, ④ 고구려에 대한 설명이다.

04 지도의 (가)는 삼한이다. 삼한은 정치적 지배자인 신지, 읍차 이외에 천군이라는 제사장이 존재하였으며 신성 지역인 소도가 존재한 제정 분리 사회였다.

오답 선택지 풀이 ②, ⑤ 고구려 ③ 옥저와 동예, ④ 고조선이다.

유사 선택지 문제

04 ❶ 소도 ❷ 계절제 ❸ ○

올쏘 만점 노트 철기 시대의 여러 나라

국가	정치	풍습
부여	사출도	순장, 영고
고구려	5부 연맹체, 제가 회의	서옥제, 동맹
옥저	읍군, 삼로	민며느리제, 가족 공동 묘
동예		무천, 족외혼, 책화
삼한	신지·읍차, 천군(제정 분리)	계절제(5월제, 10월제)

05 자료에 내신좌평을 비롯해 6좌평이 등장하고 있는 것을 통해 좌평 이하 16관등제를 운영한 백제임을 알 수 있다. 백제는 한강 유역을 발판으로 성장하였다.

오답 선택지 풀이 ① 신라 진흥왕 때 대가야를 정복하였다.
② 발해는 전성기 때 '해동성국'이라 불리었다.
④ 신라 내물왕 때의 일이다.
⑤ 고구려 광개토 대왕 때 신라에 침입한 왜와 가야 연합군을 격파하였다.

06 지도는 5세기 고구려 장수왕 때의 정세를 나타낸 것이다. 이 시기 장수왕은 수도를 평양으로 옮기고 남진 정책을 펼쳤다. 고구려의 남진 정책에 대응해 백제와 신라는 동맹을 강화하였다.

오답 선택지 풀이 ① 신라는 6세기 진흥왕 때 대가야를 정복하였다.
② 고구려는 4세기 소수림왕 때 율령을 반포하였다.
④ 8세기 발해 문왕 때의 사실이다.
⑤ 7세기 후반 통일 신라 신문왕 때 국학이 설립되었다.

07 자료의 율령 반포, 이차돈 순교를 계기로 불교를 공인, 독자적인 연호 사용을 통해 신라 법흥왕임을 알 수 있다. 법흥왕은 금관가야를 병합하였다.

오답 선택지 풀이 ② 고구려 광개토 대왕 때 만주 지역 대부분을 차지하였다.
③ 신라 진흥왕 때 화랑도를 정비하였다.
④ 신라 내물왕 때 '마립간' 호칭을, 지증왕 때 중국식 '왕' 호칭을 사용하기 시작하였다.
⑤ 백제 성왕 때 신라와 힘을 합쳐 일시적으로 한강 하류 유역을 회복하였다.

08 제시된 (가) 왕은 고구려의 소수림왕, (나) 왕은 신라의 법흥왕이다. 두 왕 모두 율령을 반포하여 통치 체제를 정비하였다.

오답 선택지 풀이 ① 고구려는 유리왕과 장수왕 때, 백제는 문주왕과 성왕 때 수도를 옮겼다.
③ 고구려는 5세기, 신라는 6세기에 각각 한강 유역을 차지하였다.
⑤ 고구려의 고국천왕 때부터 5부를 방위를 나타내는 명칭으로 개편하여 부의 행정적 성격을 강화하였다.

올쏘 만점 노트 삼국의 체제 정비

국가	율령	불교
고구려	소수림왕	소수림왕
백제		침류왕
신라	법흥왕	법흥왕 공인

09 (가)는 612년의 살수 대첩, (나)는 668년의 고구려 멸망이다. 매소성 전투와 기벌포 전투는 각각 나당 전쟁 중인 675년과 676년에 있었다.

오답 선택지 풀이 ① 660년 백제 멸망 직후에 일어난 일이다.
② 안시성 전투는 당이 고구려를 침략한 645년에 일어났다.
④ 당 태종 즉위 이후의 일이다.
⑤ 648년에 나당 동맹을 맺었다.

10 제시된 내용은 통일 신라 신문왕의 정책이다. 신문왕은 관리에게 관료전을 지급하였으며, 이후 녹읍을 폐지하고 녹봉을 지급하였다.

오답 선택지 풀이 ① 통일 신라 성덕왕 때 정전을 지급하였다.
② 신라 지증왕이 나라 이름을 '신라'로 정하고, '왕' 호칭을 사용하였다.
③ 신라 진흥왕 때 영토를 크게 넓히고, 각 지역에 순수비를 건립하였다.
④ 백제 근초고왕 때 황해도 일대에 진출하였으며, 고구려 평양성을 공격하여 고국원왕을 전사시켰다.

올쏘 만점 노트 신문왕의 체제 정비

왕권 강화	김흠돌의 난을 계기로 진골 세력 숙청		
지방 통치	9주 5소경 체제		
경제	관료전 지급, 녹읍 혁파		
교육	국학 설립	군사	9서당, 10정

삼국 통일을 완성한 문무왕의 뒤를 이어 왕위에 오른 신문왕은 왕권을 강화하고 진골 세력을 약화시키기 위해 다양한 정책을 실시하였다.

11 자료는 9세기 후반 신라 진성 여왕 때의 사실이다. 신라 말에는 중앙 정치가 왕위 다툼으로 혼란하고, 정부의 지방 통제력이 약화된 틈을 타 지방 각지에서 호족이 성장하였다.

오답 선택지 풀이 ① 5세기, ② 7세기 말 통일 신라, ⑤ 5세기 때의 사실이다.

12 제시된 중앙 정치 조직은 발해의 3성 6부이다. 발해는 일본에 보낸 외교 문서에 발해왕이 스스로를 고려(고구려)왕이라 한 것에서 알 수 있듯이, 고구려를 계승하였음을 표방하였다.

오답 선택지 풀이 ① 견훤이 900년에 후백제를 건국하였다.
③ 통일 신라의 신문왕 때 9주 5소경 체제가 정비되었다.
④ 백제와 고구려가 나당 연합군에게 멸망하였다.
⑤ 고구려에 대한 설명이다.

유사 선택지 문제

12 ❶ 3성 6부 ❷ 유교 ❸ ○

13 제시된 자료는 삼국 시대 신라 임신서기석의 내용이다. 임신서기석에는 신라의 두 청년이 유교 경전을 습득하기로 맹세한 내용이 담겨 있다. 이를 통해 신라에 유학이 수용되었음을 알 수 있다.

오답 선택지 풀이 ① 태학은 고구려가 유학 교육을 위해 수도에 설치하였다.
② 백제의 유학 교육과 관련된 것이다.
③ 신라 통일 이후에 신문왕이 세운 국학과 관련된 것이다.
④ 발해가 6부의 명칭에 유교 덕목을 이용한 것 등과 관련이 있다.

14 (가)는 도교이다. 도교가 반영된 문화유산으로는 백제의 산수무늬 벽돌과 백제 금동 대향로, 고구려 고분 벽화의 사신도 등이 대표적이다.

오답 선택지 풀이 ① 경북 고령에서 출토된 것으로 추정되는 대가야의 금관이다.
③ 신라 법흥왕 때 불교 공인과 관련된 이차돈의 순교 모습을 새긴 비석이다.
④ 삼국 시대의 금동 미륵보살 반가 사유상으로 불교와 관련이 있다.
⑤ 신라의 분황사 모전 석탑으로 불교와 관련이 있다.

15 자료는 화순 쌍봉사 철감선사탑이다. 신라 말에는 참선 수행을 중시하는 선종이 유행하였다. 이 영향으로 신라 말에는 승탑의 건립이 유행하였다.

오답 선택지 풀이 ① 유학, ② 천신 신앙, ④ 도교, ⑤ 풍수지리설과 관련된 설명이다.

16 밑줄 친 '그'는 원효이다. 원효는 백성들에게 불교의 깊은 교리를 몰라도 '나무아미타불'만 암송하면 극락에 갈 수 있다고 가르쳐 불교를 대중화하는 데 기여하였다.

오답 선택지 풀이 ① 설총, ③ 의상, ④ 혜초, ⑤ 연개소문 등에 해당한다.

올쏘 서술형 문제

본문 14쪽

01 (1) (가) 주먹도끼, (나) 빗살무늬 토기

(2) | 모범 답안 | 주먹도끼를 사용하던 구석기 시대에는 사냥과 채집을 통해 식량을 마련하고 이동 생활을 하였다. 반면 빗살무늬 토기를 사용하던 신석기 시대에는 농경과 목축이 시작되었으며, 움집을 짓고 정착 생활을 하였다.

채점 기준	배점
구석기 시대의 사냥과 채집, 이동 생활, 신석기 시대의 농경과 목축, 정착 생활을 모두 서술한 경우	상
위의 내용 중 구석기와 신석기 시대 각 한 가지씩을 정확하게 서술한 경우	중
위의 내용 중 한 가지만 정확하게 서술한 경우	하

02 (1) 고조선

(2) | 모범 답안 | 단군의 건국 이야기를 통해 당시 사회가 농경 사회였으며, 토테미즘이 존재하였고, 환웅 부족과 곰 토템 부족의 결합으로 고조선이 세워졌으며, 제정일치 사회였음을 알 수 있다.

채점 기준	배점
농경 사회, 토테미즘, 환웅 부족과 곰 토템 부족의 결합, 제정일치 중 세 가지를 서술한 경우	상
위의 내용 중 두 가지만 정확하게 서술한 경우	중
위의 내용 중 한 가지만 정확하게 서술한 경우	하

03 (1) 신라 촌락 문서(신라 민정 문서)

(2) | 모범 답안 | 신라 촌락 문서는 농민과 생산 도구를 철저하게 파악하고 세금을 정확하게 걷기 위해서 작성하였다.

채점 기준	배점
농민과 생산 도구의 파악, 세금의 정확한 징수 목적을 모두 서술한 경우	상
위의 내용 중 한 가지만 정확하게 서술한 경우	하

04 (1) 유학(유교)

(2) | 모범 답안 | 발해는 유교를 정치 이념으로 수용하여 중앙 집권 체제를 강화하였다. 주자감을 설치하여 유교 경전 교육을 강화하였고, 중앙 통치 기구인 6부의 명칭에는 유교 덕목을 붙였다.

채점 기준	배점
발해의 유학에 대한 내용을 세 가지 모두 정확하게 서술한 경우	상
위의 내용 중 두 가지만 정확하게 서술한 경우	중
위의 내용 중 한 가지만 정확하게 서술한 경우	하

올쏘 상위 4% 문제

본문 15쪽

01 ③ 02 ⑤ 03 ⑤ 04 ③

01 청동기 시대

자료 분석

- ㉠ : 청동기 시대의 대표적 무덤인 탁자식 고인돌이다.
- ㉡ : 청동기 시대를 대표하는 비파형 동검이다.

탁자식 고인돌과 비파형 동검은 청동기 시대를 대표하는 문화 유산으로, 청동기 문화를 배경으로 건국된 고조선의 문화 범위를 보여 준다.

오답 선택지 풀이 ① 도교는 삼국 시대에 전래되었다.
② 청동기 문화를 배경으로 세워진 고조선은 철기 시대까지 발전하였다가 멸망하였다.
④ 청동기 시대에는 군장이 하늘의 자손임을 자처하면서 정치·종교 지배자의 역할을 하였다.
⑤ 삼국 초기 각국에서 나타난 회의 제도에 대한 설명이다.

02 신라의 골품제

자료 분석

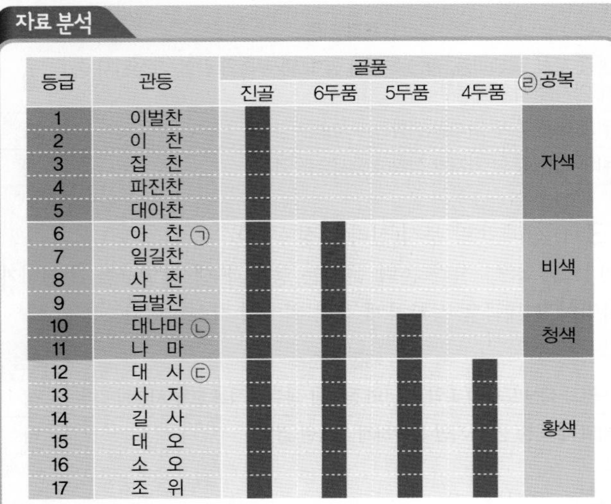

등급	관등	골품: 진골	6두품	5두품	4두품	㉣공복
1	이벌찬					자색
2	이 찬					
3	잡 찬					
4	파진찬					
5	대아찬					
6	아 찬 ㉠					비색
7	일길찬					
8	사 찬					
9	급벌찬					
10	대나마 ㉡					청색
11	나 마					
12	대 사 ㉢					황색
13	사 지					
14	길 사					
15	대 오					
16	소 오					
17	조 위					

- ㉠ : 6두품이 오를 수 있는 최고 관등이다.
- ㉡ : 5두품이 오를 수 있는 최고 관등이다.
- ㉢ : 4두품이 오를 수 있는 최고 관등이다.
- ㉣ : 관등에 따라 다른 색깔의 공복을 착용하였다.

제시된 표는 신라 지배층에게 적용되던 신분제인 골품제에 대한 것이다. 골품제는 관등이나 관직 승진은 물론, 개인의 일상 생활까지 규제하였다.

오답 선택지 풀이 ⑤ 골품제는 개인의 능력보다 혈통을 중시하는 제도였다.

03 통일 신라의 지방 행정

자료 분석

- ㉠ : 다른 주와 달리 지방군인 정을 2개 배치하였다.
- 통일 신라는 전국을 9주로 나누고, 옛 고구려, 백제, 신라 땅에 각각 3주씩 설치하였다.

지도에 표시된 지역은 5소경이다. 5소경은 수도인 금성(경주)이 나라의 동남쪽에 치우친 약점을 보완하기 위해 설치되었으며, 지방의 정치와 문화 중심지가 되었다. 또한 일부 귀족, 옛 고구려와 백제, 가야의 유민을 이주시켰다.

오답 선택지 풀이 ㄱ. 22담로에 대한 설명이다.
ㄴ. 9주의 한 곳인 한주에 대한 설명이다.

04 독서삼품과

자료 분석

처음으로 ㉠삼품을 정하여 벼슬을 하게 되었는데, ㉡"춘추좌씨전", "예기", "문선"을 읽어서 그 뜻을 능통히 알고 겸하여 "논어"와 "효경"에 밝은 자를 상(上)으로 하고, "곡례", "논어", "효경"을 읽은 자를 중(中)으로 하고, "곡례"와 "효경"을 읽은 자를 하(下)로 하였다.

– "삼국사기" –

- ㉠ : 독서삼품과는 관리를 선발하는 제도임을 알 수 있다.
- ㉡ : 유교 경전의 이해 정도를 시험함으로써 유교적 소양을 갖춘 인재를 선발하려 했음을 알 수 있다.

자료는 원성왕 때 마련된 독서삼품과이다. 이 제도는 유교 경전을 이해한 정도에 따라 관리를 채용하는 것으로, 유학 교육 확대에 기여하였다. 하지만 골품제 때문에 제 기능을 발휘하지 못하였다.

오답 선택지 풀이 ③ 독서삼품과는 혈통보다 개인의 능력을 중시하는 제도였다.

02 고려의 통치 체제와 사상

개념 확인 문제 본문 18쪽

01 (1) ○ (2) × (3) ○ (4) × (5) ○ 02 (1) ㉢ (2) ㉠ (3) ㉡ (4) ㉣ (5) ㉤ 03 (1) ㄹ (2) ㄴ (3) ㄷ (4) ㄱ 04 (1) 정호 (2) 일천즉천 (3) 의천 (4) 유불 일치설 (5) 삼국사기

올쏘 시험에 꼭 나오는 문제 본문 18~21쪽

01 ③ 02 ① 03 ③ 04 ④ 05 ② 06 ⑤ 07 ②
08 ① 09 ③ 10 ③ 11 ① 12 ③ 13 ① 14 ④

01 제시된 내용은 태조가 남긴 훈요 10조이다. 태조는 고구려 계승 의식을 바탕으로 북진 정책을 추진하였다. 이를 위해 풍수지리설을 내세워 평양을 서경으로 승격시켜 북진 정책의 전진 기지로 삼았다.

오답 선택지 풀이 ①, ④ 광종이 추진한 정책이다.
②, ⑤ 성종이 추진한 정책이다.

유사 선택지 문제

01 ❶ 훈요 10조 ❷ 흑창 ❸ ○

02 제시된 내용은 최승로가 성종에게 올린 시무 28조 중 일부이다. 해당 내용에서 최승로는 지방관 파견을 건의하고 있다. 이에 성종은 최승로의 건의를 받아들여 전국에 12목을 설치하고 지방관을 파견하였다.

오답 선택지 풀이 ②, ③ 과거제 도입과 노비안검법은 광종의 정책이다.
④ 태조는 중앙의 관리를 사심관으로 임명하여 출신 지역의 일을 맡아보게 하였다.
⑤ 공민왕은 전민변정도감을 설치하여 불법으로 빼앗은 토지와 억울하게 노비가 된 사람을 원래대로 돌려놓으려 하였다.

올쏘 만점 노트 고려의 통치 체제 정비

왕	주요 정책
태조	호족 우대(혼인 및 성씨 하사), 사심관 제도, 기인 제도, 흑창 설치, 훈요 10조
광종	노비안검법, 과거제 실시, 공복 제정, 독자적 연호 사용, 공신 및 호족 세력 숙청
성종	시무 28조, 유교 중심 통치 체제 정비, 2성 6부 정비, 12목 설치 및 지방관 파견, 유학 교육 장려(국자감 정비, 경학박사 파견)

03 (가)의 도병마사와 식목도감은 고려만의 독자적 기구이다. 이 두 기구는 중서문하성의 고위 관리인 재신과 중추원의 고위 관리인 추밀로 구성된 회의 기구였다. 도병마사에서는 국방과 군사 등의 문제를, 식목도감에서는 새로운 제도와 시행 규칙 제정 등을 논의하여 결정하였다.

오답 선택지 풀이 ① 고려 시대 삼사가 재정과 회계를 담당하였다.
② 고려의 2성 6부 통치 체제는 당·송의 3성 6부의 영향을 받아 설치되었다. 도병마사와 식목도감은 고려만의 독자적인 기구이다.
④ 대간은 중서문하성의 낭사와 어사대를 이르는 말이다.
⑤ 중방에 대한 설명이다.

유사 선택지 문제

03 ❶ 재추 ❷ 재신, 추밀 ❸ ×

04 자료는 거란의 1차 침입 당시 적장과 담판을 벌이는 서희의 모습이다. 서희의 대사 중 고구려 계승과 나라 이름을 고려라 하였다는 데서 이를 알 수 있다. 서희는 외교 담판으로 강동 6주를 확보하였다.

오답 선택지 풀이 ① 김부식이 묘청의 난을 진압하였다.
② 이의방과 정중부 등이 무신 정변을 일으켜 정권을 장악하였다.
③ 윤관은 기병 중심의 여진에 맞서기 위해 별무반 설치를 건의하였고, 이후 별무반을 이끌고 동북 9성을 개척하였다.
⑤ 몽골의 침입 과정에서 최우는 장기 항전을 위해 강화도로 수도를 옮겼다.

05 자료의 (가)는 별무반 편성, (나)는 금의 사대 요구 수용 사실이다. 윤관은 별무반을 이끌고 동북 9성을 개척하였으나 여진의 요구로 1년 만에 돌려주었다.

오답 선택지 풀이 ①, ③, ④, ⑤는 모두 (나) 이후에 일어난 사실이다.

올쏘 만점 노트 고려의 대외 관계

송	친선 관계 유지
거란	• 1차 침입 : 서희의 담판 → 강동 6주 획득 • 3차 침입 : 강감찬의 귀주 대첩
여진	• 동북 9성 : 윤관이 별무반 이끌고 개척 → 반환 • 사대 관계 : 여진이 세운 금이 요구 → 고려가 수락

고려는 송, 거란, 금(여진) 등과 조공·책봉 관계를 맺는 한편, 내부적으로는 '해동 천자'를 내세우면서 황제국 체제를 표방하였다. 고려는 이처럼 다원적 천하관을 바탕으로 국제 관계의 변화에 대처하였다.

06 자료의 '대화세(명당)'와 궁궐을 짓고 옮기자는 내용을 통해 풍수지리설을 내세워 서경 천도를 주장하고 있는 것임을 알 수 있다. 묘청 등 서경 세력은 서경 천도와 함께 금국 정벌과 칭제 건원 등을 주장하였다.

오답 선택지 풀이 ① 고려 말 신진 사대부를 중심으로 성리학을 수용하였다.
② 개경의 보수적 문벌 세력과 대립하였다.
③, ④ 김부식 등 개경 세력은 금과의 전쟁에 반대하였으며, 이후 묘청이 난을 일으키자 김부식이 군을 이끌고 묘청의 난을 진압하였다.

올쏘 만점 노트 묘청의 서경 천도 운동

배경	• 이자겸의 난 이후 인종의 개혁 정치 • 금에 대한 사대 외교
전개	묘청 등이 중심이 된 서경 세력이 풍수지리설 바탕 서경 천도, 칭제 건원, 금 정벌 등 주장
결과	• 개경 세력의 반대로 서경 천도 좌절 • 묘청이 서경을 근거로 반란 → 김부식이 이끄는 정부군에 진압

07 자료는 1176년에 일어난 망이·망소이의 봉기에 대한 것이다. 망이·망소이가 공주 명학소에서 봉기를 일으키자 고려 정부는 명학소를 충순현으로 승격시켜 불만을 달래려 하였다. 이후 정부가 군대를 보내 망이·망소이 등의 가족을 가두자 다시 봉기가 일어났으나 정부군에 진압되었다. 무신 정권 시기에는

무신들의 가혹한 수탈과 신분 체제의 동요로 농민과 하층민의 저항이 여럿 일어났다.

오답 선택지 풀이 ① 고려 말에 홍건적이 고려를 침입하였다.
③ 무신 정변이 일어나기 이전 거란이 여러 차례 고려를 침입하였다.
④ 공민왕 때 전민변정도감을 설치하였다.
⑤ 윤관이 별무반을 이끌고 여진 정벌에 나섰다.

올쏘 만점 노트 무신 정권 시기 하층민의 봉기

배경	• 무신 집권자의 수탈과 가혹한 통치 • 하층민 출신 무신 집권자 등장 등 신분 체제 동요
봉기	• 망이·망소이 : 명학소에서 봉기 • 만적의 난 : 사노비 출신인 만적이 봉기 계획, 천민 신분 해방 운동

08 자료에서 관제가 격하된 점, 도평의사사가 최고 행정 기구가 된 점 등을 통해 원 간섭기임을 알 수 있다.

오답 선택지 풀이 ① 금과 군신 관계를 맺은 것은 고려 중기이다.

올쏘 만점 노트 원 간섭기 왕실 호칭과 관제 격하

호칭 격하	• 폐하 → 전하 • 태자 → 세자
관제 격하	• 중서문하성, 상서성 → 첨의부 • 중추원 → 밀직사 • 6부 → 4사

몽골과 강화를 맺은 고려는 독립국의 지위를 유지할 수 있었지만, 고려왕이 원의 부마(사위)가 됨에 따라 부마국의 지위에 맞게 왕실의 칭호와 관청의 명칭이 격하되었다. 격하된 관제는 공민왕 때 다시 회복되었다.

09 지도는 공민왕 때 영토 확장을 나타낸 것이다. 공민왕은 친원파를 숙청하고 권문세족이 불법으로 빼앗은 토지와 억울하게 노비로 삼은 양민을 되돌려 놓고자 전민변정도감을 설치하였다.

오답 선택지 풀이 ㄱ. 광종 때 노비안검법을 시행하였다.
ㄹ. 최씨 무신 정권은 삼별초를 설치하여 군사적 기반으로 삼았다.

10 제시문의 (가)는 정호이다. 정호는 양인 중 국가의 직역을 맡은 계층이다. 정호는 국가에서 직역의 대가로 토지 등을 받았다.

오답 선택지 풀이 ③ 천인에 대한 설명이다.

11 자료는 고려 시대 백정에 대한 것이다. 고려 시대 백정은 직역이 없는 양인 농민으로 과거에 응시할 수 있었고 군공을 세워 정호가 되기도 하였다.

오답 선택지 풀이 ②, ⑤ 향·부곡·소 거주민에 대한 설명이다.
③ 향리에 대한 설명이다.
④ 조선 시대의 백정에 대한 설명이다.

올쏘 만점 노트 고려의 신분 제도

양인	특징	자유민, 과거 응시 가능
	구분	• 정호 : 국가의 직역을 맡음, 직역의 대가로 토지를 받음 • 백정 : 일반 농민, 조세·공납·역 등 부담, 법적으로 과거 응시 가능 • 향·부곡·소민 : 특수 행정 구역 주민, 거주·이전 제한, 과거 응시, 교육 등에서 차별
천인	비자유민, 대부분 노비	

12 자료에서 교관겸수를 주장하고 있는 것을 통해 제시된 인물이 의천임을 알 수 있다. 의천은 해동 천태종을 개창하였다.

오답 선택지 풀이 ① 통일 신라 시기에 원효가 일심 사상을 주장하였다.
② 김부식이 인종의 명으로 "삼국사기"의 편찬을 주도하였다.
④ 혜심이 유불 일치설을 내세워 성리학 수용의 사상적 토대를 마련했다.
⑤ 지눌이 수선사 결사를 제시하였으며, 선교 일치를 주장하여 선종을 중심으로 교종을 통합하려고 하였다.

유사 선택지 문제

12 ❶ 교종 ❷ 교관겸수 ❸ ×

13 자료는 인종의 명에 따라 김부식이 편찬을 주도한 "삼국사기"에 대한 것이다. "삼국사기"는 유교적 합리주의 사관에 따라 편찬되었다.

오답 선택지 풀이 ② 건국 초부터 편찬된 실록에 대한 설명이다.
③ 고려 말 성리학 수용 이후 발달한 역사 서술과 관련된 설명이다.
④ "삼국유사"와 "제왕운기" 등이 단군을 민족의 시조로 제시하였다.
⑤ 이규보가 지은 "동명왕편"에 대한 설명이다.

14 제시된 자료는 팔만대장경으로 몽골 침입 시기에 제작되었다. 고려는 유교를 통치 이념으로 삼고, 양천제로 신분을 구분하였으며 본관제를 시행하였다. 또한 가족 제도에서 남녀의 차별이 거의 없어 아들이 없는 경우 외손자가 대를 잇기도 하였다.

오답 선택지 풀이 ④ 삼국 시대에 각국은 국가 체제 정비 과정에서 불교를 받아들였다.

올쏘 서술형 문제

본문 22쪽

01 (1) 사심관 제도
(2) **| 모범 답안 |** 중앙 고위 관료를 사심관으로 삼아 출신 지역을 다스리게 한 제도이다. 지방 호족을 통제하고 지방 통치를 보완하기 위한 목적에서 실시되었다.

채점 기준	배점
사심관 제도의 개념과 목적을 모두 정확하게 서술한 경우	상
사심관 제도의 개념만 정확하게 서술한 경우	중
사심관 제도의 목적만 정확하게 서술한 경우	하

02 (1) 노비안검법
(2) **| 모범 답안 |** 양인의 수를 늘려 국가 재정 기반을 확충하고, 공신과 호족의 경제·군사적 기반을 약화하려 하였다.

채점 기준	배점
국가 재정 기반 확충, 공신과 호족의 기반 약화를 모두 정확하게 서술한 경우	상
위의 내용 중 한 가지만 정확하게 서술한 경우	하

03 (1) 전민변정도감
(2) **| 모범 답안 |** 권문세족 등이 불법으로 빼앗은 토지와 억울하게 노비로 삼은 양민을 되돌려 놓음으로써 민생을 안정시키고 권문세족의 경제·군사적 기반을 약화시키고 국가 재정을 확충하

기 위해 설치되었다.

채점 기준	배점
민생 안정, 권문세족의 경제·군사적 기반 약화, 국가 재정 확충 등을 모두 서술한 경우	상
위의 내용 중 두 가지만 정확하게 서술한 경우	중
위의 내용 중 한 가지만을 정확하게 서술한 경우	하

04 (1) (가) 불교, (나) 유학(유교)

(2) | 모범 답안 | 고려는 국가 차원에서 연등회와 팔관회 등 불교 행사를 열고, 승과를 실시하였으며, 신망 높은 승려를 왕사와 국사로 삼는 숭불 정책을 추진하였다. 유학 진흥을 위해 국자감을 정비하고 지방에 경학박사를 파견하였으며, 과거제를 실시해 유교 지식을 갖춘 인재를 관리로 선발하였다.

채점 기준	배점
고려의 숭불 정책 두 가지와 유학 진흥책 두 가지를 모두 정확하게 서술한 경우	상
위의 내용 중 세 가지만 정확하게 서술한 경우	중
위의 내용 중 두 가지만 정확하게 서술한 경우	하

올쏘 상위 4% 문제

본문 23쪽

01 ② 02 ① 03 ① 04 ④

01 고려의 독자적 천하관

자료 분석

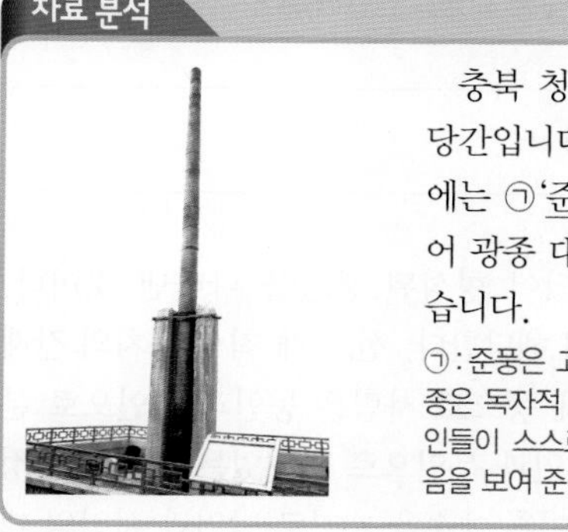

충북 청주 용두사지에 위치한 철당간입니다. 철당간에 새겨진 명문에는 ㉠'준풍 3년'이라고 새겨져 있어 광종 대에 세워진 것을 알 수 있습니다.

㉠ : 준풍은 고려 광종이 사용한 연호이다. 광종은 독자적 연호를 사용하였는데, 이는 고려인들이 스스로를 황제국으로 인식하고 있었음을 보여 준다.

오답 선택지 풀이 ① 원 간섭기에는 왕실 호칭이 부마국의 격에 맞게 낮추어졌다.
③ 이자겸은 금의 사대 요구를 수용하였다.
④ 묘청은 칭제 건원을 주장하며 난을 일으켰지만 개경 세력에 의해 진압되었다.
⑤ 외세의 침략에 대항하는 과정에서 민족의식이 성장한 사실을 보여 준다.

02 무신 정변

자료 분석

사람들을 시켜 길에서, ㉠'문관의 관을 쓴 사람은 비록 서리라도 모조리 죽이고 씨도 남기지 말라.'라고 외치게 하였다. ㉡사졸들이 봉기하여 …… 50여 명을 찾아내어 죽였다.
-"고려사"-

- ㉠ : 문신은 예외 없이 모두 죽이라고 한 것을 통해 무신 정변임을 알 수 있다.
- ㉡ : 하급 군인들을 말한다.

자료는 정중부와 이의방 등이 중심이 되어 일어난 무신 정변에 대한 것이다. 무신에 대한 차별, 의종의 실정 등을 배경으로 무신 정변이 일어났다.

오답 선택지 풀이 ㄷ, ㄹ은 모두 무신 정변 이후의 사실이다.

03 공민왕의 정치

자료 분석

왕 16년에 ㉠성균관을 다시 정비하고 이색을 판개성부사 겸 성균대사성으로 삼았다. …… 이에 학자들이 모여들기 시작하였고 서로 함께 눈으로 보고 느끼니, ㉡정주 성리학이 드디어 크게 일어나게 되었다.
-"고려사"-

- ㉠ : 공민왕 때에 성균관을 재정비하였다.
- ㉡ : 주희가 집대성한 성리학을 가리킨다.

자료는 성균관을 재정비하여 성리학 연구와 교육이 본격화된 것을 보여 주는 것으로, 공민왕 때의 사실이다. 공민왕은 쌍성총관부를 공격해 철령 이북 지역을 되찾았다.

오답 선택지 풀이 ② 성종이 최승로가 건의한 시무 28조를 받아들여 유교를 정치 이념으로 확립하였다.
③ 광종 때 과거제를 도입하여 유교적 학식을 갖춘 인재를 등용하였다.
④ 태조는 평양을 서경으로 승격하여 북진 정책을 위한 전진 기지로 삼았다.
⑤ 광종은 공신과 호족의 경제·군사적 기반을 약화시키기 위해 노비안검법을 시행하여 불법으로 노비가 된 양인을 원래 신분으로 되돌려 주었다.

04 지눌의 사상

자료 분석

(가) ㉠교리를 배우는 이는 마음을 버리고 외적인 것을 구하는 일이 많고, ㉡참선하는 사람은 밖의 인연을 잊고 내적으로 밝히기를 좋아한다. 이는 다 편벽된 집착이고 양극단에 치우친 것이다.

(나) ㉢마땅히 명예와 이익을 버리고 산림에 은둔하여 같은 모임을 맺자. ㉣항상 선을 익히고 지혜를 고르는 데 힘쓰고, 예불하고 경전을 읽으며 힘들여 일하는 것에 이르기까지 각자 맡은 바 임무에 따라 경영한다.

- ㉠ : 의천이 주장한 교관겸수에서 '교'에 해당하는 부분이다.
- ㉡ : 의천이 주장한 교관겸수에서 '관'에 해당하는 부분이다.
- ㉢ : 불교 개혁 운동인 결사 운동에 해당한다.
- ㉣ : 지눌이 수행 방법으로 제시한 정혜쌍수에 해당한다.

(가)는 의천, (나)는 지눌의 주장이다. 의천은 교종을 중심으로 선종 통합 운동을 전개하였고, 지눌은 무신 정권 시기에 수선사를 중심으로 결사 운동을 벌였다.

오답 선택지 풀이 ① 일연이 "삼국유사"를 저술하였다.
② 혜심은 유불 일치설을 주장하여 이후 성리학이 도입되는 사상적 기반을 마련하였다.
③ 의천은 교관겸수의 수행 방식을 제시하였다.
⑤ 의천이 교종을 중심으로 선종을 통합하려 하였다.

03 조선의 통치 체제와 사회·경제의 변화

개념 확인 문제 본문 26쪽

01 (1) ○ (2) × (3) × (4) × (5) × 02 (1) ㉡ (2) ㉠ (3) ㉢ (4) ㉥ (5) ㉣ (6) ㉤ 03 (1) ㄹ (2) ㄱ (3) ㄴ (4) ㄷ 04 (1) 양천제 (2) 향전 (3) 대동법 (4) 상평통보 (5) 홍경래의 난

올쏘 시험에 꼭 나오는 문제 본문 26~29쪽

01 ⑤ 02 ② 03 ③ 04 ① 05 ④ 06 ⑤ 07 ⑤
08 ⑤ 09 ② 10 ④ 11 ③ 12 ⑤ 13 ③ 14 ①

01 (가)는 사헌부, 사간원, 홍문관으로 구성된 3사이다. 3사는 정사를 비판하고 관리의 비위를 감찰하여 권력의 독점과 부정을 방지하는 언론 기능을 하였다.

오답 선택지 풀이 ①, ③ 재상들의 합의로 운영된 조선의 최고 정무 기구는 의정부이다.
② 승정원이 왕명 출납을 담당하였다.
④ 의금부에 대한 설명이다.

02 제시된 '의정부의 서사를 나누어 6조에 귀속시켰다.'는 내용을 통해 6조 직계제에 관한 것임을 알 수 있다. 6조 직계제는 실무 기구인 6조가 의정부를 통하지 않고, 국왕에게 직접 업무를 보고하고 재가를 받아 시행하는 제도이다. 태종 때 처음 6조 직계제가 시행되었으며, 이는 국왕의 국정 주도권을 강화시켜 주었다.

오답 선택지 풀이 ㄴ. 왜란을 거치면서 비변사의 기능이 강화되었으며, 이에 따라 의정부와 6조의 기능이 유명무실화되었다.
ㄹ. 재상들이 국정을 조정하는 역할을 하는 것은 의정부 서사제와 관련된 설명이다.

03 자료에서 "경국대전"을 반포했다는 것을 통해 밑줄 친 ㉠이 성종임을 알 수 있다. 성종은 사림을 등용해 훈구 세력을 견제하였다.

오답 선택지 풀이 ① 세조는 계유정난으로 권력을 장악하고 왕위에 올랐다. 이후 중종은 중종반정으로, 인조는 인조반정으로 왕위에 올랐다.
② 조선 후기 붕당의 대립이 심화되자 영조는 탕평파를 육성하여 이를 중심으로 정국을 운영하였다.
⑤ 비변사는 외적을 방비하기 위해 설치된 임시 기구로 왜란을 거치면서 국정을 총괄하게 되었다. 비변사가 국정을 총괄하면서 의정부와 6조는 유명무실해졌다.

올쏘 만점 노트 조선의 통치 체제 정비

왕	주요 정책
태조	조선 건국(1392), 한양 천도
태종	호패법 시행, 6조 직계제
세종	의정부 서사제, 집현전 설치, 훈민정음 창제
세조	6조 직계제 시행
성종	"경국대전" 완성·반포, 사림 등용, 홍문관 설치, 경연 강화

04 자료에서 중종 때 위훈 삭제를 추진하였다는 내용을 통해 밑줄 친 '그'가 조광조임을 알 수 있다. 조광조는 현량과 실시와 위훈 삭제 등을 주장하는 등 급진적인 방법으로 개혁을 추진하였다. 하지만 위훈 삭제에 공신 세력이 반발하면서 조광조 등 사림 세력은 사화를 맞았다.

오답 선택지 풀이 ② 대동법 시행은 김육 등이 주도하였다. 대동법은 광해군 때부터 본격화되었다.
③ 정조 때 육의전을 제외한 시전 상인의 금난전권(난전을 단속할 권리)을 폐지하였다.
④ 영조 때 노비종모법을 시행하여 노비의 자녀는 어머니의 신분을 따르도록 하였다.
⑤ 조선 후기 송시열 등이 명에 대한 의리를 지킬 것을 주장하면서 북벌론을 주장하였다.

올쏘 만점 노트 사림의 성장

정계 진출	성종 때 훈구 세력 견제 위해 등용
조광조의 개혁 정치	• 중종 때 실시 • 현량과, 위훈 삭제 등 정책 → 사화로 실패
정국 주도	향약·서원을 바탕으로 세력을 키워 선조 때 정국 주도

05 제시된 자료는 탕평비와 탕평비의 내용이다. 탕평비는 영조 때에 세워졌다. 영조는 붕당 정치의 폐단을 극복하기 위해 서원을 정리하였다.

오답 선택지 풀이 ① 세종 때 4군 6진을 개척하여 북방으로 영토를 넓혔다.
② "경국대전"은 세조 때 편찬을 시작하여 성종 때 완성·반포되었다.
③ 병자호란 이후 효종 때 이완 등을 등용하여 북벌을 준비하였다.
⑤ 정조 때 정치적 이상을 담아 수원 화성을 건설하였다.

유사 선택지 문제

05 ❶ 탕평파 ❷ 균역법 ❸ ×

06 자료는 사림이 분화되어 형성된 붕당을 나타낸 것이다. (가)는 남인, (나)는 서인에 해당한다. 선조 때 척신 정치의 잔재 청산, 이조 전랑 임명 문제 등으로 사림은 동인과 서인으로 분화되었다. 동인은 다시 남인과 북인으로 나뉘었는데, 인조반정으로 북인이 몰락하였다. 이후 예송을 계기로 남인과 서인의 대립이 심화되었다.

오답 선택지 풀이 ① 인조반정은 서인이 주도하였다.
② 광해군 때는 북인이 정권을 장악하였다.
③ 세조의 즉위 과정에서 공을 세운 세력을 중심으로 훈구가 형성되었다.
④ 선조 때 사림은 척신 배제를 주장한 동인과 척신을 어느 정도 포용할 것을 주장한 서인으로 분화되었다.

07 지도의 (가), (나) 지역은 세종 때 개척된 4군 6진이다. 세종 때에는 쓰시마섬을 토벌하는 한편, 일본의 교역 요청을 받아들여 삼포를 개방하고 교역을 허용하였다.

오답 선택지 풀이 ① 북벌 운동은 병자호란 이후 일어났다. 특히 효종 때 북벌 운동이 활발하였다.
② 임진왜란 때 조선과 명 연합군이 평양성을 탈환하였다.
③ 병자호란 당시의 상황이다.
④ 비변사는 16세기 무렵에 설치되었다.

08 자료는 송시열이 주장한 북벌론의 내용이다. 효종 때에는 청에 당한 치욕을 씻고 명에 의리를 지키자는 북벌 운동이 활발하였다.

유사 선택지 문제

08 ❶ 효종 ❷ 병자호란 ❸ ×

09 자료는 왜란 이후 일본에 파견된 통신사에 대한 것이다. 통신사는 에도 막부의 요청으로 파견되어 양국의 문화 교류에 기여하였다.

오답 선택지 풀이 ① 연행사는 조선 후기 청에 파견된 외교 사절이다.
③ '곤여만국전도'는 중국에 파견된 사절을 통해 전래되었다.
④ 중국에 파견된 사신에 대한 설명이다.
⑤ 숙종 때 안용복의 활동으로 에도 막부가 독도를 조선의 영토라고 확인하였다.

10 자료는 법제상 자유민이었던 양인에 대한 설명이다. 양인에는 지배층인 양반과 중인, 피지배층인 상민 등이 포함되었다. 양인은 조세·공납·역의 의무가 있었고, 과거를 통해 관직에 진출할 수 있었다.

오답 선택지 풀이 ④ 신량역천도 법제적으로는 양인에 해당한다.

올쏘 만점 노트 조선의 신분 제도

구분	특징	
양천제	양인	• 자유민, 과거 응시 가능, 조세·공납·역의 의무 • 양반, 중인, 상민으로 분화
	천인	비자유민
4신분제	양반	지배 신분층
	중인	• 기술관, 서리, 향리 등 하급 지배층 • 서얼도 중인으로 취급받음
	상민	• 피지배층으로 대다수가 농민 • 신량역천 : 양인이지만 천역 담당
	천민	대부분 노비, 재산으로 취급받음

11 조선 후기에는 재산을 축적한 계층의 신분 상승, 양인을 늘리려는 정부의 정책, 정쟁에 따른 일부 양반의 몰락 등으로 신분제가 크게 동요하였다.

오답 선택지 풀이 ③ 호패법은 조선 초기 태종 때부터 실시되었다.

12 자료는 대동법에 대한 것이다. 대동법은 공물 징수 과정에서 나타난 방납의 폐단을 개혁하기 위해 실시된 제도로 토지 면적에 따라 쌀, 면포, 동전 등을 징수하였다.

오답 선택지 풀이 ①, ②, ③ 균역법, ④ 영정법에 해당한다.

13 자료는 조선 후기에 확대 보급된 모내기이다. 모내기법이 보급되면서 김매는 일손이 줄어들어 1인당 경작지 규모가 확대되었다. 또한 수확량이 배로 늘었으며, 벼와 보리의 이모작도 확대되었다. 이 영향으로 농민층의 분화 등이 일어났다.

오답 선택지 풀이 ③ 모내기법의 보급으로 1인당 경작지 규모가 확대되면서 자기 땅을 갖지 못하는 농민이 늘어났다.

14 자료는 1862년 임술 농민 봉기의 도화선이 된 진주 농민 봉기에 대한 것이다. 임술 농민 봉기의 원인은 삼정의 문란이었다.

오답 선택지 풀이 ② 평안도 지역에 대한 차별이 원인이 되어 일어난 봉기는 홍경래의 난이다.
③ 고려 무신 정권 시기와 관련된 설명이다. 조선 후기에는 문신들이 정치를 이끌었다.
④ 고려 시대에 일어난 만적의 난에 대한 설명이다.
⑤ 고려 시대 묘청이 풍수지리설을 이용해 서경(평양)으로의 천도를 주장하였다.

올쏘 서술형 문제

본문 30쪽

01 (1) 사화

(2) | 모범 답안 | 훈구 세력은 세조가 왕위에 오르는 과정에서 공을 세운 세력이며, 사림 세력은 조선 건국 이후 정치에 참여하지 않고 지방에서 성리학 연구와 제자 양성에 힘쓴 이들을 중심으로 형성된 세력으로 성종이 훈구 세력을 견제하기 위해 등용하였다.

채점 기준	배점
훈구와 사림의 특징, 사림의 중앙 정계 등장 과정을 모두 정확하게 서술한 경우	상
위의 내용 중 두 가지만 정확하게 서술한 경우	중
위의 내용 중 한 가지만 정확하게 서술한 경우	하

02 (1) 청(후금)

(2) | 모범 답안 | 청(후금)이 조선에 군신 관계를 요구하자, 일부 관리들은 (가)와 같이 주화론을 제기하여 평화를 유지할 것을 주장하였으나 다수의 관리들은 (나)와 같이 척화론을 내세우며 주화론을 배척하였다. 그 결과 청이 조선을 침략해 병자호란이 일어났다.

채점 기준	배점
청의 군신 관계 요구, 척화론 채택, 병자호란의 발발 등 세 가지 내용을 모두 서술한 경우	상
위의 내용 중 두 가지만 정확하게 서술한 경우	중
위의 내용 중 한 가지만 정확하게 서술한 경우	하

03 (1) 모내기법

(2) | 모범 답안 | 모내기법으로 벼와 보리의 이모작이 가능해지고, 노동력 절감으로 경작지 규모가 확대되면서 농업 생산력이 크게 늘어나 일부 농민층은 부농으로 성장하였다. 하지만 경작지를 잃고 임노동자가 되는 농민이 늘어나는 등 농민층이 분화되었다.

채점 기준	배점
이모작 확대, 광작, 농민층의 분화 등 세 가지를 모두 정확하게 서술한 경우	상
이모작 확대, 광작 중 한 가지만을 제시해 농민층의 분화를 정확하게 서술한 경우	중
모내기법으로 나타난 현상을 서술하지 않고 사회 변화만을 서술한 경우	하

04 (1) (가) 군정, (나) 환곡(환정)

(2) | 모범 답안 | 세도 정치로 왕권이 약화되고 정치 기강이 무너지자 지방 수령과 아전의 수탈로 삼정의 문란이 나타났다.

채점 기준	배점
세도 정치와 정치 기강 붕괴를 모두 서술한 경우	상
위의 내용 중 한 가지만 정확하게 서술한 경우	하

올쏘 상위 4% 문제

본문 31쪽

01 ③ 02 ④ 03 ⑤ 04 ②

01 조선의 지방 행정 조직

자료 분석

㉠ 일반 행정과 군사 행정으로 나뉘었던 지방 행정 조직을 일원화해 전국을 8도로 나누었습니다. 그리고 (가)

• ㉠ : 5도 양계로 나누어진 고려 시대의 지방 행정 조직을 말한다. 고려는 일반 행정 구역은 5도, 군사 행정 구역은 양계로 나누었다.

조선 시대에는 전국을 8도로 나누고 모든 군현에 지방관을 파견하였다. 또한 지방 사족의 자치 조직인 유향소를 운영해 수령을 보좌하고 향리를 견제함으로써 지방 행정을 보완하게 하였다.

오답 선택지 풀이 ① 5소경은 통일 신라 시기에 수도인 경주가 동남쪽에 치우친 것을 보완하기 위해 설치한 행정 구역이다.
② 고려 시대와 관련된 설명이다. 조선 시대에는 향·부곡·소를 일반 군현으로 승격하거나 주변 군현에 통합하였다.
④ 고려 시대에 대한 설명이다. 조선 시대에는 모든 군현에 지방관을 파견하였다.
⑤ 22담로에 왕족을 파견한 것은 삼국 시대 백제 무령왕 때이다.

02 정조의 탕평 정치

자료 분석

붕당의 이름이 생긴 이래로 ㉠ 삼상이 오늘과 같은 적은 아마 처음 있는 일일 것이다. 이번 일에 나는 자부심이 든다. 경들 셋은 모름지기 각자 마음을 다해 내가 좋은 결과를 볼 수 있도록 하라. 지금의 급한 일은 조정에서 의심하여 멀리하는 것을 없애는 데 있을 뿐이다.

• ㉠ : 정조 대에 노론, 소론, 남인이 삼상(영의정, 좌의정, 우의정)에 고르게 임명된 것을 의미한다.

자료는 정조가 시행한 탕평책이다. 정조는 초계 문신제와 규장각 설치 등을 통해 자신의 개혁 정치를 뒷받침하였고 수원 화성을 건설하기도 하였다.

오답 선택지 풀이 ① 탕평파를 중심으로 정치를 운영한 것은 영조이다.
② 숙종 시기에 주로 나타난 환국에 대한 설명이다.
③ 현종 때 서인과 남인이 대립한 예송에 대한 설명이다.
⑤ 정조 사후에 나타난 세도 정치에 대한 설명이다.

03 통공 정책

자료 분석

㉠ 평시서로 하여금 30년 이내에 새로 설립된 시전을 모두 없애고 형조와 한성부로 하여금 육의전 이외에는 ㉡ 난전을 금할 수 없게 할 뿐만 아니라 이를 어기는 자는 벌주도록 해야 한다.
– "비변사등록" –

• ㉠ : 조선 시대에 시전 관련 업무와 물가 등을 담당하던 관청이다.
• ㉡ : 금난전권을 폐지하는 조치임을 알 수 있다.

자료는 정조가 시행한 통공 정책에 대한 것이다. 통공 정책의 시행으로 육의전을 제외한 시전 상인의 금난전권이 폐지되어 사상의 상업 활동이 더욱 자유로워졌다.

오답 선택지 풀이 ① 공인의 등장은 대동법 시행과 관련이 있다.
② 금난전권 허용과 관련된 내용이다.
③ 조선 후기에는 관영 수공업이 쇠퇴하고 민영 수공업이 발달하였다.
④ 조선 후기에는 백성을 동원하여 광물을 채취하기 힘들어지자 정부가 세금을 받고 민간 업자에게 광산 개발을 허용하였다.

04 19세기 농민 봉기

자료 분석

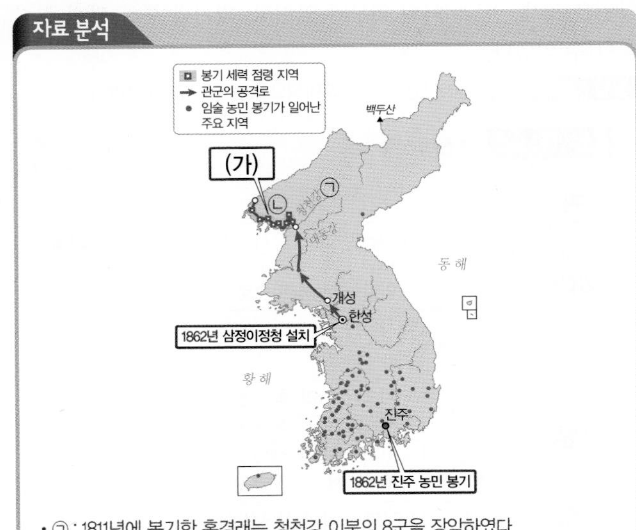

• ㉠ : 1811년에 봉기한 홍경래는 청천강 이북의 8군을 장악하였다.
• ㉡ : 봉기 세력은 정주성에서 관군에게 패배하였다.

지도의 (가)는 1811년에 일어난 홍경래의 난에 해당한다. 홍경래는 신흥 상공업 세력과 광산 노동자, 빈농 등을 모아 평안도 지역 차별과 지배층의 수탈에 항거해 봉기를 일으켰다.

오답 선택지 풀이 ㄴ. 임술 농민 봉기, ㄹ. 고려 시대 만적의 난 등에 해당한다.

04 서구 열강의 접근과 근대적 개혁의 추진

개념 확인 문제 본문 34쪽

01 (1) ○ (2) × (3) × (4) ○ (5) × 02 (1) ㉡ (2) ㉠ (3) ㉣ (4) ㉢ (5) ㉤ 03 (1) ㄱ (2) ㄴ (3) ㄷ (4) ㄹ 04 (1) 조선책략 (2) 통리기무아문 (3) 위정척사 (4) 온건 개화파 (5) 갑신정변

시험에 꼭 나오는 문제 본문 34~37쪽

01 ② 02 ⑤ 03 ① 04 ② 05 ④ 06 ④ 07 ②
08 ① 09 ④ 10 ② 11 ③ 12 ② 13 ③ 14 ⑤
15 ① 16 ⑤

01 제시된 문장의 경복궁 중건을 위해 당백전을 발행한 (가) 인물은 흥선 대원군이다. 흥선 대원군은 경복궁 중건 비용을 마련하기 위해 원납전을 징수하였으며, 당백전을 발행하였다. 흥선 대원군은 왕권 강화를 위해 비변사를 사실상 폐지하고 의정부와 삼군부의 기능을 부활시켰다.

오답 선택지 풀이 ① 철종 때 농민 봉기에 대한 대책으로 삼정이정청을 설치하였다.
③ 정조는 장용영을 설치하여 군사적 기반을 강화하였다.
④ 조선 전기 성종 때 "경국대전"이 반포되었다.
⑤ 영조 때 균역법을 실시하여 백성들의 군포 부담을 덜어 주었다.

02 자료는 흥선 대원군이 실시한 호포제에 대한 것이다. '군정의 폐단', '양반 호는 노비의 이름으로 군포를 내고'의 내용을 통해 호포제임을 알 수 있다. 흥선 대원군은 군정의 문란을 해결하기 위해 양반 호에게도 군포를 내게 하는 호포제를 시행하였다. 호포제의 시행으로 농민의 군포 부담이 줄어들었다.

오답 선택지 풀이 ① 영조 때 군정의 문란을 해결하기 위해 균역법을 실시하여 군포를 균등하게 1필로 줄여 주었다.
② 흥선 대원군은 왕실의 권위를 높이기 위해 경복궁을 중건하였다.
③ 경복궁 중건 비용을 마련하기 위해 원납전을 징수하였으며, 당백전을 발행하였다.
④ 환곡의 문란을 해결하기 위해 흥선 대원군은 사창제를 실시하였다.

유사 선택지 문제

02 ❶ 군포 ❷ 호포제 ❸ ○

03 자료에서 '선현의 제사를 받드는 것'을 통해 밑줄 친 '이 명령'이 흥선 대원군의 서원 철폐 정책임을 알 수 있다. 흥선 대원군은 재정을 확보하고, 향촌 사회에서 양반의 기반을 약화하기 위해 사액 서원 47곳을 제외한 서원을 모두 정리하였다. 그리고 서원에 소속되었던 토지와 노비 등은 향교와 지방 관아에 귀속시켰다.

오답 선택지 풀이 ② 당백전의 발행은 경복궁 중건 비용 마련을 목적으로 시행되었다.
③ 경복궁 중건은 왕실 권위 강화 목적으로 추진되었다.
④ 별기군은 개항 이후 고종이 실시한 개화 정책의 하나이다.
⑤ 통상 수교 거부 의지를 확립하기 위해 신미양요 이후 건립하였다.

올쏘 만점 노트 흥선 대원군의 개혁 정책

체제 정비	• 종친 우대, 남인과 북인 등 소외된 세력 등용 • 비변사 사실상 폐지 : 의정부와 삼군부 기능 회복 • 서원 정리 : 사액 서원 47곳 이외 정리
삼정 개혁	• 전정 : 양전 사업 • 군정 : 호포제 시행 • 환정(환곡) : 사창제 시행
왕실 권위 강화	• 경복궁 중건 • 당백전 발행, 원납전 징수 등으로 백성 불만

04 자료에서 양헌수 등의 활약을 통해 1866년의 병인양요임을 알 수 있다. 병인양요 당시 철수하던 프랑스군이 외규장각 도서와 은괴 등을 약탈하였다.

오답 선택지 풀이 ① 임오군란으로 청군이 조선에 주둔하게 되었다.
③ 제너럴 셔먼호 사건이 계기가 되어 일어난 전쟁은 신미양요이다.
④ 일본이 일으킨 운요호 사건을 계기로 강화도 조약이 체결되었다.
⑤ 오페르트 도굴 미수 사건에 대한 설명이다.

05 1866년에 흥선 대원군이 천주교를 탄압한 병인박해가 일어난 뒤, 제너럴 셔먼호 사건이 일어났다. 이후 프랑스군이 병인박해를 구실로 병인양요를 일으켰다. 1871년에는 미국이 제너럴 셔먼호 사건을 구실로 신미양요를 일으켰다.

06 자료의 밑줄 친 ㉠은 1868년에 일어난 오페르트의 남연군 묘 도굴 미수 사건이다. 병인양요는 1866년, 신미양요는 1871년에 발발하였다.

07 제시된 비석은 흥선 대원군이 통상 수교 거부 의지를 널리 알리기 위해 세운 척화비이다. 흥선 대원군은 신미양요 직후 전국에 척화비를 건립하였다.

오답 선택지 풀이 ①, ④ 흥선 대원군의 개혁 정치와 관련된 것으로 척화비와는 연관성이 적다.
③ 개항 이후 "조선책략"의 유포를 계기로 영남의 유생들이 영남 만인소를 올렸다.
⑤ 개항 이후 수신사로 파견된 김홍집이 "조선책략"을 조선으로 가지고 돌아왔다.

유사 선택지 문제

07 ❶ 신미양요 ❷ 척화비 ❸ ○

08 자료에서 운요호 사건, 영사 재판권, 해안 측량권 등의 내용을 통해 1876년 강화도 조약에 대한 것임을 알 수 있다. 강화도 조약은 조선이 맺은 최초의 근대적 조약이자 불평등 조약이다.

오답 선택지 풀이 ②, ③, ④ 조선이 미국과 맺은 조·미 수호 통상 조약에 대한 설명이다.
⑤ 조·프 수호 통상 조약에 해당한다.

09 자료는 개항 직후 조선의 개화 정책에 대한 것이다. 고종은 1881년 일본에 조사 시찰단을 파견하여 각 부의 사무 및 세관, 군사 등에 관한 일을 세밀하게 조사하게 하였다.

오답 선택지 풀이 ①, ②, ③ 흥선 대원군 시기에 시행한 개혁 정치의 내용이다.
⑤ 갑신정변 당시 개화당 정부가 발표한 개혁 정강의 내용이다.

10 (가)는 온건 개화파, (나)는 급진 개화파에 해당한다. 온건 개화파는 동도서기를 원칙으로 점진적 개혁을 추진하였다. 급진 개화파는 갑신정변을 일으켰으나 3일 천하로 끝났다.

오답 선택지 풀이 ㄴ. 서양의 근대 사상을 도입하여 정치 제도를 개혁할 것을 주장한 것은 급진 개화파이다.
ㄹ. 온건 개화파는 청과의 전통적인 외교 관계를 중시하였다.

올쏘 만점 노트 온건 개화파와 급진 개화파

구분	온건 개화파	급진 개화파
개혁 모델	청의 양무운동	일본의 메이지 유신
주요 인물	김홍집, 김윤식	김옥균, 박영효
청과의 관계	유지	청산

개화파는 1882년 임오군란을 전후한 시기에 개혁 방향과 청과의 관계를 두고 온건 개화파와 급진 개화파로 분화되었다.

11 자료는 최익현의 왜양일체론으로, 1870년대 일본의 개항 요구 당시에 제기된 주장이다. 최익현은 강화도 조약 체결에 반대하며 왜양일체론을 주장하였다.

오답 선택지 풀이 ① 북학파에 대한 설명이다.
② 박규수 등이 통상 개화를 주장하였다.
④ 급진 개화파가 청과의 사대 관계 청산을 주장하였다.
⑤ 대다수의 일반 백성에 대한 설명이다.

유사 선택지 문제

11 ❶ 왜양일체론 ❷ 통상 수교 거부 정책 ❸ ○

12 자료는 "조선책략"의 유포에 반발하여 제시된 영남 만인소의 일부이다. "조선책략"에서는 러시아를 막기 위해 조선이 일본, 청, 미국과 관계를 강화할 것을 주장하였다. 당시 러시아는 만주와 연해주 지역으로 세력을 확장하였다.

오답 선택지 풀이 ① 일본, ③ 청, ④, ⑤ 프랑스에 대한 설명이다.

13 제시된 내용을 통해 '이 조약'은 1882년에 체결된 제물포 조약임을 알 수 있다. 제물포 조약은 임오군란 직후 조선과 일본이 체결한 조약이다.

오답 선택지 풀이 ① 갑신정변 직후 조선과 일본, ② 갑신정변 직후 청과 일본, ④ 1883년 조선과 일본, ⑤ 임오군란 이후 조선과 청이 체결하였다.

14 제시된 조약은 갑신정변 이후 청과 일본이 맺은 톈진 조약이다. 톈진 조약으로 청과 일본은 조선에 군대를 파병할 경우 상대국에 통보하기로 하였다.

15 자료는 1884년 갑신정변 당시 개화당 정부가 발표한 개혁 정강의 일부이다. 급진 개화파가 주도한 갑신정변은 최초의 근대적 정치 개혁 운동이었으나 민중의 지지를 얻지 못하였다.

오답 선택지 풀이 ① 통리기무아문은 개항 이후, 갑신정변 이전에 설치하였다.

16 자료는 갑신정변 이후 조선 중립화론이 제기된 것에 대한 대화 장면이다. 독일인 부들러가 중립화안을 조선 정부에 건의하였고, 유길준도 열강이 보장하는 중립화안을 구상하였다.

오답 선택지 풀이 ① 톈진 조약은 청·일 양국이 조선에서 군대를 철수할 것, 조선에 파병 시 상대국에 알릴 것 등을 규정하고 있다.
② 온건 개화파는 동도서기론에 입각한 점진적 개화를 추진하였다.
③ 청·프 전쟁은 베트남을 둘러싼 프랑스와 청의 갈등으로 일어났다.
④ 위정척사 운동은 통상 반대, 개항 반대, 개화 정책 반대 등의 흐름으로 전개되었다.

올쏘 서술형 문제

본문 38쪽

01 (1) 병인양요

(2) | 모범 답안 | 병인박해 당시 프랑스 선교사 처형을 구실로 프랑스가 강화도를 침략하면서 병인양요가 일어났다. 병인양요 당시 양헌수가 정족산성에서 프랑스군을 공격해 승리를 거두자 프랑스군은 외규장각 도서와 은괴 등을 약탈해 철수하였다.

채점 기준	배점
병인양요의 원인, 양헌수의 활약, 외규장각 도서 약탈 등을 모두 정확하게 서술한 경우	상
위의 내용 중 두 가지만 정확하게 서술한 경우	중
위의 내용 중 한 가지만 정확하게 서술한 경우	하

02 (1) 강화도 조약(조·일 수호 조규)

(2) | 모범 답안 | 7관에서 일본이 조선 영해에서 해안 측량을 할 수 있도록 인정하였으며, 14관에서 영사 재판권을 인정하였다.

채점 기준	배점
7관의 해안 측량권과 14관의 영사 재판권 허용을 모두 정확하게 서술한 경우	상
위의 내용 중 한 가지만 정확하게 서술한 경우	하

03 (1) 미국

(2) | 모범 답안 | 조·미 수호 통상 조약은 강화도 조약과 달리 거중 조정과 관세 부과, 최혜국 대우 등을 규정하고 있지만, 영사 재판권이 인정된 불평등 조약이라는 공통점을 갖고 있다.

채점 기준	배점
공통점과 차이점을 관련 내용을 제시하여 모두 정확하게 서술한 경우	상
관련 내용 제시 없이 공통점과 차이점만 정확하게 서술한 경우	중
공통점과 차이점 중 한 가지만 정확하게 서술한 경우	하

04 (1) 급진 개화파

(2) | 모범 답안 | 갑신정변은 청의 내정 간섭을 물리치고 자주적 근대 국가를 건설하기 위해 일어난 최초의 근대적 정치 개혁 운동이었다. 그러나 소수의 지식인이 중심이 된 위로부터의 근대화 운동으로 대다수의 관료와 민중의 지지를 받지 못하였다. 또한 일본의 지원에 지나치게 의존하였다.

채점 기준	배점
갑신정변을 제시하고 의의와 한계를 모두 정확하게 서술한 경우	상
위의 내용 중에서 두 가지만 정확하게 서술한 경우	중
위의 내용 중에서 한 가지만 정확하게 서술한 경우	하

올쏘 상위 4% 문제

본문 39쪽

01 ③ 02 ④ 03 ③ 04 ①

01 흥선 대원군의 개혁 정치

자료 분석

조정에서는 어떤 변이라도 있을까 하여 ㉠그에게 간언하기를, "선현의 제사를 받드는 것은 선비의 기풍을 기르는 것이므로 ㉡이 명령만은 거두기를 청합니다."라고 하였다. 그가 크게 노하여 말하기를 "진실로 백성에게 해되는 것이 있으면 비록 공자가 다시 살아난다 하더라도 나는 용서치 않겠다. …… "라고 하였다.

- ㉠ : 흥선 대원군에 해당한다.
- ㉡ : 서원 철폐 명령을 말한다. 흥선 대원군은 47개의 서원을 제외한 나머지 서원을 모두 철폐하였다.

자료는 서원 철폐와 관련된 것으로 밑줄 친 '그'는 흥선 대원군이다. 흥선 대원군은 임오군란을 계기로 재집권하여 통리기무아문과 별기군을 폐지하였다.

오답 선택지 풀이 ① 최익현이 1870년대에 왜양일체론을 주장하면서 강화도 조약 체결에 반대하였다.
② 부들러와 유길준 등은 조선에서 열강의 대립이 심화되자 조선 중립화론을 제시하였다.
④ 영조 때 "속대전"을 편찬하였다.
⑤ 온건 개화파에 대한 설명이다.

02 미국과의 관계

자료 분석

㉠1866년 7월 무장한 ((가))의 상선 제너럴 셔먼호가 대동강 변까지 진출하여 교역을 요구하며 난동을 부렸다. 이에 분개한 ㉡평양 주민은 관군과 함께 배를 불살랐다.

- ㉠ : 1866년은 병인년으로 병인박해, 제너럴 셔먼호 사건, 병인양요가 일어났다.
- ㉡ : 평양 감사 박규수의 지휘 아래 관민이 제너럴 셔먼호를 불태워 침몰시켰다. 미국은 이 사건을 빌미로 신미양요를 일으켰다.

자료는 제너럴 셔먼호 사건으로 (가)는 미국이다. 조선은 청의 알선으로 1882년에 미국과 조·미 수호 통상 조약을 체결하고 이듬해에 보빙사를 파견하였다.

오답 선택지 풀이 ④ 청이 군대를 파견해 임오군란을 진압하였다.

03 강화도 조약

자료 분석

1. ㉠조선은 자주국이며 일본과 평등한 권리를 가진다.
4. 조선 정부는 (부산 외) 두 곳의 항구를 개방하고 일본국 인민이 오가며 자유로이 통상하도록 허가한다.
7. ㉡조선국 연해를 일본국 항해자가 자유롭게 측량하고 지도를 제작할 수 있도록 허가한다.
9. 양국의 인민들은 각자 임의로 무역하며 양국 관리들은 조금도 간섭할 수 없고 또 제한하거나 금지할 수도 없다.
10. ㉢일본국 인민이 조선국이 지정한 각 항구에서 조선국 인민과 관계된 죄를 범한 경우 일본국 관원이 심판한다.

– "고종실록" –

- ㉠ : 청의 간섭을 배제해 추후 일본의 조선 침략을 용이하게 하려는 목적이다.
- ㉡ : 조선이 일본에 허용한 해안 측량권으로 불평등 조약의 근거가 된다.
- ㉢ : 영사 재판권을 인정한 것으로 불평등 조약의 근거가 된다.

자료는 운요호 사건을 계기로 1876년에 체결된 강화도 조약이다. 이 조약 체결 이후 일본에 수신사가 파견되었다.

오답 선택지 풀이 ㄱ. 조·미 수호 통상 조약 등, ㄹ. 1883년에 체결된 조·일 통상 장정에 대한 설명이다.

04 갑신정변

자료 분석

㉠나는 임오군란 때 청병을 따라 귀국하였다. 이때부터 청은 우리나라에 자주 내정 간섭을 하였다. 나는 청나라 당으로 지목되었고, 청국이 우리의 자주권을 침해하는 데 분노해 ((가))을/를 일으켰던 김옥균은 일본 당으로 지목되었다. 그 후 일이 허사로 돌아가자 세상은 그를 역적이라 하였는데, 나는 정부에 몸을 담고 있어 그를 공격할 수밖에 없었다.

- ㉠ : 영선사로 청에 파견되었던 김윤식이다.

(가)는 1884년에 일어난 갑신정변이다. 갑신정변을 계기로 조선은 일본과 한성 조약을, 청과 일본은 톈진 조약을 체결하였다.

오답 선택지 풀이 ㄷ. 임오군란 직후 조선과 일본, ㄹ. 임오군란 직후 조선과 청이 체결하였다.

05 근대 국민 국가 수립 노력

개념 확인 문제

본문 42쪽

01 (1) ○ (2) × (3) ○ (4) ○ (5) × **02** (1) ㉡ (2) ㉢ (3) ㉣ (4) ㉠ (5) ㉤ **03** (1) ㄷ (2) ㄱ (3) ㄴ (4) ㄹ **04** (1) 전봉준 (2) 을미사변 (3) 러시아 (4) 독립신문 (5) 구본신참

정답 및 해설

올쏘 시험에 꼭 나오는 문제 본문 42~45쪽

01 ⑤ 02 ④ 03 ⑤ 04 ⑤ 05 ④ 06 ① 07 ⑤
08 ② 09 ① 10 ① 11 ② 12 ④ 13 ① 14 ⑤
15 ④

01 동학은 창시 이후 정부의 탄압으로 위축되었으나 2대 교주 최시형의 노력으로 교세가 확장되었다. 동학교도들은 교조 신원 운동을 펼쳐 공주, 삼례, 광화문 등에서 집회를 열고 교조인 최제우의 억울함을 풀고 동학에 대한 탄압을 중지할 것과 포교의 자유를 요구하였다. 이후 보은과 금구 등에서 열린 집회에서 교조 신원 운동은 농민 중심의 정치 운동으로 발전하는 모습을 보였다.

오답 선택지 풀이 ① 황토현 전투는 동학 농민군의 1차 봉기 때 일어난 사건이다.
②, ③ 조선 말 임술 농민 봉기에 대한 설명이다.
④ 홍경래의 난에 대한 설명이다.

02 제시된 사발통문과 만석보 터는 고부 농민 봉기와 관련이 있다. 고부 군수 조병갑이 갖은 명목으로 농민들을 수탈하고, 농민들을 동원해 만석보를 만들어 세금을 거두었다. 이에 전봉준 등은 사발통문을 돌려 동지를 모은 후 농민을 이끌고 고부 관아를 점령하고 만석보를 파괴하였다.

오답 선택지 풀이 ① 우금치 전투는 동학 농민군의 2차 봉기 때 일어났다.
② 교조 신원 운동은 공주, 삼례 집회 등을 거쳐 보은 집회로 발전하였다.
③, ⑤ 전주 화약 체결 이후 정부는 교정청을 설치해 개혁을 시행하였고, 농민군은 집강소를 설치해 폐정 개혁을 하였다.

03 자료는 동학 농민 운동이 실패로 끝난 후 체포된 전봉준을 심문한 기록이다. 전주 화약 이후 동학 농민군은 일본이 경복궁을 점령하자 2차 봉기를 일으켰다.

오답 선택지 풀이 ① 단발령은 을미개혁 때 시행되었다.
② 교조 신원 운동이 일어나게 된 원인이다.
③ 급진 개화파가 일으킨 정변은 갑신정변이다.
④ 조병갑의 수탈은 고부 농민 봉기의 원인이다.

유사 선택지 문제

03 ❶ 조병갑 ❷ 백산 ❸ ×

04 제시된 자료에서 '왜와 통하는 자는 엄중히 징벌한다.', '토지를 균등히 나누어 경작하게 한다.' 등의 내용을 통해 동학 농민 운동 당시 농민군이 제시한 폐정 개혁안임을 알 수 있다.

05 (가)는 동학 농민군의 1차 봉기, (나)는 전주 화약에 대한 설명이다. 1차 봉기 당시 동학 농민군은 황토현과 황룡촌에서 정부군을 격파하고 전주성을 점령하였다. 그리고 청과 일본이 조선에 군대를 파견하자 농민군은 정부와 전주 화약을 체결하였다.

오답 선택지 풀이 ①, ②, ③, ⑤는 모두 전주 화약 이후의 사실이다.

올쏘 만점 노트 동학 농민 운동의 전개

구분	내용
고부 농민 봉기	고부 군수 조병갑의 수탈에 반발해 전봉준 등이 봉기
1차 봉기	• 무장 봉기 : 안핵사 이용태가 농민들을 탄압, 전봉준 등이 무장에서 봉기 • 황토현 전투, 황룡촌 전투에서 농민군 승리, 전주성 점령 → 정부와 전주 화약 체결
폐정 개혁	• 정부 : 교정청을 설치해 개혁 추진 • 농민군 : 자치 기구인 집강소를 설치해 폐정 개혁 실시
2차 봉기	• 배경 : 일본의 경복궁 점령, 내정 간섭 • 경과 : 남접과 북접군이 합세 → 우금치 전투에서 관군과 일본군에 패배 → 주요 지도자 체포
의의	• 반봉건·반외세 운동 • 이후 갑오개혁에 폐정 개혁의 요구가 일부 반영 • 동학 농민군 잔여 세력이 의병 운동에 참여

06 제시된 그림은 군국기무처 회의 모습이다. 군국기무처는 일본군이 경복궁을 점령한 후 설치된 기구로 제1차 갑오개혁을 주도하였다.

오답 선택지 풀이 ② 개항 직후 개혁을 통괄할 기구로 설치된 통리기무아문에 대한 설명이다.
③ 동학 농민 운동 당시 정부와 농민군은 전주 화약을 체결하였다. 이후 정부는 교정청을 설치하여 개혁을 추진하였다.
④ 홍범 14조는 제2차 갑오개혁 때 발표되었다.
⑤ 독립 협회가 건의한 헌의 6조를 고종이 승인하면서 새로운 중추원 관제가 반포되었다.

07 자료는 제2차 갑오개혁 당시 발표된 홍범 14조이다. 일본이 청·일 전쟁에서 승기를 잡으면서 조선의 내정에 적극 간섭하였다. 이에 군국기무처가 폐지되었으며, 일본에서 귀국한 박영효가 김홍집과 연립 내각을 수립하여 제2차 갑오개혁을 실시하였다.

오답 선택지 풀이 ① 삼국 간섭 이후 고종과 명성 황후가 러시아에 접근하여 일본을 견제하려 하였다.
② 아관 파천 이후 독립 협회가 고종의 환궁을 주장하였다.
③ 을미개혁 시기 단발령이 시행되자 이에 반발하여 을미의병이 일어났다.
④ 제1차 갑오개혁 이전 시기에 해당한다.

유사 선택지 문제

07 ❶ 홍범 14조 ❷ 제2차 갑오개혁 ❸ ×

08 자료는 을미개혁 당시 시행된 단발령과 관련된 내용이다. 단발령 시행 이후 을미사변과 단발령 시행에 반발한 을미의병이 일어났다. 고종은 을미의병으로 궁궐 경비가 약화된 틈을 타 러시아 공사관으로 피신하여 일본의 위협에서 벗어나려고 하였다.

오답 선택지 풀이 ①, ③, ④, ⑤는 모두 을미개혁 이전의 사실이다.

09 (가)는 제2차 갑오개혁, (나)는 을미개혁의 내용이다. 제2차 갑오개혁 이후 일본은 청과 시모노세키 조약을 맺어 타이완과 랴오둥반도 등을 할양받았다. 이에 러시아가 삼국 간섭을 주도하여 일본을 압박하였고, 일본은 청에 랴오둥반도를 돌려주었다. 삼국 간섭 이후 고종과 명성 황후는 친러 정책을 펴 일본을

견제하려 하였다. 이에 일본은 을미사변을 일으켜 명성 황후를 시해하였으며, 친일 내각을 수립하여 을미개혁을 추진하였다.

오답 선택지 풀이 ②, ④, ⑤ 제2차 갑오개혁 이전의 사실이다. ③ 을미개혁 이후에 일어난 일이다.

올쏘 만점 노트 갑오개혁의 전개

제1차 갑오개혁	• 김홍집 내각, 군국기무처 주도 • 재정을 탁지아문으로 일원화 • 과거제 폐지, 공·사 노비법 폐지 • 과부 재가 허용
제2차 갑오개혁	• 김홍집·박영효 연립 내각, 홍범 14조 • 내각제 시행, 지방관 권한 축소 • 재판소 설치, 교육 입국 조서
을미개혁 (제3차 갑오개혁)	• 김홍집 내각 • '건양' 연호 사용, 태양력 사용 • 단발령 시행

10 일본이 청·일 전쟁을 일으킨 뒤 전쟁에서 승기를 잡자 조선의 내정에 적극 간여하여 군국기무처가 폐지되고 제2차 갑오개혁이 추진되었다. 이후 청·일 전쟁에서 승리한 일본이 청에게 타이완과 랴오둥반도를 할양받았으나, 러시아를 중심으로 한 삼국 간섭으로 다시 랴오둥반도를 반환하였다. 이후 일본은 을미사변을 일으켜 조선에서 세력을 키웠고, 이에 위협을 느낀 고종은 러시아 공사관으로 피신하였다.

11 자료에서 독립문 건립과 관련된 내용을 통해 독립 협회에 대한 것임을 알 수 있다. 독립 협회는 민의를 반영하기 위해 의회 설립 운동을 전개하였다.

오답 선택지 풀이 ①, ③ 제2차 갑오개혁, ④ 동학, ⑤ 대한 제국에 해당한다.

12 자료는 독립 협회 주도로 결의된 헌의 6조이다. 독립 협회는 만민 공동회를 개최하여 러시아의 절영도 조차 요구 등을 저지하였으며, 독립관에서 토론회를 개최하였다. 또한 의회 설립 운동을 전개해 중추원 관제 반포를 이끌어 냈다.

오답 선택지 풀이 ④ 집강소는 동학 농민군이 전라도 일대에 설치한 자치적 민정 기구이다.

유사 선택지 문제

12 ❶ 만민 공동회 ❷ 헌의 6조 ❸ ○

13 자료의 인물은 서재필이다. 갑신정변 직후 미국으로 망명했던 서재필은 귀국 후 독립신문을 창간하고 개화 관료, 지식인과 함께 독립 협회 창립을 주도하였다.

오답 선택지 풀이 ② 이만손, ③ 최익현, ④ 박영효, ⑤ 김홍집에 해당한다.

14 자료는 1899년에 제정된 대한국 국제이다. 대한 제국은 광무개혁을 실시하면서 일부 지역에 지계를 발급하였다.

오답 선택지 풀이 ①, ④ 제1차 갑오개혁, ② 을미개혁, ③ 제2차 갑오개혁에 해당한다.

15 자료는 광무개혁에 대한 평가를 담은 대화 내용이다. 광무개혁은 구본신참을 원칙으로 점진적 근대화를 추진하였다.

오답 선택지 풀이 ① 갑오개혁, ② 갑신정변 등, ③ 초기 개화 정책, ⑤ 흥선 대원군의 정치에 해당한다.

올쏘 서술형 문제

본문 46쪽

01 (1) (가) 동학 농민 운동, (나) (제1차) 갑오개혁

(2) | 모범 답안 | 동학 농민 운동 당시 제시된 양반 중심의 사회 질서에 대한 개혁 요구가 갑오개혁에 반영되었다. 이를 통해 신분제가 폐지되고 봉건적 악습이 폐지되어 근대적 평등 사회의 기틀을 마련하였다.

채점 기준	배점
신분제 폐지, 봉건적 악습 타파 등을 모두 정확하게 서술한 경우	상
위의 내용 중 한 가지만 정확하게 서술한 경우	하

02 (1) 삼국 간섭

(2) | 모범 답안 | 삼국 간섭 이후 조선 정부가 친러 정책을 펴며 일본을 견제하였다. 이에 일본은 세력 회복을 목적으로 친러 정책을 주도한 명성 황후를 시해하는 을미사변을 일으켰다.

채점 기준	배점
조선 정부의 친러 정책, 일본의 명성 황후 시해 등을 모두 정확하게 서술한 경우	상
위의 내용 중 한 가지만 정확하게 서술한 경우	하

03 (1) 독립 협회

(2) | 모범 답안 | 독립 협회는 1조와 같이 황제의 기본적인 권한은 인정하지만, 2조와 5조에 제시되어 있는 것처럼 황제의 권한을 일정 부분 제한하는 정치 형태를 지향하였다.

채점 기준	배점
해당 조항을 제시하고 지향하는 정치 형태를 정확하게 서술한 경우	상
위의 내용 중에서 한 가지만 정확하게 서술한 경우	하

04 (1) 광무개혁

(2) | 모범 답안 | 대한국 국제는 황제가 모든 권한을 가진 전제 군주제를 지향하였다.

채점 기준	배점
전제 군주제를 정확하게 서술한 경우	상
위의 내용을 전혀 서술하지 못한 경우	하

상위 4% 문제

본문 47쪽

01 ⑤ 02 ⑤ 03 ④ 04 ⑤

01 동학 농민군의 2차 봉기

자료 분석

일본이 구실을 만들어 ㉠군대를 동원하여 우리 임금님을 핍박하고 우리 국민을 어지럽게 함을 어찌 그대로 참을 수가 있단 말이오. …… 지금 ㉡조정의 대신은 망령되고 구차하게 생명을 유지하며, 위로는 군부를 위협하고 아래로는 국민을 속여 ㉢왜이(倭夷)와 연결하여 삼남의 국민에게 원한을 사며 망령되게 친병(親兵)을 움직여 선왕의 적자(赤子)를 해하려 하니 참으로 그 무슨 뜻이오.

- ㉠ : 일본군이 경복궁을 무력으로 점령한 사실을 말한다.
- ㉡ : 제1차 김홍집 내각에 해당한다.
- ㉢ : 김홍집 내각이 일본군과 함께 정부군을 보내 동학 농민군 진압에 나선 것을 말한다.

자료에서 일본군의 경복궁 점령을 비판하고 있는 것을 통해 동학 농민군의 2차 봉기 당시의 격문임을 알 수 있다. 논산에 집결한 동학 농민군은 우금치에서 일본군과 정부군에 맞서 싸웠으나 패배하고 말았다.

오답 선택지 풀이 ①, ②, ③, ④는 모두 동학 농민군의 2차 봉기 이전의 사실이다.

02 갑오개혁의 전개 과정

자료 분석

러시아 황제 폐하의 정부는 ㉠일본국이 청국에 대하여 요구한 강화 조건을 살펴보았습니다. 랴오둥반도를 일본이 영유하는 것은 청국의 수도 베이징을 위협할 염려가 있을 뿐 아니라 조선의 독립을 유명무실하게 하여 장래 극동의 영구적 평화에 장애가 되는 것으로 사료됩니다. 따라서 ㉡우리 정부는 성실한 우의를 다지기 위하여 일본 정부가 랴오둥반도의 영유를 확실히 포기할 것을 권고하는 바입니다.

- ㉠ : 청·일 전쟁에서 승리한 일본이 청과 시모노세키 조약을 체결해 타이완과 랴오둥반도를 할양받으려 한 것을 말한다.
- ㉡ : 러시아는 독일, 프랑스와 함께 시모노세키 조약에 간섭해 일본에게 랴오둥반도를 청에 반환하도록 압력을 행사하였다(삼국 간섭).

자료는 삼국 간섭을 주도한 러시아가 일본에 보낸 외교 문서이다. 삼국 간섭이 이루어졌던 1895년 4월에는 제2차 갑오개혁이 추진되고 있었다.

오답 선택지 풀이 ①은 삼국 간섭 이전, ②, ③, ④는 삼국 간섭 이후의 사실이다.

03 독립 협회의 활동

자료 분석

〈㉠토론회 주제〉

제3회 나라를 부강하게 하는 데는 상업이 제일임

제22회 대한국 토지는 조금이라도 다른 나라 사람에게 빌려주면 안 되는 일임

제25회 ㉡의회를 설립하는 것이 정치상 제일 중요함

제28회 ㉢백성의 권리가 튼튼할수록 임금의 지위가 더 높아지고 나라의 형세가 더욱 크게 떨침

- ㉠ : 독립 협회가 독립관에서 개최한 토론회를 말한다.
- ㉡ : 독립 협회의 의회 설립 운동과 관련된 토론회 주제이다.
- ㉢ : 독립 협회의 자유 민권 운동과 관련된 토론회 주제이다.

자료는 독립 협회가 독립관에서 개최한 토론회 주제이다. 독립 협회는 국민들의 성금을 모아 독립의 상징인 독립문을 건립하였다.

오답 선택지 풀이 ① 많은 개화 지식인들은 의병 활동에 부정적 시각을 갖고 있었다.
② 1884년에 일어난 갑신정변에 해당한다.
③ 동학 농민군과 정부가 전주 화약을 체결한 것을 계기로 교정청이 설치되었다.
⑤ 제2차 갑오개혁 때 홍범 14조가 발표되었다.

04 대한국 국제

자료 분석

1. 대한국은 세계 만국에 공인된 자주독립한 제국이다.
2. 대한 제국의 정치는 과거 500년간 전래되었고, 앞으로 만세토록 불변할 전제 정치이다.
3. 대한국 대황제는 ㉠무한한 군권(君權)을 누린다.
5. ㉡대한국 대황제는 국내의 육해군을 통솔하고 편제를 정하며 계엄과 계엄 해제를 명한다.
9. ㉢대한국 대황제는 각 조약국에 사신을 파견·주재하게 하고 선전 포고, 강화 및 제반 약조를 체결한다.

- ㉠ 고종이 황제로 군주권을 제한 없이 행사함을 규정하고 있다.
- ㉡ 군사권이 황제에게 있음을 규정하고 있다.
- ㉢ 외교권이 황제에게 있음을 규정하고 있다.

제시된 자료는 1899년에 제정된 대한국 국제이다. 대한국 국제는 대한 제국의 정치를 만세불변의 전제 정치로 규정하고 있다.

오답 선택지 풀이 ① 독립 협회가 개최한 관민 공동회에서 헌의 6조가 결의되었다.
② 제2차 갑오개혁 당시 홍범 14조가 반포되었다.
③ 제1차 갑오개혁 당시이다.
④ 동학 농민군의 폐정 개혁안에 대한 설명이다.

06 일제의 침략 확대와 국권 수호 운동

개념 확인 문제 본문 50쪽

01 (1) ○ (2) ○ (3) × (4) ○ (5) × **02** (1) ㉢ (2) ㉠ (3) ㉡ (4) ㉤ (5) ㉣ **03** (1) ㄱ (2) ㄹ (3) ㄷ (4) ㄴ **04** (1) 을사늑약 (2) 신돌석 (3) 안중근 (4) 신민회 (5) 독도

시험에 꼭 나오는 문제 본문 50~53쪽

01 ③ **02** ② **03** ② **04** ③ **05** ⑤ **06** ⑤ **07** ④
08 ① **09** ② **10** ② **11** ② **12** ③ **13** ① **14** ①

01 자료는 일제가 러·일 전쟁을 도발한 직후 대한 제국 정부에 강요한 한·일 의정서이다. 제시된 내용의 '일본 제국 정부는 군사 전략상 필요한 지점을 정황에 따라 차지하여 이용할 수 있다.'는 내용을 통해 이를 알 수 있다. 이 조약을 통해 일본군은 전쟁에 필요한 군사적 요충지를 임의로 사용할 수 있게 되었다.

오답 선택지 풀이 ① 운요호 사건으로 강화도 조약이 체결되었다.
② 동학 농민 운동의 반봉건적 성격은 갑오개혁, 반침략적 성격은 항일 의병 운동에 영향을 주었다.
④ 1905년에 미국이 일본의 한국 지배를 양해한 것이다.
⑤ 일본이 청·일 전쟁에서 승리한 뒤 청과 맺은 조약이다.

02 제시된 조약의 내용은 1904년 8월에 체결된 제1차 한·일 협약이다. 제시된 내용의 일본 정부가 추천한 일본인과 외국인을 각각 재정 고문과 외교 고문으로 삼는다는 부분에서 제1차 한·일 협약임을 알 수 있다. 일제는 이 조약을 통해 대한 제국이 일본이 추천하는 재정과 외교 고문을 임명하고 고문의 의견에 따라 재정과 외교 정책을 시행하도록 하였다.

03 자료는 1905년에 체결된 을사늑약이다. 제시된 내용의 '한국 정부는 금후 일본국 정부의 중개를 거치지 않고는 국제적 성질을 가진 어떤 조약이나 약속을 맺지 않을 것을 서로 약속한다.'는 부분을 통해 알 수 있다. 을사늑약은 고종의 비준을 받지 못한 채 을사 5적을 앞세워 일방적으로 발효가 선포되었다. 을사늑약으로 대한 제국은 외교권을 일본에 빼앗겼으며, 이토 히로부미가 초대 통감으로 부임하였다.

오답 선택지 풀이 ① 러·일 전쟁 중에 한국과 일본 사이에 체결된 조약으로는 한·일 의정서와 제1차 한·일 협약이 있다.
③ 을미사변과 단발령이 원인이 되어 을미의병이 일어났다.
④ 제1차 한·일 협약으로 일본인인 메가타가 대한 제국의 재정 고문으로 임명되었다.
⑤ 한·일 신협약의 부수 각서로 대한 제국의 군대가 해산되었으며, 그 영향으로 해산 군인들이 의병에 참여하였다.

유사 선택지 문제

03 ❶ 통감부 ❷ 을사늑약 ❸ ○

04 (가)는 러·일 전쟁 중인 1904년 8월, (나)는 1905년 11월의 사실이다. 일본은 을사늑약 체결에 앞서 미국과 가쓰라·태프트 밀약으로 한국 지배를 양해받았다.

오답 선택지 풀이 ① 1907년 한·일 신협약에 따른 부수 각서로 대한 제국의 군대가 해산되었다.
② 제1차 한·일 협약을 맺기 전에 일본이 러시아를 기습 공격하여 러·일 전쟁을 일으켰다.
④ (나)의 을사늑약이 체결되면서 대한 제국은 외교권을 빼앗겼고, 한국에 있던 각국 공사관이 폐쇄되었다.
⑤ (나) 이후 고종은 을사늑약의 부당성을 알리기 위해 헤이그에서 열린 만국 평화 회의에 특사를 파견하였다.

05 자료는 1907년 체결된 한·일 신협약이다. 일본은 헤이그 특사 파견을 구실로 고종을 강제 퇴위시킨 뒤 한·일 신협약을 대한 제국에 강요하였다. 그 결과 일본인들이 각 부의 차관으로 임명되어 실권을 장악하였다.

오답 선택지 풀이 ① 을사늑약으로 한성에 통감부가 설치되고 이토 히로부미가 초대 통감으로 부임하였다.
② 을사늑약으로 대한 제국이 외교권을 빼앗겨, 한성의 외국 공사관들이 폐쇄되고, 외국 주재 한국 공사들이 소환되었다.
③ 한·일 의정서의 체결로 일본이 대한 제국 내의 군사적 요충지를 임의로 사용하게 되었다.
④ 제1차 한·일 협약으로 일본이 추천한 메가타가 재정 고문, 스티븐스가 외교 고문에 임명되었다.

올쏘 만점 노트 일제의 국권 침탈

구분	내용
한·일 의정서	일본이 군사적으로 필요한 대한 제국 내의 군사적 요충지를 임의로 사용할 수 있음
제1차 한·일 협약	일본이 추천한 재정과 외교 고문을 임명하고, 그 의견에 따라 정책을 시행함
을사늑약	• 대한 제국의 외교권을 일본이 빼앗음 • 한성에 통감부 설치
한·일 신협약	• 통감이 추천한 일본인 차관이 각 부의 실권 장악 • 부수 각서로 대한 제국 군대 해산
'한·일 병합 조약'	대한 제국이 일본의 식민지가 됨

06 제시된 법령은 1907년에 제정된 신문지법과 1909년에 제정된 출판법이다. 일제는 1907년에 체결된 한·일 신협약을 근거로 각 부처에 일본인 차관을 임명해 실권을 장악하고 각종 법령을 제정·반포하게 하여 대한 제국을 식민지로 만들기 위한 조치를 취하였다.

오답 선택지 풀이 ① 대한 제국 수립 이전의 일이다.
② 1884년에 발생한 갑신정변 때의 일이다.
③ 1894년에 일어난 동학 농민 운동 당시의 일이다.
④ 1904년에 일어난 러·일 전쟁 당시의 일이다.

07 자료에서 '국모의 원수'를 통해 을미사변을, '머리카락을 깎았으니'를 통해 을미개혁 당시 시행된 단발령을 알 수 있다. 을미사변과 단발령이 원인이 되어 일어난 의병 운동은 을미의병이다. 을미의병은 위정척사 사상에 바탕을 둔 보수적 유생들이 주도하였고, 고종의 해산 권고 조치에 따라 대부분 해산하였다.

오답 선택지 풀이 ㄱ, ㄷ. 1907년 정미의병에 해당한다.

유사 선택지 문제

07 ❶ 단발령 ❷ 을미의병 ❸ ○

08 자료는 을사늑약에 반발해 의병을 일으킨 최익현의 격문이다. 을사의병 시기에는 유생뿐만 아니라 신돌석 등 평민 의병장이 활약하였다.

오답 선택지 풀이 ② 임오군란 직후 청이 파견한 묄렌도르프가 외교 고문으로 활동하였다.
③ 임오군란 당시 구식 군인들이 일본 공사관을 공격하였다.
④ 정미의병 당시 의병들은 이인영을 총대장으로 13도 창의군을 결성하였다. 그리고 1908년에는 경기도 양주에 집결하여 서울 진공 작전을 벌였다.
⑤ 동학 농민 운동 당시 전주 화약을 맺은 농민군은 집강소를 설치해 폐정 개혁에 나섰다.

올쏘 만점 노트 의병의 활동

구분	원인	특징
을미의병	을미사변, 단발령	• 유생 주도 • 동학 농민군 잔여 세력이 참여 • 고종의 해산 권고 조칙에 따라 대부분 해산
을사의병	을사늑약	평민 의병장 활약(신돌석)
정미의병	고종 강제 퇴위, 군대 해산	• 13도 창의군 결성 • 서울 진공 작전 전개

1895년 을미사변과 단발령 실시를 계기로 항일 의병 운동이 본격적으로 시작되었다. 1905년에는 을사의병, 1907년에는 정미의병이 일어났으며, 일제의 이른바 '남한 대토벌' 작전 이후에는 국외로 이주해 항전을 지속하였다.

09 제시된 그래프는 정미의병 당시 의병장 직업 분포를 나타낸 것이다. 해산 군인과 장교를 비롯해 다양한 직업의 의병장이 등장하고 있는 것을 통해 정미의병임을 알 수 있다.

오답 선택지 풀이 ② 을미의병에 대한 설명이다.

10 퀴즈의 (가)에 해당하는 인물은 안중근이다. 의병장으로 활동하던 안중근은 1909년 만주 하얼빈에서 이토 히로부미를 처단하였고, 감옥에서 일본의 침략 행위를 비판하는 "동양 평화론"을 집필하였다.

오답 선택지 풀이 ① 이인영, ③ 이재명, ④ 나철, 오기호, ⑤ 장인환, 전명운에 해당한다.

11 자료는 1906년에 조직된 대한 자강회의 설립 취지문이다. 대한 자강회는 교육과 산업 진흥을 통해 실력 양성을 이루어 국권을 회복해야 한다고 주장하였다.

오답 선택지 풀이 ㄴ. 신민회, ㄹ. 보안회에 대한 설명이다.

12 자료는 신민회에 대한 설명이다. 1907년 비밀 결사로 조직된 신민회는 민족 산업을 육성하기 위해 자기 회사와 태극 서관을 운영하였다.

오답 선택지 풀이 ① 독립 협회, ② 황국 협회, ④ 대한 자강회, ⑤ 보안회에 해당한다.

13 자료는 신민회를 이끌었던 양기탁에 대한 판결문이다. 신민회는 서간도(남만주)의 삼원보에 독립운동 기지를 건설하였다.

오답 선택지 풀이 ② 간도 협약은 1909년 일본과 청이 맺은 조약이다.
③ 정미의병은 고종 강제 퇴위와 군대 해산이 원인이 되어 일어났다.
④ 헌정 연구회는 입헌 정치를 목표로 활동하였다.
⑤ 대한 자강회는 고종 강제 퇴위 반대 운동을 벌이다가 해산되었다.

14 자료는 1900년에 공포된 대한 제국 칙령 제41호이다. 이 칙령은 독도가 울릉도와 함께 우리 영토임을 분명히 밝힌 것이다. 이 시기 광무개혁이 진행되면서 지계가 발급되었다.

오답 선택지 풀이 ② 을사늑약, ③ 정미의병, ④ 러·일 전쟁에 따른 사실, ⑤ 1907년의 사실이다.

올쏘 서술형 문제

본문 54쪽

01 (1) 을사늑약

(2) | 모범 답안 | 을사늑약은 외교권을 넘기는 중요한 사항임에도 조약이나 협정이 아닌 협약 형식으로 체결되었으며, 체결에 참여한 관리들이 고종의 위임장을 받지 않았고 고종도 비준하지 않았다는 점, 조약에 이름이 없는 점, 그리고 군대를 동원해 강제로 체결되었다는 점에서 불법이라고 할 수 있다.

채점 기준	배점
을사늑약의 불법성을 세 가지 근거를 제시해 정확하게 서술한 경우	상
을사늑약의 불법성을 두 가지 근거를 제시해 서술한 경우	중
을사늑약의 불법성을 한 가지 근거를 제시해 서술한 경우	하

02 (1) 을미의병

(2) | 모범 답안 | 을미의병은 위정척사 사상을 가진 유생들의 주도로 을미사변과 단발령에 저항해 일어났으며, 동학 농민군의 잔여 세력이 참여하였다.

채점 기준	배점
의병 봉기의 원인과 주도 세력, 특징을 모두 정확하게 서술한 경우	상
위의 내용 중에서 두 가지만 정확하게 서술한 경우	중
위의 내용 중에서 한 가지만 정확하게 서술한 경우	하

03 (1) 신민회

(2) | 모범 답안 | 신민회는 오산 학교와 대성 학교를 세워 민족 교육을 실시하였고, 자기 회사와 태극 서관을 운영해 민족 산업을 육성하고자 하였으며, 독립 전쟁 전략을 수립하고 독립운동 기지 건설에 앞장섰다.

채점 기준	배점
민족 교육, 산업 육성, 독립운동 기지 건설 등을 모두 정확하게 서술한 경우	상
위의 내용 중에서 두 가지만 정확하게 서술한 경우	중
위의 내용 중에서 한 가지만 정확하게 서술한 경우	하

04 (1) 간도 협약

(2) | 모범 답안 | 일본이 을사늑약으로 대한 제국의 외교권을 빼앗았다.

채점 기준	배점
을사늑약, 외교권 강탈을 모두 서술한 경우	상
위의 내용 중에서 한 가지만 정확하게 서술한 경우	하

올쏘 상위 4% 문제

본문 55쪽

01 ② **02** ② **03** ② **04** ④

01 을사늑약과 한·일 신협약

자료 분석

일본 정부는 한국과 타국 간에 현존하는 조약의 실행을 완수하는 임무를 담당하고, ㉠한국 정부는 금후 일본 정부의 중개를 거치지 않고서는 국제적 성질을 가진 어떤 조약이나 약속을 맺지 않을 것을 서로 약속한다.	• 한국 정부는 시정 개선에 관하여 통감의 지도를 받는다. • ㉡한국 고등 관리의 임면은 통감의 동의를 얻어 행한다. • 한국 정부는 ㉢통감이 추천한 일본인을 한국 관리로 임명한다.

• ㉠: 일본이 한국의 외교를 대신한다는 것으로 대한 제국의 외교권을 박탈한 것이다.
• ㉡: 대한 제국의 고위 관리 인사에 통감의 동의를 얻게 함으로써 친일적인 인사들로 내각을 구성하게 되었다.
• ㉢: 일본인을 대한 제국 각 부처의 차관으로 임명해 일본이 실권을 장악하게 되었다.

(가)는 을사늑약, (나)는 한·일 신협약이다. 을사늑약으로 통감부가 설치되었고, 한·일 신협약은 인사권 등 통감의 권한을 대폭 강화하였다.

오답 선택지 풀이 ㄴ. 한·일 신협약에 대한 설명이다.
ㄹ. 제1차 한·일 협약에 해당한다.

02 정미의병

자료 분석

군대를 움직이는 데 가장 중요한 점은 고립을 피하고 일치단결함에 있다. 따라서 ㉠각 도의 의병을 통일하여 둑을 무너뜨리는 기세로 ㉡서울에 진공하면, 전 국토가 우리의 손 안에 들어오고 한국 문제의 해결에 있어서도 유리하게 될 것이다.

• ㉠: 전국 의병 부대의 연합을 도모하여 13도 창의군을 결성하였다.
• ㉡: 13도 창의군은 서울 진공 작전을 벌여 동대문 인근까지 진출하였으나 일본군의 공격으로 실패하였다.

자료에서 각 도 의병의 통일, 서울 진공 등의 표현을 통해 정미의병의 격문임을 알 수 있다. 이 주장에 따라 13도 창의군이 결성되어 서울 진공 작전을 전개하였으나 실패하였다.

오답 선택지 풀이 ① 개항 이후 개화 정책의 일환으로 창설되었다.
③ 을미의병에 대한 설명이다.
④ 광무개혁에 대한 설명이다.
⑤ 1907년 이후의 사실이다.

03 안중근의 활동

자료 분석

슬프다! 가장 가깝고 가장 친하며 어질고 약한 ㉠한국을 억압하여 조약을 맺고 강점하였다. 지금 서양 세력이 동양으로 침략의 손길을 뻗어 오고 있는데, 이 재앙을 동양이 일치단결해서 막아 내는 것이 가장 중요함은 어린아이도 다 아는 일이다. 무슨 까닭으로 일본은 이러한 당연한 형세를 무시하고 같은 동양의 이웃 나라를 약탈하고 친구의 정을 끊어, 서양 세력이 애쓰지 않고 이득을 얻으려 한단 말인가.

– ㉡"동양 평화론" –

• ㉠: 을사늑약과 한·일 신협약 등을 말한다.
• ㉡: 안중근이 이토 히로부미 저격 후 뤼순 감옥에서 사형 집행을 앞두고 집필한 미완성 원고이다.

자료는 안중근이 집필한 "동양 평화론"이다. 안중근은 1909년 만주 하얼빈에서 이토 히로부미를 처단하였다.

오답 선택지 풀이 ① 안창호와 양기탁 등이 신민회를 조직하였다.
③ 장인환과 전명운이 스티븐스를 처단하였다.
④ 서재필이 미국에서 귀국해 독립신문을 창간하였다.
⑤ 최익현에 대한 설명이다.

04 신민회의 활동

자료 분석

애국 계몽 운동가들은 학교를 설립하고 신문, 잡지를 발행하는 등 ㉠국민을 계몽하고 산업을 진흥하여 실력을 양성하는 데에 집중하였다. 이들은 ㉡일본에 대한 직접 투쟁을 무모하다고 판단하였고, 의병 운동을 비판적으로 바라보았다. 하지만 이 단체는 애국 계몽 운동의 한계를 극복하고 독립운동 기지 건설을 위해 노력하였다.

• ㉠: 애국 계몽 운동가들은 사회 진화론을 토대로 교육과 산업 진흥을 통한 실력 양성을 추구하였다.
• ㉡: 의병 운동이나 동학 농민 운동 등을 비판적으로 보고 있는 것을 말한다.

밑줄 친 '이 단체'는 신민회이다. 신민회는 독립 전쟁 전략을 수립하고 국외 독립운동 기지 건설에 앞장섰으며, 국권 회복과 공화정 수립을 지향하였다.

오답 선택지 풀이 ① 헌정 연구회, ② 대한 자강회, ③ 독립 협회, ⑤ 보안회에 해당한다.

07 개항 이후 경제·사회·문화적 변화

개념 확인 문제 본문 58쪽

01 (1) ○ (2) ○ (3) ○ (4) × (5) × **02** (1) ㉤ (2) ㉡ (3) ㉣ (4) ㉢ (5) ㉠ **03** (1) ㄱ (2) ㄴ (3) ㄷ (4) ㄹ **04** (1) 동양 척식 주식회사 (2) 독립 협회 (3) 교육 입국 조서 (4) 신문지법 (5) 신채호

시험에 꼭 나오는 문제 본문 58~61쪽

01 ② **02** ② **03** ⑤ **04** ② **05** ② **06** ② **07** ⑤
08 ② **09** ⑤ **10** ④ **11** ③ **12** ③ **13** ② **14** ③
15 ②

01 자료는 1883년에 체결된 조·일 통상 장정이다. 조·일 통상 장정으로 관세권이 설정되었으며, 방곡령을 내릴 수 있게 되었다. 이에 따라 조선의 지방관들은 식량이 부족할 경우 방곡령을 실시할 수 있게 되었다.

오답 선택지 풀이 ① 통신사는 조선 시대에 일본에 파견된 사절이다.
③ 조·일 통상 장정으로 관세권이 설정되면서 일본 상인은 관세를 내게 되었다.

④ 1882년 임오군란 당시 구식 군인들이 일본 공사관을 공격하였다.
⑤ 통리기무아문은 개항 이후인 1880년에 설치되어 개화 정책을 주도하였다.

유사 선택지 문제

01 ❶ 조·일 통상 장정 ❷ 최혜국 대우 ❸ ○

02 (가) 시기는 강화도 조약이 체결된 1876년부터 임오군란이 일어난 1882년 사이 시기이다. 이 시기에는 거류지 무역이 이루어졌다. 또한 일본 상인이 무역을 주도하였으며, 영국산 면제품을 조선에 팔고, 쌀을 사갔다. 그 결과 조선의 곡식 가격이 올라 하층민의 생활이 어려워졌다.

오답 선택지 풀이 ② 임오군란 이후 조·청 상민 수륙 무역 장정이 체결되면서 청 상인이 양화진과 한성에 진출할 수 있게 되었다.

03 자료는 개항 초기 일본과의 무역에 대한 설명이다. 조선 정부는 1876년 체결된 조·일 수호 조규 부록에서 개항장에서 일본 화폐를 자유롭게 사용할 수 있도록 허용하였다. 또한 개항 초기에는 무관세 무역이 허용되어 일본 상인은 관세를 내지 않고 활동할 수 있었다.

오답 선택지 풀이 ① 왜란 이후 조선이 제한된 범위 내에서 일본과의 교역을 허용하는 내용이 담겨 있다.
② 양국 국민이 자유롭게 무역을 하며 관리들이 무역 활동에 간섭, 제한, 금지할 수 없다는 원칙이 담겨 있다.
③ 임오군란 이후 조선과 일본이 맺은 조약으로 일본 공사관 경비병 주둔을 허용하는 내용이 담겨 있다.
④ 일본인이 쌀과 잡곡을 사서 수출할 수 있도록 하는 등 양곡의 무제한 유출을 허용하는 규정이 담겨 있다.

올쏘 만점 노트 조선과 일본이 맺은 통상 관련 조약

강화도 조약 (조·일 수호 조규)	양국 국민이 자유롭게 무역을 할 수 있도록 규정
조·일 수호 조규 부록	일본 상인이 개항장에서 일본 화폐로 물건을 구매할 수 있도록 규정
조·일 무역 규칙	일본인이 조선에서 쌀과 잡곡을 사서 일본으로 수출할 수 있도록 규정
조·일 통상 장정	• 조선의 요구로 관세권, 방곡령 규정 • 일본에 최혜국 대우 부여

04 강화도 조약의 부록인 조·일 수호 조규 부록에서 일본 상인이 일본 화폐를 이용해 물건을 구매할 수 있도록 규정하였다. 이후 조선이 청과 맺은 조·청 상민 수륙 장정으로 청 상인은 양화진과 한성에 점포를 개설할 권리와 허가를 받으면 내륙에서 활동할 근거를 얻게 되었다. 이에 일본은 조선과 조·일 통상 장정을 맺어 조선의 관세 부과, 방곡령 요구를 받아들이고 최혜국 대우를 얻어 냈다. 이후 청과 일본 상인은 경쟁적으로 거류지를 벗어나 상업 활동을 하였다.

05 자료는 1882년 임오군란을 계기로 조선과 청이 체결한 조·청 상민 수륙 무역 장정이다. 이 조약으로 청 상인은 양화진과 한성에 점포를 개설할 권리를 얻게 되었으며, 허가를 얻으면 내륙으로 진출하여 활동할 수 있는 근거가 되었다.

오답 선택지 풀이 ① 조·일 통상 장정으로 방곡령을 실시할 수 있게 되었다.
③ 개항 초기 일본 상인은 관세를 납부하지 않고 활동할 수 있었다.
④ 조·청 상민 수륙 무역 장정과 조·일 통상 장정 이전 개항 초기에 거류지 무역이 이루어졌다.

06 자료는 화폐 정리 사업과 관련된 법령이다. 메가타의 주도로 전개된 화폐 정리 사업으로 한국인 상공업자들이 큰 피해를 입었다.

오답 선택지 풀이 ① 경복궁 중건에 해당한다.
③ 동양 척식 주식회사는 1908년에 설립되었다.
④ 외국 상인의 상권 침탈에 대항해 시전 상인들이 조직하였다.
⑤ 러시아의 절영도 조차 요구 등 열강의 이권 침탈에 반대하였다.

유사 선택지 문제

06 ❶ 화폐 정리 사업 ❷ 제1차 한·일 협약 ❸ ○

07 제시된 광산 채굴권과 전등·전화·전차 부설권 등은 미국이 차지한 이권이다. 미국은 1871년에 제너럴 셔먼호 사건을 구실로 강화도를 침략하여 신미양요를 일으켰다.

오답 선택지 풀이 ①, ③ 청에 대한 설명이다.
②, ④ 일본에 해당한다.

08. 자료의 방곡령은 1883년 체결된 조·일 통상 장정을 근거로 각 지방의 지방관들이 곡물 유출을 막기 위해 실시하였다.

오답 선택지 풀이 ㄴ. 독립 협회는 러시아의 절영도 조차 요구를 저지하는 등 이권 수호 운동을 펼쳤다.
ㄹ. 일본의 압박으로 방곡령을 철회하고 배상금을 지불하기도 하였다.

09 자료는 1898년 한성의 시전 상인들이 황국 중앙 총상회를 조직한 내용을 보도한 신문 기사이다. 황국 중앙 총상회는 상권을 수호하고, 외국 상인의 불법 행위를 막으려 하였다.

오답 선택지 풀이 ① 일본의 황무지 개간권 요구 반대 운동을 전개하였다.
② 일본의 황무지 개간권 요구 반대 운동 과정에서 우리 손으로 황무지를 개간하기 위해 세운 회사이다.
③ 러시아의 절영도 조차 요구, 프랑스와 독일의 광산 채굴권 요구를 저지하고 헌의 6조에 이권 양여를 제한하는 내용을 담는 등 이권 수호 운동을 전개하였다.
④ 애국 계몽 운동 단체로 고종 강제 퇴위 반대 운동 전개 등의 활동을 하였다.

올쏘 만점 노트 경제적 구국 운동의 전개

방곡령	• 원인 : 일본의 곡물 수입, 흉년 등으로 곡식 가격 폭등 • 시행 : 조·일 통상 장정에 따라 지방관이 시행
상권 수호 운동	• 원인 : 외국 상인의 상권 침탈 • 전개 : 상회사 설립, 황국 중앙 총상회 조직(시전 상인 중심)
이권 수호 운동	• 원인 : 열강의 이권 침탈 • 독립 협회 : 열강의 이권 침탈 저지, 헌의 6조에 이권 양여 제한 규정 • 보안회 : 일본의 황무지 개간권 요구 반대 운동
국채 보상 운동	• 원인 : 일본의 차관 제공 • 전개 : 대구에서 서상돈 등이 시작, 대한매일신보 등의 지원으로 전국으로 확산 → 통감부의 탄압으로 실패

10 자료는 1907년에 전개된 국채 보상 운동과 관련된 것이다. 일본에 진 빚을 갚아 경제적 자주권을 지키려는 국채 보상 운동은 대구에서 시작되어 전국으로 확산되었다.

오답 선택지 풀이 ① 대한매일신보가 국채 보상 운동의 확산에 기여하였다.
② 1905년에 단행된 화폐 정리 사업으로 많은 한국인 상공업자가 몰락하였다.
③ 상권 수호 운동에 대한 설명이다.
⑤ 조선 정조 때 실시된 통공 정책과 갑오개혁에 대한 설명이다.

유사 선택지 문제

10 ❶ 국채 보상 운동 ❷ 서상돈 ❸ ○

11 자료에서 평등 사회 기틀 마련, 연좌법 폐지, 공·사 노비제 폐지 등을 통해 밑줄 친 '이 사건'이 1894년에 단행된 갑오개혁임을 알 수 있다.

오답 선택지 풀이 ① 1882년 구식 군인들이 차별 대우에 저항해 봉기한 사건이다.
② 급진 개화파가 급격히 근대화 정책을 추진하기 위해 일으킨 정변이다.
④ 대한 제국이 구본신참을 원칙으로 추진한 점진적 개혁이다.
⑤ 을사늑약에 저항해 일어난 의병 운동이다.

12 자료는 1898년에 한성의 여성들이 여성 교육의 중요성을 강조한 여권 통문이다. 여권 통문이 발표된 1898년에는 독립 협회가 만민 공동회를 개최해 자주 국권 운동과 자유 민권 운동 등을 전개하고 있었다.

오답 선택지 풀이 ① 국채 보상 운동은 1907년에 일어났다.
② 1876년에 강화도 조약이 체결되었다.
④ 을사늑약은 1905년에 체결되었다.
⑤ 척화주전론의 주장은 1860년대에 해당한다.

13 자료는 1895년 제2차 갑오개혁 당시 고종이 발표한 교육 입국 조서이다. 이를 계기로 근대적 학교 제도가 마련되고 관립 소학교 등이 설립되기 시작하였다.

오답 선택지 풀이 ㄴ. 원산 학사는 1883년에 설립되었다.
ㄹ. 흥선 대원군의 서원 철폐 정책은 고종이 친정하는 1873년 이전에 추진되었다.

14 자료는 신채호가 쓴 "독사신론"의 일부이다. 신채호는 박은식과 함께 민족주의 사학의 연구 방향을 제시하였다.

오답 선택지 풀이 ① 1907년 국문 연구소가 설립되어 국어 체계를 연구하였다.
② 미국에서 돌아온 서재필이 정부의 지원을 받아 독립신문을 창간하였다.
④ 나철, 오기호 등이 자신회를 조직하여 을사 5적 처단에 나섰다.
⑤ 안중근이 만주 하얼빈에서 이토 히로부미를 처단하였다.

15 자료의 (가)는 1904년에 창간된 대한매일신보이다. 대한매일신보는 영문판을 발행해 외국인에게도 소식을 알렸고, 1907년 국채 보상 운동을 적극적으로 지원하였다.

오답 선택지 풀이 ㄴ. 한성순보가 박문국에서 발행되었다.
ㄹ. 독립신문에 해당한다.

올쏘 서술형 문제

본문 62쪽

01 (1) (가) 조·일 무역 규칙, (나) 조·일 통상 장정

(2) **| 모범 답안 |** 조·일 무역 규칙을 적용받던 시기 일본 상인은 무관세 혜택을 누렸고 조선의 쌀을 제한 없이 유출할 수 있었다. 그리고 무역 장소는 거류지로 제한되었다. 그러나 조·일 통상 장정이 체결되면서 관세를 납부하게 되었고 조선 지방관의 방곡령 실시로 쌀 유출에 어려움을 겪기도 하였다. 그리고 최혜국 대우로 한성과 내륙 지역에 진출하는 발판을 마련하였다.

채점 기준	배점
관세와 쌀 유출 문제, 무역 장소 중 두 가지를 두 시기로 구분해 정확하게 서술한 경우	상
관세와 쌀 유출 문제, 무역 장소 중 한 가지만을 두 시기로 구분해 정확하게 서술한 경우	중
한 시기의 관세, 쌀 유출, 무역 장소를 서술한 경우	하

02 (1) 보안회

(2) **| 모범 답안 |** 보안회가 조직되어 일본의 황무지 개간권 요구 반대 운동을 전개하였고, 우리 손으로 황무지를 개간하기 위해 농광회사가 설립되었다.

채점 기준	배점
보안회의 활동과 농광회사 설립 등을 모두 정확하게 서술한 경우	상
위의 내용 중에서 한 가지만 정확하게 서술한 경우	하

03 (1) 국채 보상 운동

(2) **| 모범 답안 |** 일본이 대한 제국의 재정을 예속시키기 위해 막대한 차관을 강요하여 국채가 크게 늘어났다. 이에 대구에서 서상돈 등을 중심으로 국채 보상 운동이 시작되어 애국 계몽 운동 단체, 대한매일신보 등 언론사의 후원으로 전국으로 확산되었다. 그러나 통감부가 이 운동을 일본에 대항하는 것으로 간주하고 탄압하여 목적을 이루지 못하고 중단되었다.

채점 기준	배점
국채 보상 운동의 배경, 전개 과정, 결과 등을 모두 정확하게 서술한 경우	상
위의 내용 중에서 두 가지만 정확하게 서술한 경우	중
위의 내용 중에서 한 가지만 정확하게 서술한 경우	하

04 (1) 대한매일신보

(2) **| 모범 답안 |** 대한매일신보의 사장인 베델은 일본과 동맹을 맺은 영국 국민으로 일본의 간섭을 적게 받았다.

채점 기준	배점
베델이 영국인이었음을 정확하게 서술한 경우	상
위의 내용을 전혀 서술하지 못한 경우	하

올쏘 상위 4% 문제

본문 63쪽

01 ③ 02 ③ 03 ⑤ 04 ④

01 1880년대 중반 이후 외국 상인의 내륙 진출

자료 분석

어떠한 ㉠벽촌이든지 장날에 청 상인이 오지 않는 곳이 없다고 한다. …… 지금까지 안성 시장에는 수원 상인이 많았다. …… 요즘 들어 ㉡안성 시장에 청 상인이 늘어나 점차 상권을 빼앗겨 폐업하는 자가 많아졌다. …… 공주·강경 같은 곳은 모두 자기 집을 갖고 장사를 하고 있다. 전라도 같은 곳은 청 상인이 30명 정도 들어왔다.

- ㉠ : 외따로 떨어져 매우 후미진 지역의 마을을 말한다.
- ㉡ : 안성장에서 활동하던 상인들이 청 상인에게 상권을 빼앗겼음을 알 수 있다.

자료는 외국 상인이 내륙 장시에 진출한 모습을 보여 주는 것이다. 1882년 임오군란 이후 조·청 상민 수륙 무역 장정의 체결을 계기로 청 상인은 허가를 받으면 내륙 진출이 가능해졌고, 1883년 조·일 통상 장정을 통해 일본 상인의 활동 지역도 점차 확대되었다.

오답 선택지 풀이 ③ 1882년 일어난 임오군란이다. 조·청 상민 수륙 무역 장정은 임오군란 이후에 체결되었다.

02 조·일 통상 장정

자료 분석

우리 고을에 흉년이 든 것은 귀하도 잘 알고 있을 것이다. 궁지에 몰리고 먹을 것이 없어 비참하다. ㉠곡물이 이출되는 것은 당분간 방지하지 않을 수 없다. 이에 ((가)) 제37조에 근거하여 ㉡기일에 앞서 통지하니 바라건대 귀국의 상민들에게 통지하여 음력 ㉢을유년 12월 20일부터 만 한 달 이후부터는 곡물을 이출하지 못하도록 할 것이다.

- ㉠ : 방곡령 실시의 불가피성을 언급하고 있다.
- ㉡ : 조·일 통상 장정에는 방곡령 시행 1개월 전에 통지할 것을 규정하고 있다.
- ㉢ : 1885년에 해당한다.

자료는 방곡령 실시를 일본 공사관에 통고한 문서로, (가)는 1883년에 체결된 조·일 통상 장정이다. 조·일 통상 장정에는 조선의 요구에 따라 관세권 설정, 방곡령의 실시 등의 내용이 담겼으며, 일본의 요구에 따라 최혜국 대우가 규정되었다.

오답 선택지 풀이 ㄱ. 1882년의 조·청 상민 수륙 무역 장정에서 청의 영사 재판권을 인정하였다.

ㄹ. 1876년의 조·일 수호 조규 부록에서 개항장에서 일본 화폐 사용을 허용하였다.

03 국채 보상 운동

자료 분석

- ㉠서상돈 등이 주도한 ㉡경제적 구국 운동입니다.
- ㉢대구에서 시작되어 전국으로 확산되었습니다.

- ㉠ : 국채 보상 운동을 처음 제안하였다.
- ㉡ : 경제적 측면에서 자주권을 지키기 위한 운동이다.
- ㉢ : 국채 보상 운동은 대구에서 시작되었다는 특징이 있다.

자료는 국채 보상 운동에 대한 것이다. 대구에서 시작된 국채 보상 운동은 대한매일신보 등 언론사의 적극적 지원으로 전국으로 확산되었다.

오답 선택지 풀이 ① 보안회가 일제의 황무지 개간권 요구 반대 운동을 전개하였다.

② 황무지 개간권 요구 반대 운동 과정에서 농광회사가 설립되었다.

③ 제1차 한·일 협약으로 대한 제국의 재정 고문이 된 메가타가 1905년에 화폐 정리 사업을 단행하였다.

④ 한성의 시전 상인들이 상권 수호 운동을 위해 황국 중앙 총상회를 조직하였다.

04 독립신문과 대한매일신보의 공통점

자료 분석

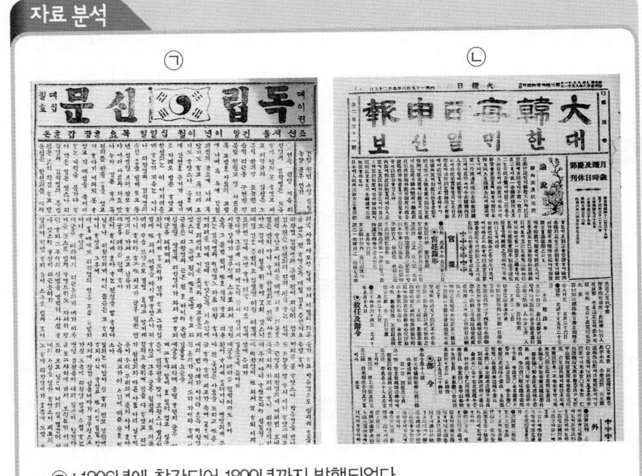

- ㉠ : 1896년에 창간되어 1899년까지 발행되었다.
- ㉡ : 1904년에 창간되어 1910년까지 발행되었다.

(가)는 독립신문, (나)는 대한매일신보이다. 독립신문과 대한매일신보는 순한글로 간행되었으며 외국인에게 한국의 소식을 알리기 위해 영문판을 발행하였다.

오답 선택지 풀이 ① 한성순보, ②, ③ 대한매일신보, ⑤ 대한매일신보 등 1907년 이후에도 발행된 신문에만 해당한다.

08 일제의 식민지 지배 정책과 전시 동원 체제

개념 확인 문제

본문 66쪽

01 (1) ○ (2) × (3) ○ (4) ○ (5) × 02 (1) ㉡ (2) ㉠ (3) ㉤ (4) ㉢ (5) ㉣ 03 ㉠ 문관 ㉡ 보통 ㉢ 치안 ㉣ 검열 04 (1) 회사령 (2) 3·1 운동 (3) 산미 증식 계획 (4) 황국 신민화 (5) 병참 기지화

올쏘 시험에 꼭 나오는 문제

본문 66~69쪽

01 ③ 02 ② 03 ⑤ 04 ⑤ 05 ⑤ 06 ① 07 ②
08 ② 09 ④ 10 ⑤ 11 ④ 12 ④ 13 ④ 14 ②

01 자료는 조선 총독부의 기구표이며, (가)는 조선 총독에 해당한다.

오답 선택지 풀이 ③ 조선 총독은 일왕에 직속되어 일본 의회나 내각의 통제를 거의 받지 않았다.

02 자료는 1912년에 제정된 조선 태형령이다. 일제는 1910년대 폭압적인 무단 통치를 실시하여 한국인에게만 태형을 적용하였다. 이 시기 일제는 현역 육·해군 대장 중에서 총독을 임명하여 한국인의 저항을 억압하였다.

오답 선택지 풀이 ① 1904년 제1차 한·일 협약 체결에 따라 메가타가 파견되어 화폐 정리 사업을 시행하였다.
③ 1894년 제1차 갑오개혁 시기에 해당한다.
④ 동학 농민 운동은 1894년에 일어났다.
⑤ 1907년 체결한 한·일 신협약에 따라 일본인이 차관으로 임명되었다. 강점 이전의 사실이다.

유사 선택지 문제

02 ❶ 조선 태형령 ❷ 무단 통치 ❸ ○

03 1910년대 일제는 일반 관리는 물론 교사에게도 제복을 입고 칼을 차게 해 공포 분위기를 조성하였다.

오답 선택지 풀이 ① 1895년 을미개혁의 일이다.
② 민족 말살 통치 시기의 일이다.
③ 일본은 1907년 한·일 신협약(정미 7조약)의 부수 각서에서 군대 해산을 명시하여 대한 제국의 군대를 강제 해산하였다.
④ 러·일 전쟁 중이던 1905년 일본은 무주지 선점이라는 논리를 내세워 독도를 불법 점령하고 그들의 영토에 편입하였다.

04 자료는 1912년에 제정된 토지 조사령의 일부이다. 일제는 1910년부터 1918년까지 근대적 토지 소유권 제도 확립을 명분으로 토지 조사 사업을 실시하였다. 일제는 토지 조사령 제정에 앞서 1910년에는 한국인의 자본 축적과 민족 기업 성장을 억압하는 회사령을 제정하였다. 이에 따라 회사를 설립할 때 총독의 허가를 받아야 했다.

오답 선택지 풀이 ① 독립 협회가 만민 공동회를 개최한 1898년에 볼 수 있는 모습이다.
② 조선 후기 이익, 정약용 등의 실학자가 한전론, 여전론 등 농업 중심의 개혁론을 주장하였다.
③ 1894년 동학 농민 운동 시기의 모습이다.
④ 대한 제국의 광무개혁 시기에 볼 수 있는 모습이다.

05 자료는 1910년부터 1920년까지 시행된 회사령이다. 1910년대는 일제의 무단 통치 시기이며, 한국인의 기본권이 제한되거나 박탈되었다.

오답 선택지 풀이 ① 1925년, ② 1937년 중·일 전쟁 이후, ③ 1898년, ④ 1880년～1882년의 사실이다.

유사 선택지 문제

05 ❶ 회사령 ❷ 무단 통치 ❸ ○

06 자료는 사이토 마코토 총독이 발표한 시정 방침의 내용이다. 일제는 1919년 3·1 운동이 일어나자 무단 통치의 한계를 인식하고 '문화 통치'로 식민 통치 방식을 바꾸었다.

오답 선택지 풀이 ② 1904년, ③ 1937년, ④ 1929년, ⑤ 1909년의 사실이다.

07 자료는 일제가 '문화 통치'를 표방하여 발표한 시정 방침이다. 일제는 문관 총독 임명이 가능하다고 밝혔지만, 단 한 명도 임명하지 않았다.

오답 선택지 풀이 ①, ③, ⑤ 무단 통치 시기인 1910년대와 관련된 활동이다.
④ 일본식 성명 사용 강요는 민족 말살 통치가 본격화된 1937년 이후의 사실이다.

올쏘 만점 노트 '문화 통치' 시행의 실상

통치 방식 변화	실상
문관 출신 총독 임명 가능	실제 문관 출신 총독 없음
보통 경찰제 실시, 조선 태형령 폐지	경찰 수와 예산 등 증가, 치안 유지법 시행 → 탄압과 감시 강화
언론·출판·집회·결사의 자유 일부 허용	사전 검열 강화 → 정간, 폐간 조치
도평의회, 부·면 협의회 등 설치	일본인이나 친일 인사로 구성
일본인과 한국인에게 동등한 교육 기회 부여	학교 수 여전히 부족 → 일본인에 비해 한국인의 취학률 매우 낮음

08 자료는 1925년에 제정된 치안 유지법이다. 1920년대에는 '문화 통치'가 시행되면서 언론·출판·집회·결사의 자유가 일부 허용되어 한국인의 신문 발행이 이루어졌다. 이에 따라 동아일보와 조선일보 등이 발행되었다.

오답 선택지 풀이 ① 1944년 이후, ③, ④ 1910년대 무단 통치 시기, ⑤ 1919년의 모습이다.

09 그래프는 1920년대 산미 증식 계획이 추진되던 시기의 쌀 생산량과 한국인 1인당 쌀 소비량을 나타낸 것이다.

오답 선택지 풀이 ④ 산미 증식 계획으로 쌀 생산량이 다소 늘어났지만, 더 많은 양이 일본으로 반출되면서 한국인의 식량 사정은 악화되었다.

10 공개된 힌트로 보아 일제의 민족 말살 통치를 묻는 퀴즈임을 알 수 있다. 일제는 침략 전쟁을 확대하면서 한국인을 일본인으로 만드는 황국 신민화 정책을 추진하는 등 민족 말살 통치를 본격화하였다.

오답 선택지 풀이 ①, ②, ③, ④ 모두 무단 통치 시기에 시행된 일제의 정책이다.

올쏘 만점 노트 일제 식민 통치 방식과 정책의 변화

1910년대	무단 통치 (헌병 경찰 통치)	회사령, 경찰범 처벌 규칙과 조선 태형령, 토지 조사령
1920년대	'문화 통치' (민족 분열 통치)	회사령 폐지, 산미 증식 계획
1930년대 후반 이후	민족 말살 통치	황국 신민 서사 암송, 궁성 요배, 신사 참배, 일본식 성명 사용 강요, 한국어 사용 금지

일제는 한국을 강점한 직후에는 한국인의 저항 의식을 억누르기 위해 헌병 경찰제를 바탕으로 무단 통치를 실시하였다. 하지만 3·1 운동에 놀란 일제는 무단 통치의 한계를 인식하고 친일파를 양성하여 우리 민족을 이간·분열시키는 기만적인 통치 방식인 '문화 통치'로 전환하였다. 1930년대 후반 침략 전쟁을 확대하면서 일제는 한국인을 전쟁에 쉽게 동원하기 위해 한국인의 민족의식을 없애는 민족 말살 통치를 본격화하였다.

11 자료는 1938년 제정된 국가 총동원법이다. 일제는 1937년 중·일 전쟁을 도발한 후 전시 동원 체제를 강화하기 위해 국가 총동원법을 제정하였다.

유사 선택지 문제

11 ❶ 국가 총동원법 ❷ 중·일 전쟁 ❸ ○

12 자료는 일제가 한국인을 일본인으로 동화되게 하기 위해 학생들에게 암송하도록 강요한 황국 신민 서사이다. 민족 말살 통치가 본격화된 시기에 학교, 관공서, 회사 등에서 황국 신민 서사 암송이 강요되었다.

오답 선택지 풀이 ④ 1910년대 무단 통치 시기에 해당한다.

13 자료는 일제가 1938년 시작한 국민정신 총동원 운동 포스터이다. 일제는 1937년 중·일 전쟁을 도발하여 침략 전쟁을 확대하면서 전시 동원 체제를 강화하기 위해 국가 총동원법을 제정하고 국민정신 총동원 운동을 전개하였다.

14 자료는 1938년 동아일보에 실린 조선 총독 미나미 지로의 훈시이다. 군수 공업을 육성하여 한반도를 병참 기지화해야 한다는 내용이다. 이 밖에도 일제는 인적 자원과 물적 자원을 수탈하여 침략 전쟁을 뒷받침하였다.

오답 선택지 풀이 ② 토지 조사 사업은 1910년대에 실시되었다.

올쏘 서술형 문제

본문 70쪽

01 (1) 토지 조사령

(2) | 모범 답안 | 총독부의 지세 수입이 증가하고 미신고 토지와 국·공유지를 총독부가 차지하게 되면서 일본인 소유지가 증가하였다. 반면 관습적 영구 경작권을 인정받지 못해 기한부 임대 계약을 맺고 소작하는 농민이 증가하였다. 또한 일부 농민은 만주나 연해주 등지로 이주하기도 하였다.

채점 기준	배점
총독부 지세 수입 증가, 일본인 소유지 증가, 기한부 임대 계약 소작농 증가, 이주 등을 정확하게 서술한 경우	상
위의 내용 중 두 가지만 정확하게 서술한 경우	중
위의 내용 중 한 가지만 정확하게 서술한 경우	하

02 (1) 3·1 운동

(2) | 모범 답안 | 일제는 단 한 명의 문관 총독도 임명하지 않았고, 헌병 경찰제를 보통 경찰제로 전환하였지만 오히려 경찰력은 강화되었다.

채점 기준	배점
문관 총독 임명 부재, 경찰력 강화 등을 정확하게 서술한 경우	상
위의 내용 중 한 가지만 정확하게 서술한 경우	하

03 (1) 창씨개명(일본식 성명 강요)

(2) | 모범 답안 | 한국인의 민족의식을 말살하고 한국인을 일본인으로 동화시켜 일왕에 충성하게 만들어 침략 전쟁에 쉽게 동원하기 위함이었다.

채점 기준	배점
민족의식 말살, 일본인으로 동화, 침략 전쟁에 동원을 모두 정확하게 서술한 경우	상
위의 내용 중 두 가지만 포함하여 서술한 경우	중
위의 내용 중 한 가지만 포함하여 서술한 경우	하

04 (1) 국가 총동원법

(2) | 모범 답안 | 일제는 중·일 전쟁을 도발하여 침략 전쟁을 확대하면서 전시 동원 체제를 강화하기 위해 국가 총동원법을 제정하였다.

채점 기준	배점
국가 총동원법 제정 계기와 목적을 모두 정확하게 서술한 경우	상
위의 내용 중 한 가지만 정확하게 서술한 경우	하

올쏘 상위 4% 문제

본문 71쪽

01 ① **02** ③ **03** ③ **04** ③

01 무단 통치 시기

자료 분석

- 조선 총독부에 경무총감부를 둔다. ㉠ 경무총장에는 조선 주둔 헌병대 사령관인 육군장관으로 충원하고 총독의 명을 받아 ㉡ 조선에 있어서의 경찰 사무를 총리하여 경찰관서의 직원을 지휘·감독한다.
- 각 도(道)에 경무부를 두며, ㉢ 각 도 헌병대장인 육군좌관으로서 부장에 충원하여 경무총장의 명을 받아 도내의 경찰 사무를 장리하며, ㉣ 관내의 경찰관서 직원을 지휘·감독한다.

- ㉠ : 총독부에서 치안 업무를 총괄하는 직책에 조선 주둔 헌병대 사령관이 임명된 것을 통해 헌병 경찰제와 관련된 법령임을 알 수 있다.
- ㉡ : 헌병대 사령관이 경찰 업무를 총괄하고 경찰관을 지휘하였다.
- ㉢ : 각 도의 경무부장에 각 도 헌병대장이 임명되었다.
- ㉣ : 각 도 헌병대장이 관할 지역의 경찰을 지휘·감독하였다.

자료는 헌병 경찰제와 관련된 법령이다. 헌병 경찰제는 1910년대 무단 통치 시기에 실시되었다. 그러나 무단 통치에도 불구하고 3·1 운동이 일어나자 일제는 식민 통치 방식을 '문화 통치'로 바꾸었다.

오답 선택지 풀이 ② 1925년, ③ 1942년, ④ 일제 강점 이전 시기, ⑤ 1938년의 사실이다.

02 토지 조사 사업

자료 분석

동양 척식 주식회사, 이주민 정책 변경

1. 이주민(2정보 이내 자작농)을 5호 이상의 단체와 단호(개인)로 구분 …… 개인의 경우 (당국의) 보조 없이는 곤란함에 따라 단체를 폐지하고, ㉠개인에게 자금을 대부한다.
2. 10정보 이내의 지주 이민의 경우 ㉡지대 일시금을 2분의 1에서 4분의 1로 인하하고, 이자도 7푼 5리에서 7푼으로 인하한다.

- ㉠ : 한국으로 이주하는 일본인에게 동양 척식 주식회사가 자금을 빌려주는 특혜를 주었다.
- ㉡ : 한국으로 이주한 일본인에게는 토지 대금을 인하하고, 대출금의 이자도 인하하는 특혜를 제공하였다.

자료는 동양 척식 주식회사가 1917년에 발표한 이주민 정책에 대한 것이다. 일제는 토지 조사 사업을 통해 총독부 소유가 된 미신고 토지나 소유권이 불분명한 토지를 동양 척식 주식회사나 일본인 농업 이주민에게 넘겨주는 정책을 실시하였다.

오답 선택지 풀이 ① 헌병 경찰제는 일제가 한국을 강점한 직후부터 실시되어 자료의 정책 변경과는 관련이 없다.
② 1938년 국가 총동원법이 제정되었다.
④ 일본의 쌀 부족 문제 해결을 위해 1920년부터 시행되었다.
⑤ 일제는 1937년 중·일 전쟁을 도발한 이후 한반도 병참 기지화 정책을 추진하였다.

03 산미 증식 계획의 결과

자료 분석

○○ ○○ 계획 요강

일본 인구는 해마다 70만 명씩 늘어나고, 국민 생활이 향상되면 1인당 소비량도 점차 늘어나게 될 것이므로 앞으로 쌀이 계속 모자랄 것이다. 따라서 지금 ㉠미곡 증식 계획을 수립하여 ㉡일본 제국의 식량 문제를 해결하는 데 도움을 주는 것은 진실로 국책상 급무라고 믿는다.

- ㉠ : 산미 증식 계획을 말한다.
- ㉡ : 산미 증식 계획에 따른 쌀 증산이 한국을 위한 것이 아니라 일본의 식량 문제 해결을 위한 것이었음을 알 수 있다.

일본의 쌀 부족 문제 해결을 위해 미곡 증식 계획을 수립한다는 내용을 통해 산미 증식 계획임을 알 수 있다. 산미 증식 계획에 따라 증산된 양보다 많은 쌀이 일본으로 반출되면서 한국인의 식량 상황이 악화되어 만주에서 잡곡을 수입하였다.

오답 선택지 풀이 ① 광무개혁 시기, ② 1880년대부터 국권 피탈 이전의 일이다.
④ 1908년 동양 척식 주식회사가 설립되었다.
⑤ 조선 후기부터 인삼, 채소 등 상품 작물 재배가 이루어졌다.

04 민족 말살 통치 시기

자료 분석

제2조 ㉠국민학교에서는 항상 다음 각호의 사항에 유의하여 아동을 교육하여야 한다.
1. …… 특히 국체에 대한 신념을 공고히 하여 ㉡황국 신민이라는 자각에 철저하게 하도록 힘써야 한다.
2. …… 충량한 황국 신민의 자질을 얻게 하고, ㉢내선일체·신애 협력의 미풍을 기르는 것에 힘써야 한다.

- ㉠ : 일제가 1941년부터 소학교의 명칭 대신 사용한 용어로, '황국 신민의 학교'라는 의미이다.
- ㉡ : '황국 신민'은 '천황이 다스리는 나라의 신하 된 백성'이라 하여 일제가 자국민을 이르던 말이다. 한국인을 일왕에 충성하는 백성으로 동화시키려고 '황국 신민'을 강조하였다.
- ㉢ : '일본과 조선이 하나'라는 주장으로, 조선 총독 미나미 지로가 중·일 전쟁을 도발한 후 대륙 침략에 한반도와 한국인을 이용하기 위해 내세운 논리이다. 한국인의 민족의식을 말살하기 위한 터무니없는 주장이었다.

자료는 1941년에 발표된 국민학교 규정이다. 이에 따라 일제는 소학교의 명칭을 국민학교로 바꾸었다. 일제는 침략 전쟁을 확대하면서 민족 말살 통치를 본격화하여 황국 신민 서사 암송, 신사 참배, 궁성 요배를 강요하였다. 그리고 한국인에게 일본식 성명 사용을 강요하였다. 이를 거부한 사람은 식량 및 물자 배급에서 제외되었으며, 자녀를 학교에 입학시킬 수도 없었다.

오답 선택지 풀이 ③ 을사늑약 후 설치된 통감부는 1910년 일제가 한국을 강점하면서 폐지되었고, 일제는 조선 총독부를 설치하였다.

09 3·1 운동과 다양한 민족 운동

개념 확인 문제 본문 74쪽

01 (1) × (2) ○ (3) × (4) ○ (5) ○ **02** (1) ㉤ (2) ㉢ (3) ㉠ (4) ㉡ (5) ㉣ **03** (1) ㄱ (2) ㄷ (3) ㄹ (4) ㄴ **04** (1) 신흥 강습소 (2) 구미 위원부 (3) 한인 애국단 (4) 물산 장려 운동 (5) 광주 학생 항일 운동

시험에 꼭 나오는 문제 본문 74~77쪽

01 ③ 02 ② 03 ② 04 ④ 05 ② 06 ⑤ 07 ⑤
08 ③ 09 ⑤ 10 ④ 11 ① 12 ⑤ 13 ⑤ 14 ③

01 (가)는 1912년에 조직된 독립 의군부, (나)는 1915년에 조직된 대한 광복회에 대한 설명이다. 독립 의군부와 대한 광복회는 1910년대 국내에서 활동한 대표적 비밀 결사였다.

오답 선택지 풀이 ① 독립 의군부, ② 대한 독립군, ④ 신민회, ⑤ 대한 광복회, 신민회 등에 해당한다.

02 (가) 지역은 연해주의 블라디보스토크 일대이다. 이 지역에서는 권업회가 조직되어 동포 사회를 이끌었고 1914년에는 대한 광복군 정부를 수립하였다.

오답 선택지 풀이 ① 미주 지역, ③ 하와이, ④ 서간도, ⑤ 북간도 지역에 해당한다.

올쏘 만점 노트 1910년대 국외 지역의 독립운동 단체

북간도	간민회, 중광단(대종교도 중심의 무장 투쟁 단체), 서전서숙, 명동 학교
서간도	경학사, 신흥 강습소(→ 신흥 무관 학교)
상하이	신한 청년당
연해주	권업회, 대한 광복군 정부
미주	대한인 국민회, 대조선 국민 군단(하와이)

03 자료는 인도의 민족 지도자 네루가 감옥에서 딸 인디라 간디에게 보낸 편지의 이야기를 엮은 "세계사 편력"의 일부이다. 네루는 편지에서 한국의 3·1 운동을 언급하고 특히 유관순 열사를 용감한 소녀라고 평가하기도 하였다. 밑줄 친 ㉠은 3·1 운동이다. 3·1 운동은 일제 강점기 최대 규모의 민족 운동이었으며, 중국 5·4 운동 등에 영향을 주었다.

오답 선택지 풀이 ①, ③ 1926년 순종의 장례일을 기해 일어난 6·10 만세 운동이다.

④, ⑤ 1929년 광주 학생 항일 운동이다. 광주 학생 항일 운동은 학생이 앞장서고 시민, 노동자가 참여한 3·1 운동 이후 최대 규모의 항일 민족 운동이었다.

04 자료는 1919년 대한민국 임시 정부가 만든 대한민국 임시 헌법이다. 3·1 운동을 계기로 독립운동의 효율적이고 조직적인 전개를 위해 대한민국 임시 정부가 수립되었다. 대한민국 임시 정부는 비밀 행정 조직인 연통제와 통신 기관인 교통국을 두어 국내 독립운동을 지도하고 독립 자금을 조달하였다.

오답 선택지 풀이 ① 국민부와 혁신 의회에 대한 설명이다.

② 1942년 화북 지역에서 조직된 조선 독립 동맹에 대한 설명이다.

③, ⑤ 국·공 합작의 영향을 받아 국내외에서 민족 유일당 운동이 전개되었고, 그 결과 1927년 신간회가 창립되었다. 신간회는 1929년 광주 학생 항일 운동이 일어나자 진상 조사단을 파견하였다.

유사 선택지 문제

04 ❶ 3·1 운동 ❷ 상하이 ❸ ×

05 자료는 대한민국 임시 정부의 어려움을 기록한 김구의 글이다. 1923년 국민 대표 회의가 결렬되어 많은 민족 운동가가 임시 정부를 떠나면서 대한민국 임시 정부는 침체에 빠졌다.

오답 선택지 풀이 ① 1931년 만주 사변을 계기로 만주의 독립군은 한·중 연합 작전을 전개하였다.

③ 파리 강화 회의가 끝난 이후 국민 대표 회의가 개최되었다.

④ 간도 참변은 간도 지역에서 활동하던 독립군에게 타격을 주었다.

⑤ 1932년 윤봉길의 의거는 대한민국 임시 정부가 상하이를 떠나는 계기가 되었다.

06 (가)는 1920년 6월 봉오동 전투, (나)는 1920년 말 대한 독립 군단의 러시아 지역으로의 이동 사실이다. 봉오동 전투에서 패한 일제는 더 많은 군대를 보내 독립군을 추격하였다. 그러나 김좌진과 홍범도가 이끈 독립군 연합 부대는 청산리 일대에서 일본군에게 대승을 거두었다(청산리 대첩).

오답 선택지 풀이 ① 1920년대 후반, ② 1919년, ③ 1930년대 초반, ④ 1932년의 사실이다.

07 자료는 1925년 일제가 만주 군벌과 체결한 미쓰야 협정이다. 이후 만주 지역의 3부는 통합 운동을 전개하여 국민부와 혁신 의회로 재편되었다.

08 자료는 신채호의 '조선 혁명 선언'으로, 이를 활동 지침으로 삼은 단체는 의열단이다. 의열단 단원들은 1930년대에 중국 관내의 독립운동 단체를 통합한 민족 혁명당 설립을 주도하였다.

오답 선택지 풀이 ① 1920년대 만주 지역에서 결성된 참의부, 정의부, 신민부 등 3부에 해당한다.

② 북로 군정서군, 대한 독립군 등이 독립군 연합 부대를 결성하여 청산리 대첩에서 크게 승리하였다.

④ 한인 애국단에 대한 설명이다.

⑤ 한인 애국단원 윤봉길의 의거에 해당한다.

유사 선택지 문제

08 ❶ 조선 혁명 선언 ❷ 김원봉 ❸ ×

올쏘 만점 노트 의열단과 한인 애국단

구분	의열단	한인 애국단
결성	1919년, 김원봉 등이 주도	1931년, 김구가 주도
활동	• 김익상, 김상옥, 김지섭, 나석주 등의 의열 활동 • 황푸 군관 학교 입학, 정규 군사 훈련 • 단원들이 1930년대 중국 관내의 독립운동 단체를 통합한 민족 혁명당 설립 주도	• 이봉창이 일왕이 탄 마차에 폭탄 투척 • 윤봉길의 상하이 훙커우 공원 의거 → 중국 국민당 정부의 대한민국 임시 정부 적극 지원(한·중 연대 항일 전선 구축의 계기)

09 자료의 윤봉길은 한인 애국단원으로서 의거를 일으켰다. 한인 애국단은 대한민국 임시 정부의 침체를 극복할 목적으로 김구가 조직한 단체였다.

오답 선택지 풀이 ①, ④ 의열단, ② 국민부와 혁신 의회, ③ 신간회에 해당한다.

10 자료는 1920년대 초부터 전개된 물산 장려 운동에 대한 것이다. 물산 장려 운동에 대해 사회주의자들은 자본가의 이익만을 위한 운동이라고 비판하기도 하였다.

오답 선택지 풀이 ① 상권 수호 운동, ② 국채 보상 운동과 민립 대학 설립 운동, ③ 경성 제국 대학 설립은 한국인의 자발적인 민립 대학 설립 운동을 무마하기 위한 일제의 방안, ⑤ 민립 대학 설립 운동에 해당한다.

11 자료는 1920년대 초에 전개된 민립 대학 설립 운동의 취지서 중 일부이다. 이상재 등 민족주의 계열은 실력 양성 운동의 하나로 민립 대학 설립 운동을 추진하였다. 그러나 일제의 감시와 탄압, 자연재해 등으로 모금 운동이 어려워져 운동은 실패하였다.

오답 선택지 풀이 ②, ③ 국채 보상 운동, ④ 물산 장려 운동과 관련된 설명이다.

⑤ 일제는 민립 대학 설립 운동을 방해하고 한국인의 자발적인 대학 설립을 무마하기 위해 1924년 경성 제국 대학을 설립하였다.

12 3단계 힌트는 1926년에 일어난 6·10 만세 운동과 관련 있다. 6·10 만세 운동은 사회주의 계열과 민족주의 계열의 연대 가능성을 보여 주었고, 신간회 창립에 영향을 주었다.

오답 선택지 풀이 ① 신간회에 참여하고 있던 사회주의자들이 해소를 주장하였다.
② 신간회의 활동이다.
③ 이광수, 최린 등 친일 세력의 활동이다.
④ 광주 학생 항일 운동에 대한 설명이다.

13 (가)는 1927년에 창립된 신간회이다. 신간회는 비타협적 민족주의 세력과 사회주의 세력이 연합한 합법적인 민족 협동 전선 단체였으며, 다양한 사회 운동에 관심을 가지고 이를 지원하였다. 신간회는 서울에 본부를 두고 전국 각지와 만주, 일본에도 지회를 두었으며, 회원수가 4만 명에 이를 정도로 성장한 일제 강점기 최대 규모의 합법적 사회단체였다.

오답 선택지 풀이 ㄱ. 사회주의 계열의 정우회가 신간회 창립 이전에 민족주의자와의 제휴를 주장한 정우회 선언을 발표하였다.
ㄴ. 6·10 만세 운동은 1926년에 일어난 학생 항일 운동이었다.

올쏘 만점 노트 1920년대 민족 운동과 신간회 창립

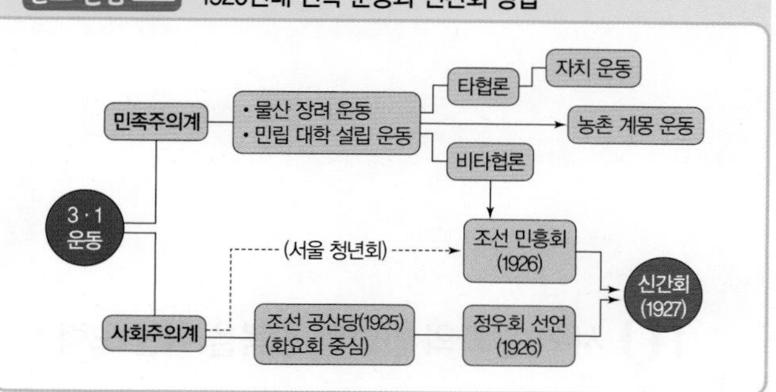

14 자료는 1929년 광주 학생 항일 운동 당시에 제기된 구호이다. 광주 학생 항일 운동이 일어나자 신간회는 진상 조사단을 파견하였고, 민중 대회를 열고자 하였으나 일제의 탄압으로 실패하였다.

오답 선택지 풀이 ① 1920년, ② 1926년, ④ 1925년, ⑤ 1923년에 볼 수 있는 모습에 해당한다.

올쏘 서술형 문제

본문 78쪽

01 (1) 대한 광복회

(2) | 모범 답안 | 국권을 회복하여 공화정 형태의 근대 국가 건설을 목표로 하였으며, 군대식 조직을 갖추어 부유한 친일파를 처단하고 군자금을 마련하였다.

채점 기준	배점
대한 광복회의 활동 목표와 친일파 처단, 군자금 마련 등을 모두 정확하게 서술한 경우	상
목표를 서술하고 활동 중 한 가지를 정확하게 서술한 경우	중
위의 내용 중 한 가지만 정확하게 서술한 경우	하

02 (1) 3·1 운동

(2) | 모범 답안 | 3·1 운동을 계기로 독립운동을 이끄는 구심점이 될 조직의 필요성이 대두하여 대한민국 임시 정부가 수립되었고, 강압적 방법으로는 한국인을 통치할 수 없다는 것을 깨달은 일제가 식민 통치 방식을 '문화 통치'로 바꾸었다. 또한 중국 5·4 운동 등 약소민족의 반제국주의 운동에도 영향을 끼쳤다.

채점 기준	배점
대한민국 임시 정부 수립, 무단 통치에서 '문화 통치'로 식민 통치 방식 전환, 약소민족의 반제국주의 운동 등을 모두 정확하게 서술한 경우	상
위의 내용 중 두 가지만 정확하게 서술한 경우	중
위의 내용 중 한 가지만 정확하게 서술한 경우	하

03 (1) 국민 대표 회의

(2) | 모범 답안 | 국민 대표 회의에 참석한 민족 지도자들이 개조파와 창조파로 나뉘어 대립하였다. 개조파는 현재의 임시 정부를 개선하여 독립운동의 중심 역할을 맡도록 해야 한다는 입장인 반면, 창조파는 임시 정부를 대신할 새로운 조직을 만들어야 한다는 입장이었다.

채점 기준	배점
개조파와 창조파의 대립, 개조파의 입장, 창조파의 입장 등 세 가지를 모두 정확하게 서술한 경우	상
위의 내용 중 두 가지만 정확하게 서술한 경우	중
위의 내용 중 한 가지만 서술한 경우	하

04 (1) 민족주의 계열

(2) | 모범 답안 | 1920년대 말부터 조선일보가 문자 보급 운동을 전개하였고, 1930년대 초에 동아일보가 브나로드 운동을 전개하였다.

채점 기준	배점
문자 보급 운동, 브나로드 운동을 주체와 함께 모두 정확하게 서술한 경우	상
주체를 언급하지 않고 두 운동만 서술한 경우	중
두 운동 중 한 가지만 서술한 경우	하

올쏘 상위 4% 문제

본문 79쪽

01 ①　02 ③　03 ②　04 ⑤

01 대한민국 임시 정부의 활동

자료 분석

((가)) 발행 조례

• 기채 정액은 4천만 원으로 하며, …… 이율은 연 100분의 5로 함
• ㉠ 상환 기간은 대한민국이 완전히 독립한 후 만 5개년으로부터 30개년 이내로 수시로 상환하는 것으로 하며, 그 방법은 재무총장이 정함

• ㉠ : 국권이 피탈된 상황에서 발행되었음을 알 수 있다.

(가)는 대한민국 임시 정부가 발행한 독립 공채이다. 대한민국 임시 정부는 국내외에서 독립 공채를 발행하여 독립운동 자금을 마련하였다. 또한 대한민국 임시 정부는 외교, 군사 활동을 전개하였으며, 독립신문을 간행하여 국내외 독립운동 소식을 전하기도 하였다. 1923년 독립운동의 새로운 활로를 모색하기 위해 개최된 국민 대표 회의가 결렬된 이후 대한민국 임시 정부의 활동은 침체에 빠졌다.

오답 선택지 풀이 ① 대한국 국제는 1899년에 대한 제국에서 반포하였다.

02 국민 대표 회의

자료 분석

㉠독립신문

31일 오후 모교당에서 장엄한 의식 거행

이 회의의 개막식은 예보한 바와 같이 지난 ㉡1923년 1월 31일 오후 2시부터 일반 동포의 참관을 허용하고 가장 숭엄 장중(崇嚴莊重)한 의식을 거행하였더라. 먼저 ㉢국민 대표 회의 준비 위원장이 이 회의를 소집하게 된 동기와 그 취지를 말하고, 본 회의 의장 김동삼 씨의 주도로 일동이 일어나 국기에 대하여 경의를 표하였다. ……

- ㉠ : 대한민국 임시 정부가 독립운동 소식을 알리기 위해 발간하였다.
- ㉡, ㉢ : 1923년에 개최된 밑줄 친 '이 회의'가 국민 대표 회의임을 알 수 있다.

자료는 1923년에 대한민국 임시 정부의 새로운 활로를 모색하기 위해 개최된 국민 대표 회의에 대한 기사이다. 국민 대표 회의는 창조파와 개조파의 대립으로 결렬되었다.

오답 선택지 풀이 ① 신간회 전체 회의, ②, ④, ⑤ 대한민국 임시 정부 임시 의정원에 해당한다.

03 의열단의 활동

자료 분석

㉠조선 혁명 선언을 활동 지침으로 삼았던 단체의 투쟁 내용입니다.

인물	투쟁 내용
㉡박재혁	부산 경찰서에 폭탄 던짐
㉢김익상	조선 총독부에 폭탄 던짐
㉣김상옥	종로 경찰서에 폭탄 던짐
김지섭	일본 왕궁에 폭탄 던짐
○○○	(가)

- ㉠ : 신채호가 의열단장 김원봉의 요청으로 작성하였다.
- ㉡~㉣ : 1920년대에 이루어진 의열 활동으로, 부산 경찰서, 조선 총독부, 종로 경찰서는 의열단이 자신들의 활동 목표로 정한 7가살 5파괴 대상에 해당한다. 7가살 대상은 조선 총독 이하 고관과 매국적, 친일파 거두 등이고, 5파괴 대상은 조선 총독부, 동양 척식 주식회사, 매일신보사, 각 경찰서 등이다.

자료는 1919년에 조직된 의열단 단원들의 투쟁 내용이다. 의열단원 나석주는 1926년에 동양 척식 주식회사와 조선 식산 은행에 폭탄을 던지는 의거를 일으켰다.

오답 선택지 풀이 ① 1909년 안중근이 이토 히로부미를 저격하였다. ③ 대한 노인 동맹단 소속 강우규가 1919년 부임하는 사이토 마코토 총독의 마차에 폭탄을 던졌다. ④ 1928년 조명하가 단독으로 벌인 의거 활동이다. ⑤ 1932년 한인 애국단 소속 윤봉길의 의거 활동이다.

04 정우회 선언

자료 분석

우리가 승리를 향해 구체적으로 전진하기 위해서는 현실적으로 가능한 모든 조건을 충분히 이용하지 않으면 아니 될 것이다. 따라서 ㉠민족주의적 세력에 대해서는 그 부르주아 민주주의적 성질을 분명히 인식함과 동시에 …… 그것이 타락한 형태로 나타나지 않는 것에 한해서는 적극적으로 제휴하여, 대중의 개량적 이익을 위해서도 종래의 소극적 태도를 버리고 분연히 싸워야 할 것이다.

- ㉠ : 민족주의 세력 중 일제와 타협하지 않고 절대 독립을 지향하는 비타협적 민족주의 세력과의 연대를 제안하였다.

자료는 1926년 사회주의 계열의 정우회가 민족주의 진영과의 연대를 주장하며 발표한 선언이다. 이 선언이 발표되었을 무렵 국내외에서는 민족주의 세력과 사회주의 세력의 연대가 모색되고 있었다.

오답 선택지 풀이 ⑤ 사회주의 계열의 주도로 1931년 신간회 해소가 결정되는 배경 중 하나에 해당한다.

10 사회·문화의 변화와 광복을 위한 노력

개념 확인 문제

본문 82쪽

01 (1) ○ (2) ○ (3) ○ (4) × 02 (1) ㉡ (2) ㉢ (3) ㉤ (4) ㉠ (5) ㉣ 03 (1) ㄱ (2) ㄷ (3) ㄹ (4) ㄴ 04 (1) 한국 독립군 (2) 동북 항일 연군 (3) 한국광복군 (4) 삼균주의 (5) 조선 건국 동맹

시험에 꼭 나오는 문제

본문 82~85쪽

01 ② 02 ⑤ 03 ② 04 ③ 05 ⑤ 06 ② 07 ⑤
08 ④ 09 ⑤ 10 ⑤ 11 ⑤ 12 ④ 13 ⑤ 14 ④

01 밑줄 친 '영화'는 '아리랑'이다. 영화 '아리랑'은 1926년에 처음 소개되어 인기를 얻었다. 1920년대 중반 이전에 비해 도시화가 진전되었고 영화를 비롯한 대중문화가 인기를 끌었다. 일제는 대중문화를 식민 통치 합리화를 위한 선전 도구로 이용하였으며, 검열·금지 등의 방법으로 억압하기도 하였다.

오답 선택지 풀이 ② 일제가 침략 전쟁을 확대하고 노동력을 강제로 동원한 1940년대에 볼 수 있는 모습에 해당한다.

02 자료는 1923년에 일어난 암태도 소작 쟁의에 대한 것이다. 암태 소작인회는 지주 문재철이 70% 이상 고율의 소작료를 징수하는 횡포에 맞서 일어났다. 지주와 일본 경찰의 탄압에도 굴하지 않고 싸웠으며, 마침내 소작료를 낮추는 성과를 거두었다.

오답 선택지 풀이 ① 광주 학생 항일 운동에 해당한다.
② 원산 총파업은 1929년에 일어났다.
③ 1930년대 이후 농민 운동에 해당한다.
④ 조선 농민 총동맹은 1927년에 결성되었다.

03 자료는 1929년에 일어난 원산 총파업에 대한 것이다. 원산 총파업이 전개된 시기에 신간회가 활동하고 있었다.

오답 선택지 풀이 ① 1907년, ③ 1925년, ④ 1923년, ⑤ 1920년에 볼 수 있는 모습에 해당한다.

올쏘 만점 노트 1920~1930년대 농민 · 노동 운동

구분	농민 운동	노동 운동
1920년대	일제 농업 정책 → 소작 쟁의(암태도 소작 쟁의), 조선 농민 총동맹 결성(1927)	식민지 공업화, 열악한 노동 환경 → 노동 조건 개선 요구, 원산 총파업(1929)
1930년대	혁명적 조합 중심으로 전개, 항일 투쟁의 성격	

1920년대 농민·노동 운동은 농민과 노동자의 생존권 투쟁으로서 활발하게 전개되었다. 1930년대에 들어서 농민과 노동자는 사회주의 세력과 연계하여 비합법 조직인 혁명적 조합을 중심으로 운동을 전개하였고, 이는 반제국주의 항일 투쟁으로 발전하였다. 그러나 중·일 전쟁 이후 일제의 탄압으로 농민·노동 운동은 크게 위축되었다.

04 (가)는 1927년 결성된 근우회이다. 근우회는 민족주의 계열과 사회주의 계열 여성 인사들이 참여한 여성계의 민족 유일당으로, 여성의 의식 향상을 위해 노력하고 사회 운동과 연대를 모색하였다.

오답 선택지 풀이 ① 천도교 소년회, ② 천도교계 개벽사, ④ 조선 여성 동우회, ⑤ 조선 형평사에 해당한다.

05 자료는 1923년 조선 형평사 창립 취지문 중 일부이다. 형평 운동은 백정이 자신들에 대한 사회적 차별의 폐지를 요구하며 전개한 사회 운동이었다. 이러한 형평 운동에 대해 일부 지역에서는 반형평 운동이 일어나기도 하였다.

오답 선택지 풀이 ① 이광수, 최린 등이 주도한 자치 운동에 해당한다.
② 갑오개혁 때 신분 제도는 법적으로 폐지되었다.
③ 물산 장려 운동의 목적에 해당한다.
④ 노동 운동의 주 목적에 해당한다.

유사 선택지 문제

05 ❶ 형평 운동 ❷ 진주 ❸ ○

06 자료는 잡지 "어린이"에 대한 것으로, (가) 인물은 방정환이다. 방정환은 천도교 소년회를 조직하고 소년 운동을 주도하여 1922년에는 어린이날을 정하고 기념식을 거행하였다. 이를 계기로 소년 운동은 더욱 확산되어 전국적인 조직체가 결성되기도 하였다.

오답 선택지 풀이 ① 신민회의 이승훈, ③ 나철과 오기호, ④ 안중근, ⑤ 윤봉길 등에 해당한다.

07 자료는 1942년 조선어 학회 사건에 대한 것이다. 1931년 조선어 연구회를 확대 개편한 조선어 학회는 한글 맞춤법 통일안과 표준어를 제정하였다. 또한 한글 강습 교재를 만들어 문맹 퇴치 운동에 적극 참여하였으며, 우리말 큰사전을 편찬하는 데 주력하였다. 그러나 조선어 학회 사건으로 회원들이 대거 검거·투옥됨에 따라 사전 편찬은 중단되었다.

오답 선택지 풀이 ⑤ "개벽", "신여성"은 천도교계에서 발행한 잡지이다.

08 자료는 백남운의 주장이다. 백남운은 사회 경제 사학을 연구하여 한국사가 세계사의 발전 법칙에 따라 보편적으로 발전하였다고 주장하여 식민 사관의 정체성론을 극복하는 데 기여하였다.

오답 선택지 풀이 ① 박은식, 신채호 등 민족주의 역사학자에 해당한다.
② 신채호가 김원봉의 요청에 따라 작성하였다.
③ 박은식에 해당한다.
⑤ 이상백 등 실증주의 사학에 해당한다.

09 (가)는 북만주 지역 지청천의 한국 독립군, (나)는 남만주 지역 양세봉의 조선 혁명군이 일본군과 싸워 승리한 전투이다. 한국 독립군과 조선 혁명군은 만주 사변을 계기로 항일 중국군과 연합하여 한·중 연합 작전을 전개하였다.

오답 선택지 풀이 ① 조선 혁명군, ② 조선 의용대, ③, ④ 한국 독립군에 해당한다.

유사 선택지 문제

09 ❶ 만주 사변 ❷ 조선 혁명군 ❸ ○

10 자료는 1938년 창설된 조선 의용대에 대한 것이다. 조선 의용대는 중국 국민당 정부의 지원을 받아 중국 관내에서 조직된 최초의 한인 무장 부대였다.

오답 선택지 풀이 ① 대한민국 임시 정부, ② 한국 독립군, ③ 북로 군정서, 대한 독립군 등, ④ 한국광복군에 해당한다.

올쏘 만점 노트 1930년대 독립군 활동

구분	활약	활동 지역
한국 독립군	지청천 중심, 한·중 연합 작전 → 쌍성보 전투, 대전자령 전투 등	만주
조선 혁명군	양세봉 중심, 한·중 연합 작전 → 영릉가 전투, 흥경성 전투	
동북 항일 연군	사회주의 계열의 참여	
조선 의용대	김원봉 등의 주도로 창설, 중국 국민당 정부의 지원 → 정보 수집, 포로 심문, 후방 교란 등의 임무 수행	중국 관내

11 자료의 (가)는 한국광복군이다. 1940년 충칭에서 대한민국 임시 정부의 정규군으로 창설된 한국광복군은 영국군의 요청으로 인도·미얀마 전선에 공작대를 파견하였고, 미국의 지원을 받아 국내 진공 작전(독수리 작전)을 계획하였다.

오답 선택지 풀이 ① 조선 혁명군, ② 만주에서 활동한 사회주의 계열의 항일 유격대, ③ 한인 애국단의 윤봉길, ④ 조선 의용군에 해당한다.

12 자료는 대한민국 임시 정부가 1941년에 발표한 대한민국 건국 강령의 일부이다. 대한민국 임시 정부는 태평양 전쟁이 발발하자 일본에 선전 포고를 하였다.

오답 선택지 풀이 ①, ③ 조선 건국 동맹, ② 조선 독립 동맹, ⑤ 신간회에 해당한다.

올쏘 만점 노트 건국 준비 활동

대한민국 임시 정부	• 김구 주도 • 삼균주의에 기초한 건국 강령 발표 • 한국광복군의 항일전 수행
조선 독립 동맹 (1942)	• 김두봉 주도 • 민주 공화국 수립 추구 • 조선 의용군의 항일전 수행
조선 건국 동맹 (1944)	• 여운형 주도 • 국내 좌우익 세력 연합 • 민주주의 국가 수립 추구

일제가 태평양 전쟁을 일으키자 독립운동 세력들은 일제의 패망이 멀지 않았다고 판단하고 건국 준비를 구체화하였다. 대한민국 임시 정부와 화북 지방의 조선 독립 동맹, 국내에서 조직된 조선 건국 동맹은 각각 건국 강령을 발표하였는데, 공통적으로 민주 공화국의 수립을 지향하였다.

13 자료는 중국 화북 지역에서 결성된 조선 독립 동맹에 대한 것이다. 조선 독립 동맹은 보통 선거에 의한 민주 공화국 수립, 토지 분배, 의무 교육 실시 등을 담은 건국 강령을 발표하였다.

오답 선택지 풀이 ① 1920년대 후반 만주 지역의 3부(참의부, 정의부, 신민부), ② 재미 한족 연합 위원회, ③ 북로 군정서, ④ 조선 의용대, 한국광복군에 해당한다.

14 답변은 1944년 국내에서 결성된 조선 건국 동맹에 대한 것이다. 조선 건국 동맹은 대한민국 임시 정부, 조선 독립 동맹과의 연합 작전을 계획하였으나 실행에 옮기지 못하였다.

오답 선택지 풀이 ①, ②, ⑤ 대한민국 임시 정부, ③ 조선 혁명당에 해당한다.

올쏘 서술형 문제

본문 86쪽

01 (1) 근우회

(2) **| 모범 답안 |** 근우회는 여성계의 민족 유일당 운동으로 결성된 여성 단체이며, 여성의 권익 향상과 해방을 위한 활동은 물론 소년·노동 운동 등 다양한 사회 운동과의 연대를 모색하였다.

채점 기준	배점
근우회 결성의 역사적 의의와 활동 내용을 정확하게 서술한 경우	상
의미를 서술하고 활동 내용 중 한 가지만 정확하게 서술한 경우	중
위의 내용 중 한 가지만 정확하게 서술한 경우	하

02 (1) 박은식

(2) **| 모범 답안 |** 민족주의 사학자 박은식은 민족정신으로서 '조선 국혼'을 강조하고, 독립운동의 일환으로 역사를 연구하여 "한국통사"와 "한국독립운동지혈사"를 통해 일제의 침략과 민족의 독립운동을 정리하였다.

채점 기준	배점
민족주의 사학, 민족정신(조선 국혼) 강조, 독립운동으로 역사 연구, 한국통사(한국독립운동지혈사)의 내용을 포함하여 서술한 경우	상
위의 내용 중 두 가지만 정확하게 서술한 경우	중
위의 내용 중 한 가지만 정확하게 서술한 경우	하

03 (1) (가) 조선 혁명군, (나) 한국 독립군

(2) **| 모범 답안 |** 일제가 만주 사변을 일으키고 만주국을 세워 중국 내 항일 감정이 높아지면서 만주에서 활동한 조선 혁명군과 한국 독립군은 항일 중국군과 한·중 연합 작전을 전개하였다.

채점 기준	배점
만주 사변(또는 만주국 수립)의 배경, 한·중 연합 작전을 모두 포함하여 서술한 경우	상
위의 내용 중 한 가지만 정확하게 서술한 경우	하

04 (1) 조소앙

(2) **| 모범 답안 |** 정치적으로는 보통 선거를 통해 민주 공화국을 수립하고, 경제적으로는 토지와 대생산 기관의 국유 제도를 채택하며, 무상 교육을 통해 교육 기회를 균등하게 제공하는 국가를 건설하고자 하였다.

채점 기준	배점
보통 선거를 통한 민주 공화국 수립, 토지와 대생산 기관의 국유 제도, 무상 교육을 모두 정확하게 서술한 경우	상
위의 내용 중 두 가지만 정확하게 서술한 경우	중
위의 내용 중 한 가지만 정확하게 서술한 경우	하

올쏘 상위 4% 문제

본문 87쪽

01 ① 02 ① 03 ④ 04 ③

01 **신채호와 박은식**

자료 분석

㉠ 역사는 '아'와 '비아'와의 투쟁의 기록인 것이다.

㉡ 나라가 형체라면 역사는 정신이다.

• ㉠ : 신채호가 쓴 "조선상고사"의 첫머리에 나오는 말이다. 신채호는 '아'를 주체적 위치에 선 것으로 보았다. 따라서 '아'는 나 자신을 포함한 우리 사회와 민족이다. 그리고 '비아'는 '아'와 대칭되는 것을 말한다. 신채호가 말한 '역사'란 아의 주체적 관점에서 아와 관련된 것을 기록하는 것이다.

• ㉡ : 박은식의 저서 "한국통사"의 서문에 나오는 말로, "한국통사"를 쓰는 이유를 밝힌 것이다. 박은식은 나라의 역사가 없어지지 않으면 나라도 결코 망한 것이 아니라는 신념 아래 독립운동의 한 방법으로 "한국통사"를 저술하였다.

자료의 인물은 민족주의 사학자 신채호와 박은식이다. 신채호는 낭가 사상, 박은식은 혼을 중시하는 등 민족정신을 강조하였다.

오답 선택지 풀이 ② 이광수, ③, ⑤ 백남운, ④ 박은식에 해당한다.

02 한·중 연합 작전

자료 분석

㉠한국 독립군과 중국 호로군의 합의문

1. 한·중 양군은 최악의 상황이 오는 경우에도 장기간 항전할 것을 맹세한다.
2. 중동 철도를 경계선으로 ㉡서부 전선은 중국이 맡고, 동부 전선은 한국이 맡는다.
3. 전시의 후방 전투 훈련은 한국 장교가 맡고 한국군에 필요한 군수품은 중국군이 공급한다.

- ㉠: 지청천의 지휘로 북만주에서 활동하였다.
- ㉡: 중국군과 역할을 구분하여 연합 작전을 준비하였음을 알 수 있다.

자료는 북만주에서 활동한 한국 독립군과 중국 호로군의 합의문이다. 일제가 1931년 만주 사변을 일으켜 만주국을 세우자 만주에서 활동한 독립군은 항일 중국군과 한·중 연합 작전을 전개하였다.

03 대한민국 임시 정부의 활동

자료 분석

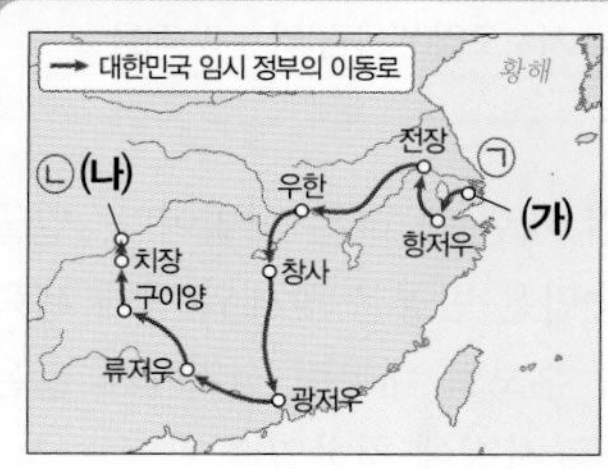

- ㉠: 1919년 대한민국 임시 정부가 수립된 상하이이다. 1932년 윤봉길 의거 이후 거세진 일제의 탄압으로 상하이를 떠났다.
- ㉡: 1940년 정착한 충칭으로, 광복이 될 때까지 임시 정부가 위치한 곳이다. 충칭 정착 후 김구를 주석으로 하는 단일 지도 체제를 마련하고 한국광복군을 창설하였다.

(가) 상하이는 1919년부터 1932년까지 대한민국 임시 정부가 위치한 지역이다. (나) 충칭은 1940년 이후 대한민국 임시 정부가 위치한 지역이다.

오답 선택지 풀이 ㄱ. 1942년, 충칭 시기에 김원봉이 이끄는 조선 의용대의 일부 병력이 한국광복군에 합류하였다.
ㄷ. 국무령 중심의 집단 지도 체제로의 개편은 상하이에서 이루어졌다.

04 건국 준비 활동

자료 분석

구분	중심인물	위치	주요 활동
(가)	김구 등	충칭	㉠ 한국광복군 창설, 대일 선전 포고
(나)	김두봉 등	옌안	㉡ 조선 의용군 조직, ㉢ 팔로군과 항일 무장 투쟁
(다)	여운형 등	㉣경성	무장봉기를 통한 일제의 후방 교란 시도

- ㉠: 대한민국 임시 정부의 정규군으로 창설되었다.
- ㉡: 조선 독립 동맹은 조선 의용대 화북 지대를 조선 의용군으로 개편하였다.
- ㉢: 중국 공산당의 군대이다.
- ㉣: 국내에서 조직, 활동하였다.

(가)는 대한민국 임시 정부, (나)는 사회주의자들을 중심으로 결성된 조선 독립 동맹, (다)는 국내에서 조직된 조선 건국 동맹에 해당한다. (가)~(다)는 민주 공화국 수립을 지향하는 건국 강령을 발표하였다.

오답 선택지 풀이 ①, ②, ④, ⑤ 대한민국 임시 정부에 해당한다.

11 8·15 광복과 6·25 전쟁

개념 확인 문제 본문 90쪽

01 (1) ○ (2) ○ (3) × (4) × 02 (1) ㉡ (2) ㉢ (3) ㉣ (4) ㉠
03 (1) ㄷ (2) ㄱ (3) ㄴ 04 (1) 제주 4·3 사건 (2) 5·10 총선거
(3) 반민족 행위 처벌법 (4) 한·미 상호 방위 조약

시험에 꼭 나오는 문제 본문 90~93쪽

01 ⑤ 02 ④ 03 ③ 04 ④ 05 ① 06 ④ 07 ②
08 ① 09 ② 10 ① 11 ④ 12 ① 13 ① 14 ④

01 자료는 광복 직후 미군정이 실시되면서 1945년 9월 9일 태평양 미 육군 총사령관 맥아더가 발표한 포고령이다. 대한민국 임시 정부 요인들은 미군정기 개인 자격으로 귀국하였다.

오답 선택지 풀이 ①, ②, ③, ④ 대한민국 정부 수립 이후의 모습이다.

02 자료는 조선 건국 준비 위원회(건준)의 강령이다. 여운형의 주도로 조직된 건준은 광복 직후 사회 안정을 위해 노력하는 한편, 식량과 생활필수품 확보에 주력하여 국민 생활을 안정시키려 하였다. 그리고 미군 진주에 대비하여 조선 인민 공화국 수립을 선포하였다.

오답 선택지 풀이 ① 김구와 이승만 등이 신탁 통치 반대 운동을 주도하였다.
② 한국 민주당은 건준의 활동에 비판적인 우익 세력을 중심으로 결성되었으며, 대한민국 임시 정부 지지를 선언하였다.
③ 건준은 광복 직후에 조직되었고, 제헌 헌법은 1948년에 제정되었다.
⑤ 좌우 합작 위원회에 해당한다.

유사 선택지 문제

02 ❶ 조선 건국 준비 위원회 ❷ 조선 건국 동맹 ❸ ×

03 자료는 1945년 12월에 개최된 모스크바 3국 외상 회의에서 결정된 사항이다. 회의의 결정 사항을 이행하기 위해 제1차 미·소 공동 위원회가 개최되었지만, 임시 정부 수립을 위한 협의 대상을 두고 미국과 소련의 주장이 맞서면서 아무런 성과 없이 무기한 휴회되었다. 이러한 상황에서 좌우 대립이 심해지고 남한 단독 정부 수립론이 제기되자 여운형과 김규식 등이 좌우 합작 위원회를 조직하여 통일 정부 수립을 위한 운동을 펼쳤다.

유사 선택지 문제

03 ❶ 모스크바 3국 외상 회의 ❷ 미·소 공동 위원회 ❸ ×

04 자료는 1946년 6월에 나온 이승만의 정읍 발언이다. 이승만은 대한민국 임시 정부의 대통령을 역임하였고, 5·10 총선거로 구성된 제헌 국회에서 초대 대통령에 선출되었다. 이후 장기 집권을 위해 반공 독재 체제를 강화하였다.

오답 선택지 풀이 ④ 이승만 정부는 반민족 행위 특별 조사 위원회의 활동에 비협조적인 태도를 보였다.

05 자료는 좌우 합작 위원회가 1946년 10월에 발표한 좌우 합작 7원칙이다. 신탁 통치 문제를 두고 좌우 대립이 심화되는 상황에서 제1차 미·소 공동 위원회가 결렬되고 이승만을 중심으로 단독 정부 수립 주장이 제시되어 분단의 위기가 높아졌다. 이에 여운형과 김규식 등 중도파는 좌우 합작 위원회를 조직하고 좌우 합작 7원칙을 발표하였다.

오답 선택지 풀이 ②, ⑤ 제헌 국회는 1948년 남한만의 5·10 총선거를 통해 구성되었다.
③ 1950년, ④ 1948년의 사실이다.

올쏘 만점 노트 좌우 합작 운동

배경	좌우 대립의 심화, 제1차 미·소 공동 위원회의 무기한 휴회, 이승만의 정읍 발언(단독 정부 수립론)
목적	좌우를 아우른 통일 정부 수립
전개	여운형·김규식 등 중도파가 좌우 합작 위원회 결성 → 좌우 합작 7원칙 발표
결과	7원칙을 둘러싼 좌우익의 대립 심화, 미군정의 좌우 합작 운동 지지 철회, 여운형 암살 등으로 중단

06 자료는 1948년 4월 30일에 발표된 남북 협상 공동 성명이다. 김구와 김규식은 분단 가능성이 커지자 평양에서 북한 지도부와 남북 협상을 열고 남한 단독 선거에 반대한다는 내용의 공동 성명을 발표하였다.

07 자료는 제주 4·3 사건에 대한 것이다. 제주 4·3 사건은 1948년 제주도 좌익 세력이 남한만의 단독 선거 반대, 통일 정부 수립 등을 내세우며 일으킨 무장봉기에서 비롯되었다. 이를 진압하는 과정에서 수많은 무고한 제주도민이 희생되었다.

오답 선택지 풀이 ①, ⑤ 1945년 모스크바 3국 외상 회의에서 논의한 신탁 통치안에 대해 김구, 이승만 등 우익 세력은 신탁 통치 반대를 주장하였고, 좌익 세력은 입장을 바꿔 3상 회의의 결정 지지를 표명하였다.
③ 여수·순천 10·19 사건 당시에 제기된 주장이다.
④ 좌우 합작 위원회의 주장이다.

08 자료는 1948년 5·10 총선거로 구성된 제헌 국회에서 제정된 헌법이다. 제헌 국회는 국호를 정하고 이승만을 초대 대통령으로 선출하였으며, 농지 개혁과 친일파 처벌과 관련된 법률을 제정하였다.

오답 선택지 풀이 ① 발췌 개헌안은 1952년 제2대 국회에서 통과되었다.

09 자료의 농지 개혁은 이승만 정부 때 추진되었다. 이승만 정부는 1949년 귀속 재산 처리법을 제정하여 일본인 소유의 재산인 귀속 재산을 민간에 매각하였다.

오답 선택지 풀이 ① 좌우 합작 위원회, ③ 대한 제국, ④ 대한민국 임시 정부, ⑤ 북조선 임시 인민 위원회에 해당한다.

10 자료는 1948년에 제정된 반민족 행위 처벌법(반민법)이다. 국회는 제헌 헌법의 특별 규정에 따라 반민법을 제정하고 국회 직속의 반민족 행위 특별 조사 위원회를 설치하였다.

오답 선택지 풀이 ㄷ. 귀속 재산 처리법에 해당한다.
ㄹ. 이승만 정부가 친일파 처단에 소극적인 태도를 보여 친일파 처단이 제대로 이루어지지 못하였다.

11 6·25 전쟁은 북한의 기습 남침으로 시작되었고, 북한군의 공격에 밀린 국군과 유엔군은 낙동강에 방어선을 구축하였다. 인천 상륙 작전에 성공한 국군과 유엔군이 압록강 부근까지 북진하였으나 중국군의 개입으로 후퇴하였다. 이후 38도선 부근에서 전쟁이 교착 상태에 빠진 채 정전 회담이 시작되었고, 회담이 시작된 지 2년 만인 1953년 7월 27일에 정전 협정이 체결되었다. 정전 협정에서 휴전선 확정과 비무장 지대 설치가 합의되었다.

12 자료는 제1차 개헌, 즉 발췌 개헌에 대한 설명이다. 발췌 개헌은 6·25 전쟁 중이던 1952년에 이루어졌다.

오답 선택지 풀이 ②, ③ 제2차 개헌(사사오입 개헌)에 해당한다.
④, ⑤ 4·19 혁명 직후 이루어진 제3차 개헌과 관련 있다.

올쏘 만점 노트 이승만 정부의 장기 집권을 위한 개헌

발췌 개헌 (1952)	• 2대 국회의원 선거에 반이승만 성향의 후보 대거 당선 → 대통령 재선의 가능성 희박 • 6·25 전쟁 중 진행, 대통령 직선제로 개헌
사사오입 개헌 (1954)	• 초대 대통령에 한해 3선 금지를 폐지한다는 규정이 담긴 개헌안 발의 • 국회 의결 정족수에 사사오입(반올림)의 논리 적용

13 자료는 제2차 개헌(사사오입 개헌)에 따른 헌법이다. 밑줄 친 ㉠은 이승만에 해당한다. 이승만은 반공을 앞세워 반대 세력을 탄압하였는데, 1956년 무소속 후보로 대통령 선거에서 많은 지지를 받은 조봉암을 간첩 혐의로 사형에 처하였다.

오답 선택지 풀이 ② 여운형, ③ 김구와 김규식 등, ④ 여운형과 김규식, ⑤ 김구와 김규식 등 남북 협상파와 좌익 세력에 해당한다.

14 자료는 삼백 산업에 대한 것이다. 삼백 산업은 전후 복구 과정에서 미국의 잉여 농산물을 원조받아 가공하는 과정에서 발달한 제분, 제당, 면방직 산업을 말한다.

올쏘 서술형 문제

본문 94쪽

01 (1) 미·소 공동 위원회
(2) | 모범 답안 | 김구, 이승만 등 우익은 신탁 통치가 한국인의 자주권을 부정하는 결정이라고 비판하며 반탁 운동을 펼쳤다. 반면 좌익 진영은 처음에는 반대하였으나 신탁 통치를 독립을 위한 지원 방안으로 받아들여 모스크바 3국 외상 회의의 결정을 지지하였다. 그 결과 좌우 대립이 심화되었다.

채점 기준	배점
우익의 반탁 운동, 좌익의 입장 변화, 좌우 대립 심화 등 세 가지를 포함하여 정확하게 서술한 경우	상
좌우익의 입장을 모두 서술하였으나 일부만 서술한 경우	중
한 쪽의 입장만 서술한 경우	하

02 (1) 좌우 합작 위원회
(2) | 모범 답안 | 우익은 토지 개혁 방식이 지나치게 급진적이라고

보았으며, 친일파 청산과 관련해 이견을 보였다. 좌익은 친일파 처단 의지가 명확하게 드러나 있지 않으며, 유상 매입의 토지 개혁안이 지주의 이익을 위한 것이라고 비판하였다.

채점 기준	배점
우익과 좌익의 토지 제도 개혁과 친일파 청산에 대한 입장 등의 내용을 모두 포함하여 서술한 경우	상
좌우익 입장을 모두 서술하였으나 일부만 서술한 경우	중
한 쪽의 입장만 서술한 경우	하

03 (1) 반민족 행위 특별 조사 위원회

(2) | 모범 답안 | 이승만 대통령이 반공을 내세우며 친일파 처단에 소극적 태도를 보였으며, 일부 경찰이 친일 경찰 조사에 반발하여 반민 특위 사무실을 습격하였다. 결국 반민족 행위 처벌법이 개정되어 친일파 처벌 기한이 단축되고 반민족 행위의 범위도 크게 축소되며 성과를 거두지 못하였다.

채점 기준	배점
이승만 대통령의 태도, 경찰의 반민 특위 습격, 반민 특위 활동과 관련된 시한 단축 등 세 가지 내용을 포함하여 서술한 경우	상
위의 내용 중 두 가지만 정확하게 서술한 경우	중
위의 내용 중 한 가지만 정확하게 서술한 경우	하

04 (1) 농지 개혁법

(2) | 모범 답안 | 농사짓는 농민이 토지를 가져야 한다는 경자유전의 원칙 아래 한 가구당 3정보를 소유 상한으로 정하고, 그 이상의 토지는 국가가 유상 매입, 유상 분배하는 방식으로 농지 개혁을 실시하였다.

채점 기준	배점
경자유전의 원칙, 3정보 소유 상한, 유상 매입·유상 분배 방식 등 세 가지를 모두 정확하게 서술한 경우	상
위의 내용 중 두 가지만 정확하게 서술한 경우	중
위의 내용 중 한 가지만 정확하게 서술한 경우	하

상위 4% 문제 본문 95쪽

01 ⑤ 02 ④ 03 ⑤ 04 ②

01 여운형의 활동

자료 분석

패망이 임박하자 조선 총독부는 한국에 거주하는 일본인의 안전한 귀국을 위해 당시 ㉠국내 지도자와 교섭을 벌였다. 이에 그는 ㉡다섯 가지 조건을 내걸고 총독부와 교섭을 벌여 치안 유지권 및 방송국, 언론 기관 등을 넘겨받았다.

- ㉠ : 조선 총독은 광복 당일 한국인의 봉기를 우려하여 민족 지도자와 접촉하였다.
- ㉡ : 조선의 정치범, 경제범의 즉시 석방 / 서울의 3개월분 식량 확보 / 치안 유지와 건국 운동을 위한 정치 운동에 총독부 간섭 금지 / 학생과 청년을 조직, 훈련하는 데 간섭 금지 / 노동자와 농민의 건국 사업에 협력 등이다.

자료의 밑줄 친 '그'는 여운형이다. 여운형은 광복 직후 조선 건국 준비 위원회를 조직하여 활동하였고, 좌우 대립이 심화되자 김규식과 함께 좌우 합작 운동을 전개하였다.

오답 선택지 풀이 ① 이승만 등, ②, ③ 김구 등 대한민국 임시 정부 요인, ④ 이승만에 해당한다.

02 1946년~1947년 사이의 사실

자료 분석

미국과 소련은 모스크바 3국 외상 회의의 결정 사항을 이행하기 위해 덕수궁에서 ㉠㉠제1차 미·소 공동 위원회를 열었다. 이 회의에서 ㉡미국과 소련은 민주주의 임시 정부 수립에 참여할 정당 및 사회단체의 범위를 놓고 대립하였다. 미국과 소련의 주장이 맞서면서 제1차 미·소 공동 위원회는 성과를 거두지 못한 채 무기한 휴회되었다. 이후 미국과 소련은 ㉢㉡제2차 미·소 공동 위원회를 열었으나 협의 참여 단체에 대한 이견을 좁히지 못하였다. 결국 미국은 한반도 문제를 유엔에 넘겼다. 소련은 이를 두고 모스크바 3국 외상 회의의 결정을 위반하는 것이라며 유엔 총회에 불참하였다.

- ㉠ : 1946년 3월부터 5월까지 개최되었다.
- ㉡ : 소련은 반탁 운동 단체의 제외를 주장하였고, 미국은 모든 정치 단체의 참여를 주장하였다.
- ㉢ : 1947년 5월부터 10월까지 개최되었다.

자료의 ㉠은 1946년 3월, ㉡은 1947년 5월에 개최되었다. 이승만은 미·소 공동 위원회가 무기한 휴회되자 1946년 6월 정읍에서 남한만의 단독 정부 수립을 주장하였다.

오답 선택지 풀이 ①, ②, ⑤ ㉡ 이후 시기, ③ ㉠ 이전 시기에 해당한다.

03 제헌 국회의 활동

자료 분석

유구한 역사와 전통에 빛나는 우리들 대한 국민은 기미 3·1 운동으로 ㉠대한민국을 건립하여 세계에 선포한 위대한 독립 정신을 계승하여 이제 민주 독립 국가를 재건함에 있어서 정의·인도와 동포애로써 민족의 단결을 공고히 하여 모든 사회적 폐습을 타파하고 …… 우리들의 ㉡㉠정당하게 또 자유로이 선거된 대표로써 구성된 국회에서 단기 4281년 7월 12일 ㉢이 헌법을 제정한다.

- ㉠ : 1919년 중국 상하이에 수립된 대한민국 임시 정부를 말한다. 대한민국이 3·1 운동과 대한민국 임시 정부에서 비롯되었음을 분명히 밝혔다.
- ㉡ : 1948년 5·10 총선거로 선출된 국회의원으로 구성된 제헌 국회를 말한다.
- ㉢ : 제헌 헌법이다.

자료의 밑줄 친 ㉠은 5·10 총선거로 구성된 제헌 국회이다. 제헌 국회의원은 임기가 2년으로 제한되어 있었다.

오답 선택지 풀이 ⑤ 1950년 제2대 국회의원 선거를 통해 구성된 국회에서 이른바 발췌 개헌이 이루어졌다.

04 6·25 전쟁의 전개

자료 분석

〈㉠유엔 안보리 결의 82호〉

북한군의 대한민국에 대한 무력 공격을 중대한 관심으로서 주목하여, ㉡이 행동이 평화 파괴를 조성함을 단정하고,

1. 전쟁 행위의 즉시 정지를 요구하고 또한, 북한군을 즉시 북위 38도선까지 철수시킬 것을 북한 당국에 요구하고 ……

- ㉠ : 유엔 안전 보장 이사회를 말한다.
- ㉡ : 6·25 전쟁이 북한의 침략 행위로 일어났음을 분명히 밝혔다.

자료는 1950년 6·25 전쟁 발발 직후 유엔 안전 보장 이사회가 결의한 내용이다. 이 결의에 따라 유엔군이 파병되었으며, 이후 낙동강에 방어선을 구축하고 있던 국군과 유엔군은 인천 상륙 작전에 성공하여 전세를 역전하였다.

12 4·19 혁명과 민주주의의 발전

개념 확인 문제 본문 98쪽

01 (1) × (2) ○ (3) ○ (4) ○ (5) × **02** (1) ㉠ (2) ㉢ (3) ㉤ (4) ㉣ (5) ㉡ **03** (1) ㄹ (2) ㄴ (3) ㄷ (4) ㄱ **04** (1) 국가 재건 최고 회의 (2) 5·18 민주화 운동 (3) 6월 민주 항쟁 (4) 3당 합당

시험에 꼭 나오는 문제 본문 98~101쪽

01 ③ **02** ② **03** ③ **04** ④ **05** ① **06** ④ **07** ⑤
08 ④ **09** ⑤ **10** ⑤ **11** ① **12** ⑤ **13** ④ **14** ③

01 자료는 1960년 민주당이 폭로한 부정 선거 지시 사항으로, 3·15 부정 선거에 해당한다. 1960년 이승만 정부와 자유당이 저지른 3·15 부정 선거에 대한 국민적 저항이 4·19 혁명으로 발전하였다.

오답 선택지 풀이 ① 12·12 군사 반란 등에 해당한다.
② 5·18 민주화 운동은 이후 1980년대 민주화 운동의 토대가 되었다.
④ 민주 헌법 쟁취 국민운동 본부 결성, 6·10 국민 대회 등에 해당한다.
⑤ 개헌 청원 1백만 인 서명 운동, 3·1 민주 구국 선언, 부·마 민주 항쟁 등에 해당한다.

유사 선택지 문제

01 ❶ 3·15 부정 선거 ❷ 4·19 혁명 ❸ ×

02 3·15 부정 선거에 대한 국민적 저항은 4·19 혁명으로 발전하였다. 학생과 시민이 함께 정권의 퇴진을 요구한 4·19 혁명으로 이승만은 대통령직에서 사임하였다.

오답 선택지 풀이 ①, ④, ⑤ 6월 민주 항쟁에 대한 설명이다.
③ 개헌 청원 1백만 인 서명 운동, 3·1 민주 구국 선언 등에 대한 설명이다.

03 자료는 4·19 혁명 직후 개정된 헌법이다. 이 헌법에 따라 실시된 국회의원 선거에서 민주당이 승리하여 장면 정부가 수립되었고, 장면 정부는 지방 자치제를 시행하고 경제 개발 5개년 계획안을 마련하였다.

오답 선택지 풀이 ① 1960년대 박정희 정부 시기의 사실이다.
②, ⑤ 이승만 정부 시기의 사실이다.
④ 박정희 유신 체제에 해당한다. 유신 헌법은 대통령에게 긴급 조치권을 부여하여 헌법에 보장된 국민의 기본권마저 제한하였다.

04 자료는 박정희 등 군부 세력이 5·16 군사 정변을 일으키고 발표한 혁명 공약이다. 박정희 군부 세력은 국가 재건 최고 회의를 설치하여 입법·행정·사법권을 장악하고 군정을 실시하였다.

오답 선택지 풀이 ① 전두환, 노태우 등 신군부 세력이 사회 정화를 명분으로 삼청 교육대를 운영하여 공포 분위기를 조성하였다.
② 전두환 정부의 4·13 호헌 조치 발표에 반발하여 6월 민주 항쟁이 일어났다.
③ 김대중 정부는 대북 화해 협력 정책을 추진하였고, 2000년 평양에서 최초의 남북 정상 회담을 개최하였다.
⑤ 1980년대 말, 1990년대 초 냉전의 해체, 사회주의권 붕괴 등 국제 정세의 변화 속에서 노태우 정부가 소련, 중국 등 공산권 국가와 수교를 맺는 북방 외교를 추진하였다.

05 자료는 1966년에 작성된 브라운 각서로, 미국이 한국의 베트남 파병에 대한 대가로 한국의 경제 개발에 필요한 기술과 차관 제공, 국군의 현대화 지원을 약속한 것이다. 박정희 정부는 경제 개발에 필요한 자금 마련을 위해 미국의 요청을 받아들여 1964년부터 1973년까지 베트남에 파병하였다.

오답 선택지 풀이 ②, ④ 1970년대 유신 체제 시기에 해당한다.
③ 1964년 굴욕적인 한·일 회담에 반대한 6·3 시위에 해당한다.
⑤ 1969년의 사실이다.

06 자료는 박정희 정부가 1975년에 내린 긴급 조치 9호의 주요 내용이다. 유신 체제에 대한 저항 운동은 다양한 형태로 끊임없이 전개되었는데, 1979년 부산을 비롯한 경남 지역에서 일어난 부·마 민주 항쟁도 이에 해당한다.

오답 선택지 풀이 ① 박정희 정부가 한·일 국교 정상화를 위한 굴욕적인 한·일 회담을 진행하자 이에 반대하여 일어났다.
② 이승만 정부의 3·15 부정 선거에 대한 저항에서 시작되었다.
③ 전두환 정부의 폭압적인 정치와 4·13 호헌 조치 등에 저항하여 전개되었다.
⑤ 전두환, 노태우 등 신군부 세력에 대한 저항이었다.

유사 선택지 문제

06 ❶ 유신 ❷ 부·마 민주 항쟁 ❸ ○

07 자료는 1980년 5·18 민주화 운동 관련 일지이다. 5·18 민주화 운동은 민주적 헌정 질서를 파괴한 신군부의 퇴진을 요구한 민주화 운동이며, 관련 기록물이 2011년에 유네스코 세계 기록 유산으로 등재되었다.

오답 선택지 풀이 ①, ② 4·19 혁명에 대한 설명이다.
③ 3·1 민주 구국 선언, 부·마 민주 항쟁 등에 대한 설명이다.
④ 2016년 촛불 시위에 대한 설명이다.

08 자료의 (가) 정부는 전두환 정부이다. 전두환 정부는 안정적인 권력 기반을 다지기 위해 사회 전반에 걸쳐 강압 정치를 펼쳤다. 학생 운동과 노동 운동 등 민주화 요구를 철저히 탄압하고, 보도 지침 등을 통해 언론을 통제하였다. 이러한 정권의 폭력성을 은폐하기 위해 유화 정책을 실시하기도 하였다. 그러나 전두환 정부의 폭압적 통치와 각종 권력형 부정과 비리 사건이 연이어 터져 국민의 불신과 불만이 높아졌고, 이 상황에서 박종철 고문치사 사건의 은폐·조작, 4·13 호헌 조치 발표 등을 계기로 6월 민주 항쟁이 일어났다. 6월 민주 항쟁은 대통령 직선제 개헌을 이끌어 냈다.

오답 선택지 풀이 ④ 전두환은 유신 헌법과 8차 개정 헌법에 따라 실시된 간선제를 통해 대통령에 당선되었다.

09 자료는 1987년 6월 민주 항쟁 당시 민주 헌법 쟁취 국민운동 본부가 발표한 6·10 국민 대회 선언문이다. 6월 민주 항쟁에 굴복한 전두환 정부는 당시 여당 대통령 후보인 노태우를 내세워 국민의 직선제 개헌 요구를 받아들이는 6·29 민주화 선언을 발표하였다.

오답 선택지 풀이 ① 5·18 민주화 운동 시기, ② 4·19 혁명, ③ 부·마 민주 항쟁 등에 해당한다.
④ 직선제 개헌 후 치러진 대통령 선거에서 노태우가 당선되어 정권 교체는 이루어지지 않았다.

유사 선택지 문제

09 ❶ 4·13 호헌 조치 ❷ 6월 민주 항쟁 ❸ ○

10 자료는 노태우 정부 시기 13대 국회 여소야대 정국을 보여준다. 이 시기 야당의 요구로 전두환 정부의 비리와 5·18 민주화 운동의 진상을 조사하기 위한 국회 청문회가 개최되었다.

오답 선택지 풀이 ①, ③ 김대중 정부, ②, ④ 김영삼 정부 시기에 해당한다.

11 자료는 김영삼 정부가 '역사 바로 세우기'의 일환으로 추진한 전두환, 노태우 등 신군부 세력의 사법 처리에 관한 뉴스 보도이다. 김영삼 정부는 금융 실명제를 전격적으로 실시하였다.

오답 선택지 풀이 ② 김대중 정부, ③, ④ 박근혜 정부, ⑤ 노무현 정부에 해당한다.

올쏘 만점 노트 김영삼 정부의 정책

정치 개혁	• 지방 자치제 전면적 실시 • 고위 공직자 재산 공개 의무화
역사 바로 세우기	• 조선 총독부 건물 해체 등 일제 잔재 청산 • 하나회 해체, 전두환·노태우 두 전직 대통령 구속 • 5·18 특별법 제정
경제 정책	• 금융 실명제 실시 • 경제 협력 개발 기구(OECD) 가입

31년 만에 다시 들어선 민간 정부인 김영삼 정부는 부정부패를 차단하고 과거사를 바로 잡기 위한 정책을 폈으나, 국제 경제 여건 악화와 경제 정책의 실패로 임기 말 외환위기를 맞았다.

12 자료는 김대중 정부가 추진한 정책들이다. 김대중 정부는 구조 조정과 부실기업 정리, 개방 정책 등을 통해 경제 상황을 빠르게 안정시키고, 국제 통화 기금의 지원금을 조기 상환하였다.

오답 선택지 풀이 ① 노태우 정부, ② 노무현 정부, ③, ④ 이명박 정부에 해당한다.

13 자료는 노무현 정부에 대한 설명이다. 노무현 정부는 김대중 정부의 대북 화해 협력 정책을 이어받아 북한과 관계 개선을 위해 노력하였고, 2007년 남북 정상 회담을 개최하였다.

오답 선택지 풀이 ①, ②, ③ 박정희 정부, ⑤ 이명박 정부에 해당한다.

14 (가)는 1997년 김대중 대통령 당선, (나)는 2007년 이명박 대통령 당선으로 이루어진 여야 정권 교체에 대한 것이다. 김대중 정부와 노무현 정부는 대북 화해 협력 정책을 추진하면서 남북 정상 회담을 개최하는 등 남북 관계를 개선하였다.

오답 선택지 풀이 ①, ④ 김영삼 정부, ② 노태우 정부, ⑤ 전두환 정부에 해당한다.

올쏘 서술형 문제

본문 102쪽

01 (1) 4·19 혁명
(2) | 모범 답안 | 이승만 대통령이 하야하고 내각 책임제로 개헌이 이루어졌으며, 새 헌법에 따라 실시된 총선에서 민주당이 승리하면서 장면 정부가 출범하였다.

채점 기준	배점
이승만 하야, 내각 책임제 개헌, 장면 정부 출범(총선에서 민주당 승리) 등 세 가지를 포함하여 서술한 경우	상
위의 내용 중 두 가지만 정확하게 서술한 경우	중
위의 내용 중 한 가지만 정확하게 서술한 경우	하

02 (1) 유신 헌법
(2) | 모범 답안 | 유신 헌법은 대통령에게 국회의원 3분의 1 추천권, 국회 해산권, 법관 인사권과 긴급 조치권 등 헌법과 삼권 분립의 원칙을 무시한 막강한 권한을 부여하였다.

채점 기준	배점
국회의원의 3분의 1 추천권, 국회 해산권, 법관 인사권과 긴급 조치권 중 세 가지 내용을 포함하여 서술한 경우	상
위의 내용 중 두 가지만 정확하게 서술한 경우	중
위의 내용 중 한 가지만 정확하게 서술한 경우	하

03 (1) 5·18 민주화 운동
(2) | 모범 답안 | 5·18 민주화 운동은 1980년대 민주화 운동의 토대가 되었으며, 필리핀을 비롯한 아시아 국가들의 민주화 운동에 영향을 주었다. 또한 신군부의 병력 동원이 미국의 묵인 아래 이루어졌다고 보는 일부 세력이 반미 운동을 일으키는 계기가 되었다.

채점 기준	배점
1980년대 민주화 운동의 토대, 아시아 국가의 민주화 운동에 영향, 반미 운동의 계기 등을 모두 포함하여 서술한 경우	상
위의 내용 중 두 가지만 정확하게 서술한 경우	중
위의 내용 중 한 가지만 정확하게 서술한 경우	하

04 (1) 6·29 민주화 선언
(2) | 모범 답안 | 전두환 정부가 국민의 직선제 개헌 요구를 외면한 4·13 호헌 조치를 발표하고 박종철 고문치사 사건을 은폐·조작하였다는 사실이 밝혀져 국민의 분노가 폭발하였다.

채점 기준	배점
4·13 호헌 조치, 박종철 고문치사 사건 등을 포함하여 정확하게 서술한 경우	상
위의 내용 중 한 가지만 정확하게 서술한 경우	하

올쏘 상위 4% 문제

본문 103쪽

01 ① 02 ① 03 ① 04 ③

정답 및 해설

01 4·19 혁명의 결과

자료 분석

- 앞으로 전개될 모든 형태의 민족 운동, 사회 운동 및 ㉠민주 통일 운동은 다 같이 ((가))을/를 그들의 고향으로 한다. 따라서 ㉡그 자체로서 '영구 혁명'의 출발이지 그 완성은 아니다. - 10주년 기념사 -
- ((가))이/가 있었기에 우리는 ㉢유신을 거부해야 할 당위성을 찾았고, 우리는 필승의 신념을 가질 수 있었다. …… 5·16에 의해 말살된 것이 아니다. - 20주년 기념사 -

- ㉠: 4·19 혁명 이후 평화 통일 운동이 거세게 추진되어 다양한 통일 방안이 제시되었다.
- ㉡: 4·19 혁명은 이승만 독재 정권을 무너뜨렸으나 이듬해 1961년 박정희 등의 5·16 군사 정변으로 혁명의 열기가 사그라들었다. 박정희 정권의 독재 아래 맞이한 혁명 10주년에서 서울대 학생회는 미완의 혁명이라고 평가하였다.
- ㉢: 박정희 정부가 1972년에 단행한 10월 유신을 말한다.

(가)는 1960년에 일어난 4·19 혁명이다. 4·19 혁명으로 내각 책임제 개헌이 이루어져 장면 정부가 출범하였다.

오답 선택지 풀이 ② 5·16 군사 정변의 결과에 해당한다.
③ 6월 민주 항쟁이 가져온 결과이다.
④ 5·18 민주화 운동을 무자비하게 진압한 전두환 등 신군부 세력은 국가 보위 비상 대책 위원회를 설치하여 정권을 장악하였다.
⑤ 1964년 6·3 시위 등 학생과 시민들의 반대에도 불구하고 박정희 정부는 한·일 협정을 체결하였다.

02 신군부 세력

자료 분석

㉠㉠5·18 내란 행위자들이 …… 헌법 기관인 대통령, 국무위원들에 대하여 강압을 가하고 있는 상태에서, 이에 항의하기 위하여 일어난 ㉡광주 시민들의 시위는 …… 헌정 질서를 수호하기 위한 정당한 행위 …… 그 시위 진압 행위는 …… 국헌 문란에 해당한다.

- ㉠: 12·12 군사 반란으로 군권을 장악한 전두환 등 신군부 세력이다. 1997년 4월 17일 대법원은 이들의 5·18 민주화 운동과 관련된 진압 행위는 내란 목적의 살인 행위였다고 단정하였다.
- ㉡: 1980년에 일어난 5·18 민주화 운동을 말한다.

밑줄 친 ㉠은 5·18 민주화 운동을 무력으로 진압한 전두환, 노태우 등 신군부 세력에 해당한다. 이들은 국가 보위 비상 대책 위원회를 설치하여 실질적으로 정권을 장악하였다.

오답 선택지 풀이 ㄷ. 국가 재건 최고 회의는 박정희가 주도한 5·16 군사 정변 후 설치되었다.
ㄹ. 박정희 정부의 10월 유신에 해당한다.

03 제13대 대통령 선거

자료 분석

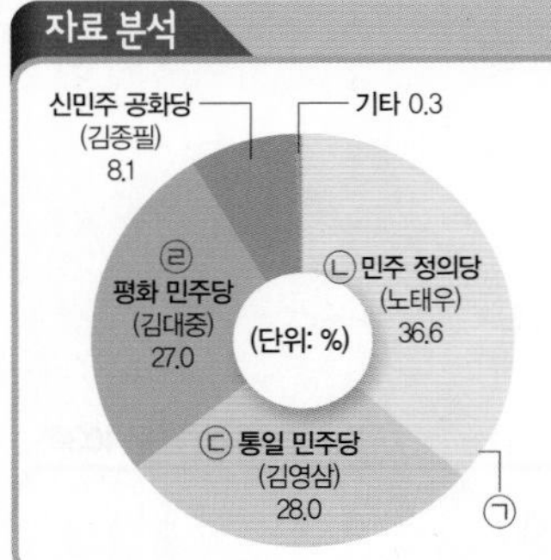

- ㉠: 최고 득표자(당선자)가 '노태우'라는 것을 통해 대통령 직선제 개헌 이후 처음으로 실시된 대통령 선거라는 것을 알 수 있다.
- ㉡: 전두환이 제12대 대통령 선거에 출마하면서 창당한 정당으로 당시 여당이었다.
- ㉢, ㉣: 두 야당 후보가 단일화에 실패하면서 여당 후보 노태우가 대통령에 당선되었다.

도표는 1987년 12월에 실시된 제13대 대통령 선거의 결과이다. 제13대 대통령 선거는 6월 민주 항쟁의 결과 대통령 직선제 개헌이 이루어진 후 처음으로 실시된 선거였다.

오답 선택지 풀이 ② 1979년 부·마 민주 항쟁은 유신 체제에 대한 저항 운동이었다.
③ 1964년 6·3 시위는 굴욕적인 한·일 회담에 반발하여 일어났다.
④ 4·19 혁명은 1960년에 일어난 3·15 부정 선거에 대한 국민적 저항 운동이었다.
⑤ 1980년 5·18 민주화 운동은 신군부 퇴진, 계엄령 해제 등을 요구한 민주화 운동이었다.

04 김대중 정부의 정책

자료 분석

- ㉠제주 4·3 사건 진상 규명
- ㉡민주화 운동 관련자 명예 회복
- ㉢국민 기초 생활 보장법 제정

- ㉠, ㉡: 김대중 정부가 과거사를 정리하기 위해 추진한 정책이다.
- ㉢: 외환위기를 거치면서 사회 안전망을 제도적으로 갖출 필요성이 제기되어 1999년에 제정하였다.

퀴즈의 힌트는 김대중 정부가 실시한 정책들이다. 김대중 정부는 대북 화해 협력 정책을 추진하여 남북 관계를 개선하고 처음으로 남북 정상 회담을 개최하였다.

오답 선택지 풀이 ①, ④ 김영삼 정부, ② 노태우 정부, ⑤ 노무현 정부에 해당한다.

13 경제 성장과 사회·경제적 변화

개념 확인 문제 본문 106쪽

01 (1) ○ (2) ○ (3) × (4) × **02** (1) ㉢ (2) ㉠ (3) ㉡ (4) ㉣
03 (1) ㄹ (2) ㄷ (3) ㄴ **04** (1) 제1차 석유 파동 (2) 전태일 (3) 박정희 (4) 국민 기초 생활 보장법

시험에 꼭 나오는 문제 본문 106~109쪽

01 ③	02 ⑤	03 ④	04 ③	05 ①	06 ③	07 ②
08 ③	09 ④	10 ②	11 ②	12 ②	13 ③	14 ①

01 자료는 제1차 경제 개발 5개년 계획서의 서문으로, 밑줄 친 ㉠에 따라 경제 개발 5개년 계획이 추진되었다. 5·16 군사 정변으로 집권한 박정희 정부는 집권의 정당성을 확보하기 위해 경제 발전을 최우선 과제로 설정하였다. 이에 따라 수출 지향적 산업화를 전략으로 세우고 국가 주도의 경제 개발 계획을 추진하였다.

오답 선택지 풀이 ③ 경제 개발 5개년 계획은 수출 지향적 산업, 공업 중심의 성장 정책이었다.

02 (가) 시기에 중화학 공업의 비중이 크게 늘어났음을 알 수 있다. 특히 박정희 정부는 경공업 중심의 경제 성장에 한계를 느끼고 제3·4차 경제 개발 5개년 계획에서 철강, 화학, 기계, 조선 등을 전략 업종으로 선정하여 중화학 공업을 적극 육성하였다.

오답 선택지 풀이 ① 3저 호황은 1980년대에 나타났다. 1986~1988년 3년간 연 10% 이상 고도성장을 하였다.
② 전후 1950년대에 미국의 잉여 농산물 원조를 바탕으로 삼백 산업이 발달하였다.
③ 제1차 경제 개발 5개년 계획이 추진된 1960년대 경제 정책의 방향이었다.
④ 1997년 말 외환위기 발생으로 국제 통화 기금의 구제 금융을 지원받았다.

유사 선택지 문제

02 ❶ 박정희 ❷ 중화학 공업 ❸ ○

03 자료는 1960년대 제1차 경제 개발 5개년 계획이 추진되던 시기에 발행된 우표이다. 이 시기에는 의류, 신발 등 노동 집약적 산업이 육성되었다.

오답 선택지 풀이 ①, ②, ⑤ 1950년대 이승만 정부 시기 경제 상황이다.
③ 제1차 석유 파동은 1973년에 발생하였다.

04 자료는 1960년대 경제 개발 계획을 추진하면서 필요한 자금을 마련하기 위해 서독에 광부를 파견한 사실에 대한 것이다. 이 밖에도 한·일 국교 정상화로 일본에서 들여온 차관, 베트남 파병과 특수로 획득한 외화 등이 경제 개발 자금이 되었다.

오답 선택지 풀이 ㄱ. 1972년 8·3 조치는 기업의 채무 상환 부담을 줄여 주기 위한 조치로, 상환 유예, 사채 동결 등의 특혜를 제공하였다.
ㄹ. 함평 고구마 사건은 1970년대 후반 농민이 국가의 불합리한 행정과 탄압에 맞서 조직적으로 저항한 사건이었다.

05 (가) 시기, 1970년대 말에서 1980년대 초까지 경제 성장률이 크게 낮아진 것은 1978년에 일어난 제2차 석유 파동과 중화학 공업에 대한 중복 과잉 투자, 그리고 부가 가치세 도입에 따른 물가 상승이 원인이었다.

오답 선택지 풀이 ㄷ. 1997년, ㄹ. 1995년의 사실이다.

올쏘 만점 노트 석유 파동과 극복 노력

제1차 석유 파동 (1973)	한국 기업과 노동자들이 서아시아(중동) 건설 사업에 진출, 오일 달러를 벌어들여 위기 극복
제2차 석유 파동 (1978)	중화학 공업에 대한 중복 투자와 함께 경제 위기 초래 → 중화학 공업 중복 투자 조정, 생산 전문화, 부실기업 정리 등으로 극복

석유를 비롯한 원자재 대외 의존도가 높은 한국 경제는 1970년대 두 차례의 석유 파동으로 위기에 빠졌지만, 중동 건설 사업 진출, 부실기업 정리 등을 통해 이를 극복하였다.

06 자료는 1970년대 말 세계적인 경제 위기에 대한 설명이다. 이 시기 제2차 석유 파동 발생과 중화학 공업에 대한 과잉 중복 투자, 물가 폭등 등으로 경제가 어려워지면서 유신 체제에 대한 국민의 불만도 높아져 유신 체제가 동요하였다.

오답 선택지 풀이 ①, ②, ④ 1960년대의 사실이다
⑤ 1970년대 초반 창원 일대에 자유 무역 단지가 조성되었다.

07 자료는 전태일이 1969년 12월 박정희 대통령에게 쓴 편지로, 당시 노동 실태를 고발하는 내용이 담겨 있다. 하지만 정부는 노동 운동을 탄압하였고, 전태일은 1970년 11월에 근로 기준법의 준수를 요구하며 분신하였다. 경부 고속 국도는 1968년에 착공되었고, 광주 대단지 사건은 1971년에 일어났다.

유사 선택지 문제

07 ❶ 저임금 정책 ❷ 전태일 분신 사건 ❸ ○

08 학생들의 대화는 산업화로 인한 도시 빈민 문제에 대한 것이다. 도시 계획에 따른 도시 빈민의 강제 이주 과정에서 1971년 광주 대단지 사건이 일어났다.

오답 선택지 풀이 ① 1929년, 일제 강점기 최대 규모의 노동 운동이었다.
② 1979년 가발 공장 YH 무역 여성 노동자들이 회사 측의 일방적인 폐업 조치에 항의하여 신민당사에서 농성하던 중 경찰의 강경 진압에 사망자가 발생하는 사건이 일어났다.
④ 농민 운동과 관련이 있다.
⑤ 노동 운동의 확산에 선구적인 역할을 한 사건이었다.

09 (가)는 1970년부터 실시된 새마을 운동이다. 농가 소득을 높이고 낙후된 농촌을 근대화하여 도시와 농촌을 균형 있게 발전시킨다는 명분으로 추진된 새마을 운동은 농촌의 생활 환경 개선에 기여하였다. 그러나 유신 체제를 정당화하는 데 이용되기도 하였다.

오답 선택지 풀이 ㄱ. 새마을 운동이 농촌 인구 증가로 이어지지는 않았다.
ㄷ. 새마을 운동은 박정희 정부 시기 1970년에 시작되었다.

10 자료는 1980년대 후반 3저 호황에 대한 설명이다. 3저 호황으로 한국 경제는 1986년부터 1988년까지 연 12%에 가까운 고도성장을 하였다. 6월 민주 항쟁은 1987년에 일어났다.

오답 선택지 풀이 ①, ③, ④ 1970년, ⑤ 1995년의 사실이다.

11 자료는 외환위기 발생으로 국제 통화 기금의 구제 금융 지원 요청과 관련된 정부 발표문이다. 방만하게 운영되던 기업들이 부도가 나면서 국가 신용도가 떨어지고, 동남아시아의 외환위기까지 겹쳐 경제에 대한 위기감이 높아졌다. 한국에 투자했던 외국 자본이 급속히 해외로 빠져나갔고, 이에 대처하는 과정에서 외환 보유고가 급격히 줄어들어 외환위기가 발생하였다.

오답 선택지 풀이 ② 외환위기를 극복하는 과정에서 기업 경쟁력 강화를 위해 정리 해고제와 파견 근로제가 도입되었다.

12 (가)는 경제 성장률이 –5.5%에서 10% 전후로 상승한 시기로, 정부는 물론 전 국민이 외환위기 극복을 위해 노력하였다. 이때 외환위기 극복을 위해 전 국민적으로 금 모으기 운동이 전개되었다.

오답 선택지 풀이 ① 1995년, ③ 1968년, ④ 1996년, ⑤ 1973년의 모습이다.

13 (가)는 1970년대, (나)는 2000년대 인구 정책을 반영한 표어이다. 1970년대에는 인구 증가가 경제 성장을 저해한다는 인식 아래 정부가 강력한 산아 제한 정책을 폈다. 그러나 2000년대에는 인구 감소에 대한 위기감이 높아져 정부는 출산율을 회복하기 위한 인구 정책으로 전환하였다.

오답 선택지 풀이 ㄱ. 출산 장려금 지급은 2010년 이후 확대되었다.
ㄹ. 2018년 현재 노인 인구 14%를 넘어 고령 사회에 진입하였다.

14 자료는 1975년에 발표된 공연 활동 정화 대책의 일부이다. 1970년대 유신 정권은 문화 통제 정책으로 국민의 표현의 자유를 억압하였다. 또한 국민을 효율적으로 통제하기 위해 국가주의를 내세웠다.

서술형 문제

본문 110쪽

01 (1) 제1차 경제 개발 5개년 계획
(2) | 모범 답안 | 정부는 한·일 협정 체결로 일본으로부터 유입된 자금, 서독에 파견된 광부와 간호사의 송금, 베트남 전쟁 파병으로 들어온 자금으로 경제 개발에 필요한 자금을 마련하였다.

채점 기준	배점
한·일 협정 체결로 일본 자금 유입, 서독 파견 광부와 간호사의 송금, 베트남 파병으로 들어온 자금 등 세 가지를 포함하여 서술한 경우	상
위의 내용 중 두 가지만 정확하게 서술한 경우	중
위의 내용 중 한 가지만 정확하게 서술한 경우	하

02 (1) 제2차 석유 파동과 중화학 공업에 대한 중복 투자
(2) | 모범 답안 | 한국 경제는 1980년대 중반 이후 전 세계적으로 나타난 저유가, 저달러, 저금리 현상으로 산업 경쟁력을 강화할 수 있었고, 자동차와 기계, 철강, 반도체 등 기술 집약 산업을 집중 육성하여 고도성장을 하였다.

채점 기준	배점
3저 호황, 기술 집약 산업의 육성 등 두 가지 내용을 포함하여 서술한 경우	상
위의 내용 중 한 가지만 포함하여 서술한 경우	하

03 (1) 외환위기
(2) | 모범 답안 | 주요 공기업을 민영화하거나 민간에 매각하였고, 부실기업을 정리하고, 기업 경쟁력 강화를 위해 정리 해고제와 파견 근로제를 도입하였다.

채점 기준	배점
공기업 민영화, 부실기업 정리, 정리 해고제와 파견 근로제 도입 등 세 가지를 포함하여 서술한 경우	상
위의 내용 중 두 가지만 포함하여 서술한 경우	중
위의 내용 중 한 가지만 포함하여 서술한 경우	하

04 (1) 새마을 운동
(2) | 모범 답안 | 새마을 운동은 주택 개량, 마을 도로 확충 등을 펼쳐 농촌의 사회 간접 자본 시설 확충과 농가 소득 증대에 일정한 성과를 거두었다. 그러나 유신 체제를 정당화하는 데 이용되었다.

채점 기준	배점
성과와 한계를 모두 정확하게 서술한 경우	상
위의 내용 중 한 가지만 정확하게 서술한 경우	하

상위 4% 문제

본문 111쪽

01 ⑤ 02 ⑤ 03 ④ 04 ④

01 **중화학 공업화 전략의 배경**

자료 분석

정부는 지금부터 동해안, 남해안, 서해안 지방에 여러 가지 대단위 국제 규모의 공업 단지, 또는 기지를 조성해 나갈 생각입니다.

첫째는 포항과 같은 ㉠제2의 종합 제철 공장 건설을 앞으로 추진해야 하겠고, 또 대단위 기계 종합 공업 단지도 만들어야 되겠습니다. 지금 울산에 있는 석유·화학 공업 단지와 같은 ㉡제2의 종합 화학 공업 단지를 또 만들어야 되겠습니다. …… 정부는 앞으로 중화학 공업 정책을 선언하고, 이 방면에 중점적인 지원과 시책을 펴나갈 것입니다.

- ㉠ : 1973년부터 제2 종합 제철소 설립 추진 위원회를 구성하여 사업을 추진해 나갔다.
- ㉡ : 여수 지역에 종합 화학 공업 단지가 설립되었다.

자료는 1973년 박정희 대통령의 연두 기자 회견문의 일부이다. 1960년대 말 경제적 어려움을 겪으면서 정부는 경공업 중심의 경제 성장에 한계를 느끼고 1970년대 초부터 중화학 공업화 전략을 추진하였다.

오답 선택지 풀이 ① 3저 호황은 1980년대 중반 이후에 나타난 현상이다.
② 1970년대 말 제2차 석유 파동과 중화학 공업 중복 투자로 인한 위기를 극복하기 위해 전두환 정부 초기에 구조 조정과 부실기업 정리를 단행하였다.
③ 1997년 말 외환위기가 발생하여 국제 통화 기금의 구제 금융 지원을 받았다.
④ 중동 전쟁에서 비롯된 제1차 석유 파동은 1973년도에 발생하였다. 석유 파동을 극복하기 위해 한국 기업들은 중동(서아시아) 지역 건설 사업에 적극 진출하였다.

02 **8·3 조치**

자료 분석

경제의 안정과 성장에 관한 긴급 명령 시행

정부는 8월 2일 현재 모든 기업이 보유하고 있는 ㉠사채를 정부에 신고하도록 하는 조치를 시행한다고 발표하였다. 그리고 이 ㉡사채들은 8월 3일자로 월 1.35%, 3년 거치 5년 분할 상환으로 조정한다는 긴급 명령을 내렸다.

- ㉠ : 금융 기관이나 공공 기관이 아니라 개인에게 자금을 빌리는 것을 말한다.
- ㉡ : 정부가 강제로 이자율을 낮추고 상환 기간을 8년으로 늘려 기업에게 특혜를 주었지만, 돈을 빌려준 개인에게는 큰 피해를 가져왔다.

기사는 1972년 단행된 8·3 조치에 대한 것이다. 박정희 정부는 부채 부담으로 위기를 맞은 기업을 지원하기 위해 부채를 동결하고 이자 부담을 낮추는 8·3 조치를 단행하여 기업에 특혜를 주었다.

오답 선택지 풀이 ①, ② 1997년 외환위기를 맞아 국제 통화 기금의 구제 금융 지원을 받았다.
③ 이명박 정부는 2008년 출범하였다.
④ 김영삼 정부의 금융 실명제 시행에 해당한다.

03 김영삼 정부의 경제 정책

자료 분석

- 국제 통화 기금(IMF)으로부터 적절한 규모의 자금 지원
- 부실 금융 기관 구조 조정 및 인수, 합병 제도 마련
- ㉠ 외국 금융 기관의 국내 자회사 설립 허용
- ㉡ 외국인 주식 취득을 종목당 50%까지 확대
- ㉢ 노동 시장의 유연성을 높임

• ㉠, ㉡ : 국제 통화 기금의 요구로 자본 시장을 개방하였다.
• ㉢ : 노동 시장의 유연화 정책에 따라 정리 해고제와 파견 근로제를 도입하였다.

자료는 1997년 김영삼 정부가 임기 말에 국제 통화 기금(IMF)과 체결한 양해 각서의 내용이다. 1993년 출범한 김영삼 정부는 세계화를 내세우며 1996년에 경제 협력 개발 기구(OECD)에 가입하였다.

오답 선택지 풀이 ① 이명박 정부, ② 장면 정부, ③ 박근혜 정부, ⑤ 노무현 정부에 해당한다.

04 국민 기초 생활 보장법

자료 분석

사회 복지 제도의 정비

- 1997년 ㉠ 외환위기를 계기로 사회 안전망을 제도적으로 갖출 필요성이 제기되었는데, 정부는 어떻게 대응했나요?
- 정부는 1999년에 새로운 ㉡ 법률을 제정하여 적극적인 사회 복지 정책을 추진하게 됩니다.

• ㉠ : 외환위기에 따른 기업 부도 등으로 생계유지에 어려움을 겪는 사람들이 늘어나자 국민의 최저 생활을 보장해 줄 수 있는 제도적 장치가 필요해졌다.
• ㉡ : 김대중 정부가 1999년에 제정한 국민 기초 생활 보장법을 말한다.

자료는 외환위기 후 마련된 사회 복지 제도에 관한 것이다. 외환위기를 계기로 국민의 최저 생활을 보장할 수 있는 제도적 정치를 마련할 필요성이 제기되어 1999년에 국민 기초 생활 보장법이 제정되었다.

오답 선택지 풀이 ① 최저 임금제는 1988년부터 실시되었다.
② 저출산 문제를 해결하기 위해 2010년대 출산 장려금 지급 정책을 확대하였다.
③ 전 국민 의료 보험 실시는 1989년 이루어졌다.
⑤ 2008년 다문화 가족 지원법에 대한 설명이다.

14 남북 화해와 동아시아의 평화 노력

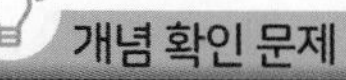

개념 확인 문제 본문 114쪽

01 (1) ○ (2) × (3) ○ (4) × (5) ○ **02** (1) ㉡ (2) ㉤ (3) ㉣ (4) ㉢ (5) ㉠ **03** (1) ㄱ (2) ㄴ (3) ㄷ (4) ㄹ **04** (1) 7·4 남북 공동 성명 (2) 김영삼 (3) 대북 화해 협력 정책 (4) 동북 공정

올쏘 시험에 꼭 나오는 문제 본문 114~117쪽

01 ③ 02 ② 03 ③ 04 ④ 05 ③ 06 ③ 07 ①
08 ⑤ 09 ② 10 ③ 11 ② 12 ④ 13 ⑤ 14 ③

01 자료는 김일성의 유일 지배 체제 확립 과정에 대한 설명이다. 김일성은 1956년 8월 종파 사건을 일으켜 자신을 비판해 온 연안파와 소련파 등을 숙청하여 권력을 강화하였다.

오답 선택지 풀이 ①, ② 김정일 집권 시기의 사실이다.
④ 1950년대 후반 전개된 생산력을 높이기 위한 노동 강화 운동에 해당한다.
⑤ 김정은 집권 시기에 대한 설명이다.

02 자료는 1972년에 제정된 사회주의 헌법이다. 북한은 사회주의 헌법에서 주체사상을 명문화하고, 국가 주석제를 채택하여 김일성을 국가 주석으로 추대하였다. 이후 김일성 개인숭배를 강화하는 가운데 모든 국민에게 주체사상을 학습하도록 하여 유일 사상 체계를 완성하였다.

오답 선택지 풀이 ㄴ. 1998년 김정일은 사회주의 헌법을 개정하여 국방위원장 자격으로 북한을 통치하였다.
ㄹ. 김정은은 2012년부터 국방 위원회 제1 위원장 자격으로 북한을 통치하고 있다.

03 자료는 북한의 합영법이다. 북한은 지나친 자립 경제를 추구하고 과도한 국방비 부담 등으로 경제가 어려워지자 합영법을 제정하여 외국 자본과 기술을 직접 도입하려고 하였다.

04 (가) 시기에 북한은 남한과의 경제 교류를 확대하여 이전에 비해 경제 성장률이 높아졌다.

오답 선택지 풀이 ① 1971~1976년, ② 2013년, ③ 1991년, ⑤ 2018년 이후에 해당한다.

05 자료는 1960년대 박정희 정부의 통일 정책과 북한의 대남 정책이다. 5·16 군사 정변을 통해 집권한 박정희 정부는 '선 건설, 후 통일'을 주장하며 반공 정책을 강화하였다. 닉슨 독트린 이후 냉전 체제가 완화되면서 남북 관계에도 변화가 나타났다. 박정희 정부는 3선 개헌 이후 민주화 요구가 높아지면서 정권을 유지하기 위한 돌파구가 필요하였고, 북한 역시 독자 노선을 유지하기 위한 군사비 지출 증가로 경제 발전에 어려움을 겪으면서 태도 변화가 필요하였기 때문이다. 이에 따라 남북 적십자 회담이 개최되었고, 이어 특사들이 비밀리에 서로 오고 간 결과, 1972년 7·4 남북 공동 성명이 발표되었다.

06 냉전 체제 완화에 대응하여 먼저 남북 적십자 회담을 개최하고 이어 남북한은 당국자의 비밀 회담을 통해 1972년 7·4 남북 공동 성명을 발표하였다.

오답 선택지 풀이 ① 문재인 정부, ② 김대중 정부 등, ④ 노태우 정부, ⑤ 전두환 정부 시기에 해당한다.

07 자료는 1972년 서울과 평양에서 동시에 발표된 7·4 남북 공동 성명으로, 남북한이 자주·평화·민족 대단결의 통일 3대 원칙에 합의하였음을 밝혔다. 이 성명은 남북한이 처음으로 통일의 방향을 설정하였는 데 의의가 있다.

오답 선택지 풀이 ① 1985년 처음으로 남북 이산가족 고향 방문단의 상호 방문을 통해 이산가족 상봉이 실현되었다.

유사 선택지 문제

07 ❶ 7·4 남북 공동 성명 ❷ 남북 조절 위원회 설치 ❸ ○

08 뉴스는 1984년 서울 대홍수 때 북한의 수해 구호물자 제공 제안을 전두환 정부가 수락한 사실을 보도하는 것이다. 이를 계기로 남북 대화가 재개되어 1985년에 이산가족 고향 방문단 및 예술 공연단의 상호 방문이 이루어졌다.

오답 선택지 풀이 ①, ④ 김대중 정부, 노무현 정부, 문재인 정부에 해당한다.
② 박정희 정부, ③ 김대중 정부에 해당한다.

올쏘 만점 노트 정부별 평화와 통일을 위한 노력

박정희 정부	냉전 체제 완화 → 7·4 남북 공동 성명 발표(1972)
전두환 정부	북한의 구호물자 제공 제안을 수용(1984) → 이산가족 고향 방문단·예술 공연단 상호 방문(일회성 행사, 1985)
노태우 정부	냉전 해체, 사회주의권 붕괴 등 국제 정세 변화 → 남북한 유엔 동시 가입(1991), 남북 기본 합의서 채택(1991), 한반도 비핵화 공동 선언(1992)
김영삼 정부	핵 무기 개발 포기를 전제로 북한의 경수로 원자력 발전소 건설 사업을 지원
김대중 정부	대북 화해 협력 정책 추진 → 금강산 관광 사업 시작, 최초의 남북 정상 회담 개최(6·15 남북 공동 선언 발표)
노무현 정부	김대중 정부의 대북 화해 협력 정책 계승 → 남북 정상 회담 개최(10·4 남북 정상 선언)

6·25 전쟁 이후 적대적 대립 관계를 지속하던 남북한은 1970년대 냉전 체제 완화를 계기로 대화에 나섰고, 1990년대 초 냉전 해체를 계기로 적극적인 대화와 협력을 모색하기 시작하였다.

09 자료는 1991년 남북 고위급 회담에서 채택된 남북 기본 합의서이다. 이를 통해 남북한은 상대방의 존재를 인정하게 되었다.

오답 선택지 풀이 ①, ③, ⑤ 6·15 남북 공동 선언에 해당한다.
④ 남북 기본 합의서는 남북한의 유엔 동시 가입 후에 채택되었다.

10 자료는 1991년 남북한의 유엔 동시 가입에 대한 것이다. 노태우 정부는 고위급 회담을 여러 차례 열었고 남북한 유엔 동시 가입을 이루었으며, 남북 기본 합의서를 채택하였고, 비핵화 공동 선언을 체결하였다.

오답 선택지 풀이 ① 김대중 정부, 노무현 정부, 문재인 정부에 해당한다.
② 김대중 정부, ④ 전두환 정부에 해당한다.
⑤ 노무현 정부 때 시작되었다.

11 자료는 2000년 평양에서 개최된 남북 정상 회담의 결과로 발표된 6·15 남북 공동 선언이다.

오답 선택지 풀이 ①, ④, ⑤ 7·4 남북 공동 성명에 해당한다.
③ 노태우 정부 때의 사실이다.

유사 선택지 문제

11 ❶ 김대중 ❷ 6·15 남북 공동 선언 ❸ ×

12 자료는 2007년 노무현 대통령과 김정일 국방 위원장이 정상 회담 후 발표한 10·4 남북 정상 선언이다. 이 시기 경의선과 동해선 철도가 연결되었다.

오답 선택지 풀이 ① 박근혜 정부, ② 박정희 정부, ③ 김대중 정부, ⑤ 전두환 정부 시기의 사실이다.

13 자료는 중국의 동북 공정에 대한 묻고 답하기 내용이다. 중국은 동북 공정을 진행하여 고조선, 부여, 고구려, 발해 등 한국 고대사의 상당 부분을 중국사에 포함하려고 하였다.

오답 선택지 풀이 ㄱ. 일본의 독도 영유권 억지 주장에 관련된 답변에 해당한다.
ㄴ. 동북 공정은 북한과 중국이 국경을 확정한 이후 2002년부터 시작되었다.

14 자료는 일본이 독도가 그들의 영토임을 주장한다는 내용이다. 그러나 독도는 역사적으로나 국제법적으로도 한국 영토임을 여러 자료를 통해 확인할 수 있다.

오답 선택지 풀이 ③ 간도 협약에 해당한다.

올쏘 서술형 문제

본문 118쪽

01 (1) 합영법(합작 회사 경영법)
(2) | 모범 답안 | 외국 자본과 기술을 직접 도입하여 북한의 경제난을 극복하고자 하였다.

채점 기준	배점
외국 자본과 기술의 직접 도입, 북한의 경제난 극복을 모두 포함하여 서술한 경우	상
위의 내용 중 한 가지만 서술한 경우	하

02 (1) 7·4 남북 공동 성명
(2) | 모범 답안 | 7·4 남북 공동 성명은 남북한이 최초로 합의한 통일 원칙을 담았고, 남북한이 추구해야 하는 통일의 방향과 이후 남북한 교류의 기본 원칙이 되었다는 점에 역사적 의의가 있다.

채점 기준	배점
최초로 합의한 통일 원칙, 통일의 방향과 이후 남북한 교류의 기본 원칙이라는 내용을 포함하여 서술한 경우	상
위의 내용 중 일부만 서술한 경우	하

03 (1) 노태우 정부
(2) | 모범 답안 | 냉전 체제가 해체되면서 사회주의 진영이 붕괴하였고, 노태우 정부가 북방 외교를 추진하여 소련, 중국 등 사회주의 국가와 수교하였다. 이에 북한은 외교적 고립을 피하기 위해 남북 대화에 나섰고, 결국 남북한의 유엔 동시 가입에 합의하였다.

채점 기준	배점
냉전 체제 해체(사회주의 진영 붕괴), 노태우 정부의 북방 외교, 북한의 외교적 고립 탈피 등 세 가지를 포함하여 서술한 경우	상
위의 내용 중 두 가지만 포함하여 서술한 경우	중
위의 내용 중 한 가지만 포함하여 서술한 경우	하

04 (1) 독도

(2) | 모범 답안 | 조선 숙종 때 안용복이 일본에 건너가 독도가 우리 영토임을 확인받고 돌아왔으며, 1877년 일본의 최고 기구 태정관이 내린 지령에서 독도가 조선 땅임을 확인하였다. 또한 1900년에는 대한 제국이 칙령 제41호를 통해 독도가 우리 영토임을 선포하였다. 또한 연합국 최고 사령관 각서 제677호, 1952년 한국 정부가 발표한 평화선에도 독도가 우리 영토임을 분명히 하였다.

채점 기준	배점
안용복의 활동, 일본 태정관 문서, 대한 제국 칙령 제41호 공포, 연합국 최고 사령관 각서 제677호, 1952년 한국 정부의 평화선 선언 등 세 가지 근거를 제시하여 정확하게 서술한 경우	상
위의 내용 중 두 가지만 제시하여 서술한 경우	중
위의 내용 중 한 가지만 제시하여 서술한 경우	하

상위 4% 문제 본문 119쪽

01 ④ 02 ⑤ 03 ⑤ 04 ①

01 북한의 정세 변화

자료 분석

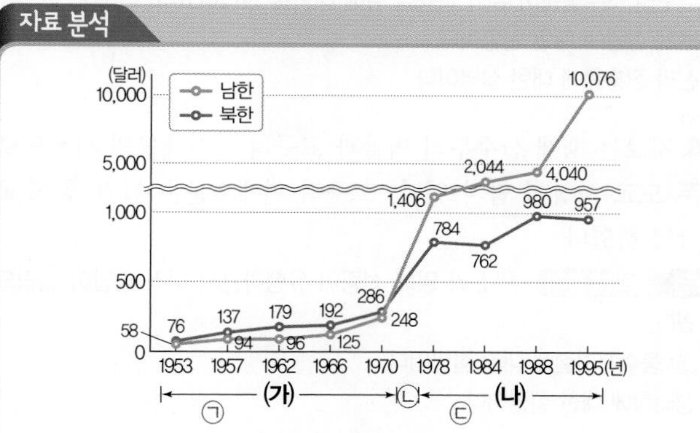

- ㉠ : 6·25 전쟁 이후부터 1970년대 초반까지로, 남북한 모두 전후 복구를 위한 노력과 경제 성장을 위한 기반을 다진 시기로, 1인당 국민 총생산에 별 차이가 없었다. 이 시기 북한에서는 김일성이 반대 세력을 숙청하고 독재 체제를 강화하였다. 또한 '자립적 민족 경제 건설'을 기본 노선으로 제시하여 천리마 운동이 전개되고, 청산리 방법 등의 경제 관리 방식이 추진되기도 하였다.
- ㉡ : 남북한 경제 상황의 비약적 발전이 나타난 시기이다. 이 시기 북한에서는 인민 경제 발전 6개년 계획을 수립하여 생산력 증가에 힘을 쏟았다. 그 결과 공업 생산이 증대되었고, 노동자와 농민의 소득이 늘어났다.
- ㉢ : 1978년 이후 남북한의 경제 발전 상황은 현격한 차이를 보이기 시작하였다. 이 시기에 북한은 경제 성장이 둔화되고 장기적인 경제 침체에 빠졌다. '자립적 민족 경제 건설'이라는 목표 달성이 어려워지자 사회주의 계획 경제에 변화를 가져오기 시작하였다.

그래프는 남북한의 1인당 국민 총생산을 비교한 것이다. 6·25 전쟁 이후 (가) 시기에 김일성이 반대 세력을 숙청하고 독재 체제를 강화하였다. (나) 시기에는 경제적 어려움을 극복하기 위해 합영법을 제정하기도 하였다.

오답 선택지 풀이 ㄱ. 2016년, ㄷ. 1956년 8월 종파 사건 전의 사실이다.

02 1960년대 통일 정책

자료 분석

(가) 4·19 혁명 이후 장면 정부 때에는 민간 차원에서 평화 통일 운동이 활발해졌다. 남북 학생 회담이 추진되고 ㉠남북 연방제론, 중립화 통일론 등 다양한 통일 방안이 제시되었다.

(나) ㉡미국이 중국과 관계를 개선하는 등 동아시아에서도 냉전 체제가 완화되었다. 미국은 동북아 정세 안정을 위해 박정희 정부에 남북 대화를 권고하였다.

- ㉠ : 남북 연방제론, 중립화 통일론 등은 민간에서 제기된 다양한 통일 방안이다. 그러나 이와 달리 장면 정부는 '선 경제 건설, 후 통일'을 주장하는 등 통일 논의에 소극적 태도를 보였다.
- ㉡ : 1969년 닉슨 독트린을 발표한 이후 중국에 대한 미국인의 여행 제한이 완화되었고, 미국의 탁구팀이 중국을 방문하여 친선 경기를 갖는 등 미국과 중국의 관계가 개선되고 냉전이 완화되었다.

(가)는 장면 정부 시기의 상황, (나)는 1970년대 초 박정희 정부 시기의 상황이다. 4·19 혁명으로 이승만 정권이 무너지자 평화 통일 운동이 분출되었다. 이승만 정권에 억눌려 있던 평화 통일의 요구가 활발히 전개되어 학생은 남북 학생 회담을 요구하고, 민간에서는 중립화 통일을 내세우며 남북 정당과 사회단체의 정치 협상을 주장하기도 하였다. 그러나 장면 정부는 이러한 민간의 요구와 달리 '선 경제 건설, 후 통일' 정책을 제시하며 통일 논의에 소극적이었다. 5·16 군사 정변으로 장면 정부를 무너뜨리고 정권을 차지한 박정희 정부는 공산주의와 대결하여 승리할 토대를 마련하려면 먼저 자본주의 공업화를 이룩해야 한다는 논리로 '선 건설, 후 통일'을 주장하며 강력한 반공 정책을 강화하였다. 그러나 1970년대 들어 냉전 체제 완화가 이루어지고 국내에서는 민주화 요구가 거세져 정권을 유지하기 위한 돌파구가 필요하였던 박정희 정부는 남북 대화에 나섰다.

오답 선택지 풀이 ① 2000년 김대중 정부가 최초의 남북 정상 회담을 개최하였다.
② 1972년 7·4 남북 공동 성명에 대한 설명이다.
③ 1992년 노태우 정부가 비핵화 공동 선언을 체결하였다.
④ 1985년 전두환 정부 시기의 사실이다.

03 7·4 남북 공동 성명과 6·15 남북 공동 선언

자료 분석

㉠(가) 첫째, 통일은 외세에 의존하거나 외세의 간섭을 받지 않고 자주적으로 해결해야 한다. 둘째, 통일은 상대를 반대하는 무력행사에 의거하지 않고 평화적으로 실현해야 한다. 셋째, 사상과 이념, 제도의 차이를 초월하여 하나의 민족으로서 민족적 대단결을 도모하여야 한다.

㉡(나) 1. 나라의 통일 문제를 우리 민족끼리 서로 힘을 합쳐 자주적으로 해결해 나가기로 하였다.
2. 나라의 통일을 위한 ㉢남측의 연합제 안과 북측의 낮은 단계의 연방제 안이 서로 공통성이 있다고 인정하고, 이 방향에서 통일을 지향하기로 하였다.

- ㉠ : 1972년에 발표된 7·4 남북 공동 성명의 통일 3대 원칙이다.
- ㉡ : 2000년 남북 정상 회담에서 발표된 6·15 남북 공동 선언이다.
- ㉢ : 남한의 연합제 통일 방안과 북한의 연방제 통일 방안에서 공통적인 요소를 찾으려 했음을 알 수 있다.

(가)는 1972년 서울과 평양에서 동시에 발표된 7·4 남북 공동 성명이다. 냉전 체제가 완화되는 가운데 국내적으로 위기 상황에 봉착한 남북한은 남북 관계에 태도 변화를 보였다. 남북한은 1971년 이산가족 만남을 위한 남북 적십자 회담을 개최하였고, 이어 남북의 고위급 간 비밀 접촉을 통해 자주·평화·민족 대단결의 통일 3대 원칙에 합의한 7·4 남북 공동 성명을 발표하였다. 이에 따라 남북 조절 위원회가 설치되어 통일을 위한 실무자 회담이 진행되기도 하였다. (나)는 2000년 평양에서 분단 이후 최초로 개최된 남북 정상 회담의 결과로 발표된 6·15 남북 공동 선언이다. 6·15 남북 공동 선언으로 남북의 적대적 대결 구도가 화해와 협력 단계로 급속히 전환되었다. 1985년 일회성 행사로 멈춘 이산가족 상봉이 재개되고, 서신 교류가 이루어졌다. 또한 남북 간 교역이 빠르게 확대되는 등 남북 교류가 경제·사회·문화 전반으로 확산되었다.

오답 선택지 풀이 ⑤ 7·4 남북 공동 성명 후 이산가족 상봉이 이루어지지는 않았다. 첫 남북 이산가족 상봉은 1985년 전두환 정부 시기에 이루어졌다.

04 노무현 정부 시기 남북 관계

자료 분석

((가)) 정부는 평양에서 ㉠남북 정상 회담을 통해 ㉡'남북 관계 발전과 평화 번영을 위한 선언(10·4 남북 정상 선언)'을 채택하였다. 이 선언에서 남북한은 남북 관계를 확대·발전시킬 것을 합의하였고, 한강 하구의 공동 이용과 서해안 공동 어로수역과 평화 수역 설정, 경제특구 설치 등을 내용으로 하는 '서해 평화 협력 특별 지대' 합의를 도출하였다.

- ㉠ : 2000년 6월 김대중 정부 시기 최초의 남북 정상 회담 개최에 이어 2007년 10월, 노무현 대통령과 김정일 국방 위원장이 제2차 남북 정상 회담을 개최하였다.
- ㉡ : 2007년 남북 정상 회담에서 합의된 선언으로, 이 선언에서 6·15 남북 공동 선언을 구현할 구체적인 방안을 현실화하고자 하였다.

2007년 제2차 남북 정상 회담을 통해 합의된 10·4 남북 정상 선언을 통해 (가) 정부가 노무현 정부임을 알 수 있다. 노무현 정부 때에는 개성 공업 지구가 조성되고 경의선과 동해선 철도가 연결되었다.

오답 선택지 풀이 ㄷ, ㄹ. 1984년, 1985년 전두환 정부 시기의 사실이다.

본문 120~123쪽

I. 전근대 한국사의 이해

01 ④ 02 ③ 03 ③ 04 ④ 05 ② 06 ④ 07 ①
08 ② 09 ⑤ 10 ④ 11 ⑤ 12 ⑤ 13 ④ 14 ②
15 ⑤ 16 ③

01 (가)는 구석기 시대의 주먹도끼, (나)는 신석기 시대의 빗살무늬 토기이다. 구석기 시대와 신석기 시대는 평등 사회라는 공통점이 있다.

오답 선택지 풀이 ① 청동기 시대에 묘지로 고인돌을 제작하였다.
② 신석기 시대부터 농경과 목축이 시작되었다.
③ 구석기 시대에는 채집과 사냥으로 식량을 구하여 이동 생활을 하였다.
⑤ 철기 시대에 해당한다.

02 (가)는 고구려, (나)는 옥저이다. 고구려는 제가 회의에서 중요한 일을 결정하였고, 옥저는 노동력을 중시한 민며느리제라는 혼인 풍속이 있었다.

오답 선택지 풀이 ㄱ. 고조선에 대한 설명이다.
ㄹ. 고구려, 백제, 신라의 삼국이 중앙 집권적 영역 국가로 발전하였다.

03 자료는 백제 고이왕의 업적으로 관등제 정비와 관리의 복색 제정과 관련된 것이다. 고이왕 때 백제는 한강 유역을 장악하였다.

오답 선택지 풀이 ① 고구려 소수림왕, 백제 침류왕, 신라 법흥왕(불교 공인)에 대한 설명이다.
② 고구려 소수림왕이 유학 교육을 위해 태학을 설립하였다.
④ 백제 성왕에 대한 설명이다.
⑤ 신라 진흥왕에 대한 설명이다.

04 자료는 백제 산수무늬 벽돌과 고구려 강서대묘의 사신도로 모두 도교 사상이 담겨 있다. 고구려 연개소문은 집권 후 도교를 권장하였다.

오답 선택지 풀이 ① 신라 말에 선종이 유행하면서 여러 승탑이 건립되었다.
②, ⑤ 풍수지리설에 대한 설명이다.
③ 성리학에 대한 설명이다.

05 통일 신라의 신문왕은 집사부를 중심으로 중앙 정치를 운영하고 지방을 9주 5소경 체제로 정비하였다. 또한 귀족의 경제 기반을 약화시키기 위해 관료전을 지급하고 녹읍을 혁파하였다.

오답 선택지 풀이 ① 발해가 당의 영향을 받아 중앙 관제를 3성 6부제로 정비하였다.
③ 고려 광종이 과거제를 도입하였다.
④ 고려와 조선의 신분 제도에 대한 설명이다.
⑤ 조선 태종과 세조 등에 해당한다.

06 (가)는 묘청 등 서경 세력, (나)는 김부식 등 개경 세력의 주장이다. 개경 세력은 여러 대에 걸쳐 중앙의 고위 관직을 차지한 문벌 세력이 중심이었다.

오답 선택지 풀이 ① 원 간섭기의 권문세족에 대한 설명이다.
②, ③ 고려 시대 무신 정권에 대한 설명이다.
⑤ 서경 세력과 개경 세력의 대립 과정에서 묘청의 난이 일어났다.

07 지도의 (가)는 강동 6주를 나타낸 것이다. 강동 6주는 거란의 1차 침입 당시 서희가 적장인 소손녕과 외교 담판을 벌여 확보하였다.

오답 선택지 풀이 ② 삼별초는 강화도에서 진도, 제주도로 옮겨가면서 항쟁하였다.
③ 세종 때 김종서와 최윤덕 등이 4군과 6진을 개척하였다.
④ 윤관은 별무반을 이끌고 동북 9성을 개척하였다.
⑤ 제시된 강동 6주는 거란과의 협상으로 확보한 지역이다. 금(여진)과 군신 관계를 맺은 것은 강동 6주 획득 이후이다.

08 제시된 신진 사대부 등용, 전민변정도감 설치, 반원 자주 정책 실시 등을 통해 고려 말 공민왕에 대한 것임을 알 수 있다. 공민왕은 쌍성총관부를 공격해 철령 이북 지역을 되찾았다.

오답 선택지 풀이 ① 조선 성종이 성문 법전인 "경국대전"을 반포하였다.
③ 고려 광종 때 노비안검법이 시행되었다.
④ 고려 태조는 사심관 제도와 기인 제도 등을 시행하였다.
⑤ 신라 진흥왕은 영토를 넓히고, 넓힌 영토에 진흥왕 순수비를 건립하였다.

09 자료의 처인부곡은 고려의 특수 행정 구역인 향·부곡·소 중의 한 곳이다. 향·부곡·소의 거주민은 일반 군현민보다 더 많은 세금을 부담하였고, 거주·이전, 학교 입학과 과거 응시에 제한을 받았다.

오답 선택지 풀이 ① 노비에 대한 설명이다. 부곡민은 양인에 속했다.
② 특수 행정 구역 중 소의 주민에 대한 설명이다.
③ 부곡민은 과거 응시에 차별을 받았다.
④ 노비 중 외거 노비에 대한 설명이다.

10 자료는 고려 무신 정권 시기에 활약했던 지눌에 대한 것이다. 지눌은 수선사 결사를 조직하고 정혜쌍수와 돈오점수를 강조하며 선종을 중심으로 교종을 포용하고자 하였다.

오답 선택지 풀이 ① 일연이 "삼국유사"를 저술하여 단군의 고조선 건국 이야기를 담았다.
② 혜심이 유불 일치설을 주장하여 성리학이 도입되는 사상적 토대를 마련하였다.
③, ⑤ 의천이 해동 천태종을 개창하였고, 교관겸수를 수행 방식으로 제시하여 교종을 중심으로 선종을 통합하려 하였다.

11 (가)는 1388년 위화도 회군, (나)는 1392년 조선 건국 사실이다. 이성계와 신진 사대부는 권력을 잡은 후 1391년 과전법을 실시해 신진 관료의 경제 기반을 마련하였다.

오답 선택지 풀이 ① 조선 중종 때 조광조가 실시한 개혁이다.
② 도방은 무신 정권 몰락과 함께 해체되었다.
③ "경국대전"은 조선 세조 때 편찬을 시작하여 성종 때 완성·반포되었다.
④ 고구려와 고려 때의 사실이다.

12 자료는 정조가 건립한 수원 화성이다. 정조는 영조의 탕평 정치를 계승하였으며, 자신의 정치를 뒷받침하는 기구로 규장각을 설치하였다.

오답 선택지 풀이 ① 4군 6진은 세종 때 개척되었다.
② 광해군 시기에 경기도에 대동법이 시행되었다.
③ 영조는 붕당의 근원인 서원을 대폭 정리하였다.
④ 성종 때 훈구 세력을 견제하기 위해 사림을 등용하였다.

13 (가)는 임진왜란, (나)는 정묘호란을 나타낸 것이다. 임진왜란은 명까지 참전한 동아시아 국제전이었다. 정묘호란 당시 후금은 조선과 형제 관계를 맺고 돌아갔다.

오답 선택지 풀이 ㄱ. 고려 말 홍건적과 왜구의 격퇴 과정, ㄷ. 병자호란의 결과에 해당한다.

14 자료에서 허생의 모습을 통해 독점적 상인인 도고 상인이 출현했음을 짐작할 수 있다. 도고의 등장을 통해 당시 상품 화폐 경제의 발달을 추론할 수 있다.

15 향·부곡·소를 일반 군현으로 승격시킨 것은 조선 전기이다.

16 자료는 19세기 세도 정치기의 상황이다. 이 시기 지배층의 수탈로 삼정이 문란해졌으며, 홍경래의 난과 임술 농민 봉기 등의 농민 봉기가 잇따랐다.

오답 선택지 풀이 ㄱ, ㄹ. 고려 무신 정권 시기에 일어난 하층민의 봉기에 해당한다.

단원 마무리 문제

본문 124~127쪽

Ⅱ. 근대 국민 국가 수립 운동

01 ⑤ 02 ④ 03 ① 04 ⑤ 05 ④ 06 ② 07 ③
08 ① 09 ⑤ 10 ⑤ 11 ⑤ 12 ⑤ 13 ④ 14 ③
15 ④ 16 ④

01 자료는 호포제 실시에 대한 것으로, 밑줄 친 '그'는 흥선 대원군이다. 흥선 대원군은 왕실의 권위를 높이기 위해 임진왜란 때 불탄 경복궁을 중건하였다.

오답 선택지 풀이 ① 대한 제국의 재정 고문으로 파견된 메가타가 화폐 정리 사업을 주도하였다.
② 고려 시대 무신 집권자인 최충헌이다.
③ 조선 영조 때 균역법을 실시해 군포를 1필로 줄였다.
④ 조선 태종과 세조 등에 해당한다.

02 자료는 양헌수가 정족산성 전투에서 프랑스군을 격퇴한 사실에 대한 것이다. 양헌수는 한성근과 함께 병인양요 때 활약하였다.

03 (가)는 1876년의 강화도 조약, (나)는 1882년의 조·미 수호 통상 조약이다. 두 조약은 공통적으로 영사 재판권을 인정한 불평등 조약이다.

오답 선택지 풀이 ㄷ, ㄹ. 조·미 수호 통상 조약에만 해당되는 내용이다.

04 자료는 고종이 1881년에 조사 시찰단을 파견하면서 내린 교지이다. 조사 시찰단은 "조선책략" 유포에 따른 위정척사 운동이 격화되는 상황에서 암행어사 형식을 빌려 파견되었다. 이 시기에는 통리기무아문이 설치되어 개화 정책을 담당하였다.

오답 선택지 풀이 ① 독립신문이 발행된 것은 1896년이다.
② 척화주전론은 개항 이전 1860년대에 주장되었다.
③ 1903년에 이민자가 하와이에 도착한 것을 시작으로 미주 이민이 이루어졌다.
④ 1895년 을미의병 이후에 해당한다.

05 자료는 1882년에 일어난 임오군란 관련 일지이다. 임오군란은 청군의 개입으로 진압되었고, 이를 계기로 조·청 상민 수륙 무역 장정이 체결되었다.

오답 선택지 풀이 ① 제2차 갑오개혁 당시 군국기무처가 폐지되었다.
② 개항 이후인 1881년에 별기군이 창설되었다.
③ 갑신정변 직후, 청과 일본은 조선에서 군대를 철수하였다.
⑤ 동학 농민 운동 당시 농민군과 조선 정부가 전주 화약을 맺었다.

06 지도의 사건은 1884년에 일어난 갑신정변이다. 갑신정변은 근대 국가를 건설하기 위해 일어난 최초의 근대적 정치 개혁 운동이었다.

오답 선택지 풀이 ① 독립 협회에 대한 설명이다.
③ 러시아의 남하를 막기 위해 영국이 거문도 사건을 일으켰다.
④ 임오군란으로 조선과 일본이 제물포 조약을 맺었다.
⑤ 흥선 대원군의 개혁 정책이다.

07 자료는 정부가 설치한 교정청에 대한 것이다. 교정청은 전주 화약을 체결한 후 조선 정부가 자주적 개혁을 위해 설치한 기구이다. 따라서 밑줄 친 '그들'은 동학 농민군으로, 이들은 탐관오리의 징벌, 토지의 평균 분작 등을 요구하였다.

오답 선택지 풀이 ① 을미개혁 당시 단발령이 시행되었다.
② 갑신정변 당시 급진 개화파의 주장이다.
④ 독립 협회가 제시한 헌의 6조에 담긴 내용이다.
⑤ 제1차 갑오개혁 당시의 개혁 내용이다.

08 자료는 1898년에 개최된 관민 공동회에 대한 것이다. 관민 공동회는 독립 협회의 주도로 개최되던 만민 공동회에 정부 관료들이 참석한 것이다. 독립 협회는 민의를 정치에 반영하도록 의회 설립 운동을 전개하였다.

오답 선택지 풀이 ② 대한 자강회는 고종 강제 퇴위 반대 운동을 벌였다.
③ 신민회가 자기 회사와 태극 서관을 운영하였다.
④ 보안회가 일제의 황무지 개간권 요구 반대 운동을 전개하였다.
⑤ 강화도 조약 체결 당시 최익현 등에 대한 설명이다.

09 자료는 고종이 황제 즉위식을 거행한 황궁우와 환구단이다. 대한 제국은 구본신참을 원칙으로 점진적 근대화를 추구하였으며, 일부 지역에 근대적 토지 소유 증명서인 지계를 발급하였다.

오답 선택지 풀이 ① 을미개혁에 대한 설명이다.
② 제1차 갑오개혁에 대한 설명이다.
③, ④ 제2차 갑오개혁에 해당한다.

10 자료는 1904년에 체결된 제1차 한·일 협약이다. 이 협약에 따라 재정 고문으로 파견된 메가타는 1905년에 화폐 정리 사업을 시행하였다.

오답 선택지 풀이 ① 을사늑약의 체결로 통감부가 설치되고, 이토 히로부미가 초대 통감으로 부임하였다.
② 신문지법은 1907년에 제정되었다.
③ 한·일 신협약으로 대한 제국 각 부처에 일본인이 차관으로 임명되었다.
④ 임오군란 직후 청이 묄렌도르프를 외교 고문으로 파견하였다.

11 (가)는 1895년 을미의병, (나)는 1907년 정미의병 당시의 격문이다. 1896년 고종이 아관 파천을 단행하였고, 1899년에 대한국 국제가 반포되었다. 한편 1905년 을사늑약이 체결되자 고종이 1907년에 헤이그에 특사를 파견하였다.

오답 선택지 풀이 ⑤ 1894년 일본군이 경복궁을 점령하고 군국기무처를 설치해 개혁을 강요하였다.

12 자료의 (가) 단체는 1907년에 비밀 결사로 조직된 신민회이다. 신민회는 공화 정체의 근대 국가 수립을 목표로 활동하였다.

오답 선택지 풀이 ①, ③ 독립 협회는 만민 공동회를 개최하였으며, 러시아의 절영도 조차 요구를 철회시키는 등 이권 수호 운동을 전개하였다.
② 시전 상인들을 중심으로 결성한 황국 중앙 총상회에 대한 설명이다.
④ 대한 자강회에 대한 설명이다.

13 자료의 (가)에는 조·일 무역 규칙, (나)에는 조·청 상민 수륙 무역 장정의 내용이 들어갈 수 있다. 조·일 무역 규칙은 양곡의 무제한 유출, 조·청 상민 수륙 무역 장정은 청 상인의 한성 진출을 허용하고 있다.

14 이토 히로부미를 제거했다는 것을 통해 자료의 밑줄 친 '나'는 안중근임을 알 수 있다. 안중근은 뤼순 감옥에서 사형 집행을 앞두고 "동양 평화론"을 집필하였다.

오답 선택지 풀이 ① 김옥균 등 급진 개화파, ② 이인영, ④ 유길준, ⑤ 이만손에 해당한다.

15 자료는 1907년에 전개된 국채 보상 운동에 대한 것이다. 일본에 진 국채를 갚기 위해 모금 운동 형태로 전개된 국채 보상 운동은 대한매일신보 등 언론사의 지원으로 대구에서 시작되어 전국으로 확대되었다.

오답 선택지 풀이 ① 독립 협회는 1899년에 해체되었다.
② 정미의병에 대한 설명이다.
③ 일제의 황무지 개간권 요구 반대 운동 당시에 농광회사가 설립되었다.
⑤ 애국 계몽 운동에 대한 설명이다.

16 자료에서 경인 철도 운행 2, 3개월 전이라는 사실을 통해 1899년 무렵에 작성된 것임을 알 수 있다. 대한 제국은 양지아문을 설치하여 토지를 측량하고, 토지 소유자를 조사하였다.

오답 선택지 풀이 ①, ② 정미의병에 대한 설명이다.
③ 동학 농민 운동 당시에 대한 설명이다.
⑤ 1907년에 고종은 을사늑약의 부당성을 알리기 위해 헤이그에서 열린 만국 평화 회의에 특사를 파견하였다.

단원 마무리 문제

본문 128~131쪽

III. 일제 식민지 지배와 민족 운동의 전개

01 ③ 02 ④ 03 ② 04 ⑤ 05 ① 06 ① 07 ③
08 ③ 09 ① 10 ② 11 ① 12 ⑤ 13 ③ 14 ①
15 ⑤ 16 ⑤

01 (가)는 1912년에 제정된 조선 태형령, (나)는 1925년에 제정된 치안 유지법이다. 1910년대 국내에서는 비밀 결사 활동이, 3·1 운동 이후에는 다양한 민족 운동이 전개되었다.

오답 선택지 풀이 ③ 6·10 만세 운동은 1926년에 일어났다.

02 자료는 1912년에 제정된 토지 조사령이다. 일제는 1910년부터 1918년까지 전국적으로 토지 조사 사업을 실시하였으며, 그 결과 총독부의 지세 수입이 증가하였고, 미신고 토지나 소유권이 불분명한 토지는 총독부의 소유가 되었다. 총독부가 이와 같이 소유하게 된 토지를 동양 척식 주식회사에 넘겨주면서 동양 척식 주식회사의 소유지도 증가하였다.

오답 선택지 풀이 ㄱ. 산미 증식 계획에 해당한다.
ㄷ. 토지 조사 사업으로 농민의 관습적 경작권이 인정되지 않아 기한부 임대 계약을 맺고 소작을 하는 농민이 증가하였다.

03 자료는 1939년 미나미 총독의 내선일체 주장이다. 일제는 중·일 전쟁 이후 내선일체, 일선 동조론 등을 내세우며 황국 신민화 정책을 추진하였다.

오답 선택지 풀이 ① 1905년, ③ 1907년, ④ 1910년대 무단 통치 시기, ⑤ 3·1 운동 이후 이른바 '문화 통치' 시기에 해당한다.

04 (가)는 대한 광복회이다. 대한 광복회는 국권 회복 후 민주 공화국 수립을 지향하여 독립 전쟁을 준비하였다.

오답 선택지 풀이 ①, ③ 독립 의군부, ② 조선 물산 장려회, ④ 독립 협회에 해당한다.

05 (가)는 북간도 지역이다. 북간도의 용정에는 서전서숙과 명동 학교가 설립되어 민족 교육이 이루어졌다.

오답 선택지 풀이 ②, ⑤ 연해주의 블라디보스토크, ③ 하와이, ④ 서간도의 삼원보에 해당한다.

06 자료는 1919년 3·1 운동의 만세 시위가 시작되는 상황이다. 3·1 운동으로 대한민국 임시 정부가 수립되고 민족 운동의 주체가 확대되었다. 또한 3·1 운동은 중국 5·4 운동 등 약소민족의 제국주의 운동에 영향을 주었다.

오답 선택지 풀이 ① 13도 창의군은 1907년 정미의병 때 조직되었다.

07 자료는 대한민국 임시 정부의 대통령 이승만에 대한 탄핵 심판문이다. 국민 대표 회의 후 임시 의정원은 이승만을 탄핵하고 박은식을 대통령에 선출하였으며, 국무령 중심의 집단 지도 체제로 전환하였다.

08 자료는 물산 장려 운동 궐기문이다. 물산 장려 운동은 일본 상품에 대한 관세 철폐 움직임에 대응하여 민족 자본과 민족 산업의 육성을 도모하고자 전개된 토산품 애용 운동이었다.

오답 선택지 풀이 ① 국채 보상 운동, 민립 대학 설립 운동 등, ② 농민 운동, 노동 운동 등, ④, ⑤ 국채 보상 운동에 해당한다.

09 자료는 당장 독립이 어려우니 실력을 양성하여 독립을 준비하자는 주장이다. 3·1 운동 이후 일부 민족주의자들은 독립을 준비하려면 먼저 실력을 기르는 것이 우선이라고 생각하였다. 이에 물산 장려 운동, 민립 대학 설립 운동, 문맹 퇴치 운동 등 실력 양성 운동을 전개하였다.

오답 선택지 풀이 ㄷ, ㄹ. 농민 운동과 노동 운동은 농민과 노동자의 생존권 투쟁 운동이었으며, 사회주의의 영향을 받으면서 확산되었다.

10 자료의 (가)는 사회주의이다. 사회주의 계열은 민족 해방과 계급 해방을 추구하며 농민·노동 운동을 지원하였으며, 비타협적 민족주의 계열과 연대하여 신간회를 결성하였다.

오답 선택지 풀이 ② 민립 대학 설립 운동은 민족주의 계열이 주도한 실력 양성 운동이다.

11 (가)는 1920년대 중반에 만주 지역의 독립군이 전열을 재정비하여 조직한 3부이다. 3부는 1920년대 후반에 통합 운동을 벌여 국민부와 혁신 의회로 재편되었다.

12 자료는 이봉창의 의거이다. 이봉창은 대한민국 임시 정부의 침체 극복을 위해 김구가 조직한 한인 애국단의 단원이었다.

오답 선택지 풀이 ① 5적 암살단, ② 조선 의용대, ③ 의열단, ④ 조선 의용군에 해당한다.

13 (가)는 3·1 운동, (나)는 6·10 만세 운동이다. 두 운동에서 공통적으로 학생들이 중요한 역할을 담당하였다.

오답 선택지 풀이 ①, ② 3·1 운동, ④, ⑤ 6·10 만세 운동에 해당한다.

14 자료는 한국광복군의 서약문이다. 대한민국 임시 정부는 중국 국민당 정부의 지원을 받아 1940년 충칭에서 한국광복군을 정규군으로 창설하였다.

오답 선택지 풀이 ① 조선 의용대에 해당한다.

15 자료는 백남운이 집필한 "조선 사회 경제사"의 목차에 해당한다. 백남운은 유물 사관을 바탕으로 한국사가 세계사의 발전 법칙에 따라 보편적으로 발전하였음을 주장하여 일제 식민 사관의 정체성론을 극복하는 데 기여하였다.

오답 선택지 풀이 ① 이광수 등, ② 신채호, ③, ④ 박은식에 해당한다.

16 자료에서 징용 기피자라는 표현을 통해 국민 징용령이 발표된 1939년 이후의 모습임을 알 수 있다. 중·일 전쟁 이후 일제의 침략 전쟁이 확대되는 가운데 친일 단체의 간부, 일제와 협력 관계에 있던 지역의 유지들은 국방헌금을 내는 데 앞장섰다.

오답 선택지 풀이 ①, ②, ③ 1910년대, ④ 1920년대 초에 볼 수 있는 모습에 해당한다.

단원 마무리 문제

본문 132~135쪽

Ⅳ. 대한민국의 발전

01 ①	02 ②	03 ⑤	04 ⑤	05 ④	06 ①	07 ③
08 ①	09 ②	10 ⑤	11 ③	12 ③	13 ④	14 ④
15 ⑤	16 ⑤					

01 (가) 인물은 여운형이다. 여운형은 광복 직후 조선 건국 동맹을 토대로 조선 건국 준비 위원회(건준)를 조직하여 활동하였다.

오답 선택지 풀이 ② 김규식 등에 해당한다.
③ 여운형은 1947년 암살되었다.
④ 이광수, 최린 등에 해당한다.
⑤ 이승만이 정읍 발언 등에서 단독 정부 수립을 제기하였다.

02 사진은 신탁 통치 문제를 둘러싼 좌우 대립을 보여 주고 있다. 1945년 12월 모스크바 3국 외상 회의에서 신탁 통치 논의가 이루어졌다는 소식이 국내에 전해져 이를 둘러싸고 좌우 대립이 심화되었다.

오답 선택지 풀이 ① 1923년 대한민국 임시 정부의 새로운 진로 모색을 위해 개최되었다.
③ 좌우 합작 7원칙은 신탁 통치 문제로 좌우 대립이 심화된 상황에서 제시되었다.
④ 1947년 유엔 소총회가 남한만의 단독 선거를 결정하자 김구, 김규식 등이 통일 정부 수립을 위해 남북 협상을 추진하였다.
⑤ 이승만의 정읍 발언은 모스크바 3국 외상 회의의 결정에 따라 개최된 제1차 미·소 공동 위원회가 무기 휴회된 상황에서 제기되었다.

03 자료는 제헌 국회에서 제정된 제헌 헌법의 일부이다. 제헌 헌법의 규정을 근거로 농지 개혁법과 반민족 행위 처벌법이 제정되었다.

오답 선택지 풀이 ⑤ 제헌 헌법에서는 대통령을 간선제로 선출하도록 규정하였다. 이에 따라 국회에서 대통령 이승만, 부통령 이시영을 선출하였다.

04 자료는 1949년 1월 대통령 이승만이 발표한 담화문의 일부이다. 제헌 국회에서 반민족 행위 처벌법을 제정하고 반민 특위를 구성하여 친일파 처단에 나서자 당시 대통령 이승만은 특별 담화를 발표하여 친일파 처단에 부정적 태도를 보였다.

오답 선택지 풀이 ① 1960년 3·15 부정 선거에 저항한 시위에서 시작되었다. 4·19 혁명으로 이승만은 대통령직에서 물러났다.
② 정전 협정 체결에 반대하던 이승만 정부가 반공 포로를 석방하였다.
③ 국민 대표 회의 결렬 이후 대한민국 임시 정부의 체제 정비 과정에서 대통령 이승만이 탄핵되었다(1925).
④ 1946년 제1차 미·소 공동 위원회가 성과 없이 무기 휴회되자 이승만이 정읍 발언을 통해 단독 정부 수립론을 제기하였다.

05 자료는 1949년 말에 제정된 귀속 재산 처리법이다. 제헌 국회에서는 1949년 6월에 농지 개혁법을 제정하였고, 이를 바탕으로 이승만 정부는 1950년 농지 개혁을 단행하였다.

오답 선택지 풀이 ① 1948년, ② 1951년, ③ 1952년, ⑤ 1946년, 1947년의 사실이다.

06 자료는 1953년에 체결된 한·미 상호 방위 조약이다. 정전 협정에 반대하던 이승만 정부는 한·미 상호 방위 조약 체결, 미국의 경제 원조 등을 약속받고 이를 준수하겠다는 입장을 밝혔다.

오답 선택지 풀이 ② 1948년, ③ 1961년, ④ 1964년~1973년, ⑤ 1948년의 사실이다.

07 (가)는 1956년 정·부통령 선거, (나)는 1960년 정·부통령 선거와 관련된 내용이다. 1956년 대통령 선거에서 조봉암이 많은 표를 얻고 이승만의 경쟁자로 떠오르자 위기감을 느낀 이승만 정부와 자유당은 조봉암에게 간첩 혐의를 씌워 사형에 처하고 조봉암이 결성을 주도한 진보당의 정당 등록을 취소하였다.

오답 선택지 풀이 ①, ②, ④, ⑤ (가) 이전의 사실이다.

08 (가) 시기는 6·25 전쟁 직후 원조 및 구호액이 계속 증가한 시기이다. 이 시기 한국에서는 미국의 원조 물자를 가공하는 삼백 산업이 발달하였다.

오답 선택지 풀이 ② 1996년, ③ 1997년, ④ 1962년, ⑤ 1970년대 중반에 해당한다.

09 자료는 4·19 혁명 당시 대학교수단이 발표한 시국 선언문이다. 1960년 4월 19일 경찰의 발포로 3·15 부정 선거를 규탄하는 시위에 참여한 다수의 학생과 시민이 희생되었다. 이에 대학 교수단이 시국 선언문을 발표하고 가두시위에 나섰다.

오답 선택지 풀이 ① 5·18 민주화 운동, ③ 유신 체제 반대 운동, ④ 제주 4·3 사건, ⑤ 6월 민주 항쟁과 관련 있다.

10 자료는 1972년에 제정된 유신 헌법이다. 박정희 정부는 7·4 남북 공동 성명을 발표하여 통일 분위기를 고조시킨 후 유신 헌법을 제정하였다. 전두환 등 신군부가 정권을 장악하고 통일 주체 국민 회의에서 전두환이 제11대 대통령으로 선출된 후 헌법 개정이 단행되었다(제8차 개헌).

오답 선택지 풀이 ①, ②, ③ 1979년, ④ 1980년의 사실이다.

11 퀴즈의 힌트는 1987년 6월 민주 항쟁의 배경과 시위대가 제기한 주장이다. 6월 민주 항쟁의 결과 전두환 정부가 대통령 직선제 개헌 요구를 받아들이는 6·29 민주화 선언을 발표하였다.

오답 선택지 풀이 ① 4·19 혁명에 해당한다.
② 6월 민주 항쟁 후 처음으로 치러진 직선제 대통령 선거에서 야당 후보의 단일화 실패로 여당 후보인 노태우가 당선되었다.
④ 5·18 민주화 운동 진압 후 전두환 등 신군부가 설치하였다.
⑤ 1980년 제8차 헌법 개정에 해당한다.

12 자료는 김영삼 대통령이 경제 협력 개발 기구(OECD) 가입을 축하하는 자리에서 한 연설이다(1996). 김영삼 정부는 지방 자치 단체장 선거를 실시하여 지방 자치제를 전면적으로 시행하였다.

오답 선택지 풀이 ① 전두환 정부, ② 박정희 정부, ④, ⑤ 노태우 정부 시기의 사실이다.

13 자료는 1977년 수출 100억 달러 달성을 기념하는 연설문의 일부이다. 1972년 유신 헌법이 제정된 직후부터 재야인사와 야당 정치인, 학생 등을 중심으로 유신 반대 투쟁이 전개되었다.

오답 선택지 풀이 ① 1997년 말 발생한 외환위기 극복 과정, ② 1970년, ③ 1954년, ⑤ 1964년의 모습이다.

14 (가) 시기는 3저 호황으로 경제 성장률이 연 10% 이상 고도로 성장한 1980년대 후반에 해당한다. 이 시기 6월 민주 항쟁으로 대통령 직선제 개헌이 이루어졌고, 서울 올림픽이 개최되었다. 또한 이 시기 이루어진 국회의원 선거에서 여소야대 국회 상황이 만들었다.

오답 선택지 풀이 ④ 1997년 말 외환위기 발생 후에 해당한다.

15 '국가 경제 발전 5개년 전략' 채택을 통해 김정은 체제 수립 후임을 알 수 있다.

오답 선택지 풀이 ① 김정일 집권 시기, ② 1980년, ③ 1956년, ④ 1972년의 사실이다.

16 자료는 2002년에 열린 남북한의 철도와 도로 연결을 위한 실무 협의회의 합의서이다. 남북한 철도와 도로 연결 사업은 2000년 남북 정상 회담에서 합의한 6·15 남북 공동 선언을 바탕으로 추진되었다.

자료 출처

009 고구려 사신도	국립 중앙 박물관
009 백제 금동 대향로	국립 중앙 박물관
009 백제 산수무늬 벽돌	국립 중앙 박물관
010 빗살무늬 토기	국립 중앙 박물관
010 덧무늬 토기	국립 중앙 박물관
013 백제 산수무늬 벽돌	국립 중앙 박물관
014 빗살무늬 토기	국립 중앙 박물관
015 비파형 동검	국립 중앙 박물관
021 팔만대장경	국가 문화유산 포털
028 통신사	국립 중앙 박물관
029 모내기	국립 중앙 박물관
063 독립신문	국립 중앙 박물관
063 대한매일신보	국립 중앙 박물관
083 어린이 잡지	국립민속박물관
107 경제 개발 5개년 계획 우표	한국우편사업진흥원
120 빗살무늬 토기	국립 중앙 박물관
120 백제 산수무늬 벽돌	국립 중앙 박물관
120 고구려 사신도	국립 중앙 박물관

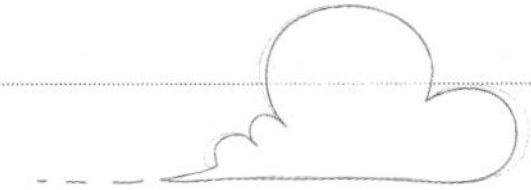
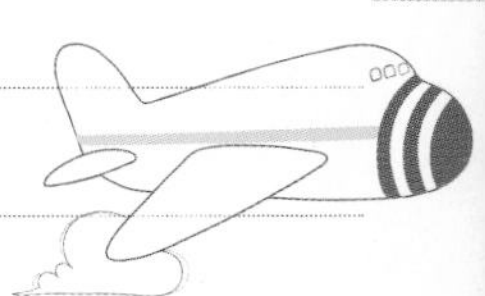

올쏘
내신强자
강
고등 한국사